读一流书　做一流人

世界
又热又平又挤

Hot, Flat,
and
Crowded

Why We Need a **Green Revolution**——And How We Can Renew Our Global Culture

[美] 托马斯·弗里德曼 / 著　王玮沁 等 / 译　何 帆 / 校

湖南科学技术出版社

THOMAS L. FRIEDMAN

Hot, Flat, and Crowded

Why We Need a Green Revolution—

And How We Can Renew Our Global Culture

FARRAR, STRAUS AND GIROUX

NEW YORK

Farrar, Straus and Giroux
18 West 18th Street, New York 10011

Library of Congress Control Number: 2008930589
ISBN-13: 978-0-374-16685-4
ISBN-10: 0-374-16685-4

Designed by Jonathan D. Lippincott

www.fsgbooks.com

1 3 5 7 9 10 8 6 4 2

This book was printed on text paper containing
30 percent post-consumer recycled content.

献给安娜

目 录

第一部分

我们的现状

第一章

连鸟都飞不过去的地方

德国人的机械，瑞士人的创意，美国人啥也没干。

——戴姆勒汽车公司在南非宣传"都市精灵（Smart forfour）"车的一则户外广告标语

2004 年 6 月，我和我的女儿奥莉访问伦敦，一天晚上，我们去位于维多利亚车站附近的剧院观看艾略特（Billy Elliot）的演出。中场休息时我站起来，在座位旁边的过道上伸伸腿。这时一个陌生人走过来问："你是弗里德曼先生吗？"我点点头。他自我介绍说："我叫提纳威（Emad Tinawi），叙利亚裔美国人，在博思艾伦（Booz Allen）咨询公司工作。"提纳威说他不同意我写的一些观点，特别是关于中东的部分，其中一句他一直记得。

"哪一句？"我好奇地问。

"就是那句'连鸟都飞不过去的地方'。"他说。我愣了好一会儿。我记得曾写过那个标题，但已经不记得具体内容了。这时他提醒我：内容是关于9·11以后，新建的美国驻土耳其伊斯坦布尔领事馆的事情。

多年来，美国在伊斯坦布尔的领事馆一直驻扎在科皮宫（Palazzo Corpi）——一座位于市中心繁华商业地带的奢华而古老的建筑里，夹杂在熙熙攘攘的集市、高耸入云的清真寺之间，既有传统的土耳其建筑的神韵，也有现代建筑的特点。这座房子始建于 1882 年，25 年后被美国政府买下来。科皮宫三面是狭窄的街道，完美地融合在伊斯坦布尔的城市画卷之中。这个位置对土耳其人来说非常方便，无论是申请签证还是到图书馆看书，或者见美国外交官都便利极了。

但是 9·11 以后，随着美国全球使领馆安保措施的升级，美国政府决定关闭位于科皮宫的领事馆，2003 年 6 月，新的美国领事馆在伊斯蒂涅区（Istinye）、一个距市中心约 12 英里（1 英里＝1.609 千米）远的边沿地区重新开馆。"新领事馆占地 22 英亩（1 英亩＝0.405 公顷），约是老领事馆的 15 倍，全部建造在一座坚固的石山上。"2005 年 4 月 25 日，《联邦时报》（*Federal Times*）的一篇文章这样报道说："政府现在要求，建筑物要有保护墙，至少离使领馆 100 码（1 码＝0.9144 米）远。这些墙和障碍物要能起到保护作用，防止爆炸事件和汽车的冲撞，还要难以攀爬。岗亭设在建筑物的四周，窗户和门都是防弹的，并能抵御强力冲撞。新的建筑很牢固，足以抵抗最严重的地震和炸弹袭击。"

这样的建筑同样可以让大多数的访客、朋友和盟友望而却步。事实上，当我 2005 年第一次看到这个新领事馆的时候，让我感到特别震撼的是它很像一个戒备森严、刻板的监狱，就差没挖条壕沟，里面爬满鳄鱼，旁边立个警告标牌，上面用红色大字写着："欢迎所有访客。注意！当你靠近美国驻伊斯坦布尔领事馆，请勿轻举妄动，否则格杀勿论。"

他们甚至可以在这里拍土耳其的监狱题材的电影《午夜快车》。

但是这样的高度戒备，确实有其必要：某些美国外交官能活下来完全依赖这些堡垒。2003 年 11 月 20 日，当美国总统布什在伦敦和英国首相布莱尔会面，而美国驻伊斯坦布尔新领事馆刚刚开馆 6 个月的时候，土耳其穆斯林恐怖分子在汇丰银行和英国驻伊斯坦布尔领事馆前引爆汽车炸弹，有 30 人死亡，其中包括英国总领事；另外造成至少 400 人受伤。被炸的英国领事馆离科皮宫仅仅一步之遥。

据传爆炸后抓获的一个恐怖分子告诉土耳其的警察，他的组织首先想炸的是美国的新领事馆，但是在察看了伊斯蒂涅的防卫情况后，他们发现难度太大了。一个在伊斯坦布尔的高级外交官告诉我，据土耳其安全官员称，恐怖分子称美国领事馆是如此防卫森严，"连鸟都别想飞过去"。我一直无法忘记这样的场景：这个地方壁垒森严，连鸟都别想飞过去……

（2008 年 7 月 9 日，土耳其警察在领事馆外击毙了 3 个试图冲破围墙的恐怖分子，自那之后，防卫愈加严密。）

提纳威和我交换了有关这种安全限制对外国人怎么看美国和美国人怎么看自己所起的消极后果的看法，作为一个阿裔美国人，他对此非常忧心，从我的专栏里他能看出我也同样苦恼。因为一只鸟都飞不进的地方，不会是个交融的场所，理念不会激发，友谊不会形成，坚冰不会打破，合作不会发生，信任不会出现，自由不会鸣响。这不是我们美国人希望待着的地方。弯腰防守的美国人没法充分进入理想主义的，充满革新精神的，乐于奉献的，有博爱精神的河流，这条河流至今仍在美国的土地上流淌。它也无法扮演美国长期以来在世界其他地方扮演的角色——一座希望的灯塔，一个总是能指望领导世界应对时下各种最重大挑战的国家。我们需要这样的美国，我们也需要变成这样的美国，比以往任何时候都需要。

在这本书里，会探讨为何有如此需要的原因。

本书的核心论点非常简单：美国有问题，世界也有问题。美国的问题是它在近些年迷失了方向——一部分原因是由于 9·11，另一部分是在过去 30 年间我们逐渐形成的坏习惯，这些坏习惯削弱了整个社会在应对重大挑战时的能力和意志力。

这个世界也出现了问题：它变得太热、太平坦、太拥挤；也就是说，全球变暖、世界各地中产阶级的迅速涌现及人口的快速增长，这三箭齐发，可能危及地球的平衡。尤其是热、平、挤 3 个因素相结合，导致了能源供应的紧张，加速了动植物物种的灭绝，加深了能源的短缺，巩固了石油专制制度，加快了全球气候的变化。我们如何解决这些互相交织的全球性问题将决定 21 世纪地球的生态健康。

　　我深信，美国人解决这些问题最好的办法也即重新赢回昔日的荣光的办法，就是在解决这些世界性问题方面占据一个主导地位。在这个越来越热、越来越平坦和越来越拥挤的世界，如何创造工具、建立制度、寻找能源和制定道德规范以使这个星球更加清洁和可持续地运转，将是我们这一代人面临的最大的挑战。

　　然而这一挑战其实是给美国的机遇。抓住这个机会我们就能复兴美国，重新建立和世界的联系，并且获得面对未来的利器。当美国将创新、灵感、创富和维护尊严有机结合在一起的时候，美国总是处在它的权力和影响力的最高峰，我们寻求最大的利益，我们也承担最严重的挑战。仅仅追求一面，我们的影响力将和我们应得的不相称，如果同时承担两样，我们获得的影响力将远远大于目前的情况。

　　然而，这不仅仅是个机遇，它更是考验。考验我们是否能够并且是否愿意带头行动。无论你对我们是爱是恨，无论相不相信美国的力量。太热、太平坦、太拥挤的集聚已经造成了一个如此让人畏惧的挑战，我们几乎无法想象如果没有美国的加入，世界是否可以拿出一个有意义的解决方案。沃森（Rob Watson）说："我们不是英雄就是狗熊——除此之外别无选择。"他是国际生态技术公司（EcoTech International）的 CEO，也是美国最出色的环境专家之一。

　　是的，我们要是不承担起领导的责任，加强合作、鼓励创新，所有人都将遭受重大的损失。墨守成规的做法是不管用的。我们需要一个全新的开始。就像得克萨斯人说的那样："如果因循守旧，所得到的结果就会跟过去一样。"

　　我最近提议的一个新项目的名字非常简单，叫"绿色行动（Code Green）"。在 20 世纪 50～60 年代，"红色"对美国人来说意味着日益凸现的共产主义威胁，作为一种符号，红色被用来动员全国之力以提高军力，建立工业基地，修建高速公路、铁路、海港和机场，设置教育体制，提升科研能力以引导其他国家捍卫自由世界——而今天的美国需要的是"绿色"。

不幸的是，9·11以后，布什总统不仅没有用绿色取代红色，反而代之以"红色警戒（Code Red）"以及国土安全部警告系统的各种怪颜色。现在是废除这些垃圾并且转向绿色行动的时候了。

当然，我说的不是重新回到反共政治迫害和麦卡锡主义的老路上——我说的是严肃认真地构建一个有能力应对日渐凸现的威胁的社会。对我而言，采用绿色行动意味着让美国成为创造清洁能源、提高能源使用效率和保护自然环境领域里的领头羊，这些领域正在遭受日渐严重的威胁。如果我们希望在新世纪里继续保持繁荣兴旺，就必须在清洁能源上取得重大突破，必须对保护森林、海洋和生物多样性热点❶采取更有力的措施。

本书的前半部分是对世界面临的独特能源、气候和生物多样性问题做诊断，后半部分将讨论我们如何应对这些挑战。就目前的状况来看，如果说美国已经准备好承担这个责任，那我无疑是不够诚实。事实上，我们远没有做好准备。我们既没有这样的关注，也没有这样的决心来承担这项艰巨但是将造福未来的责任。不过我深信，来自地方政府、州政府和联邦政府的优秀领导者将改变这种状况，只要权衡得失，情况就很清楚了。

凭直觉美国人就知道我们正走在一条错误的道路上，必须尽快纠正这种错误。每当我想到这里，总是不由得联想起一部电影《豹》（*The Leopard*）。这部电影根据兰佩杜萨（Giuseppe Tomasi di Lampedusa）的同名小说改编而成，故事发生在19世纪的意大利，那是一个社会、政治、经济领域发生巨大变革的时代。故事的主角是西西里贵族萨利纳公爵法布里齐奥[Don Fabrizio of Salina，由兰卡斯特（Burt Lancaster）扮演]。萨利纳公爵知道，当社会底层的力量开始挑战传统的精英统治，要让萨利纳家族在新时期维持主导地位，他和他的家族就必须做出改变。然而萨利纳公爵是个尖酸顽固的家伙，"我们是豹子和狮子，那些妄图占领我们地盘的只是一些豺狗和绵羊。"他得到的最明智的忠告来自他的侄子唐克雷蒂[Tancredi，由德龙（Alain Delon）扮演]，这个侄子娶了一个来自新富阶层的有钱的商店老

---

❶ 生物多样性热点，是指生物多样性丰富度特别高，并面临严重生态危机的区域。

板的女儿。他一直警告萨利纳公爵："如果我们想维持现状，有的事情就必须做出改变。"

美国现在也一样。随着新世纪而来的是天空、大自然带来的巨大改变——社会的、政治的和经济的。如果我们希望生活和从前一样美好——如继续维持我们在科技、经济和道德领域里的主导地位，继续保有一个适宜居住的、动植物欣欣向荣的地球，人类可持续地繁衍生息——有的事情就必须迅速做出调整。

当今美国有 3 种主流趋势——其中两种比较麻烦，另一种则让美国有望在优秀领袖的带领下能够应对这种挑战。我已经谈到过其中一种令人担忧的趋势：后 9·11 时代。作为一个国家，我们垒起了比从前多得多的墙，我们正在割断自己和盟国情感上的纽带，如果说还不是实质性的纽带的话。我们也逐渐失去了拥抱世界的本能。在这个过程中，美国从一个总是给人们带去希望的国度（同时也是成千上万人寄予希望的国度）转变为一个输出恐惧的国度。

另一种让人担忧的趋势从 20 世纪 80 年代开始逐渐形成。它是一种席卷政治精英的"选择性失语"（dumb as we wanna be）的态度。这种态度让我们可以无休止地陷在小小的红蓝州之争而不断拖延对医疗体系的关注、对问题频出的基础设施的关注、拖延对移民政策的改革、拖延完善社会保障体系和医疗体系、拖延应对能源危机的时机。华盛顿对这些关键性问题的态度往往是："当我们觉得有必要的时候就会采取措施，这些问题不会造成多大影响，因为我们是美国。"

从某些方面看来，次贷和房地产市场的危机就是美国这些年来变化的一个缩影：努力工作、追求成就和责任感之间的联系已经断裂了，我们沦为一个次级国家，人们觉得借债就能获得幸福——不需要付出任何代价，两年内不需要支付任何费用。次贷的债主们告诉我们，美国梦是可以实现的——既不会受规则的限制也不需要付出代价就可以拥有自己的房子。我们不需要努力学习以获得很好的教育背景，我们不需要努力存钱以获得良好的信用记录，街边或网上的银行会从中国借钱给我们花——而所谓的信用审核不会比机场的安检更麻烦，他们只需要证明机票上的名字和你的证件上的名字一样就可以了。当这个由我们最好的金融机构维系的借贷体系崩溃的时候，每个人，从业主到无良放贷人都眼巴巴地等着政府施以援手。政客们容忍他们，尽管每个人都知道放贷方没有考核客户还款的能力，如是否努力工作、是否节俭或者有没有创造力。他们只是简单地把赌注押在房地产市场的泡沫将持续地推高住房市场的价格，而抵押贷款的利率还会继续降低——无止境地让每个人都脱身。市场的确做到了，但它也自身难保。正如住房市场发生的情况一样，我们的国家也经历着同样的情形：我们抵押了而不是投资了自己的未来。

在 2008 年总统初选过程中，参议员麦凯恩（John McCain）和希拉里·克林顿（Hillary Clinton）都曾支持一项提议：2008 年夏天的旅游季取消每加仑（1 加仑＝4.546 升）18.4 美分联邦汽油税，以让美国的驾车人"喘一口气"，尽管他们都知道——这个国家的每个专家都这么说——此举将进一步扩大夏季市场的需求，汽油价格将被继续推高，助长全球变暖。在此同时，他们又口口声声说，已拟好了控制全球变暖的计划。这种提议，正是在政治上"选择性失语"的集中体现。

幸好，还有第三种趋势让我们看到希望，我称之为"在国内报效国家（nation-building at home）"。当华盛顿可能陷入僵局或歧途，当我们的经济管理不负责任、毫无作为时，我们的国家仍然不乏改革者和理想主义者。每周我都听到不同的人和我谈他们关于清洁能源、新教育理念或者如何修正某样亟待改变的事物的想法。尽管有的想法略显古怪，但是这么多的人在他们的车库或者当地社区试验他们的想法，让我深感这个国家的生机和活力。年轻人的理想比我们想象的还要高尚，广大民众虽然不时经受挫折却仍然热切盼望投身教育事业，研究可再生能源，整修基础设施或者去帮助他人。你可以从排成长队要求加入"为美国教书"❶ 活动的人数中看到这点。他们希望我们的国家重新发挥重要作用，他们希望被征召，不仅仅是去伊拉克或阿富汗报效国家，而是在美国国内报效国家以恢复和振兴一些他们珍视却被日渐丢弃的东西。

让我们深入地观察一下这些趋势。我的小女儿纳塔莉读八年级的时候参加了国家历史日的活动。2008 年的主题是历史上的"转折点"，全国的学生被邀请提交他们关于任何历史转折点的研究报告。纳塔莉的研究为马里兰州赢得了优胜，她的题目是"人造地球卫星如何导致因特网的出现"。研究回顾了美国对前苏联发射的人造地球卫星做出的一系列反应，如更好地将我们的科研中心联系在一起，而那些早期粗糙的网络是如何扩张并最后形成了因特网。文章的潜台词是：我们对一个历史转折点的反应在几十年后，以一种大家都无法意料的方式，无意中开启了另一个转折点。

我担心 50 年后的某一天，当某个 8 年级的孩子在做他的国家历史日活动报告的时候，研究的将是美国对 9·11 的反应如何无意中将我们与世界的其他部分、将我们从最好的朋友的身边、从我们的某些特质中割裂开来。

2005 年我对德里进行了一次访问，印度著名的作家达士（Gurcharan Das）告诉我，9·11 以后他数次访问美国，每次边检官员都强迫他说明来美国的理由。他们"让我感到我是如此的不受欢迎"，达士说。美国是一个"总是能自我改造的国家"，他说，因为这个国家总是欢迎"各种古怪的人"并具有"如此奇妙的开放精神"。美国的开放精神一直是世界的灵魂，他告诉我："如果你们步入黑暗，世界也将步入黑暗。"

我们还没有步入黑暗，但是自 9·11 以来我们害怕了，而当你害怕的时候，你就不是你自己了。2007 年 12 月，我到巴林采访相识多年并且也很喜欢的巴林王子萨尔曼（Sheikh Salman bin Hamad Bin Isa al-Khalifa）。我们

---

❶　"为美国教书"（Teach for America）活动，是号召大学毕业生到美国贫困偏远地区给那里的儿童教书，以消除教育不平等。

在一个小酒馆吃比萨，隔壁的桌子坐着一家巴林人，父亲、母亲和女儿。那个母亲戴着头巾，身着黑袍，非常谦虚的样子。那个女儿穿得像一个美国十几岁的青年，她的左臂上看上去还有一个文身。萨尔曼王子开始和我谈论他们这一代在9·11后成熟的巴林人。他说，2004年，当美国在沙特阿拉伯的军事基地遭袭后，一些恐怖分子威胁袭击巴林，五角大楼下令所有在巴林的第五舰队的美军家属回国。这使得巴林全美式教育高中的存续出现问题。这些巴林学校在1968年的时候由美国国防部设立，目的是满足美国海军家属的需要，多年来它们已经成为巴林高素质教育的准绳。到了1980年，美国随军家属在学校生源中只占30％，而剩下的70％都是付费的非美国人，主要是巴林商人和政治精英的儿女们，其中就包括这位王子殿下。这所学校的关闭以及军队家属的撤离意味着美国妇女的年度鲜花展览、美巴垒球赛、美巴青年的足球联赛将不复存在。巴林的领导层有很多都毕业于这个学校，也是通过这个学校熟悉了美国的生活方式，他们纷纷恳求五角大楼让这些美国人留下来，继续保留在巴林设立的这个教育的滩头阵地。但是美国人走了，而学校则在巴林政府承诺给五角大楼开支票后才得以幸存。

　　我的巴林朋友希拉威（Serene al-Shirawi）是该校1987年的毕业生，现在在伦敦任商务顾问。他说："那所学校真是一所精英学校，踏进这所学校，人们是根据你的表现来评价你，这和巴林的其他学校非常不一样。"巴林其他学校是根据你拥有的财富或者你的家庭背景来评价你。"直至今天，毕业于那所学校的人还是和巴林其他学校的人非常不同——遵守纪律、敢于冒险……它宣扬的是美国的价值体系。"萨尔曼王子说，"美国学校是美国做过的最好的宣传，它比美国大使馆结交的朋友多得多。遗憾的是，现在年轻的巴林一代从没有接触过那样的美国。如果他们2008年17岁，那么9·11发生的时候他们才11岁。他们没见过柏林墙的倒塌、没见过美国解救科威特。他们唯一知道的只是美国的阿布格莱布监狱和关塔纳摩湾。这不是我们热爱的美国。"他急促地补充道："尽管我敢肯定那个美国总有一天会回来的。"

　　我敢肯定那个美国能够回来——但如果我们继续沿袭现在走的道路，这就不可能发生。2008年1月，我去海牙，我的荷兰朋友达柯森夫妇（Volkert and Karin Doeksen）告诉我的一个故事让我哭笑不得。他们说，2004 年 4 月，他们应当时美国驻荷兰大使的邀请去海牙的 Impero Romano 餐厅参加晚餐会。这是为迎接来访的美国禁毒署官员坦迪（Karen Tandy）和荷兰健康、福利和体育部长胡格沃斯特（Hans Hoogervorst）而举办的宴会。

达柯森是荷兰投资基金（Dutch investment fund）的 CEO，"当我到达那里时已经有点晚了，餐厅看上去人满满的，"他回忆说，"直到我们都站起来准备离开的时候，我才发现美国人带了多少保镖。"

"为什么？"我问道。

站在坦迪自带的保镖、美国大使的保镖以及荷兰政府派去的护卫中间，"看上去就像整个餐馆的人都站起来和我们一起离开——几乎没有人留下来！"达柯森说，"更有趣的是我们的卫生部长，他是唯一一个可能被人认出来的人，却没有带任何保镖。他是骑着自行车来的！"

晚餐后，达柯森说，"我们大队人马到中央广场去散步"，那是荷兰国家假期女王日的黄昏，整个广场到处是年轻人，他们的穿着放荡不羁，吸着大麻，那些同性恋者在街道上当众接吻。"美国的部长被如此多的保镖簇拥着在街道上横冲直撞，人们非常愤怒，我们只好说'算了，咱们回家吧'。"这就是一个美国高级官员试图与民同乐的情景。算了，咱们回家吧。

我的一个在欧洲担任了几任外交官的朋友总结这种趋势说："从表面上看我们更安全了，但是实质上是我们失去了人和人之间的接触，这使得我们无法和精英阶层外的人产生互动，我们的工作也变得无趣。有一天你也许会去克利夫兰，透过一扇防弹玻璃的窗户看这个世界。"毫无疑问，即使我们每盖一个章都收 1 000 美元的费用，即使我们要他们提供牙齿的 X 线照片，成千上万的外国人还是会在美国大使馆外排着队申请签证。但是也有些人，特别是年轻的欧洲人，会多考虑一下，因为他们不想那么麻烦，更不喜欢提供自己的指纹。美国旅游行业协会的总裁和 CEO 道乌（Roger Dow）告诉我，尽管美元持续疲软，对持有欧元或日元的外国人而言，美国境内所有的东西都像是在贱卖，根据他的机构估计，从 9·11 到 2007 年止美国仍然流失了几百万游客。"世界大国中只有美国在流失客流，这在当今世界闻所未闻。"道乌说。在 2004～2005 年度美国到访的商务客流下降了 10％，与此同时流向欧洲的商务客流却上升了 8％。旅游业 2007 年"发现美国伙伴"（Discover America Partnership）项目的研究表明，美国的入关程序"制造紧张空气，使得外国商人和游客不再选择到美国来，这也损害了美国的海外形象"。

当然，我们需要更精良的机场安检设备，也需要更加安全的海外使馆，我们有真正的敌人需要面对。9·11 的确给纽约和我们的首都造成了惨痛的、不可估量的损失，让西方和宗教激进主义之间的矛盾上升到了一个前所未有的高度，而且新的威胁还在不断显现，我们别无选择必须要应对这些挑战。然而我们有没有过度反应呢？也许吧。我永远无法对一个连老奶奶的轮椅都要扫描的金属探测器习以为常。这还不是问题的关键，我担心的不是机场的扫描仪和金属探测器。问题是下一步怎么办？美国人过度关注 9·11 却忽视了 9·12。

要想到除了"反恐战争"，还有其他伟大的计划值得美国去追求，我就愿意每次从华盛顿出去时，经过五道机场金属探测门的检验。即使在冷战时期，当我们在学校的地下室里进行核战演习的时候，我们还在考虑如何把人发射到宇宙中去——开辟一个新的领域，激励年青一代。我们需要美国，世界也需要美国，而不只是一个"反恐美国"。是的，我们永远也不应该忘了谁是我们的敌人，但是我们更应该记住自己是谁。"他们是制造 9·11 的人。""我们是庆祝 7 月 4 日的人，那才是我们的国庆日——不是 9 月 11 日。"

要打赢的目标太多了，岂止是反恐战争。美国有如此多的需要贡献之处，但是在过去的 30 年间——不仅仅是 9·11 以后——政治和风气的改变分散了我们的注意力，绑架了我们的意愿。作为一个国家，国家利益、公众事务和长远的发展似乎没有得到应有的重视。"到时候再说（We'll get to it when we get to it）"的态度依然大有市场。

谈到对重大问题缺乏远见，美国应对能源危机的态度就是一个绝好的例子。

在 1973～1974 年阿拉伯石油禁运期间，欧洲人和日本人提高了汽油税；尤其是日本人，他们花大力气，不断提高能源利用效率。法国人则致力于投资国有核能项目，现在法国 78％的能源来自核电站，大部分的核废料通过处理后再次利用转化为能源。即使是巴西这个发展中国家也在经营国有的甘蔗制造乙醇项目以减少对石油的依赖。现在，依靠本国的石油和乙醇工业巴西已经不需要进口原油了。

美国人最初的反应比较强烈。在福特总统和卡特总统的关注下，美国提高了小汽车和卡车的燃油经济性标准。1975 年，美国国会通过了《能源政策和节约法》(Energy Policy and Conservation Act)，确定了平均的燃油经济性标准，要求逐渐将轿车的能效提高 2 倍，即在 10 年内将油耗标准提高到 27.5 英里每加仑。

毫无疑问，这个法案生效了。1975～1985 年间，美国轿车的平均油耗从 13.5 英里每加仑提高到 27.5 英里每加仑，轻型卡车的里程数也从 11.6 英里每加仑提高到 19.5 英里每加仑。这些努力没有白费，能耗的降低不仅打击了石油输出国组织还挫伤了前苏联，当时它已经是世界第二大石油生产国。

之后又发生了什么呢？我们是不是富有远见卓识，坚持走下来了呢？没有。国会要求的 27.5 英里每加仑的目标于 1985 年完成后，里根总统不仅没有继续提高油耗标准以减少我们对外国石油的依赖，反而在 1986 年的时候倒退到 26 英里每加仑的标准。里根大幅削减卡特总统关于替代能源项目的预算，尤其是刚刚成立的太阳能研究所 (Solar Energy Research Institute) 以及它的 4 个区域性研究中心。里根的白宫还和国会联合起来否决了太阳能和风能研发的税收激励机制，原来由纳税人资助的几个此类公司和它们的技术最后居然被日本人和欧洲人买走，成了帮助这些国家研发可再生能源的有利基础。里根竟然把卡特安在白宫屋顶上的太阳能板也给拆下来了。

这些太阳能板最后给了缅因州的一所大学，后来在网上拍卖中被收藏爱好者买走。美联社（2004 年 10 月 28 日）的一篇报道写道："这 32 块太阳能板是在我们国家惨遭阿拉伯石油禁运打击的时候被安装在白宫的屋顶上的。根据白宫历史委员会的说法，当时国家号召全国的节能运动，为了给全国做出表率，卡特总统在 1979 年下令使用这些太阳能板。它们被安装在白宫西翼的屋顶上。随着能源危机结束以及人们对依赖外国石油的担心逐渐消退，里根总统在 1986 年拆除了它们。"

里根政府采取降低能耗标准政策的时候，显然认为自己是在努力推进汽车工业和国内石油工业的发展，然而这项政策却导致美国重新依赖进口石油。当里根政府致力于打垮前苏联的同时，他们的政策也造成了我们目前对沙特阿拉伯的高度依赖。

里根执政时期是环境政策的一个转折点。也许我们已经忘记，在很久以前华盛顿曾有过两党共同关注环境问题的时期。共和党人尼克松总统签署了美国历史上第一部环保法案，法案涉及空气污染、水污染和有毒废料等问题。但是里根改变了这一切。他不仅反对政府干涉太多，更特别反对环保法规。里根和他的内政部长瓦特（Janes Watt）把环保法规变成政党空前对立、正反意见空前两极化的焦点。从那以后情况一直没有改观。唯一值得一提的例外是国务卿舒尔茨（George P. Shultz）的团队积极参与的关于破坏臭氧层物质的蒙特利尔议定书——那是一个划时代的国际协议，协议的主旨是保护臭氧层以使地球免遭紫外线辐射的伤害。

1989 年，老布什政府把油耗标准再次调回到 1985 年的水平，27.5 英里每加仑，他们在制定标准、制定可再生能源的税收减免政策方面也做了不少的工作。老布什政府还将太阳能研究所的级别提升为国家级的"国家可再生能源研究实验室（National Renewable Energy Laboratory）"。但是，随着老布什从萨达姆手中解放科威特，油价应声回落，他就再也没有做过什么减少美国对中东石油依赖性的努力。

克林顿政府上台后也曾致力于提高油耗标准，一开始仅仅是针对轻型卡车。为了阻挠该进程，国会在密歇根议会代表团——一个由三大汽车厂商和全美汽车工人联合会资助的机构——的推动下装聋作哑，无所作为。让人愤慨的是，国会在 1996～2001 财政年度对交通部拨款法案中增加了一条拨款条款，明确禁止国家高速公路交通安全部（National Highway Traffic Safety

Administration）将拨款用于任何有关美国轿车和卡车燃油经济性标准制定的行为，从而冻结了整个进程。可以想象吗？国会强力地制止了国家高速公路交通安全部在提高美国车辆油耗标准方面作出任何努力！

　　情况直到 2003 年才出现了一丝转机，小布什总统上台后对轻型卡车的油耗标准做了一些微调。2003 年连中国都赶超到美国前面去了，他们公布的新轿车、货车和 SUV 的燃油经济性指标"比美国 2005 年的标准高出 2 英里每加仑，比 2008 年的标准高出 5 英里每加仑"（《纽约时报》，2003 年 11 月 18 日）。2007 年底，在美国国会将油耗指标提高到 27.5 英里每加仑的 32 年后，美国人才开始重新审定他们的标准，根据规定，在 2020 年以前，也就是 12 年以后，美国的标准将被提高到 32 英里每加仑，约相当于欧洲和日本人目前已经达到的水平。

　　佩尤基金会（Pew Foundation）的一份研究报告显示，这些政策实施的结果之一就是"美国 20 世纪 90 年代末销售的轿车和卡车的平均油耗比 10 年前的水平还要低 1 英里每加仑汽油"。

　　所有这一切直接影响了美国的燃油消费，也左右着我们的对外政策。根据美国落基山研究所（Rocky Mountain Institute）的负责人、实验物理学家罗文斯（Amory Lovins）的说法，如果我们直到 20 世纪 90 年代还延续着 1976～1985 年节约燃油的政策和幅度，大幅度降低的油耗将使我们在 1985 年后摆脱对波斯湾原油的依赖。"里根在燃油经济性指标上开倒车，"罗文斯说，"就相当于少发现 1 个北极国家野生动物保护区的石油储藏量，意味着这些石油储量都被浪费了。"

　　与此同时，1979 年在三哩岛发生的核电厂事故结束了美国发展核能工业的一切希望。此后底特律开始生产 SUV 并且成功游说政府将这款车定义为轻型卡车，这样就不必遵守 27.5 英里每加仑燃油的油耗标准，而是使用 20.7 英里每加仑的标准。于是，我们对油的依赖性就更强了。当我问通用汽车的主席和 CEO 瓦格纳（Rick Wagoner），他的公司为什么不制造更省油的车时，他告诉我的是标准答案：通用汽车公司无法限制消费者应该买什么车，所以"我们根据市场需要造车"，他说。如果人们喜欢 SUV 或者悍马，你就必须生产 SUV 或者悍马。

不过底特律总裁永远不会告诉你，大众喜欢 SUV 和悍马的一个主要原因是，底特律和石油工业一直在坚持不懈地游说国会，不要提高汽油税，这种税本来可以引导大众对不同的车型产生需求。欧洲各国的政府普遍征收高额的燃油税，根据引擎的大小征收的税率有不同，这种趋势还在不断提高。你猜怎么着？欧洲人追求越来越小的车。美国对燃油和引擎大小征收的税不高，因此美国人不断追求越来越大的车。石油大亨和汽车大亨运用他们在华盛顿的权力运作塑造市场，以便让大众想要的车型耗油最多，给有关公司带来最大的效益，而我们的国会对此从不干预，国会被收买了。

那是大量消耗的年代——两党因为特殊的利益在这个问题上结成了同盟，这种事就发生在你家附近的加油站。民主党支持汽车公司和他们的团体，共和党支持石油企业。而代表广大国家利益的团体则被边缘化，被嘲笑为生态边缘人。这就是我说的"选择性失语"。当 1973 年石油禁运事件发生后，大众受到波及。那时人们必须排队购油，这才压过石油和汽车业的说客们根深蒂固的利益。就在那一会儿——真的，就在那一会儿，当人们的注意力一转移，那些说客们又活跃在国会的衣帽间，分发政治献金，根据他们的需要而不是国家的利益发号施令。对通用汽车好的政策不一定就对美国好，但是无论民主党或共和党的高层都不打算让美国改变既有的能源道路。

和一个欧洲小国丹麦在 1973 年后的表现相比一下吧。"我们决心要减少对石油的依赖，"丹麦的气候和能源部长海德加（Connie Hedegaard）说，"我们对核能进行了一次大讨论，1985 年我们决定不采用它。我们转向了提高能源使用效率以及可再生能源，我们运用税收政策来提高能源的价格，鼓励人们节约能源，提高能效……这就是政治意志带来的变化。"

2008 年优质汽油在丹麦的价格大约是 9 美元每加仑。除此之外，丹麦还征收二氧化碳税，这项政策在 20 世纪 90 年代中期开始实施，目的是进一步提高能源利用效率，尽管那时候丹麦已经发现了近海石油。"你收到电费单的时候就可以看到单列的二氧化碳税。"部长说。这些措施肯定严重影响了丹麦的经济。对吗？再猜猜！"自 1981 年以来，我们的经济增长了 70%，而这些年的能源消耗几乎维持不变。"她说。该国失业率低于 2％，早期对太阳能和风能的重视为今天的丹麦提供了 16％的能源，并培养出一个全新的出口产业类型。

"这对就业同样起到了积极的作用，"海德加说，"例如，风能行业在 20 世纪 70 年代时几乎可以忽略不计，今天全世界 1/3 的陆上风力发电涡轮来自丹麦，产业界大梦初醒，发现这个方向符合我们的利益。（当我们知道）世界其他国家一定也要走这条路时，那抢得先机的优势一定对我们有利。"世界上两个最具创新性的用酶把生物质转化为燃油的公司——丹尼斯克（Danisco）公司和诺维信（Novozymes）公司同样来自丹麦。"1973 年我们 99％的能源从中东进口"，海德加说，"今天这个比例是零。"我知道，丹麦是个小国，做出这样的改变要比美国这个庞大的经济体要容易得多。然而看看丹麦，你很难不联想到该走却未走的路。

这就是"选择性失语，到时候再说"的态度，这个态度由于领导人对他所领导的政府的不信任而更加强化。里根是第一个真正反对政府干涉太多的当代总统。对越战的反应，"伟大社会"❶（The Great Society）项目企图消除贫困的失败，水门事件引发的怀疑态度，以及卡特任期内的恶性通货膨胀和地缘政治上的无所作为，针对这一切，里根认为，政府管制过多，税收过多，已威胁到美国人的生活，经济发展也需要松绑。里根的很多经济政策在一开始实行的时候都奏效了，我们的确需要给经济领域中一度被压抑的思想、能量和企业家松绑。然而就像政治领域里所有的好的事情一样，任何事情都有一个时机和限度。伴随着美国的最大的敌人——前苏联的解体，里根主义进入了一个新的历史时期，越来越多的官员诋毁政府，为经济繁荣提供饮鸩止渴的药方。市场永远是正确的，政府永远是错误的。任何要求美国人民付出努力的政策提案，如存更多的钱、开更省油的车、努力学习、做更好的父母等，全都被否决了。你根本不要想通过提这样的政见而被选举为更高

---

❶ 伟大社会（The Great Society）是 20 世纪 60 年代美国总统约翰逊提出的社会福利计划，目的在于消除贫穷与种族不平等。

的政府长官。

我们父母那一代肯定是最出色的一代。❶ "因为他们面临了真正的、压倒性的、迫在眉睫、无法逃避的威胁，如大萧条、纳粹、用核武器武装起来的共产主义苏联。"约翰·霍普金斯大学（Johns Hopkins University）外交政策专家曼德尔鲍姆（Michael Mandelbaum）说，"正因为那一代经历了大萧条和二战❷，所以愿意参加韩战，为冷战动员。他们那代人知道坏事情可以坏到什么地步。"

高盛的副主席霍马茨（Robert Hormats）的《自由的代价》记录了自1776 年以来美国为战争所付出的代价。他在这本书中写道，美国首任总统华盛顿在他的告别演说中警告我们不要"把本应由我们自己承担的责任扔给子孙后代"。但我们现在正在做这样的事，它的影响也在逐渐呈现出来。我的家乡明尼苏达州的 35W 州际公路桥的突然坍塌事件一直让我难以释怀，那是我年轻时曾经跨越过数百次的桥。不过这还是在其次。2008 年我和太太从纽约的肯尼迪机场乘机去新加坡，在肯尼迪机场出发大厅我们几乎找不到一个坐的地方。18 个小时之后我们降落在新加坡宽敞、超级现代化的机场，随处都有免费的因特网接口和儿童游乐区，我们觉得自己好像从《摩登原始人》飞到了《杰森一家》。如果让美国人比较一下柏林豪华的中央火车站和纽约肮脏拥挤的佩恩车站，他们肯定会说我们才是二战的战败方。

回顾冷战的影响，虽然有很多消极的因素，但一个非常积极的方面也不容忽视：它让全国人民团结一致，冷战充当了维持纪律的机制。人们知道面对前苏联这样一个威胁我们不能装聋作哑。但是随着红色恐怖的消失，"我们需要应对的竞争因素减少了"，人们变得自满而且懒惰，《后美国的世界》的作者扎卡里亚（Fareed Zakaria）这样认为。"私营部门除外，"他补充道，"美国的跨国公司必须应对全球范围内的竞争，他们知道怎么去做。大的跨国公司处在这样的新世界里，无法存活，就会被淘汰。"当前面临的危险不

---

❶ 最出色的一代（Greatest Generation）指成长于第二次世界大战期间的美国人。
❷ 二战指第二次世界大战。

在于明天就会失败，我们经济体系中强大而富有竞争力的部门和世界上其他地区的相应部门一样强。真正的危险在于麻痹的美国政治体制——这种政治体制不能解决任何跨越几代人的重大问题，反而是非常缓慢地腐蚀我们这个社会的力量和资产。我们会慢慢堵塞外来移民的管道，放弃对自由贸易承担的义务，不断削减科研预算，放任公立学校教学质量的下降，忽视能源危机的发展。扎卡里亚说："这种危险发展的进程如此缓慢，以至于我们还能志得意满，不肯承认它的存在。"情况将不断量变、量变——直到质变的那一天，直到有一天我们清醒过来，环顾四周发现我们的国家已经被别人远远地抛在了后面。

我的朋友沃森（Rob Watson）是一位环境问题咨询专家，他总是说："你知道吗？如果你从 80 层楼的顶上跳下来，经过前 79 层时，你真的会感觉自己好像在飞。问题在于落地的那一刻要了你的命。"如果我们还不清醒，突然落地的那一刻就在前面等着咱们。

这是我们必须避免的可能性。这种可能不是没办法消除的，问题是我们要着手去做。每一天我都感到日渐紧迫的压力，就像是我们靠挥霍前面伟大的一代留下来的老本过日子，自己却什么也没有创造。父母留给我们的是一个非常富足健康的美国，然而我们这一代好像注定要传给下一代一个走下坡路的美国。

乔治·布什上台后似乎决心不在能源问题让美国人民犯难。2001 年 5 月 7 日，白宫发言人弗莱彻（Ari Fleischer）在记者招待会上被问及："考虑到美国人均消耗的能源和世界上任何一个地区任何一个人的能源消费之间的差距，总统是否觉得我们应该改变现有的生活方式并正视能源问题？"

弗莱彻回答说："当然不。总统认为这是美国人的生活方式。保护美国人的生活方式应该成为决策者的目标。美国人的生活方式应该被祝福。"

弗莱彻继续说，当然总统也鼓励提高能源使用效率和节约能源，不过他反复提到总统认为"美国人使用能源的方式是我们经济实力的表现，我们当然应该享受这样的生活"。这将不会被改变。

9·11 以后，我和其他人讨论过我们应该征收 1 美元每加仑的汽油税，或者称之为"爱国税",用以打击犯下如此令人发指的罪行的对象,并重建美国的交通和能源设施。如果布什能这样做,其意义完全可以和尼克松访华相媲美——得克萨斯的石油商居然割断了美国对中东石油的依赖!他完全可能因此轻易赢得国会大多数的议席,国家肯定会面貌一新;虽然加油站的汽油价格会上涨,但是节油车辆和可再生能源的使用将刺激美国经济快速增长,2008年的油价上涨对我们的影响也将大大减小。可是布什并没有这样做。他号召了一次全国性的减税,结果使我们更加依赖中国的资金和沙特阿拉伯的原油。在他执政的末期,乔治·布什发现自己不得不十万火急地飞到沙特阿拉伯去,央求阿不杜拉国王稍微降低汽油的价格。我猜这就是报应。你作为一个总统,在9·11后告诉全国人民去逛街而不是割断我们对石油的依赖,那么到最后,你这个总统免不了要亲自满世界去找打折的汽油。

总而言之,后9·11时期在美国历史上算得上是一次最大的败笔。

当士兵问国防部长拉姆斯菲尔德为什么他和他的战友去伊拉克打仗却没有得到合适的武器时,拉姆斯菲尔德表示:"有什么武器,就带什么武器去打仗,而不是带什么你想要的或者今后会想到的武器去打仗。"换句话说,作为一个国家我们决心和现政府,而不是什么我们想象的或需要的政府,一起步入未来;但问题是和现政府我们没办法步入未来!就像法国诗人旺莱里(Paul Valéry)的著名诗句:"我们这个时代的问题是,未来和从前不一样(The trouble with our times is that the future is not what it used to be)。"当今世界远比它看上去的要危险和多变,要想继续维持繁荣,美国就必须是那个最棒的。

我相信大家都准备好了,他们走在政客的前面。2007年8月我去伊拉克重点采访总司令部的海军上将法隆(William Fallon)。我们访问了美国设在伊拉克中部Balad的野战医院。发生在伊拉克的惨状随处可见:被自杀炸弹击伤的美国士兵、反叛者深达胃部的枪伤,以及一个被反叛者放置在路边的炸弹炸伤的、浑身包裹着绷带的两个月大的女婴。

在另一个地方,法隆和医院的员工们聊天,他们在伊拉克的轮值时间长短不一,30天的、60天的、180天的。他问这些员工如何协调每个人去留的时间，声音从后排一个护士那里传来："我们是一体的，先生。"

我朝周围看去，非裔美国人、西班牙裔美国人、亚裔美国人、高加索裔美国人——美国就是一个大熔炉——工作在一起。他们中一半是妇女，为了伊拉克的工作有的人离开家庭和孩子半年甚至一年以上。

我摇头走开，想着："美国做了什么好事？修来这么好的人民！"

我不知道答案。但是我知道：他们配得上一个和他们的奉献和理想相称的政府和国家方略。如果有这么多的美国人愿意被征召去重建伊拉克，可以想象会有多少人愿意参与到自己国家重建中来——重振我们的国家，发现我们的潜力。他们值得拥有这样的机会。他们值得的远比目前的多，如一个被共同的目标而不是共同的敌人结合在一起、向前推进的美国。

这又让我想到绿色行动。"那些能一直保持繁荣稳定发展的公司和国家有一个共同的特点，即他们能不断地自我改造和更新自己。"能源专家和卡内基基金会访问学者罗斯科普夫（David Rothkopf）说，"19 世纪我们自我改造为美洲大陆的工业强国，20 世纪我们自我改造为全球的工业强国，21 世纪我们自我改造为全球化信息社会。"现在，为了我们自己和全世界的利益，我们必须再次提升自己。让美国成为世界上环境最好的国家不是什么无私或者施舍的行为，也不是天真的道德狂的行为。它已经成为关乎国家核心安全和经济利益的行为。

"绿色不是一种简单的获取电力的新形式，"他接着说，"它是一种获取国家力量的新形式。"让我在这里重复一遍：绿色不是一种简单的获取电力的新形式，而是获取国家力量的新形式。除了照亮我们的家，它还能照亮我们的未来。想一想吧，你想要什么样的美国——是高度依赖石油因此不得不支持世界上最差劲的独裁政府的美国，还是一个用其他能源取代对原油的依赖性，因而让我们免受背后一双双牛眼的怒视，也不用敷衍和我们的价值观不一致的国家的绿色美国？

你心目中的美国是什么样的？是一个不断向中国输出劳动力密集型工作的美国，还是一个创造越来越多知识密集型技术工作的绿色美国？如修建绿色建筑、建造绿色汽车和开发绿色能源等这类不容易被转移的未来型工作，随着化石能源的减少和世界人口的快速增加，这种转变将非常有意义。

你心目中的美国是什么样的？是一个城市向外扩张，绿地逐渐被吞噬的美国，还是一个城市向上生长而不是向外生长，大型公共交通改变交通拥堵现象，所有的新建筑都是绿色建筑的绿色美国？

你心目中的美国是什么样的？是一个政府放宽汽车、建筑和电器的能耗标准，使我们的工业缺乏革新的动力的美国，还是一个政府稳步提高能耗标准，强迫大家在材料、电力系统和能源技术上推陈出新，使我们成为世界上能源产出率最高的绿色美国？

你心目中的美国是什么样的？是一个缺乏大家认同的国家目标的美国，还是一个能为这一代树立一个远大的目标的绿色美国——发明一种充足、清洁、可靠、廉价的电力来源，让整个地球都能在不毁坏大自然的情况下实现可持续发展。这个目标也将激励下一代去努力学习数学、科学、生物、物理和纳米技术？

你心目中的美国是什么样的？是一个在国际环保会议扮演钉子户而成为众矢之的，遭到全世界蔑视的美国，还是因一个保护环境，保护自然界生息的物种而赢得世界尊重的绿色美国？

有句中国谚语说："风向转变的时候，有人筑墙，有人造风车。"我们做了些什么呢？在美国大使馆和美国公司总部的周围筑高墙，用关税保护我们的产品，用贸易壁垒保护我们的经济，用法律来保护我们的汽车制造商，用电网来保护我们的边界，用军队将我们和盟国隔开，用签证来阻止人们进入美国实现他们的美国梦、限制他们融入美国人中并丰富我们的文化。还是我们建造了风车自己使用并把各种不同形状、颜色和特点的风车提供给他人？

是的，风向变了。我们正在进入一个新世纪，如果不能找到一种更清洁的能源来支持未来的发展，如果不能有效保护大自然，我们的生活、生态系统、我们的经济和政治选择都将受到严重影响。所以我说我们来造风车，我们要引领这一进程。

在这样的绿色美国，鸟儿们当然会再次起飞——我们的空气将变得清新无比，我们的环境将变得更加健康，我们的年轻人将从政府那里看到他们的理想，我们的工业将有能力造福自己并造福地球。这个美国将重新拥有自己的特质，不仅是自信，它还将再次引领世界承担重大的战略性使命。

我们浪费的时日已多，现在需要埋头建设我们的国家、我们的地球。只要我们努力，回报将是无穷的。

下面我将讨论如何实现这一梦想。

第二章

今天的日期：能源气候年代元年
今天的状况：太热、太平坦、太拥挤

那么摆在我们面前的是一个什么样的年代，以至于采用绿色行动在美国显得如此必要、如此相关、如此恰逢其时？简而言之，我们正在踏入能源气候年代。

在《世界是平的》（2005）一书中我指出，技术革命铲平了全球经济大舞台，使得世界上如此众多的人能够在上面竞争、联络、合作，它把世界引入了一个全球化的全新阶段，并将给经济、政治、军事和社会事务领域带来巨大的影响。我走的地方越多，我观察到的世界变平的影响就越多。

但是过去几年发生的事情让我清楚地看到，还有两个重要的因素正对地球发挥着至关重要的影响：全球变暖和全球人口膨胀。当我把这两个因素也纳入到研究中来，很明显正是全球变暖、全球平坦化和人口膨胀这 3 个最重要的变化改变着我们生活的这个世界。我把这个趋势总结为本书的题目——

太热、太平坦、太拥挤——也正是这 3 种趋势的结合造成了今天的能源气候年代。

本书主要关注在这个太热、太平坦、太拥挤的世界上正在戏剧性地发生着五个问题：日渐增长的对不断枯竭的能源和自然资源的需求；向富油国及其石油专制政体转移的巨额财富；急剧的气候变化；将世界分裂成有电和没电两半的能源短缺问题；随着动植物物种灭绝速度攀升至前所未有的高峰而快速减少的生物多样性。我相信这些问题以及我们如何应对这些问题将决定能源气候年代。这些不是普通的问题，其中的任何一个问题没有得到妥善解决都会造成大规模的、非线性的、不可逆转的、影响几代人的破坏。如果我们决心解决这些问题，我们需要新工具、新设备、新思维以及全新的与其他人合作的方式。这是新的产业产生和新的科技突破的要素，也是推动国家前进或拖累国家落后的关键。

这些会帮助我们了解目前面临的新世纪。这里的关键词是"新"，大家不能再把自己想象成"后"什么东西——如殖民时期后、战后、冷战后、后冷战后。这些对现在这个时代已经毫无意义了，它们根本不能解释我们现在所处的这个时代，把它们从脑子里完全抹去。

"我不认为我们是'后'什么，我们是'前'，全新的东西。"能源咨询专家罗斯科普夫（David Rothkopf）说。我们跨入的是能源气候年代。

"我们处于历史的特殊时期，事情可能以一种我们无法想象的、横扫各个领域的方式演变，"罗斯科普夫补充到，"我们以前经历过这样的时期——如民主革命或者工业革命时期，当今时代则有信息技术革命时期。这些时期统一的特点表现在当情况刚出现变化的时候，人们往往不能领会它们的重要意义。另一个共同点在于伴随这些伟大变化而来的是重大的挑战，如定义新时代、推动进步、创立新体制、把成功者和失败者区分开等。"

的确，那些能为重大问题提供答案的国家将在随之而来的新时代里扮演领袖的角色，而那些不能及时适应新情况的国家将被淘汰。在这个新的能源气候年代里，美国必须保证自己扮演的是前者的角色。

让我们先来讨论什么是这个新时代的发动机吧——在日益变得太热、太平坦、太拥挤的世界里，拥挤是首要问题。

我发现了一组让人震惊的统计数据。如果打开 Infoplease. com 网页并且输入个人的出生日期，你可以知道自己出生的时候世界上大约生活着多少人。通过这个网页我得知 1953 年 7 月 10 日我出生的时候地球上有 26.81 亿人。上帝保佑，如果我天天骑自行车、吃酸奶也许可以活 100 岁；根据联合国的预测，随着医疗水平的提高、疾病防治能力的进步和经济的发展，到那时，也就是 2053 年，地球上将有超过 90 亿的人口。这标志着在我的有生之年地球人口将增加 3 倍，即从现在起到 2053 年增加的人口数量相当于我出生时地球上已拥有的人口数量。

2007 年 3 月 13 日，联合国人口司出版的一个报告显示："在未来 43 年内地球将新增 25 亿人，从目前的 67 亿增加到 2050 年的 92 亿。增加的数量相当于 1950 年地球总的人口数，且这些人口将大多数出生在欠发达国家和地区。这些欠发达国家和地区的人口将从 2007 年的 54 亿增加到 2050 年的 79 亿。而发达地区的人口数量将保持在 12 亿左右，如果不考虑从欠发达地区净流入发达地区的人口（预计年均 230 万），发达地区的人口将减少。"

所以说，如果你觉得这个世界相当拥挤，你只要再等几十年看看那个时候的情景。1800 年，伦敦人口有 100 万，是世界上最大的城市。到了 1960 年，地球上有 111 个城市人口超过了 100 万，这个数字在 1995 年达到了 280 个，据联合国的人口统计数据，今天已经超过了 300 个。世界上千万人口大城市从 1975 年的 5 个增加到 1995 年的 14 个，预计到 2015 年将达到 26 个。毫无疑问，这些超大城市的人口将爆炸性地增长，仅孟买一城就达到了 1 900 万，人口的增长将带来耕地面积减少、森林衰退、过度捕捞、水资源短缺、空气污染及水污染等问题。

2007 年，联合国人口基金的执行董事奥贝德（Thoraya Ahmed Obaid）签署了一份报告，报告中指出，到 2008 年超过半数的世界人口将生活在城市中，但是"我们并没有准备好"。美联社 2007 年 6 月 27 日从伦敦报道，2030 年城市居民人数将可能攀升到 50 亿人。奥贝德认为，中小城市将吸收新增城市人口的绝大部分，"我们都关注超大城市的问题，但是数据显示大部分的人口将向 50 万人以上的中小城市转移"。这些城市往往面临水资源匮乏、能源短缺的问题，政府也缺乏相应的机制来应对迁移人口带来的挑战。

在如此快速和大规模的人口增长势头面前，美国中情局局长海登（Michael V. Hayden）指出，世界最令人担忧的趋势不是恐怖主义而是人口问题。

"今天有 67 亿人生活在这个地球上，"海登将军 2008 年 4 月 30 日在堪萨斯大学的演讲中说，"本世纪中叶世界人口将达到 90 亿，在今天的人口数量上再增加 40％～45％，太惊人了！大部分的新增人口将出生在那些无法养活他们的国家，这将造成诸如燃料供应不足和极端主义之类的问题。"问题不仅仅局限于这些国家，还会扩散到其他地区。世界上有很多贫穷弱小国家的人口增长越来越快，而政府对国家的管理变得越来越困难，如阿富汗、利比里亚、尼日尔、刚果民主共和国等。到 21 世纪中叶，这些国家的人口将增长 3 倍，埃塞俄比亚、尼日利亚和也门的人口将翻一番。可以想象这些国家将充斥着年轻人，如果他们的基本自由和需求，如食物、住房、教育、就业等不能得到满足，很容易就会带来暴力、社会动荡和极端主义。

这就是我所说的拥挤。那么什么是平坦呢？当我写《世界是平的》这本书时，我当然不是说世界真的变平了，或者说我们在经济上都不相上下了。这本书所指的是 20 世纪末期在技术、市场和地理政治事件的共同作用下，全球经济的平台已经被犁平了，越来越多的人在越来越多的地方加入到全球经济中来，其中不少人步入了中产阶级。

全球经济的平坦化是几个因素作用的结果。首先是个人电脑的出现和普及，这使得个人——单独的一个人——可以用数据形式记录下自己的东西。一个单独的个体可以在自己的电脑上用比特和字节的形式创造单词、数据、电子表格、照片、设计、录像、绘画和音乐，这在历史上是从来没有过的事。一旦一个人用数据的形式记录下什么，它就可以被转换成多种形式并传播到各个地方。

　　另一个促使世界变平的重要因素是因特网、万维网和网络浏览器——这些工具使个人能够将数据形式的内容以几乎免费的方式发送到世界的各个角落，通过网页人们可以很容易地接收和打开这些内容。

　　第3个变平的因素是软件和传送协定的安静的革命，我称之为"工作流革命"，它使得个人电脑和软件可以协同工作，因此工作可以通过公司内部的网络、因特网和万维网传得更快更远。突然之间如此众多的人可以一起工作，一起解决众多的问题。正如波音公司可以在莫斯科请飞机的设计师，让他们和威奇塔的飞机制造人员一起工作；戴尔公司可以在奥斯汀和中国台湾地区设计电脑，在中国和爱尔兰制造电脑，由印度的技术员来提供服务一样。

　　计划体制的消亡和柏林墙的倒塌是地理政治领域里发生的大事。随着前苏联的解体以及铁幕的拉开，全球经济发展中最大的拦路石消失了。发展市场经济成为世界各国的共识，连古巴和朝鲜都不例外。

　　以上这些因素的结合使得我们的世界形成了一个无缝接合的、无障碍的全球市场。在这个全球市场上，成千上万的新消费者和生产者买卖他们的产品和服务——以个人或公司的形式——人们可以更容易地用更少的资金和更多的人在更多的领域就更多的项目进行合作。这就是我所说的平坦的世界。

　　根据国际货币基金组织的说法，随着计划体制的改变和世界变平，20世纪80～90年代仅仅在中国和印度就有约2亿人脱贫，几千万人进入中产阶级。但是，这些人的脱贫往往是和脱离农村和农业的生活方式结合在一起的。上亿人开始赚工资，开始消费更多的东西，生产更多的产品。这些人带着自己的"美国梦"走上了全球的经济舞台——有车、有房、有空调、有手机、有微波炉和烤面包机，有电脑和iPod——这些梦创造了巨大的需求，而这些需求消耗着我们的能源、自然资源、土地、水，在生产和丢弃它们的同时还产生了大量的温室气体。

　　随着一些快速发展的国家，如巴西、印度、中国、俄罗斯的人们开始追求舒适富有的生活和经济安全，自然就引发了对能源、矿产、水和森林资源的空前竞争。这还仅仅是开始。在接下来的12年里，世界的人口将再增加

10 亿，其中的大部分人将会成为新的生产者和消费者，他们的需求加在一起将变得非常巨大。太阳计算机系统公司环保部门副总裁道格拉斯（David Donglas）说，假如这些新出生的 10 亿人此刻都在这里，我们给他们每人 1 个 60 瓦的白炽灯泡，每个灯泡并不重，连包装大约 0.7 盎司（1 盎司＝28.35 克），但是 10 亿个加在一起将达到 2 万吨，或者相当于 15 000 台普锐斯汽车。现在让我们开启这些灯泡，如果它们同时开启，我们需要 6 000 万千瓦的电力。如果这些灯泡每天只开 4 个小时，那么我们随时需要准备 1 000 万千瓦的电力。天哪，我们需要 20 个 50 万千瓦的燃煤火力发电站！这还仅仅是让新增的 10 亿人有一个灯泡用！

那么我所说的炎热又是指什么呢？大家都知道地球目前正在以一种超自然、超正常的速度变暖，人们几乎可以确定这是由于大规模人类活动和工业生产造成的结果。地球变暖开始于 18 世纪晚期的工业革命时期，当时机器逐渐代替人力、畜力和水力并扩增。随着时间的流逝，工业革命把英国、欧洲以及后来的北美洲从农业、贸易社会转变为工业社会，依靠的不再是工具和牲畜而是机器和引擎。

工业革命的实质是一次能源和电力的革命。它始于蒸汽机的发明，从此木材或煤炭产生的热能被转化为蒸汽能并推动机械运动，首先受益的就是工业机械和蒸汽机车。因为每磅（1 磅＝454 克）煤炭蕴含的热量是等量木材的 2 倍，为了保护世界上剩余的森林资源，煤炭最后取代了木材成为能源的主要来源。煤炭为工业生产提供热能，它被用于冶金、供暖和带动蒸汽引擎。19 世纪中期人们开始认识原油，但是在电力时代来临前的几十年里，石油被用于照明以取代日渐稀少的鲸油；也有人用它给房屋或制造业供暖，为工业发动机提供燃料或动力。

简而言之，人类需要和使用能源的主要方式包括照明、供暖、机械运动和提供动力，另外还有发电——其他 3 种功用电都能做到，电还能起到只有它才能起到的功用，例如电力通讯、信息处理等。自工业革命以来，来自化石燃料的能源都无一例外产生二氧化碳。就像 Pro-Media Communications

的总裁、也是能源迷的勒夫科维茨（Rochelle Lefkowitz）说的，工业革命开创了一个全新的、使用"地狱燃料（如煤炭、石油、天然气）"的时代。所有地狱燃料都来自地下、可以耗尽，在燃烧的同时产生二氧化碳和其他污染物。相对于这些燃料，是勒夫科维茨所说的"天堂燃料（如风能、水能、潮汐能、生物质能和太阳能）"，它们全来自地上、可再生、不排放有害物质。

20世纪早期，内燃机车的发明开启了交通革命的新篇章。内燃机为汽车和卡车提供动力，以汽油驱动的汽车出现在19世纪晚期的德国，但是根据 Ideafinder. com 的资料，"第一次批量生产的汽车是1901年的奥茨汽车（Cwrved Dash Oldsmobile），由奥茨（Ransom E. Olds）在美国制造，现代汽车的大量生产及采用现代工业装配线，应归功于密歇根州底特律的福特（Henry Ford），他在1896年制造了他的第一辆汽油动力汽车。1908年福特开始生产 T 型车，到1927年 T 型车停止生产前，1 800多万辆该型号车辆从装配线上输送出来"。内燃机车改变了商业，汽车的出现使得石油身价倍增，对钢铁和橡胶的需求也大幅度提高。蒸汽机是煤炭、石油和木材在引擎外部燃烧产生蒸汽从而带动引擎，内燃机则是燃料在引擎内部燃烧，燃烧的效率更高、需要的燃料更少，引擎和汽车的体积也更小。

工业化带动了城市化，城市化则促进了市郊化。市郊化的趋势在美国一再上演，催生了美国的汽车文化，国家高速公路系统四处延伸，各大城市的周边布满了小城镇，它们共同组成了美国生活的画卷。许多其他的发达和发展中国家步入美国的后尘，在发展过程中也体会到美国方式带来的优点和缺点。今天我们不仅在美国主要城市周边可以看到郊区化的趋势以及连接城市和其他地区的高速公路系统，在中国、印度和南美各地也一样。随着城市集聚效应的提升，城市开始向各个方向快速扩张。

而这有何不可？由煤炭、石油和天然气驱动的这个新经济模型看上去又便宜又无害，取之不尽，用之不绝——至少用完后清洁起来不麻烦。所以没有什么能阻挡得了这个更多的人，更快的发展，更多的水泥，更多的房子，以及采掘更多的原油和天然气来驱动更多汽车的摧毁一切的力量。正如美国能源部主管能效和可更新能源的部长助理卡斯纳（Andy Karsner）有一次对我说的："我们以前所未闻的高效建设起一个最低效的环境。"

在出版了一系列如 1962 年卡森（Rachel Carson）的《寂静的春天》之类的书籍后，人们开始认识到杀虫剂有毒副作用。人们对环境问题的觉醒慢慢扩展到对城市空气污染，工业废料对湖泊和河流的污染，以及城市快速扩张蚕食绿地的担忧。在美国，这些担忧引发了环保运动，最终促成了该领域里的立法，如保护和恢复清洁的空气和水，阻止废弃物污染和有毒废弃物的倾倒，以及有毒烟雾，臭氧层的破坏，酸雨和路边垃圾等问题。对于荒原的保护可以追溯到自然主义者缪尔（John Muir），现代的环保运动还促成了濒危物种法案和其他相关环保法以保护美国的自然奇迹和生物多样性。

然而我们做得还远远不够。20 世纪下半期开始，人们开始认识到一个巨大的、看不见的污染物质即温室气体开始影响气候。温室气体从工业革命时期就开始集聚了，它看不见也摸不着，无色无味。温室气体中最主要的组成部分就是从工业生产、居民生活和交通中释放出来的二氧化碳，它没有沿着道路或河流堆积，也不能装在罐头空瓶里，而是漂浮在我们的头顶上，集聚在地球的大气层中。如果把大气层比喻为一床为地球保温的毯子，那二氧化碳的集聚就相当于不断加厚这床毯子，直至造成全球变暖的趋势。

加州理工学院的能源化学家卢易斯（Nate Lewis）把这个过程形象地描述为："想象一下，你开着车，每开 1 英里就从窗户扔 1 磅（1 磅＝454 克）垃圾出去；在高速公路上行驶的每辆汽车和卡车也不例外，那些开"悍马"的一次扔两袋——左边 1 袋、右边 1 袋，看到这些你会是什么感觉？不会是太好吧。但这确实是我们现在正在做的，只是大家看不到而已。我们平均每驾驶 1 英里就排放 1 磅二氧化碳进入大气中。"

那些从我们汽车窗口扔出去的成袋的二氧化碳缓缓上升，停留在大气层中；和那些烧煤烧油烧天然气的发电厂排放的二氧化碳、那些砍伐和燃烧森林时产生的二氧化碳飘浮在一起。事实上，很多人并不知道印度尼西亚和巴西的森林砍伐产生的二氧化碳约占全球总量的 20％，比全球的轿车、卡车、飞机、轮船和火车排放的二氧化碳的总和还要多。

即使我们没有向空气中排放二氧化碳，对其他温室气体的增加也难辞其咎。如从种植业、煤炭和石油开采、动物粪便、固体垃圾填埋场甚至是牛打嗝中产生的甲烷就是一例。

牛打嗝？没错。产生温室气体的来源很多。一群打嗝的牛比高速公路上排满的"悍马"车还要糟糕。家畜排出的气体含有非常高的甲烷，它和二氧化碳一样无色无味，一旦释放到空气中就能吸收地球表面辐射的热量，"在大气中，1个甲烷分子吸热的能力是1个二氧化碳分子的21倍，是最厉害的温室气体"。《科学世界》2002年1月21日报道："根据美国环保委员会（U. S. Environmental Protection Agency）的资料……世界上有13亿头牛在一刻不停地反刍打嗝（仅在美国就有1亿头），所以动物排放的甲烷成为温室气体的主要来源之一就毫不奇怪了。EPA的沃斯（Tom Wirth）说：'这是动物正常消化过程的一部分，在它们咀嚼反刍食物的同时，一部分甲烷随着反刍食物排放出来。'气候研究者证明每头牛平均每天排放600升甲烷。"

温室气体增加和全球变暖之间到底有什么样的关系？皮尤中心研究气候变化的专家们在他们的《气候变化101》报告中给出了一个答案。皮尤中心研究报告中指出，全球平均气温"在整个人类历史中一直在自然波动。比如说，北半球的气候在11～15世纪经历了一个相对温暖时期，17～19世纪中期则是相对寒冷时期。然而，科学家研究了20世纪晚期的全球气候，发现用自然规律无法解释现在发生的变化"。一个新出现的因素是人类活动——通过燃烧化石燃料如石油和煤、森林砍伐、大规模养牛、发展农业和工业等，我们把大量的二氧化碳和其他温室气体排放到空气中。

皮尤中心的研究指出："科学家把上世纪地球气温发生的变化称为'放大的温室效应'。"人类制造的温室气体被排放到大气中，因为温室气体独特的分子结构，太阳照射在地球表面被反射回太空的热量被温室气体吸收，从而改变了地球的气温。

"温室效应可以维持地球的温度，使地球成为一个温暖宜居的地方；如果没有温室效应，地表的温度将平均降低60华氏度（1华氏度＝32＋

$\dfrac{9\times 摄氏度}{5}$）。现在地球表面的温度大约为 45 华氏度，这真的应该感谢温室气体的作用。但是温室效应变强意味着更多的太阳热量被吸收，全球的气温不断上升。在众多的研究报告中，美国航空和航天管理局（NASA）哥达德太空研究院（Goddard Institute for Space Studies）2005 年的一份报告提供了强有力的证据证明温室效应变强正在来临。使用人造卫星、航标数据和计算机模型研究海洋的变化，科学家发现越来越多来自太阳的能量被吸收而没有被反射回太空，这使得地球的能量失去平衡，进而使得全球变暖。"

其他途径得到的数据也支持这个结论。地球的空气"在过去 2 亿年都没有太大的变化"，加州理工学院的卢易斯说，但是在过去的 100 年里"我们极大地改变了大气的状况，改变了地球和太阳间维持的热平衡，这将对地球上生长的每种动植物，以及人类自己产生巨大的影响"。根据冰层核心样本（ice core sample）中所密封的过去世纪的气泡，我们可以了解千万年前地球的气候状况。根据研究，过去长期以来大气中二氧化碳的浓度一直稳定保持在 280×10^{-6} 左右。"二氧化碳浓度在过去 1 万年一直保持在这个水平"，卢易斯说。二战后西方工业强国领头，掀起了全球能源消费的大潮，1950 年二氧化碳浓度开始快速升高。尽管减缓气候变化的呼声不绝于耳，但是人类还在继续向大气排放二氧化碳。2007 年，大气中二氧化碳的浓度达到 384×10^{-6}，而且还在以年均 2×10^{-6} 的速度上升。

气象学家都认同一个观点，即相对 1750 年的水平，地球温度已经平均上升了 0.8 摄氏度（1.44 华氏度），从 1970 年开始温度的变化特别显著。温度在不同大洲和不同海拔高度之间的差异比平均水平高。全球平均气温升高 1 摄氏度听上去也许不是什么了不起的事情，但是这种变化实际上是在告诉我们，气候出现了问题——就像体温变化意味着身体的异样一样。"人体的温度一般是 98.6 华氏度，如果升高到 102 华氏度就有问题了——体温在告诉你身体出了问题。"哈佛大学环境政治学教授、美国科学促进会（American Association for the Advancement of Science）前任会长霍德朗（John Holdren）说道，"地球表面温度的变化也是一个道理。"

霍德朗说，通过对冰层核心样本的研究，我们可以知道从冰河期到现在所处的间冰期全球的平均气温。地球从一个冰球到适合人类生息繁衍、农业发展的时期，气温相差不过 5 摄氏度～6 摄氏度。可见全球平均气温小小的变化也会引起非常显著的后果。就像戈尔（Al Gore）常说的那样，气温升高 0.8 摄氏度说明地球"发烧"了。

世界气象组织的研究发现，自 1860 年温度计诞生以来，地球上出现的 10 个最热的年份都在 1995～2005 年。CNN 的创始人特纳（Ted Turner）不是科学家，但是他用自己独特的方式说明了这个日渐炎热、平坦、拥挤的世界的含义。在 2008 年 4 月 2 日罗斯（Charlie Rose）的一次采访中他说："人太多了，所以地球变热了。人越多用的东西越多。"

就像我所说的，能源气候年代带来的影响不会止步于一个太热、太平坦、太拥挤的地球，随着全球变暖、变平、变得更拥挤，另外 5 个问题（即能源需求、石油专制、气候变化、能源短缺和生物多样性的损失）也在逐渐浮出水面，这种变化将把地球和地球上的生物带到一个前所未有的境地。下面让我们逐一讨论一下各个方面可能发生的情况。

能源和自然资源的供求。从工业革命时期到刚刚过去的 20 世纪末期，大部分美国人以及世界上的大多数人都生活在一个快乐的幻景中，人们认为为我们提供制造机器和交通工具的动力、做饭和取暖的热量、工业生产和生活需要的电力的化石燃料是无穷无尽、价格低廉的，它们对政治没有影响，对气候也没有坏处（尽管住在煤炭出口港纽卡斯尔❶问题会比较大）。

在进入能源气候年代后，这一切变了：现在我们知道化石燃料不仅是可以耗尽、越来越昂贵的，而且可以毒害政治、生态和气候。这就是我们正在跨越的分界线。

是什么东西被改变了呢？世界变平了也变拥挤了，如此众多的人可以一

---

❶ 纽卡斯尔（Newcastle）是世界上最大的煤炭出口港之一，环保人士经常在那里抗议煤炭对气候变暖的影响。

夜之间提高自己的生活水平。这种状况加速发展到 2000 年，全球的发展进入了一个对能源、自然资源和食物需求快速增长的新轨道——西方工业化国家仍在消耗可观的能源和自然资源的同时，另一些成长中的大国也加入了这个中产阶级的餐桌。

如果你想对正在发生的事有个形象的概念，电力科学研究院的（Electric Power Research Institute）的雷切斯（Richard Richels）可以帮这个忙。假如说世界是一个大浴缸，美国和其他发达国家的发展已经把水注满了，这时中国和印度赶来打开了浴缸的水龙头，现在所有的需求只能溢到浴室的地板上去了。

能源经济学家维勒格（Philip K. Verleger, Jr.）说，1951～1970 年全球能源消费以每年 5% 的速度增长。"这个能源需求快速增长的过程和日本及西欧的战后重建、美国的战后发展过程同步"，维勒格在 2007 年 9 月 22 日的《世界经济》中写道："伴随着中国、印度和其他国家从发展中国家向发达国家前进的脚步，历史很可能在 2001～2020 年重演。能源消费的增长速度很有可能和欧洲、日本、美国战后时期的消费速度相似。"

虽然这些国家可能通过提高能效，用更少的能源创造更多的 GDP，但是事实上，维勒格说他们开始建造越来越多的新的"能源密集型"基础设施。这就是为什么英荷壳牌公司的研究人员在 2008 年报告中预测，现在到 2050 年全球对各类能源的需求将至少翻番的原因。根本原因就在于人口的快速增长和市场全球化带来的财富效应。

能源气候年代是由需求驱动的。如此多的人突然之间能够或者希望过上中产阶级的生活方式促成了该年代的到来。能源政策研究基金会（Energy Policy Research Foundation）的石油专家戈登斯坦（Larry Goldstein）认为，从全球能源供求角度来看，2004 年是转入全新时期的关键性的一年，"2004 年发生的事情象征着世界首次经历需求引导的能源冲击"。他的意思是 1973 年、1980 年、1990 年石油价格的突变都是由于中东战争或者革命引发的，这些突变的因素限制了石油供应量从而引起价格波动。但是 2004 年的情况不一样，来自中国和其他国家的巨大需求推动全球需求远远超出市场的供应量，造成了石油价格的波动。

戈登斯坦提到，从历史上来说，除战争之外，无论什么时候石油市场供应趋紧，供应的缺口都可以通过"可用的石油储备、提高精炼能力、提高可自行决定的石油产量"3 种方式来弥补，他们是世界石油市场的减震器。年复一年，随着油价每年以 1% 的速度上升，这些减震器一直在努力缓减这些压力以保证油价的相对稳定——直到 2004 年。

2004 年发生了两件事。首先前面提到的 3 个减震器消失了，其次是中国经济快速增长带来的对能源的需求猛增。2004 年初国际能源署（International Energy Agency）预测当年世界对原油的日需求量将增加 150 万桶／天，"而事实上，"戈登斯坦说，"原油的日需求量增加了 300 万桶／天。仅中国增加的数量就超过 100 万桶／天。"由于减震器不在了，额外的需求带来的压力也就失去了缓冲的余地。

通常情况下，高油价会刺激投资的增加，从而石油的产量也会增加。但是这一次市场的反应却比较慢，原因有几点。戈登斯坦认为，首先，石油工业普遍面临设备短缺的问题，从熟练的石油技术工人到钻机、储油罐都有缺口，限制了扩大生产的能力。其次，俄罗斯在石油钻探的法规方面开倒车，试图排挤外国的生产商而自己多产原油，限制了国际性的专业化公司到俄罗斯采油，造成了减产。最后，美国和其他的西方国家以环保的名义继续限制油田开采的面积。因此不仅 2004 年油价上涨，随后的几年油价节节攀升，随着需求的一再上涨，油价在 2008 年达到了顶峰。

当平坦的世界遭遇拥挤的世界，暴涨的油气价格仅是众多反应之一。还会发生什么呢？世界银行指出，全球有 24 亿人每天的生活费不超过 2 美元，但是这里面有上百万的人在努力工作，奋力向平坦世界的舞台挤去，从而带来了更多的需求——这对维持世界稳定方面是一个好事，但是对生态和气候方面却是一个挑战。"今天一切东西都面临短缺，钢铁、矾土、建造材料、机械、建筑工人、船只等，"全球铝制品生产商 Alcoa 的总裁克兰菲尔德（Klaus Kleinfeld）说，"我们处处遭遇瓶颈。"

以铝制品为例，克兰菲尔德解释说，首先世界上的人口每天都在增加，尤其是发展中国家，他们中的大部分向大城市迁居，住在高层建筑里，开着汽车或摩托车，乘坐公共汽车，出门坐飞机，开始喝听装的可乐。所有这一切都提高了全球的铝制品需求。Alcoa 之类的公司开始到处去寻找更多的矾土，他们需要更多的矿山和熔炉，更多的船只和钢铁，更多的能源、机械以及建筑工人。不管你是想建一条新船、一个新熔炉还是雇一个全球建筑公司，人人都会问你一个同样的问题："我们将把你加在等候名单里，你可以等 3 年吗？"

这个趋势还在继续。也许一次全球性的衰退会暂时缓解一阵，但是不断增长的需求已经成了常态。

2008 年 5 月 15 日的《华尔街日报》标题写道："钢铁价格暴涨，大型项目受挫。"故事说的是：

> 钢铁价格暴涨使得全球主要的大型建筑项目停工，投资造船和石油勘探的项目受挫……土耳其的一个建筑协会表示，他们将组织一次为期 15 天的罢工以迫使钢铁厂降低产品价格，因为从 2007 年下半年开始，该地的钢材价格已经涨了 1 倍。在印度的新德里，一个野心勃勃的桥梁计划也因为钢铁价格的上涨暂停了，建筑商推迟或停止为穷人建他们急需的住房，并敦促印度政府在未来 3 个月里冻结钢材价格……手机用户也不舒服，无线网络运营商 NTCH Inc. 的发展经理斯戴曼（Eric Steinmann）说，他们公司制造的 100 个手机信号发射塔的钢材成本比 2007 年增加了 1 倍，每个高达 3 万美元。

全球石油价格的上涨也殃及农业生产的成本，带动了食品价格的上涨。为了减少对石油的依赖，越来越多的国家投入更多的土地用于生产乙醇等生物燃料；世界粮食种植面积的减少使得粮价雪上加霜。这是一个恶性循环，结果就是原油价格越高，发展中国家的粮食种植面积越小。BBC 在 2008 年 4 月 22 日的一则报道中说，因为化肥价格上涨了 1 倍，肯尼亚的芮福特谷

（Rift Valley）农民种植面积比 2007 年减少了 1/3。

为什么市场没有根据市场供求的自然法则预先作出反应呢？世界银行的专家认为，首要的原因是多年来对能源和食物的巨额补贴扭曲了市场价格，需求的突变没有立即反映为产品价格的变动。根据世界银行的统计数据，2007 年仅印度、中国和中东各国政府对本国的汽油、做饭和取暖的燃料油以及家用和工业用电的补贴就高达 500 亿美元，他们用国际市场价格进口能源，销售到国内的价格却是相对低的价格，用财政预算来弥补中间的差价。这种政策人为地降低价格，使得需求一直保持增长。如果能源的价格能够和国际市场价格同步上涨，那么需求肯定会减少，但这是政策不允许的。同是 2007 年，印度尼西亚政府花费了 30% 的预算用于补贴能源消费，但是用在教育上的只占预算的 6%。西方国家 2007 年对农业的补贴高达 2 700 亿美元，农民富裕了，消费者采购的农产品便宜了，而发展中国家农民的竞争力进一步下降了。因为这些原因，尽管世界市场的粮食需求不断上升，越来越多的中产阶级需要吃饭，但是粮食的供应却被人为地压缩了。底线是：市场被扭曲了。

到底是什么变了呢？世界银行的专家们说，难道是过去几年里这个日渐平坦和拥挤的世界发展到了一个极限，所有被扭曲的力量如愤怒的火山瞬间爆发出来，砸在了市场上？

"过去的 10 年里，我们每年都看着中国和印度的统计数据惊叹，'喔，他们今年增长了 8% 或 9% 或 10%'，"一个世界银行的能源专家对我说，"看看，新兴市场已经起飞了。"

石油专制：随着能源气候年代的到来，石油和天然气的价格暴涨而且一直维持高位，巨额的财富——每年成千上万亿的美元——从能源消费国转移到能源生产国，巨大的地理政治红线被跨越，一些产油国的非民主因素被强化了。既不能发展经济，又不能提供教育，但是财富的转移却让一些不称职的领导人取得了本不应该属于他们的权力。由于可以从沙特阿拉伯、伊朗和其他波斯湾沿岸产油国获得资金援助，伊斯兰国家里那些最保守最强硬的宗教力量得以增强。

有很多例子可以说明这种权力的变化，但是对我来说，最生动的例子莫过于 2006 年初发生的一件事。当时俄罗斯总统普京暂时关闭了通往中欧和西欧的天然气管道阀门，意图胁迫新当选的亲西方的乌克兰政府。《纽约时报》2006 年 1 月 2 日的报道说：

> 周日，俄罗斯以商讨天然气价格和条款为名关闭了通往乌克兰的天然气输送管道，这次冲突对乌克兰的经济恢复以及西欧天然气供应都有重要影响；事情发生在橙色革命把亲西方政府送上乌克兰政坛一年之后……在早春时节切断天然气供应对乌克兰来说无异于一道令人不安的最后通牒，保证输出能源显然不是俄罗斯运用油气实现外交目的的唯一手段——它还可以关掉输出能源的阀门。

俄罗斯在短短几年间就从一个欧洲病夫迅速成长为一个富人，它可以威胁关掉天然气阀门，让那些太活跃，或者相对于俄罗斯利益来说太独立的邻居们乖乖参加它组织的任何俱乐部。俄罗斯的教育水平并没有根本性的提升，生产力也没有根本性的飞跃；只不过欧洲更加依赖俄罗斯的自然资源，因而俄罗斯可以更加为所欲为了。

气候变化：地球平均气温的升高对气候是一场浩劫。二氧化碳可以在大气层中停留几千年，因此我们向大自然释放的二氧化碳越多，可能造成的后果就越严重。当我们一脚踏入能源气候年代，就和出了什么问题（无论是酸雨、臭氧层损耗还是传统意义上的污染）还可处理、可修正的年代告别了。我们正在进入一个新的时代，人类作用在气候和大自然的结果将变得不可控制、无可挽回。

卡特里娜飓风和政府间气候变化专门委员会（IPCC）在研究了自 1990 年以来气候变化的影响后于 2007 年签署的气候变化的报告就像闪烁的红灯，时刻在提醒我们现在正在进入的新时代。卡特里娜飓风告诉我们，不可控的气候变化带来的后果是什么样子。2005 年 8 月 29 日，强大的卡特里娜飓风席卷了新奥尔良市，许多气象学家相信这场飓风正是由于全球变暖、墨西哥湾的水温升高而使得破坏力如此强大。政府间气候变化专门委员会的报告告诉我们，通过他们对成千上万份科研报告的研究，全球气候专家最大的共识是，全球变暖是"无可争辩的"，有明确的证据表明人类活动释放的温室气体造成了自 1950 年以来气温的升高。

政府间气候变化专门委员会还指出，如果不能大幅度减少二氧化碳的排放，气候变化将给大气、海洋、冰川、陆地、海岸线和生物带来"突然或者不可逆转的"的影响。委员会的主席帕乔里（Rajendra Pachauri）在签署最后的总结报告时对记者说："如果在 2012 年以前不采取行动就太晚了。今后两三年我们的行动将决定我们的未来。这是决定性的时刻。"

事情到底会变得多糟？受联合国委托，科研团体 Sigma Xi 召集其他各国的气候学家于 2007 年 2 月提交了一份报告《面临气候变化》，报告中提到即使是全球平均气温的微小升高，例如 1650 年迄今才高出 0.8 摄氏度，却已"伴随着洪水、干旱、酷热和野火的发生概率大大提高……"北极夏季冰层的厚度快速降低，格陵兰夏季冰盖的融化量显著升高，南极冰盖稳定性逐渐变差，大量动植物物种的地理和高程分布带也在逐渐改变。

因为我们不能停止二氧化碳的排放，假如按照中等程度的预测，"到2100 年温度累积增高的幅度相对于工业革命前的水平将提高 3 摄氏度～5 摄氏度"。Sigma Xi 的报告说，这将造成海平面上升、干旱和类似圣经上提到的大洪水的发生，灾难将影响到人类的生存。而这仅仅是根据中等程度作出的预测，很多气象学家认为气候将变得更加炎热。

现在我们知道，世界在能源气候年代面临的挑战就是如何控制这些现已"不可避免"的、左右我们未来的影响。而避免这些影响，正如 Sigma Xi 说的，将是"不可能的任务"。的确，如果有一个能源气候年代的缓冲控制阀门，我们首要的任务就是如 Sigma Xi 说的：避免不可避免的，控制不可控制的。"情况的确很糟，"奥克兰太平洋发展、环境、安全研究所的格莱克（Peter Gleick）说，"但是不管有多糟，总有更糟的可能性。海平面上升 2

英尺（1 英尺＝0.3048 米）和 10 英尺是一个巨大的区别，温度上升 2 摄氏度和 5 摄氏度情况会截然不同。这就是为什么要控制不可控制的原因，前一种假设可能让 1 000 万人丧失生命，后一种则可能是 1 亿人。"

能源短缺：电一直非常重要。随着世界日益太热、太平坦、太拥挤，电变得更加重要。在这个日渐平坦的世界里，如果没有电你就上不了网，就不能参与全球性其至是地区性的竞争，无法和他人联络和合作。在日渐炎热的地球上，根据电脑模型的测算，气候的变化将加剧极端天气的发生——更强的暴雨、更大的洪水、更长的干旱——由于没有更多的避难所和适用的工具，更多的人将遭灾。如果你无力建起更高的墙、用电力钻更深的井、或淡化海水，你适应这种变化的能力将急剧降低。在一个日渐拥挤的世界里，越来越多的人将无可避免地面临这些情况。

对我而言，彭博网 2008 年 1 月 24 日的一则新闻点出了问题的关键："根据南非储备银行的数据，2007 年第 3 季度南非进口了 44 591 台发电机，而 2003 年同期的数字仅为 790 台。"

这则新闻背后有一个故事：2007 年第 4 季度，伴随着急剧上升的电力需求，南非的缺乏维护的电力系统难以为继，只好对南非和津巴布韦（一部分的用电依靠南非供给）实行大规模限电。这不仅导致家用和公司用发电机的热销，更重要的是有可能因为人们无法正常经营业务而导致经济长期的衰退。彭博网新闻中提到："约翰内斯堡 TreGatti Cucina 餐馆的工人上周在商业高峰时间里就点着烛光擦桌子、折餐巾，按照南非实行的限电政策，厨房停用了。因为南非的供电是垄断行业，Eskom 股份有限公司预计电力短缺将至少延续到 2013 年。这 6 个伺者和厨师也许很快就会失业。'如果情况一直没有改观，我们不得不卖掉这个餐馆，'2005 年在约翰内斯堡 Craighall 公园附近开意大利餐馆的柯伦（Dee Kroon）说，'如果这里老是停电，谁会想买这个餐馆呢？'"

对那些一直生活在电力短缺状况中或者从来没有用过电的人来说停电也许没什么关系。但是对那些一直用电而且期待电力供应持续提高的人来说，突然的断电完全可能造成政治动荡。

生物多样性的损失：变平、变拥挤的世界驱动着经济的发展、商业的进步、道路的建设、自然资源的开发、过度捕捞和城市扩张，而世界为之付出的代价是绿地的消失、珊瑚礁的死亡、热带森林的砍伐、生态系统被破坏、河流被污染、全球的生物种类正在以史无前例的速度消亡。

"经济发展所需要的一切原料都有了，所有的疾病和匮乏都解决了，胜利的光荣闪耀在我们取得的每一个成就上，然而这一切都建立在自然界不可计数的损失上，"耶鲁大学森林和环境研究院的院长、《世界尽头的桥》的作者史佩斯（James Gustave Speth）写道，"世界上一半的热带和温带森林已经消失了。大约一半的湿地和1/3的红树林已经消失了。约90％的食肉鱼已经灭绝了……20％的珊瑚礁没有了，另外的20％的生存状况正面临严重的威胁。生物种类以超出正常情况 1 000 倍的速度消失。"

许许多多的事例告诉我们当世界变得更热、更平坦、更拥挤的时候，我们已经跨过了生物多样性的转折点。对我来说，最有力的标志莫过于 2006 年我们人类失去的一个近亲。我们是大型哺乳动物，在过去几十年里我们第一次亲手造成了一种大型哺乳动物的灭绝，这种动物就是白鱀豚，或称河豚、长江河豚。白鱀豚只生活在中国的长江流域，它是世界上几种非常少见的淡水豚之一。之所以说白鱀豚的灭绝对全球的自然遗产是如此惨痛的损失，是因为它代表了一个属，而不仅仅是一个种。种的损失在今天常常发生，每个种的消亡当然都是一个悲剧，但是一个属包括了非常多的种，当我们损失了一个属，也就意味着同时损失了非常多的种，生命历史中非常大的一块再也找不到了。想象一下生命树上的生物多样性，一个种的灭绝就像割掉了一个小树杈，而一个属的灭绝就像砍掉了一个大树枝一样。

Baiji. org 基金会 2006 年 12 月 13 日报道，一支探险队的结论是长江的白鱀豚也许已经灭绝了。

在长达 6 周的搜索中，来自 6 个国家的科学家在长江竭尽全力地搜寻，但是一无所获。这些科学家乘坐两艘搜索船，从毗邻三峡大坝的宜昌出发，航行 3 500 千米到达长江三角洲的上海，然后返回，他们使用高性能的光学仪器和水下声纳。"我们的确有可能错过一两条鱼，"驻扎在瑞士的 Baiji.org 基金会的领导人弗鲁格（August Pfluger）在武汉说，他也是这次搜索行动的合作方。"我们不得不接受这个事实，白鳖豚理论上已经灭绝了。这是一个悲剧，不仅是中国、也是世界的损失。"

Guardian 杂志跟踪数年，在 2007 年 8 月 8 日刊登的一篇文章中也提到了这个事件划时代的意义。

　　直到最近，长江白鳖豚还被列为地球上最濒危物种之一，在对它的天然栖息地进行彻底调查后，它已经被正式宣布灭绝了。这种淡水哺乳动物能够长到长 8 英尺、重 250 千克，它是近 50 年来因人类活动而导致灭绝的第一种大型脊椎动物，也是自 1500 年以来哺乳动物进化史上第四种灭绝的动物。昨天动物保护主义者把这个事件称作"令人震惊的悲剧"，白鳖豚的灭绝并不是由于人类主动的迫害，而是由于不可持续的捕捞方式和大规模航运等偶然性因素或粗心造成的结果。1950 年长江流域和相邻的水域里有几千条淡水白鳖豚，自从中国开始实行工业化，长江变成一个拥挤的航运通道、捕捞水域和发电站，白鳖豚的数量就开始锐减。

　　以上五个关键问题——能源供求、石油政治、气候变化、能源短缺和生物多样性的损失——已经发展了很多年。但是 2000 年以后都到达了一个关键的临界点。2000 年前，世界从公元前进入了公元后。我感觉有一天历史学家回望今天，他们不会把 1999 年 12 月 31 日简单看做世纪末的一天、千年结束的一天，而是看做普通纪元（common era）的结束——2000 年 1 月 1 日则是新纪元的开始。

这一天是能源气候年代的第一年的第一天。

也就是能源气候年代的元年元日。

能源气候年代正缓缓向我们走来。从某些方面来说，人类面对能源气候年代就像谚语里的那只在冷水里慢慢被加热的青蛙一样，水只要是在缓慢地加热，青蛙就不会想到要跳出来，它一直适应着水温的变化，直至被煮熟。我真心希望人类可以赋予这个故事一个不一样的结尾，但是现在先不要自欺欺人：我们就是那只青蛙，盛水的桶在不停地变热、变平、变拥挤，我们需要一个长远的生存战略——一个爬出水桶的梯子。

让我们这样看：二战结束时，全世界回顾历史开始反思："这一切是怎么发生的，我们如何才能防止历史再次重演？"舆论普遍认为是大萧条、民族主义的冲击、贸易保护主义和全球机构即国联的无能，导致了局势的不稳定和战争的爆发。

"因此，战后人们认识到，如果我们想生存下来并过得更好，各国应该走到一起来，就三个重大问题达成框架协议，即和平与安全、经济发展、人权。"宾夕法尼亚州哈里斯堡威得恩大学法学院的德恩巴克（John Dern-bach）说。他编辑出版了《可持续发展的美国议程》一书。战后世界的规划者相信，要想让人类了解自己全部的潜能，他们需要有能力改善自己的生活质量、防范另一次大萧条的出现并阻止世界大战的再次发生。如果他们可以帮助人们达到这三个目标，世界将健康发展。

德恩巴克说，这三个目标中的每一个最后都成为不同国际机构或条约的目标——和平与安全反映在联合国宪章中，经济发展和融合反映在关贸总协定中（世界银行、国际货币基金组织和世界贸易组织也是根据这一宗旨成立的），促进人权则反映在联合国人权宣言和赫尔辛基协定中。

"如果将经济发展、人权、和平与安全结合到一起，就是世界进步的代名词。"德恩巴克说。尽管世界上的流血冲突一直不断，但是大的体系还是起了作用：第三次世界大战没有爆发，经济持续增长，人类的寿命延长了，柏林墙倒塌了。

这一路走来，"可是环境保护在某种程度上被忽视了"。德恩巴克说，"环境在发达国家虽然被视为一个问题，然而很大程度上被局限在大气污染、水污染和垃圾这三方面。"1980年情况开始发生变化，首先，联合国的布伦特兰委员会于1987年指出经济发展并没有发挥应有的作用，更多的人陷入贫困，伴随着环境状况的恶化。蒙特利尔议定书开启了弃用破坏臭氧层化学物质的时代；此后在1992年里约热内卢召开的环境与发展会议通过了一个政府间没有法律约束力的行动计划，即《21世纪行动议程（Agenda 21）》，以解决由布伦特兰委员会通过"可持续发展"理念提出来的问题。最后在1997年，《京都议定书》对发达国家温室气体排放设定了有约束力的限额。

尽管和其他的环保协定一样重要，但是《京都议定书》的规定都是选择性而不是强制性的。美国从未接受《京都议定书》。这就像我们还身处"战后"或"冷战后"时期，我们面临最大的问题还在我们的后视镜上。

过去几年间发生了翻天覆地的变化。如果我们继续无视能源气候年代的主要问题：如能源供求、石油专制、气候变化、能源短缺和生物多样性的损失，我们就无法期待永享和平与安全、经济增长和人权。我们如何处理这五个问题决定着未来的若干年里大家能否获得和平与安全、经济增长和人权。

如果我们能够战略性地考虑如何减轻我们能做的、适应我们做不到的、探索新的现在还无法想象的可能性，未来就不一定会变成马尔萨斯的噩梦。但是在新道路上裹足不前的时间越长，我们就越难爬出装满沸水的桶。

本书第二部分将探索如何做的问题。与此同时，我们需要知道：我们面临的是全新时代的全新问题。每当我细想能源气候年代的意义，总是不由得想到加利福尼亚伯克利国家实验室首席气象模型师柯林斯（Bill Collins）的话。在展示一个超级计算机演示的下世纪气候变化模型后，他告诉我："我们正在自己唯一的家园里进行一次后果无法控制的试验。"

第二部分

我们为何会变成这样

第三章

复制美国生活，能源供需失衡

"Affluenza"是用户至上主义评论家常用的术语，富足和流感的合成词。其原始定义如下：

Affluenza，名词。由过度索取引起的令人痛苦的超负荷、债务、焦虑和浪费，具有传染性并在全社会传播。

Affluenza，名词。①为了赶上与自己社会地位相同的人而付出努力，由此引发的一种膨胀而无法满足的惯性情绪。②为了追求美国梦而承受压力、过度工作、浪费资源并负债累累的病态。③过分沉溺于追求经济增长。

——维基百科（Wikipedia）

2007 年秋天，我参观了两个你可能从未听说的城市——多哈和大连。如果你想要知道平坦和拥挤这两种状态是如何让我们身陷这个能源气候年代的，那么你真该了解了解这两个城市。多哈是卡塔尔——一个离沙特阿拉伯东海岸不远的小小的半岛国家的首都，约有 45 万人口。大连位于中国东北，有中国的硅谷之称，因为那里有软件园区、葱葱山峦和一个有着科技头脑的市长——夏德仁，人口约 600 万。这两个城市我都去过好几次，所以非常了解。但是，我已经有 3 年多没去过了，直到 2 周前才碰巧有机会前往。

它们变得快让我认不出来了。

自我最后一次离开多哈后，它就像一朵硕大的沙漠太阳花，历经暴风骤雨后从沙地里萌发出来，有着像缩微曼哈顿一样的轮廓。只要上海和迪拜用不着的建筑起重机一定就在多哈。事实上，如此多的起重机耸立在城市的各个角落，让多哈看起来需要理理发了。由于石油和天然气的收入大幅上升，在这个一度沉睡的波斯海湾里诞生了一个完整的庞大世界，由形态各异的玻璃和钢筋建成的摩天大厦交织而成。

据我所知，大连已经有个缩微曼哈顿了。但当我再次回到那里，我又发现一个曼哈顿。在这处曼哈顿里有一个建在人造半岛上若隐若现的会展中心——大连星海会展中心，据说是亚洲最大的。的确，它比我见过的任何一个会展中心都要大，也更加奢华时尚。它就位于中国的这座人口过百万的城市。在中国，像这样人口过百万的城市多达 49 座，而其中有 47 座你可能都没听说过。

唉，可惜这不是一个观光故事，我想说的是在这个平坦世界里能源消耗的事，越来越多的人开始发掘、消耗能量并排放二氧化碳，而且与美国人是一个数量级的。看过多哈和大连之后，我担心我们永远不可能携手应对气候变化了。你能想象这两个从未听说过的城市里的新建摩天楼要消耗多少能源并排放多少二氧化碳吗？这两个城市中进进出出的交通工具要排放多少二氧化碳呢？我无法想象。

我很高兴看到许多美国和欧洲人把家里的白炽灯管换成了持续时间更久的荧光灯管，这样能节省很多能源，但是近年来持续增长的多哈和大连却把所有这些节省下来的能源用来做了早餐；我很高兴看到很多人开始购买混合动力汽车，但是多哈和大连在中餐前就能用光这些汽油；我很高兴美国国会决定在本国推进 1 加仑 1 英里的标准，以求 2020 年赶上欧洲的水平，但是多哈和大连却把这些节省下来的能源做了午餐——也许只够做第一道菜；我很高兴太阳能和风能在美国能源产量中的比重正向 2% "飙升"，但是多哈和大连要把这些干净的电能用来做晚餐；我十分高兴看到人们采纳自己喜爱的杂志的建议开始做 "20 件绿色事情"，但是多哈和大连却把所有这些良好的意图化作就寝前的小吃，比如爆米花。

多哈和大连展示了当平坦遇到拥挤会发生什么。不只是世界人口将从 1955 年的 30 亿增长到 2050 年的预计值 90 亿，更严重的是，我们将从一个大概只有 10 亿人过着"美国式"生活的世界进入到一个有着 30 亿人正在或准备过"美国式"生活的世界。

（没错，虽然随着越来越多的地区走上经济发展的轨道，世界人口增长速度可能会放慢，到 2050 年这个数字可能也到不了 90 亿；此外，随着越来越多的妇女接受良好的教育并且出去工作，她们自然会少生孩子，但是，我们需要关注的并不是地球上的人口总数，而是在这个星球上的美国人的总数。这才是关键的数字，并且它一直都在平稳增长。）

当然，我并非在责怪多哈或者大连的市民如此热切地追求美国生活方式，也不是在责怪他们像我们一样靠便宜的化石燃料支撑这种生活方式。是我们创造了这个体系，也是我们传播了这个体系。其他人至少拥有和我们一样的资格和权利去享受这种生活，毕竟我们已经享受过几十年这种增长和消费带来的好处，而其他人只是刚刚尝到味道。经济增长是不能通过谈判来决定的，特别是在这个平坦的世界里，人人都能亲眼看到其他人是如何生活的。告诉人们不许他们发展，就等于告诉他们要永远贫穷下去。

正如一个埃及内阁大臣对我所言：这情况就好比发达国家吃光了所有的开胃小吃、所有的主菜以及所有的餐后甜点，然后邀请发展中国家来喝杯咖啡，"并要求我们平分账单"。这是不可能发生的，发展中国家是不会接受的。

我们美国人没有权利去教训任何人，但是我们有能力去更好地了解。我们能够树立另外一种经济发展的榜样，我们能够利用自己的资源，并且知道如何创造可再生的干净能源以及一套高效的能源利用系统来让经济更加健康地增长。欧洲和日本已经证明，过中产阶级的生活方式却消耗更少的能源是可能的。在这个平坦又拥挤的世界里，如果我们美国人不能重新定义什么是美国中产阶级的生活方式，不能找到行之有效的方法把这些知识经验分享给其他的 20 亿～30 亿人，让他们以一种更持续的方式享受这种生活，那么我们就需要再开发 3 个星球。因为我们将把地球弄得非常炎热，把它的资源耗尽，以至于没有人——包括我们在内——还能像美国人那样生活。

"我们用了整个人类历史的时间才在 1950 年使世界经济达到 7 万亿美

元；而以当前经济增长速度只需 10 年就能达到这个数字，"耶鲁的史佩斯（James Gustave Speth）在《世界尽头的桥》（*The Bridge at the Edge of the World*）中这样写道，"以现在这个发展速度，整个世界经济只需 14 年就能扩张 2 倍。"

突然间到处都是"美国人"——从多哈到大连，从加尔各答到卡萨布兰卡到开罗，他们加入到美国式的生活的行列里，吃美式快餐，制造出与美国一样多的垃圾。地球上从未见过如此之多的美国人。

全世界的城市都得了美国流感——人类已知的最厉害的传染病之一。伯克（Tom Burke）是 E3G（第三代环境保护论）的创始人之一，这是一个非营利的绿色顾问组织，他有个说法是：可以把美国当作能源的计量单位。按伯克的说法，"1 'Americum' 就代表了 1 个 3 500 万人的群体，这一群体的人均收入超过 15 000 美元，并消费着越来越多的商品和服务"。伯克说，多少年来世界上只有 2 单位 Americum，一个在北美洲，一个在欧洲，此外还有少量的美国式生活分布在亚洲、拉丁美洲和中东地区。

"如今，"他写道，"全球正在形成数个单位 Americum。"中国已经产出了 1 单位 Americum，还在酝酿着下一个，预计到 2030 年形成。印度现在已经有 1 单位 Americum，同样预计到 2030 年产出下一个。新加坡、马来群岛、越南、泰国、印度尼西亚、中国台湾、澳大利亚、新西兰、中国香港、朝鲜和日本组成了另外 1 单位 Americum。俄罗斯和中欧正在孕育着 1 单位 Americum，南美和中东的部分地区也有 1 单位 Americum。伯克说，"到 2030 年，我们将从一个只有 2 单位 Americum 的世界发展到一个有 8～9 单位 Americum 的世界"。

这些都是美国的副本。

我在大连碰巧遇到我的朋友希达里（Jack Hidary），他是一个在纽约从事网络和能源业务的年轻创业家。他给我讲述了他最近的一次游历，他和他的中国同事去了趟大连附近的大窑港，那是大连通往太平洋的通路。他参观了那个由中国政府请挪威人和日本人建造的结构复杂的新港，那里也是中国最大的原油终端——石油管道、天然气管道和储油罐林立，还有挂着中东旗帜的油轮。

希达里回忆说："我看了一眼，然后转身对我的中国同伴说，'天啊，你们在模仿我们——你们为何什么都要模仿我们呢？你们没有像我们一样使用电话，而是直接跳到了使用手机的阶段，因此中国陆上通信线的铺设面只占国土面积的5％。可是你们为何要在这里模仿我们呢？'我很沮丧。他们看到了我们的所作所为，本可以绕开坑洞，但是他们却没有这么做。"

中国和其他国家还有时间采取不同的发展方式，但我们得告诉他们如何去做，否则他们是不大可能脱离现有路径的。这比你想象的要紧迫得多，因为如果现在发展中国家一直沿袭美国式的消费、建造和运输方式，那么我们将被这一模式束缚几十年。

威克（Jeff Wacker）认为我们过去总是遵循着疾病、饥饿或是战争的逻辑，却从未遵循"资本主义的社会生态逻辑"，他是一个来自电子数据系统公司的未来主义者。要知道，当资本主义的生态逻辑成为经济增长的制约因素时，你已经生活在能源气候年代了。

威克指出，"我们的繁荣所受到的威胁正是来自于繁荣自身的基础"——这是美国资本主义的本质。"我们必须加固地基才能继续在这所房子里生活。中国的地基和美国的地基是不一样的，而且美国的地基也得重修了。这个地基上的建筑物已经触到了物理极限，必须得有一个新的地基。"

问题是我们还没有开发出这个新的地基。

当拥挤与平坦相遇究竟会怎么样呢？2006年，我乘飞机去上海进行采访，班机在上海机场降落后，我排队等待护照盖戳和签证检查，差不多等了90分钟。我排在队伍里，和出国旅游的中国人以及外出考察的商务访问团挤在一起，队伍里每隔一个人就有使用手机或者掌上电脑的。我什么都没有，感觉就像是参加夏令营却忘记带牙刷。

从如此之多的人里释放出的如此之多的能量，对我们的自然资源的影响是令人惊愕的。2006年，在深圳这座中国南方城市里，仅一家沃尔玛连锁超市的山姆会员店就能在一个炎热的周末卖掉大概 1100 台空调，我敢打赌，这比美国一些大卖场整个夏天卖的还要多。

其实不只是数字在变大。我在北京堵车的时候就和自己玩智力游戏。我看着车窗外面的办公大楼——都是些造型很奇特的高层建筑——数着这些在华盛顿都称得上是旅游景观的建筑，在如今北京四处林立高耸的建筑群里却如此毫不起眼。毫不夸张地说，北京目前至少拥有 30 处这种规模的办公大楼，具有惊人的高度、超大的面积以及超现代的设计风格，如果是在华盛顿，你一定会坚持在某个感恩祈祷的周末带着乡下的客人来此参观，与白宫和华盛顿纪念碑一起作为观光内容。

现在这种趋势已经开始向私人住宅发展了。可以看看弗尔（Geoffrey A. Fowl）写给《华尔街时报》（2007 年 10 月 19 日）的文章《让 100 座豪宅兴盛起来》（*Let 100 McMansion Bloom*）。

我有一次在北京参观财富公馆（Palais De Fortune）的样房，销售经理蔡思雨（音）向我们展示法国式别墅的几处特征：前门上要有小天使的雕塑装饰，大厅的主楼梯上方要悬挂施华洛世奇水晶吊灯，还要有一个穿着蕾丝花边制服的女仆在前门迎候。

在几十米外，一座微缩的凡尔赛宫正拔地而起，在北京的蒙蒙烟雾中若隐若现。沿路而下，还有 172 座类似的房屋。这种突兀的场景会提醒你，这片每栋造价 500 万美元、占地约 15 000 平方英尺的建筑群落并不是在法国。虽然建筑风格和周边环境并不和谐，但这却是中国最高档的住宅区之一。

后毛泽东时代的经济改革转变了这个国家的面貌，二十几年过去了，富豪排行榜上出现了 106 个中国亿万富翁，还有一些中国人不愿意谈论他们的财富，但是他们并不羞于炫耀。在占地 82 英亩的财富公馆里面，这些奢华的有着花岗岩外墙的房子，形象地表达了有些人对外国生活方式的迷醉，或者说，至少是对那些外表的迷醉。蔡先生说："我们的开发商专程去法国学习了这种风格。"在参观这些样房的时候，他特地向我们展示了白得发亮的"西式"厨房，里面配有咖啡壶、红酒架、烤箱和一些其他器具，此外还有一碗塑料水果。财富公馆在它的营销手册上写道："这里展示了全世界顶级富豪们的生活方式。"

2007 年 8 月，威尼斯度假村酒店这个世界上最大的娱乐场所在中国澳门开张营业，大批的狂热赌徒蜂拥而来一睹其风采。《经济时报》（2007 年 9 月 1 日）这样形容当天的情景：

> 这座亚洲最大建筑由 20 000 个建筑工人共同修建，耗用了长达 3 米的金箔。16 000 个员工才能保证其经营，其耗用的电力足够 300 000 户家庭之需……威尼斯酒店有世界上最大的赌博大厅，里面有 870 张桌子和 3 400 台老虎机，环厅四周有 350 家商店营业，零售空间超过任何一家香港大卖场……（所有这一切都只为吸引）那些狂热的赌家。

要知道，这才是平坦和拥挤刚刚相遇的阶段。等中国变得更富有一些，到那时大数定律就会在旅游观光上有所体现了。伊丽莎白（Elizabeth C. Economy）是研究中国环境的专家，她在《外交事务》（*Foreign Affairs*，2007 年 9～10 月）里提供了一个索引目录，可以帮助我们快速找到我们的中国副本：

> 中国的开发者在全国又铺设了超过 52 700 英里的高速公路。每天有大约 14 000 辆新车行驶在马路上。到 2020 年，中国预计将拥有 1.3 亿辆汽车，到 2050 年可能是 2040 年初，这个数字就会超过美国……中国的领导人计划在 2000～2030 年间重新安置 4 亿人口，这差不多相当于全美国的人口，把他们转移到新开发的城市去。在这个过程中，他们将建起全世界这一时期全部新建建筑的一

半。考虑到中国的大楼并不高效节能，未来是十分令人担忧的。事实上，其能效还不及德国的 2/5。而且，刚刚城市化的中国人要开始使用空调、电视机和冰箱，消耗掉的能源比那些生活在农村的人要多 3.5 倍。

《外交政策》（2007 年 7～8 月）的数据显示，2006 年有超过 3 400 万的中国人出国旅游，比 2000 年增长了 3 倍。到 2020 年，预计会有 11 500 万中国人去国外度假，这世界上最庞大的旅游团无疑需要更多的航班、更多的酒店、更多的燃油，并排放出更多的二氧化碳。2008 年 2 月 22 日，沙龙公司的航空专家史密斯（Patrick Smith）指出："在中国、印度和巴西这样的国家里，新兴的中产阶级催生了大量的新航线。仅中国就打算在近几年内修建 40 多个大型机场。在美国，每年航空旅客的数量已经接近 10 亿，预计 2025 年将翻倍。飞机排放的温室气体会增加到现有水平的 5 倍。"

同样，我们没有权利责怪中国人希望享受同美国人和其他西方国家人民一样的生活方式。我只是想用这些故事来强调，那些国家的人们在需求被抑制多年之后，爆发了巨大的消费欲望。

共产主义和社会主义曾经是制约型体制，都是计划式的。共产主义政府用计划经济取代了市场经济。在那些革命岁月里，莫斯科基本上只有 3 种形式的储备，面包、牛奶和肉，而且基本没有私家汽车。于是，就能源消耗来讲，莫斯科是一个影响力相对较小的国家。由于他们的经济活动和经济发展的脉搏同西方比起来相对有限，对环境的破坏相对来说——只是相对的——还不太严重。那一时期经常去莫斯科的人都会告诉你这些。1977 年我以学者的身份第一次去那里，发现莫斯科有着令人难以置信的宽阔的林阴大道，特别是在市中心的红场周围，路上连一辆车都没有，这种强烈的反差让我震惊。但这一切已成过去。2007 年我又去了趟莫斯科，时隔 30 年，那些林阴大道上挤满了汽车，挪都挪不开。这是一个为了容纳 30 000 辆汽车而建造的城市，一个 10 年前只有 300 000 辆车的城市，一个如今却拥有 3 000 000 辆车以及莫斯科人每天上下班都要往来于市中心和新建环郊的城市。我最近一次去俄罗斯准备离开的当天，莫斯科的同事告诉我从红场附近的酒店出发需要提前"4个小时"去机场才能赶上飞往伦敦的航班。我当时就想，这怎么可能？以前我只要开35分钟的车就能从红场到达谢列梅捷沃（Sheremetyevo）机场。

以防万一，我还是听了他们的建议。下午4点20分我从万豪（Marriott）酒店出发，航班起飞时间是7点25分。20世纪70年代我第一次到莫斯科，20世纪90年代初也来过，这条通往机场的路在那个时候还没开发呢，现在看起来已经同通往美国任何一个机场的道路没什么两样了——道路两边都是麦当劳快餐店、宜家（Ikea）之类的大型超市和购物中心，开往市郊方向的汽车堵得一塌糊涂。差不多是3个小时以后，我终于在下午7点10分抵达机场，时间勉强够通关和登机。路上连一起交通事故都没有，只有一条拥堵的汽车长龙。

甚至像印度这样的国家也在飞速增长中呻吟。独立之后，印度的领导人从1950年到1980年开始实行社会主义式的计划经济，以资本主义的自由市场经济为辅，并要人们相信所谓的"印度经济增长率"——3.5％的年增长率——已经足够了。虽然这个增长率只是略高于印度2.5％的年生产增长率，而且无助于提高大多数国民的生活水平，他们还是实施了这个计划。

虽然身为民主国家，但印度在如何利用世界平坦化的契机上的反应却比中国慢了半拍，可是印度正在快速追赶。印度当前的经济增长率是过去所谓印度经济增长率的3倍，并正在朝每年9％的速度发展。这对印度经济的购买力和建设力的影响是令人震惊的。印度经济作家特里帕蒂（Salil Tripathi）在保卫无限（Guardian Unlimited）网站做过一些对比分析（2006年6月13日），颇具启发意义：

> 让我们来看看印度的经济增长：去年增长率达到了7.5％，收入增长的数额已超出同年的葡萄牙（1 940亿美元）、挪威（1 830亿美元）或丹麦（1 780亿美元）的总收入。相当于一个富裕国家的经济加上一个非常贫困的国家……这也意味着印度虽然10年内

增添了 1.56 亿人口——这个数字是英国、法国和西班牙人口的总和——其贫困人口数量却减少了 3 700 万，同波兰的人口总数相同。假设贫困线保持不变，印度应该有 3.61 亿贫困人口。但在那段时期印度经济的发展使得 9 400 万人脱离了绝对贫困，这个数字比欧盟成员国里人口最多的德国的总人口还要多 1 200 万。

天啊：这里多出了一个德国，那里多了个波兰，全都发生在 15 年内……

现在去印度游览参观，你可以切切实实地看到和感触到那里生活水平的提高，就发生在你的身边，只要没在堵车时被困在车里，一切都如此美妙。2007 年 10 月在海德拉巴（Hyderabad），我开车行驶在通往市区的路上，看到 50 来人盘腿坐在一座像是新建的桥下。其中有个印度僧侣，穿着色彩艳丽的衣服，在众人中间踱步，手里晃动一个燃着椰子壳的灯笼，嘴里诵读着圣歌（车上的印度朋友告诉我的），希望能为在桥上来往的人们带去好运。当地的政客也来参加这个仪式，希望自己能出现在照片上。他们都在为这座刚完工的天桥举行落成仪式，这座用了 2 年时间才竣工的天桥缓解了海德拉巴的道路交通压力，再也不需要用栅栏来分割马路了。我很高兴看到这样的进步。第二天我在酒店一边用早餐一边浏览《周日印度》（Sunday Times of India）（海德拉巴版，2007 年 10 月 28 日），被上面的一张彩色照片吸引，那是交通拥堵的景象——小型摩托车、公交车、汽车，还有黄色的三轮摩托车，全部挤成一团。

照片上方的大标题是："没有跨越，只有拥堵。"内容是这样的："星期六海德拉巴的交通状况还是以在当天开放的立交桥上造成拥堵而收场。才第一天天桥上就堵车，人们开始质疑天桥在缓解交通拥塞方面的功效。"

就是那座天桥！一天之内，耗时 2 年建成的天桥就被印度的经济增长吞没了，连个嗝儿都没打。等着看塔塔集团（Tata Group）开始大批量生产价值 2 500 美元的四人汽车吧！尽管预计消耗 1 加仑汽油就能行驶理想的里程数，这种质优价低的汽车会让天桥拥堵的景象变得更糟。

印度德里首席部长迪克希特（Sheila Dikshit）曾在世界经济论坛和印度工业联盟的一个讨论会说过，这座城市拥有 1 600 万居民，每年还吸引着500 000 移民，要管理这样一个城市实在不容易："每一个来德里居住的人都需要有更多的水、电、工资和石油。"任何一个印度政治家都不能不向印度人民提供廉价燃料，这是在 2007 财政年度期间指出的："印度政府预计将划拨 175 亿美元或国家产出的 2％作为燃料补贴——因为他们不想把已经大幅高涨的世界能源价格转嫁给印度公民。"这样做也是出于对政治动乱的恐惧 [《金融时报》（*Financial Times*），2007 年 12 月 6 日]。

不要认为这样的现象只存在于中国、俄罗斯和印度这些发展过热的经济体中。2008 年 6 月我访问了纳斯鲁拉（Khalil Nasrallah）和高赫（Sarah Gauch）的占地上千英亩的橄榄农场，就位于开罗到亚历山大的高速路边，距离金字塔大约 30 英里。哈利勒是来自黎巴嫩的企业家，他于 1991 年买下这个农场，后来遇到莎拉，她是一个美国自由作家和记者。两个人结婚生子，在开罗市里和农场上都有自己的房子。

"这里还和我们第一次来的时候一样。"哈利勒边说边翻到相册的一页，这是从他们屋顶拍摄的。我看到的是他们绿色的农场四周全是荒芜的沙漠。他们刚来的时候这里竟然连口水井都没有。哈利勒投标买下这块土地后发现了水源——丰富的水源。"那时候这里只有我们一家。"他感慨地说。

现在如果你爬上他们建在沙漠里的房子的屋顶，脑海里就不会再有"只有"这样的字眼儿了。

哈利勒和莎拉的房子周围建起了大片封闭式社区，其中 1/4 是豪宅。社区的名字有月亮谷、海德公园、富饶峰、里维埃拉高地、贝弗利山。紧挨他们房子的右面是个 99 洞的高尔夫球场，拐角处有一家法国大型仓储式家乐福的和一个现代超市，左边的地平线上还有另外一个社区，其较远处又是一个高尔夫球场。这里居住的全都是埃及的富户，他们在海湾拼命工作赚得盆满钵满，并且已经跻身开罗的商业阶级之列，这也是全球化了的商业阶级。他们同住在加利福尼亚棕榈沙漠的美国人一样，享受着高尔夫球场和高级公寓。但是，这些新兴社区对能源和水资源的需求却让中东地区越来越多地消费自己的石油而不是用来出口。

哈利勒担心的是水源，一个 99 洞的高尔夫球场能消耗很多水。"我担心有一天我的技师会打电话告诉我说我们的水井有麻烦了，水源不足，"哈利勒说，"目前为止水线只有 1 米。"

他接着说，以前沙漠的夜晚死一般沉静，但是现在不是这样了。"有时候晚上睡在农场里，会有聚会闹到凌晨 4 点多，"哈利勒说，"我们虽然相距 4 000 千米，可是（在空旷的沙漠里）还是能听到。"

莎拉和我们这一代大多数记者一样来到中东，被这里独特的景色、声音、人群和戏剧所吸引。她或许从未想到美国会跟着她一起来到开罗，但绝对想不到在沙漠里也有美国的影子。"我最不想住的地方就是埃及沙漠里的美国郊区。"她开玩笑地说。

当我把所有的故事和数字放在一起，脑海里便出现了一辆畸形的卡车。那就是当前全球经济的写照：有一辆烧汽油的有着加速踏板的卡车，我们丢掉了卡车的钥匙，也没人能停下它。不错，印度和中国在过去 30 年里使 2 亿人脱离了贫困，他们中的大多数从影响力较低的农村搬到了城市过上中产阶级生活。但是，正如一些经济学家指出的，他们之后还有 2 亿人，之后的之后还有 2 亿人……全部都在等待过这样的生活。他们的政府不会拒绝给予他们美国生活方式，他们自己也不会拒绝接受。

在一个平坦的世界里，每个国家都有各自特定的市场经济体制，每个人都能看见别人是怎么生活的，尼勒卡尼（Nandan Nilekani）是印度科技巨头 Infosys 公司的主席之一，他说，"没人能关掉经济增长的机器，""这可能会演变成政治自杀，可是那些政客怎么会愿意自毁前程呢？因此，由于每个人都不想断送个人性命，那就变成所有人集体自杀了。"

在如此多人变成了"美国人"之后，这对能源、食物和自然资源的影响是令人震惊的。金奇（James Kynge）在他的《中国震撼了世界：一个饥饿国家的崛起》（*China Shakes the World：The Rise of a Hungry Nation*）一书里讲述了一个精彩的故事：

对我来说，中国的崛起在 2004 年 2 月中旬的一个小事件中表现得淋漓尽致。由于中国的需求使得废金属价格飙升至历史新高，世界各地的小偷都打着同样的主意，都开始去偷井盖。开始还难以察觉，很快就速度剧增，几周内达到高潮：全世界公路上和人行道上的井盖开始消失。等到夜幕降临，小偷们抬走铁盖，卖给当地商人，那些商人把这些井盖割开运到开往中国的船上。中国台湾岛首先受到影响，接下来其他邻国也开始受到波及，比如蒙古和吉尔吉斯斯坦。很快，复活的"中央帝国"的引力传递到了最远的地方。不管在什么地方，只要太阳一下山，小偷们就开始工作。芝加哥 1个月内就丢了 150 多个井盖；苏格兰发生了"特大井盖失窃案"，几天内 100 多个井盖都不见了。在蒙特利尔、格洛斯特和吉隆坡这些地方都会有无辜的路人掉进没有井盖的下水道里。

虽然带有消遣的成分，这个故事却映射出驱动我们进入能源气候年代的一种最基本的动力："经济增长已成为地球上大多数人的特权，这在人类历史上是第一次，"詹姆斯·金奇说，他是赛拉俱乐部（Sierra Club）的执行理事，"10 年前都不是这样，这是个全新的现象。"正如地理学家和历史学家戴蒙德（Jared Diamond）指出的那样，我们在很长时间内都只是简单地认为持续增长的人口是人类面临的主要挑战，但是现在我们明白了人口增长的影响大小取决于有多少人消费和生产，并且随着世界变得平坦，越来越多的人会进行更多消费和生产。

"如果把全球 65 亿人中的大部分都冷藏起来，让他们不再新陈代谢也不再消费，可能就不会再有资源问题了。"戴蒙德在《纽约时报》（*New York Times*）2007 年 2 月 2 日的一篇文章中这样写道：

真正重要的是全球消费，也就是所有地方消费的总和，用当地人口数量乘以当地的人均消费量计算而得出。生活在发达国家的

10亿人的人均消费率是32，生活在发展中国家的其他55亿人的人均消费率大都低于32，几乎只有1左右。但人口一直在增长，特别是发展中国家更是如此，而且一些人对这件事一直很关注。他们指出一些像肯尼亚这样的国家人口增长非常快，已经成为令人头痛的问题。没错，肯尼亚人口已经超过3000万，这的确比较麻烦，但这没有成为整个世界的负担，因为肯尼亚人消费得很少（相对人均消费率为1）。这个世界真正的麻烦是3亿美国人里面每个人的消费率都是肯尼亚人的32倍。如果美国人口增长10倍，那么要消费掉的资源是肯尼亚人的320倍……但低消费水平的人也想过上高消费的生活。发展中国家政府都把提高人民生活水平作为国家政策的基本目标。发展中国家数以亿计的人口通过移民主动寻找第一世界的生活方式，特别是到美国、西欧、日本和澳大利亚。尽管大多数移民并不能立刻能就把他们的消费率乘上32，但每个移居到高消费国家的人都提高了世界消费率。

戴蒙德指出，"中国的人均消费率仍然只是我们的1/12"，但是如果他们发展到我们的水平，即使在其他国家不增加消费、全世界（包括中国）人口数量保持不变、没有新的移民的情况下，中国人按照我们的方式消费也会"使全球消费率翻倍。全世界石油消费量会增长106％，金属消费量会增长94％。如果印度和中国都赶上来，那么世界消费率可能会是现在的3倍。如果整个发展中国家都赶了上来，那么世界消费率就会变成现在的11倍，就好像是世界人口剧增到720亿人（在现有消费率保持不变的前提下）"。

布利连（Larry Brilliant）掌管着谷歌公司的一个慈善基金会，他曾经作为医学博士在印度工作了多年。他说，印度的老年一代和青年一代对食品消费的观念大相径庭，这让他很困惑。"你和印度的老人聊天，问他们：'你的孩子会成为素食者吗？'他们会说：'会。'然后去问孩子，他们会说：'不可能，我们还要吃麦当劳呢。'我们讨论的一切事情都是人均数，所以如果我们有更多人——再有40％～50％的人口增长——那么我们将会对资源造成更大压力。"此外，如果目前的健康状况维持不变，这些新增人口中的大部分都能多活 10 年——那么就会有更多人像美国人一样生活并且比以往寿命更长。美联社（2008 年 3 月 24 日）报道了一个来自墨西哥城的故事，是关于不断上涨的全球食品价格的，其中有条趣闻："在中国……人均肉类消费量自从 1980 年以来增长了 150%，于是周建（音）决定不再卖汽车配件而改卖猪肉。去年猪肉价格剧增了 58%，但是每天早上还是有很多家庭主妇和家佣挤在他位于上海的店铺前，而且越来越多的人选择精瘦肉。如今这个 26 岁的年轻人 1 个月能挣 4 200 美元，是他过去卖汽车配件时收入的 2～3 倍。"

《外交政策》的编辑纳伊姆（Moisés Naím）认为所有这一切都说明了一个简单却意义深远的问题。"这个世界能负担一个中产阶级吗？"他在该杂志 2008 年 3～4 月那期里提出这个问题。他写道：

> 贫穷国家的中产阶级是世界人口中增长最快的一部分。在未来 12 年里，地球上的总人口大约会增加 10 亿，中产阶级则会增加 18 亿……当然这是个好消息，但是这也意味着人类得去适应空前的压力……去年 1 月，10 000 名群众走上雅加达的街头，抗议大豆价格的飙升。然而印度尼西亚人并非唯一对食品价格上涨感到愤怒的人群……有关地球"难以承受经济增长"的争论已经和马尔萨斯的世界人口过多难以自给的警告一样陈旧了。我们已经证明悲观主义者的言论是错误的。暴涨的价格和像绿色革命这样的新科技常常能担任拯救者的角色，增加供给并让世界继续增长。这也许还会发生。但人们才刚刚开始适应一个世界上前所未有的庞大的中产阶级，印度尼西亚和墨西哥的抗议者已经证明，这一过程是要付出代价的，而且也不会悄然无声。

食物问题只是这其中的一小部分。麦肯锡国际学院（McKinsey Global Institute）预测，从 2003 年到 2020 年，中国的平均居住房屋面积每年将增加 50％，能源需求将增加 4.4％。

继中国之后，阿拉伯国家和伊拉克在能源使用上的增长率是发展中国家里最高的，这很大程度上是因为他们拥有丰富的资源，因此国内石油和天然气价格比较低，这些国家的居民可以肆意挥霍，就连石油生产商也日益成为贪婪的消费者。一些专家指出，由于消费和工业之需，俄罗斯、墨西哥和欧佩克（OPEC）国家的国内能源使用率不断升高，这将迫使这些国家在 10 年后每天减少 200 万～300 万桶原油出口，对于一个呈紧缺状态的国际石油市场来说，这只会把价格抬得更高。

2007 年 8 月我去伊拉克参观访问，那里的一个世界银行的专家对我说："在这个地方，人们认为使用能源是理所当然的，节约这种事情根本不在议程上。如果你看看这里的计划安排，就会发现几乎没有任何有关环境方面的批评。如果你提出环境标准和环境控制，就好像在对这里的人说外语，他们是听不懂的。他们在各种各样的机器里燃烧各种各样的（东西），向空气和水里排放各种各样的垃圾，没有人在乎。"

我不知道我们什么时候会撞墙。但是自 2000 年以来，能源、食品和其他大宗商品的价格一直持续上涨，这无疑向我们发出了一个信号：世界在现有的科技水平上已倾其所有向不断增长的 Americum 提供各种原料。如果不能大幅提高可持续能量和资源的生产能力，人们只是一味采取美国能源消耗型发展模式是行不通的。要在一个平坦的世界里走这条老路，注定会对地球造成不可恢复的破坏。

"回顾历史，任何一个国家或地区每次经历的经济井喷和起飞都是由于开发出了某种新的生物资源"，波普（Carl Pope）在提到未开采的自然资源时说，"17 世纪，捞捕北大西洋鳕鱼的渔民把北欧带进了资本主义。那个时候的欧洲没有多少蛋白质来源，直到大浅滩渔场（Grand Banks）被发现。渔场为人们提供了足够的蛋白质，人们开始脱离农场，迁往城市，从事工业、纺织和贸易。还有，是北美的原始的松树林和印度的阔叶树林造就了英国的舰队"。

波普补充说，18～19 世纪的工业革命在某种程度上也是这样发展起来的，"美国中西部地区开发出了土地来种植谷物。英国迫使印度种植茶叶，然后用船运到中国换取中国的银子和丝绸。非洲的部分国家也遭到剥削，那里的原住民沦为加勒比海种植甘蔗的奴隶。（日本人）在 20 世纪初期靠大量消耗印度尼西亚的钨、马来西亚的橡胶和中国的大米来支撑自己的经济发展。战败（第二次世界大战）之后，他们又依靠世界范围的渔业来推动战后工业革命，以供养丰田公司的职员"。

对于当今不断加强的经济动力和新生资本家来说，坏消息是供给他们发展资本主义的原始资源已经所剩无几。"这就是为中国偷盗井盖的原因"，波普说，"这虽然不公平，但却很现实"。

他们要么自食其力，要么利用全球化这一契机，就像一根吸管拼命吸收非洲、拉丁美洲和印度尼西亚每个角落的每一滴养分。理想状态是，我们能找到一种在这个平坦、炎热和拥挤的世界里可供我们持续发展的增长模式。

"好消息是我们的确还有选择的余地，"波普说，"现在我们有很多方法来找到替代原材料。"当然，你不可能用计算机的信息组和字节代替砖头和水泥来建造房子，但却可以运用更好的原料和更合理的设计，使用更少的砖头和水泥来建造房子。你可以建造有着更结实的窗子和更先进的隔热设施的房子；你可以用很少的铁矿石和热能来炼钢；你可以建造能够有效调节室温的房子；你可以增加每英亩粮食的产量。而这一切所需要的只是知识。对生产力进行革新，生产出可持续的能源和资源是我们的唯一出路。中国和印度必须利用知识密集型方式进行生产，而且得比西方国家转变得更快，这样这两个国家才能用较少的资源发展起来。他们正在努力，但是他们承担不起150 年的学习曲线，我们也承担不起——尤其当他们中的很多人即将像美国人那样生活，这更是无法支撑的。如果他们50 年后才找到最好方式，波普说"那就全完了"。

那么在这样一个自然资源极为有限的世界里，如何才能让经济增长不再扩张？最有创意的一种解决办法就是"从摇篮到摇篮"，这个概念是建筑师麦克唐纳（William McDonough）和化学家布朗嘉特（Michael Braungart）

在他们的《从摇篮到摇篮：循环经济设计之探索》（*Cradle to Cradle：Remaking the Way We Make Things*）一书中提出来的。他们指出，我们现有的再循环方法是回收高质量的电脑、电子产品、盒子和汽车，把它们变成低质量低端产品，然后再把它们扔掉。他们认为，这并非真正意义上的再循环，而是"下降型循环"，只是减缓了浪费和资源消耗。他们在《从摇篮到摇篮：循环经济设计之探索》一书中指出，我们可以也必须使用完全可以再制造其他产品的原料或者可完全以生物降解的原料来生产每一台电视机、每一把椅子、每一块地毯、每一件家具和每一个电脑屏幕，这样它们还可以作为原料被再次利用。他们一再强调，所有产品的组成部分都应该被设计成可当作生物原料或科技原料重复使用的物质——"摒弃废物这一概念"。

我前往弗吉尼亚大学（University of Virginia）拜访了麦克唐纳先生，他详细阐释了这个概念。他指着我坐的椅子说："从摇篮到摇篮正好与从摇篮到坟墓相反，这意味着我们完成了所有的循环，这样我们不只是把垃圾掩埋掉或焚烧掉，还把它们放到了一个封闭的循环中，可以重复不断地再利用……你坐的这把椅子是用铝和布做的，布的纤维可以回到土壤里，铝可以用于工业，这样就什么都没有浪费。我们摒弃了废物这一概念，任何东西都在封闭的循环中……我们看着所有这些物质，与其烦恼该把它们掩埋或者焚烧，不如在设计时就确保它们是绝对安全的，这样它们就可以一直往来于自然界或工业。更重要的是，这为我们国家创造了大量的新增就业机会，因为将来随着劳动力成本趋于稳定，后勤保障将成为最贵的部分，这些物质的所在地不但能收获最大的成本效益，而且其将发挥不可或缺的作用。美国每年要扔掉 45 亿吨地毯，想象一下，如果这些地毯不是被掩埋、焚烧或是用船运到外国，而是由于你设计的一款从摇篮到摇篮的产品而使它们成为新地毯，情况会怎样？不仅你可以毫无负罪感地经常更换地毯，而且这还为美国创造出大量就业机会。"

麦克唐纳建议，未来某一天所有的器物都应该可以租赁——冰箱、微波炉、电视机，甚至所有汽车——回到它们的生产者手里充分在利用，循环往复：不是从摇篮到坟墓，而是从摇篮到摇篮。从这一途径中衍生出来的某些方法是在这个平坦的世界里解决经济增长的唯一可行方案。

不幸的是，我们没有以美国人的身份认真思考并重新规划这一方案，反而在很多地方变本加厉，在大量消耗能源的老路上踯躅不前还抱怨境况恶化。

2006年11月，我为探索时报频道（Discovery Times channel）做了一期有关能源的纪录片，我们选择沃尔玛在得克萨斯州的麦金尼市（McKinney）开设的一家实验性质的"绿色"商店作为这个纪录片的一个拍摄地点。这家商店在停车场安置了风力涡轮机，建筑外表有一套太阳能系统，还有高能效的照明设备和免冲水的小便池，甚至还有一个可以把食品部门用过的食用油和润滑油、快运部门用过的机油混合起来的系统，把这些废油作为一个使用生物燃料的锅炉的燃料，来为商店的地热系统提供能量。我问生产商麦金尼市在哪里，她回答说："在达拉斯（Dallas）的郊区。"我想，抽点儿时间去看看应该没有问题。于是我们随着车流开进了达拉斯，当时已经是深夜了，我们整个录制组租了一辆有篷货车就向麦金尼市的这个郊区前进。我们开了很长一段路才抵达目的地，准确地说该市位于达拉斯以北30英里。

那个生产商说得没错：在达拉斯的郊区（准确讲应该叫远郊）。但是它不同于我从小长到大居住的市郊，那个市郊距离明尼阿波利斯市区（Minneapolis）只有几分钟路程。这是一个自始至终都与达拉斯息息相关的市郊。由于高速公路还在加宽施工，我们一路上大都在辅路上行驶。但是那些想在拓宽的高速公路旁做生意的商家都已经各就各位，耀眼的霓虹灯在不停地闪烁，有麦当劳、必胜客、肯德基、汉堡王、加油站、汽车旅馆、新建公寓和城区住宅，然后还是麦当劳、购物中心、购物街，接着又是麦当劳——我们到达位于麦金尼的实验性质的沃尔玛绿色商店之前，甚至还看到了一家非绿色环保的沃尔玛分店。美国无处不在，处处都是美国。

对沃尔玛环保店的拍摄工作结束之后，我们第二天开车返回机场。我一路上都靠在车里眼睛盯着窗外，心想："这趟差使真是愚蠢透了。无论这家绿色沃尔玛商店能节省多少能源，或者1 000家这样的商店能节省多少能源，都会被这场经济发展的浪潮淹没。"窗外的一切好像注定会一直延伸到俄克拉荷马州的边界上。

在讨论印度和中国日益增加的能源资源消耗问题时，美国人需要记住我们自己仍旧是目前世界上消耗能源最多的国家。尽管我们的单位能耗有所下降，但我们国家的能源消耗总量仍在加速增长。让我们来看看国际科学院委员会（InterAcademy Council）2007 年发布的名为"照亮道路"（Lighting the Way）的能源报告，作者是来自不同领域的科学家们。

研究报告上写道：

> 保证一个人每天生存之需的能量为 2 000～3 000 大卡，但是美国人均能源消耗每年却高达 3 500 亿焦耳，每天 230 000 大卡。因此，平均每个美国人消耗的能源够 100 个人满足生理需要，其他发达国家平均每个居民消耗的能源能够维持大约 50 个人的生活。相比之下，美国人均能源消耗量是中国或印度的 10～30 倍。世界能源消耗量在 1971～2004 年急剧增长，发展中国家若持续目前的做法，以增加能源消耗换取经济繁荣，预计到 2030 年能源消耗会再增长 50%。

难怪《纽约时报》（2007 年 11 月 9 日）报道说："当国外的需求快速增长时，美国人渴望好车子和大房子的欲望也推动国内石油需求稳步增长。欧洲通过高额燃油税、小型车和高效公共交通等组合政策已经成功地控制了石油消耗，但是美国人却没有。"奥季（Margo Oge）是环境保护署交通运输和空气质量办公室（Environmental Protection Agency's Office of Transportation and Air Quality）的主任，他在 2007 年曾说过，自 1990 年以来美国的石油需求量增长了 22%。据巴黎国际能源机构（International Energy Agency）预计，到 2030 年世界石油需求将从 2007 年每天的 8 600 万桶增长到每天 1.16 亿桶。11 月 9 日那天的《纽约时报》还报道说："如果每个中国人和印度人都消耗掉和美国人同样多的能源，那么世界石油消耗量将会超过每天 2 亿桶，而不是现在的 8 500 万桶。没有专家认为生产力能够达到那种水平。"

接下来，在我们越变越大的房子里会出现下面的情景：每个罐子里都有一只鸡，每个口袋里都有一台 iPod，每隔一个房间就有一台电脑和平板电视。巴克（Peter Bakker）是欧洲最大的快递公司 TNT 的 CEO，2007 年道琼斯可持续性指数根据各公司在能源和环境方面的表现把 TNT 提名为世界排名第一的工业货物和服务公司。2007 年 9 月，就在 TNT 赢得可持续性奖励之后不久，我在中国遇到了巴克，他给我讲了下面的故事：

"我们在欧洲经营着 35 000 辆卡车和 48 架飞机。我们只买了 2 架波音 747，这 2 架飞机在公司全面运营的时候可以在比利时的总部和上海之间每周往返 9 次。每天，这 2 架波音 747 从比利时起飞时不会装得太满，每天返回欧洲时却会塞满苹果机和电脑。根据我们的计算，仅这架波音 747 每周就会燃烧掉其他 48 架飞机燃烧的油料总和，并排放出同样多的二氧化碳。"

类似的"素材"越来越多。我去明尼苏达州（Minnesota）看望母亲的时候，在明尼阿波利斯《明星论坛报》（*Star Tribune*，2007 年 11 月 17 日）的头版看到了这样一则故事：

> 美国购物中心原计划为期 3 天的回收电子产品用于再循环利用的活动被迫于周五提前结束，因为市民需要丢弃的这类产品数量惊人。伊根市材料加工公司（Materials Processing Corp.，MPC）的一位主管说他们收到了超过 100 万吨的电子废弃物，这是公司能够处理的最大极限，这些东西装满了 86 辆卡车。这个事件戏剧性地表现了一种被压抑的需求——由于法律规定把旧电视和旧电脑堆积在地下室或车库里是违法的，所以人们需要一种免费简易的方式丢弃它们。随着更新、更快、更高端的计算机和电视机面世，消费者也会随之升级换代，这只会让压力越积越大。"人们不知道该如何处理他们的废弃物"，（材料加工公司）的 CEO 卡托夫（David Kutoff）说。

那么猜猜这次活动是在哪里结束的？就在第二天早上（2007 年 11 月 18 日），我注意到了来自中国贵屿的美联社报道：

> 记者最近参观了一个位于中国东南部地区的城镇，该地被称为"电子废物"处理中心，发现情况完全没有改变。事实上，由于中国自己也在雪上加霜，这个问题越发严重。北京的中国绿色和平组织的成员杰米·崔（Jamie Choi）是一个抵制有毒物质运动的发起者，他说中国每年都会制造出超过 100 万吨的电子废物，这些废物加起来等于 500 万台电视机、400 万台冰箱、500 万台洗衣机、1 000 万部手机和 500 万台个人电脑。他说："中国的大部分电子废物来自海外，但是国内电子废物的数量也在增加。"

2005 年 10 月，我在上海的时候被《中国日报》（*China Daily*）上的一个栏目吸引。这个专栏建议中国人考虑放弃筷子而用手来吃饭。

为什么？专栏作家邹汉儒（音）写道："我们不再有足够的森林覆盖率，我们的土地也不再绿色葱葱，我们的水资源正在枯竭，我们的人口增长速度比以往任何时候都快……中国每年要消耗掉 450 亿双一次性筷子，也就是 166 万立方米木材"，那可是数以百万计的成年树木。他接着写道，中国人越富裕，"就越追求更大的房子和更多的家具。为了争取抢占更大的广告市场，报纸变得越来越厚"。他说，面对不断增加的环境压力，中国必须停止使用一次性木制筷子，改用可重复使用的钢制、铝制或者纤维筷子，"或者，更好的是用手来吃饭"。

当平坦遇到拥挤，问题就到处都是。从邹的专栏里我获得的信息是如果中国继续模仿美式的消费，那么中国很难再是中国了。

当然，美国也将不再是美国。

1959 年 7 月 24 日，美国前总统尼克松（Richard Nixon）和前苏联总理赫鲁晓夫（Nikita Khrushchev）在美国驻莫斯科大使馆的一次展会进行了一次公开辩论。展会展览了一所典型的美国式房子，里面摆满了典型的美国家庭所使用的典型的美国消费品。这触发了尼克松和赫鲁晓夫之间关于哪国国民生活质量更高的"厨房辩论"，值得回味：

> 尼克松：你们可能在某些方面超过我们，比如说用于外太空探索的火箭助推技术；而我们也在有些方面超过你们，例如彩色电视机。
>
> 赫鲁晓夫：不对，我们在彩色电视机方面已经追上你们了，而且我们在某些技术上甚至已经超过你们。
>
> 尼克松：你看，你永远不会让步。
>
> 赫鲁晓夫：我坚持我的看法。
>
> 尼克松：那就等到你亲眼看见这些事实的时候我们再进一步沟通和交换意见吧。那时我们应该多听听你们对于我们生产的电视机的看法，你们也应该多听听我们对于你们生产的电视机的看法。

> **几分钟之后：**

> 尼克松：你支配谈话的方式有可能让你成为一个优秀的律师。但是如果你是在美国参议院的话就会被指控阻碍议事了。（带赫鲁晓夫走到一个样房的厨房模型前停住）你们在纽约的展会上展出了一座非常漂亮的房子，我和我夫人看到后都非常喜欢。我想给你看看这个厨房，我们加利福尼亚的那些房子就和这些差不多。
>
> 赫鲁晓夫：（在尼克松让他看过一台有着内置面板控制的洗衣机之后）我们也有这样的东西。
>
> 尼克松：这是最新款，由上千个部件组成，可以直接安装在房子里。

尼克松传达给赫鲁晓夫的信息很简单：我们的厨房比你们的好，我们的洗衣机比你们的好，我们的电视机比你们的好，所以我们的体制比你们的好。"美国方式"代表了自由开放的市场、自由选举权和某种特定的生活方式。鉴于此，我们这一代——婴儿潮的一代——就是带着这样的观念成长起来的：如果世界上的人们都能像我们一样生活，这将非常美好。我们希望每个人都能转而追求美国的生活方式。可是，现在我们明白了。我们明白了在这个能源气候年代里，如果全世界的人们都像我们这样生活，俄罗斯、中国、印度、巴西和埃及已经有越来越多的人开始这样做了，那么这将会给气候和生物多样性带来灾难。

那么这是否意味着我们不再希望人们像我们一样生活呢？不是。我们的意思是我们必须带头重新设计和改造像我们这样的生活——也就是重新安排"美国方式"下能源和资源的构成。因为如果自由理念和自由市场传播开来，而规范我们能源生产和环境保护的绿色法典却跟不上，那么大自然和地球会将它们自己身上受到的制约和限制统统强加到我们的生活方式上。正因为如此，我们应该将绿色法典战略（我将在本书的后半部分详细介绍）连同人权法案、独立宣言和宪法一起放入美国送给当今世界的礼品袋里。如果没有绿色法典，我们将不再自由，其他人也不会。世界上会充满太多的"美国人"，而且是古板的"美国人"。地球已经重负难载了。

第四章

专制政体的石油世界
石油政治

俄罗斯已经开始进行外交努力，以减少颇具影响力的前苏联选举监票员们对选举的干涉。俄罗斯向欧洲安全与合作组织（Organization for Security and Cooperation）提交了一份提议，要求大幅缩减监督委员会的规模，并且禁止他们的报告在大选之后立即公开。这份提议还呼吁，在公民投票后的几天里，禁止监督员们就政府的选举行为做出任何公开声明。

——《国际先驱论坛报》，2007 年 10 月 25 日，头版

周五纽约的油价达到了创纪录的 90.07 美元/桶。

——彭博新闻社报道，上述报纸，同一天，第 20 页

投资 100 亿美元到红海周边大学的计划是阿拉伯国家教育改革规划中的中心环节……这些大学决定保护学术自由，反对一切来自保守势力的宗教压力……"这就是说自由的学术将要受到保护了，"沙特阿拉伯国家石油公司的主管阿尔纳斯先生（Nadhmi al-Nasr）说，他将成为（沙特拟成立的一所大学的）临时校长。

——《金融时报》，2007 年 10 月 25 日，第 6 页

昨天阿拉伯文版福布斯杂志的主编透露，沙特阿拉伯已经禁止了该杂志最新一期的发行，原因是其中一篇文章涉及（国王阿卜杜拉）和其他阿拉伯国家领导人的个人财富……一位政府官员说："当局不是只禁止该文章发表，而是决定禁止这份杂志的出版。"……沙特当局在今年曾两次下令由沙特杰出的分析师和大学讲师达希勒（Khalid al-Dakhil）来主持该栏目，以让人们走出阿拉伯文版福布斯的骗局。

——上述报纸，同一天，同一页

2001 年，以美国为首的联军入侵阿富汗的一个月后，我访问了白沙瓦（Peshawar）的一个边城，这里靠近阿富汗的边界，是宗教激进主义的温床。你只需花一个下午逛逛白沙瓦著名的 Storytellers 大街的集市就可以明白这不是"罗格先生的睦邻"。是什么使游客有这种感受？也许是街头那些光明正大地问我要哪种颜色拉登 T 恤的小贩们——是黄色的有拉登头像的那种，还是白色的称颂他为伊斯兰国家的英雄并发誓"圣战是我们的使命"的那种？（这些小贩做的生意在当地很常见。）或者也许是墙上的海报，和我一起旅游的巴基斯坦同伴告诉我海报上的内容："如果想加入'反对美国的圣战'，请拨打这个电话号码。"或者也许是那些对外国人冰冷的目光和钢铁般的眼睛。那些眼神没有说："美国运通（American Express）在这里很受用。"他们说的是："滚蛋。"

欢迎来到白沙瓦。对了，白沙瓦在巴基斯坦。这里的人们是和我们站在一边的。

在去白沙瓦的路上，我与我的巴基斯坦朋友参观了正义学识大学（Darul Uloom Haqqania），巴基斯坦最大的学校，或称其为伊斯兰学校。这座大学里有 2 800 个学生——所有的学生都在学习可兰经和先知穆罕默德的教诲，希望能成为精神领袖，甚至只是虔诚的穆斯林。我获准旁听一个小学班的课程，这些学龄男童坐在地板上，死记硬背刻在木制板上的可兰经，这是他们学业中的核心部分。大多数的孩子永远不会接触到批判性思维或现代的学科。这令人记忆深刻同时也令人不安。让人记忆深刻的是，这个学校为成百上千个由于巴基斯坦的世俗国家教育制度而被抛弃在街头的巴基斯坦男孩提供了教室、黑板、教育和衣服（1978 年，在巴基斯坦大约只有 3 000 所伊斯兰学校，而今天大大小小的学校已经超过了 30 000 所）。而令人不安的是，他们的宗教课程还沿循着由 1707 年逝世的莫卧儿国王阿拉姆吉尔（Aurangzeb Alamgir）制定的教学方案。学校的图书馆里有一书架的科学藏书，但大多数是 20 世纪 20 年代的读物。

可兰经班上的空气如此凝重，以至于让人觉得能够将其像蛋糕一样切成块状。老师让一个 8 岁的男孩为我们吟唱一首古兰经诗歌，这个男孩如一个经验丰富的祷告者一样把任务完成得漂亮优雅。这首诗是什么意思？这是一首著名的诗，男孩通过翻译对我说："虔诚的祷告者会升入天堂，而不信仰它的人将会受到惩罚下到地狱。"

其中有一个 12 岁的学生叫昆都士（Rahim Kunduz），他是一个阿富汗难民。当我问他对 9·11 的看法时，他的反应更令人不安。他说："这次袭击很有可能是来自美国内部人员。我很高兴美国不得不开始面对痛苦，因为世界其他地方都已经尝到过它带来的痛苦。"那么他对美国人的总体看法呢？"他们不是信徒，不是友好的穆斯林，而且他们希望通过他们的权力来称霸世界。"

由于塔利班的领导人奥马尔（Mullah Muhammad Omar）和很多其他的塔利班核心成员曾经在这里上过学，所以这个正义学识学校的名声不太好。奥马尔没有毕业，这儿的校长说："但不管怎样，我们还是给了他名誉学位，因为无论如何，他的离开是为了发动圣战和组建一个纯正的伊斯兰政府。"这次访问给我留下印象最深的，是高挂在男孩们学习的教室墙壁上的可兰经。这些可兰经是用英语写的，这个教室被称为"沙特阿拉伯王国的礼物"。

我相信的确是这样的。

为什么相信呢？2006 年，欧佩克石油卡特尔组织的成员国从石油出口中赚取了约 5 060 亿美元。2007 年，欧佩克的收入上升到约 5 350 亿美元，并且根据伦敦的全球能源研究中心（London-based Centre for Global Energy Studies）预计，2008 年将会超过 6 000 亿美元。而在 1998 年，以低得多的价格出售几乎同样多的石油，欧佩克只赚了 1 100 亿美元。其中沙特阿拉伯的石油收入预计从 2006 年的 1 650 亿美元上升到 2007 年的 1 700 美元，而且在 2008 年会达到 2 000 亿美元。

2001 的 9·11 事件令近 3 000 人丧命，在 19 名罪犯中就有 15 名沙特阿拉伯人。在我看来，这场事件带出了其背后长期积聚的一系列隐患，而且是这些隐患里最严重的一件。9·11 揭示了，我们对石油的依赖不仅改变了全球气候体系，而且还通过四种途径改变着国际体系。首先，这是最重要的一点，由于我们对能源的需求，我们正在纵容着最不能容忍的反对现代、反对西方文化、反对妇女权利和反多元化的伊斯兰激进组织。

其次，我们对石油的依赖助长了俄罗斯、拉丁美洲和其他地区反民主势力的扩大。我随后将在本章中详细说明，我称这种现象为"石油政治的第一法则"：当石油价格上升，自由化的速度减慢；当石油价格下降，自由化的速度加快。

第三，我们日益增长的石油依赖在全球范围内引发了丑陋的能源争夺，同时也引发了很多糟糕的国际问题，无论是华盛顿对其压迫妇女的举动表示的忏悔，还是沙特阿拉伯国内宗教自由的缺乏，都是由全球能源争夺所导致的。

最后，由于我们购买能源，我们给反恐战争的双方都提供了资金。这并不夸张。我们对能源的购买多得足够使波斯湾保守的伊斯兰政府变得富有，并且足够让这些政府与国内的慈善机构、清真寺、宗教学校以及沙特阿拉伯、阿联酋、卡塔尔、迪拜、科威特及周边一些伊斯兰国家的权贵们分享他们的暴利，足够使这些慈善机构、清真寺和权贵们愿意捐赠一部分财富给反美的恐怖组织、自杀式人体炸弹和传教士们，这样，我们就在同时资助着敌方和我方的军队。我们用税收为美国陆军、海军、空军和海军陆战队提供资金，但我们又通过能源采购间接地资助着"基地"组织（al-Qaeda）、哈马斯（Hamas）、真主党（Hezbollah）和伊斯兰圣战组织（Islamic Jihad）。

全球商业网络公司（Global Business Network）是一家战略咨询公司，其董事长彼得·施瓦茨（Peter Schwartz）说，当前美国的能源政策可以概括为："保持最大化的需求、最小化的供应，并从最憎恨我们的人手中购买尽可能多的石油来补足差额。"

我真的想不出还有什么能比这更愚蠢的了。

美国公众显然已经意识到这些事件之间的联系。9·11之后，你可以看到突然冒出的各种保险杠贴纸上写着："你的SUV汽车的每一加仑汽油可以养活多少士兵?"或是"奥萨马喜爱你的汽车"，或是"没有比买悍马车的人更愚蠢的了"，或是"先让SUV汽车的车主应征入伍"，或是"美国需要改变石油策略"。你可以在政治演讲中听到这些言论，就像布什总统在2006年的国情咨文中宣称的那样，美国已被石油"控制了"。

暂且撇开保险杠上的贴纸和口号，事实是，9·11之后美国在减低国内石油依赖度上鲜有作为。

我们必须有更好的作为，因为结束我们对石油的依赖不仅仅是保护环境的需要，在战略意义上更是没有任何商量的余地。即使我们能够减少全球对石油和天然气的需求，我们也只能做到自由呼吸，从任何方面来看都是如此。我们自身对国内外石油的依赖比其他任何因素都更加致命。我们对石油的依赖使全球气候变暖，使石油独裁者们变得强大，使干净的空气变得肮脏，使贫穷的人们更加贫困，使民主国家变得弱小，使激进的恐怖分子变得富有。我还遗漏了什么吗？

石油和伊斯兰

伊斯兰主义一直以各种各样的形式存在着。当今，一部分伊斯兰教徒比较能接纳现代化，重新诠释可兰经，并且更能容忍其他信仰。在开罗、伊斯坦布尔、卡萨布兰卡、巴格达和大马士革，仍然可找到苏非派伊斯兰教（Sufi Islam）或是集中于城市的民粹主义伊斯兰教（Populist Islam）。有些教派认为，伊斯兰教应该恢复其原初的纯洁，就像先知穆罕默德时期实行的朴素的"沙漠"伊斯兰教一样。伊斯兰赛莱菲耶（Salafiyyah）运动、沙特阿拉伯执政家族瓦哈比派穆斯林（Wahhabi）和基地组织先后都是这一思想的倡导者。那是一个脱离现代化的伊斯兰版本，这种思想立足于远古时期而且从不渴望进化。"虔诚先辈"（As-Salaf us-Salih）或"先贤"（Salaf）的称呼指的是先知穆罕默德的同代人及其之后的两代人，这些人被视作伊斯兰教徒的楷模。如今的这些伊斯兰激进分子则被称为萨拉非（Salafis）。

20世纪之前，宗教激进主义的萨拉非教徒对阿拉伯沙漠以外的地方并无多少兴趣。但是现在情况不一样了。有了沙特阿拉伯石油美元的资助，现今萨拉非的宗教劝诱者们已经对主流伊斯兰以及其他伊斯兰信仰的诠释产生了重大影响，而且还影响到主流穆斯林与其他伊斯兰信仰之间的关系，这包括非传统的穆斯林和逊尼派以外的穆斯林，其中什叶派穆斯林受到的影响最大。由石油资助的萨拉非主义在伊斯兰激进分子手中就变成了为暴力的圣战主义意识形态辩护的工具。这种意识形态的目的是恢复 7 世纪伊斯兰哈里发的职位和辖地（caliphate），它拥有许多蠢蠢欲动且情绪亢奋的组织，如塔利班基地组织、哈马斯以及伊拉克、巴勒斯坦和巴基斯坦的逊尼派自杀式人体炸弹敢死队。

伊斯兰激进分子在 1979 年接管了麦加的大清真寺（Grand Mosque of Mecca），这一年又发生了伊朗革命并经历了油价飙升，一连串的事件挑战了沙特阿拉伯执政家族的伊斯兰权威。伊斯兰激进分子的此次举动促使沙特阿拉伯加快了向外传播萨拉非伊斯兰教的速度。赖特（Lawrence Wright）在他的史书《基地，海市蜃楼》（*al-Qaeda*，*The Looming Tower*）中指出：

> 这次对大清真寺的袭击……把王室从对革命前景的美好憧憬中唤醒。这个执政家族从此次血淋淋的劫难中认识到，要保护自己免受宗教极端主义分子的侵害，就必须赋予他们权利……因此，宗教警察作为政府补贴的义务警员充斥在国内的各种场所，他们巡逻在商场和餐馆内，督促男人们去清真寺进行祷告，督促女人们规范自己的衣着。
>
> 沙特阿拉伯政府并不仅仅满足于用限制宗教信仰自由的方式来"净化"自己的国家，它还开始在伊斯兰世界广传福音。它动用数十亿里亚尔的宗教税收——施天课（zakat，穆斯林每年一次的慈善捐款——译者注）建造了数百座清真寺和学院，以及在全球范围内建立了数千座宗教学校，并且为这些学校配备了瓦哈比伊玛目和教师。最终，沙特阿拉伯这个只有世界 1% 穆斯林人口的国家，承担起这一宗教信仰 90% 的耗费支出，并控制了其他的伊斯兰传统国家。

　　世界上大约有 15 亿穆斯林人口，分布在各大主要城市。由于沙特阿拉伯不仅拥有丰富的石油资源而且在麦加（Mecca）和麦地那（Medina）两座城市拥有伊斯兰教两个最神圣的清真寺，所以这个国家在伊斯兰世界既拥有独一无二的合法地位，又可凭着独一无二的巨大资源在伊斯兰世界推崇其极端保守的伊斯兰主义。如此多的财富给了世界一个最大宗教的极少数人，这是从来没有过的，这同时也意味着由此产生的影响将是长远的。

　　50 年后，当我们回首能源气候年代里的此番变革，我们可能会得出这样的结论：地缘政治最重要的发展趋势正是通过这种伊斯兰重心的转移表现出来的：伊斯兰重心从开罗—伊斯坦布尔—卡萨布兰卡—大马士革等城市转移，这些地中海中心城市在 19 世纪和 20 世纪都是伊斯兰重心，这一转变使得这些宗教的边缘开始软化，更容易接受世界和其他信仰，并开始朝着以沙特阿拉伯/沙漠为中心的萨拉非伊斯兰发展。

　　宗教激进主义在过去 20 年内的强盛并不仅仅只归功于沙特的巨额资金投入。大范围的反对全球化和反对西方文化的情绪在伊斯兰世界中蔓延，并且穆斯林新一代的年轻人对先前失败了的意识形态——如阿拉伯民族主义、阿拉伯社会主义和共产主义等——也存在抗拒心态。但是，正如《金融时报》（*Financial Times*）报道（2008 年 6 月 4 日）的那样，沙特阿拉伯的资金投入的确在此轮正统的伊斯兰教浪潮中起到了不可磨灭的推波助澜的作用。特别是近 2/3 的中东人年龄还不到 25 岁，而且超过 1/4 的中东人面临失业，许多失业受挫的年轻人正在寻找着信念援助。

　　作家里奇韦（William G. Ridgeway）曾为一直有着破旧立新传统的英国研究院社会事务部（British Research Institute The Social Affairs Unit）写了一系列富有创见和挑战的"沙特阿拉伯来信"，他在一篇文章（2005 年 8 月 22 日）中说道，这一转变在某种程度上说是两种伊斯兰之间现代版的长期斗争，一方是以沙特阿拉伯瓦哈比派为代表的严格禁欲的"沙漠伊斯兰教"，另一方是更具世界性、尊重妇女并且更加开明的"都市伊斯兰教"。

　　"在日常社会生活中，'沙漠伊斯兰教'通过对现代化的不断侵蚀而提升自己的地位和威力，"里奇韦写道，西方普遍认为，彷徨的中东地区最终会走向民主社会。但事实却截然相反，这个地区正快速朝着另一个方向发展。激进的什叶派和瓦哈比信仰快速传播，蔓延到整个中东地区，学者们称其为"伊斯兰化"。由于这一趋势的不断发展，有人说现在的中东看起来与50年前完全不同了。20世纪50年代前后，大概就是刚在海湾地区发现石油的那会儿，以今天的标准来看许多伊斯兰国家都是比较自由的：酒精流通自由，妇女无须遮颜，而且公众可以激烈地讨论"阿塔图尔克（Ataturk）的所做所为"，讨论伊斯兰教和国家的分裂、现代化建设和西方世界。那时中东似乎是朝着正确的方向前进的。

但是沙特阿拉伯爆炸式膨胀的石油财富改变了这一切。"石油意味着沙特阿拉伯现在有了改变世界的资本，让世界与他们的意愿趋于一致，"里奇韦说，"一切似乎回到了穆罕默德时代。为了推崇禁欲的生活方式，'沙漠伊斯兰教'取消了阿拉伯生活中的乐趣和色彩，此举持续了相当长时间。调情或通过性感的衣着来表达自我的那种快乐已经一去不复返了，所有的一切都被黑色所取代。"里奇韦认为，由石油支撑的沙特瓦哈比派伊斯兰教代表着"沙漠伊斯兰教"对自由的"都市伊斯兰教"的攻击，而这些"沙漠伊斯兰教"在阿拉伯文化形成和发展的黄金时代里只是处于边缘地位。在所有失去的东西中，最有象征性的也许是那些深受以往阿拉伯喜剧演员喜爱的阿拉伯姑娘们，她们风情万种，身材苗条。那时可以与她们调笑，而现在，她们会被人用石头砸死。

除了沙特阿拉伯，其他保守的海湾国家——科威特、卡塔尔和阿拉伯联合酋长国——也有大量涌入的石油资金，同时它们国内外的慈善和宗教机构也都变得更为保守。

我的一个埃及教授朋友任教于波斯湾国家，他在2007年8月的一次早餐时告诉了我一些事情。出于对人身安全的考虑，我不能写出他的名字。他说，沙特阿拉伯对伊斯兰世界中各地的伊斯兰生活都有着巨大的影响。"看看男女之间的关系就可知道。以前一个家庭中的男人和女人在房间里彼此坐在一起，但是现在他们分开了。在现在的波斯湾地区，男女之间的关系是敏感的。你甚至不能确定是否可以与妇女握手……沙特阿拉伯伊斯兰对这个地区产生了非常不好的影响，这些不良影响至少需要几十年才有可能修复。如果你去（一个波斯湾地区的）大学看看，你会发现那里不存在混合式教育。当我在埃及留学的时候，我经常在课堂上坐在一个女孩旁边。但现在，虽然男女学生仍在一个教室上课，但他们往往分开坐。这不是埃及的伊斯兰教，这是沙特阿拉伯的方式。最糟糕的是，沙特阿拉伯用自己雄厚的资本影响埃及……我们把沙特阿拉伯的生活方式引进到埃及，包括衣着、清真寺门口销售的书籍，这些使得瓦哈比派伊斯兰教在埃及蔓延开来。不幸的是，埃及却没有足够的资源对此进行反击。"

即使到现在，埃及仍然没有反击的能力。《新闻周刊》（*Newsweek*）驻中东通讯员诺德兰（Rod Nordland）从开罗发来的报道（2008 年 6 月 9 日）更加证明了这一点：

> 萨布里（Abir Sabri）常活跃在埃及的电视脱口秀和电影中，展示她雪花般白皙的皮肤、黑亮的头发、性感的嘴唇。然而，在她职业生涯的巅峰期，她的面孔却突然从荧幕上消失了。她开始在沙特阿拉伯的宗教电视频道上出现，蒙着脸，吟唱古兰经中的诗句。她说，只要净化了她以往的表演风格，保守的沙特阿拉伯金融家就会给她很多工作。"这就是瓦哈比的投资者，"提到当前沙特阿拉伯盛行的严格的逊尼派伊斯兰时，她说，"以前，他们投资于恐怖主义，而现在，他们将金钱投到了文化和艺术上。"

> 埃及人民抱怨地把他们的文化称为沙特阿拉伯化的文化。从摩洛哥到伊拉克地区，埃及长期以来一直都占据着表演艺术的主流，但现在持有石油美元的沙特阿拉伯投资者们买断了歌手和演员的合

同，重塑了影视业，使媒体倾向于严格的沙特阿拉伯价值观，而且还打击着埃及原本轻快的风格。"到目前为止，这是我最担心的问题。这也是目前中东地区最严重的问题。"移动电话业的亿万富翁萨维里斯（Naquib Sawiris）说，"埃及一直以来都非常自由、非常顽强并且非常现代化，但是现在……"他从位于开罗的 26 层办公楼的窗口指向外面，说："我在看着自己的国家，但它又不再是我的国家了。在这里我倒觉得自己是个外国人了。"

　　开罗的凯悦大酒店（Grand Hyatt Cairo）是一家五星级酒店，位于尼罗河流域上游 1 英里开外。从 2008 年 5 月 1 日起，酒店的沙特阿拉伯大股东们开始禁止人们在酒店内饮酒，并公然命令将其 140 万美元的库存酒倒入了下水道。该国历史最悠久的 Masr 电影公司董事长穆拉德（Aly Mourad）说："在埃及，一个酒店没有酒，就像是没有大海的海滩。"他说，现在埃及 95％的电影是由沙特阿拉伯资助的，而沙特阿拉伯在自己的国家甚至连一个电影院都没有。"他们说，你们可以用我们的钱，但是必须答应几个条件。"事实上，那些条件远远不止"几个"，埃及的电影制作者们口中的"35 条规则"里的规定远远超过了事先双方约定的禁止在屏幕上拥抱、接吻或者饮酒等条款。即便是显示一张空床，如果能让人遐想到一些被禁止的事情，那也是不允许的。沙特阿拉伯的卫星频道买断了埃及的电影图书馆，严格审查了一些老电影，这使埃及人完全与自由的空气隔离了。

　　有些埃及人认为这种死板的状况并不完全是沙特阿拉伯人造成的。制片人库里（Marianne Khoury）说："电影变得越来越保守，是因为整个社会也在变得越来越保守。"她说，现在沙特阿拉伯的资金已经成为这个拥有 80 年历史的行业的生命线。相比较 20 世纪60 年代和 70 年代每年超过 100 部电影的高峰时期，20 世纪 90 年代埃及制片商的产量下降到每年只有 6 部。由于沙特阿拉伯对影视业的投资，现在每年大约有 40 部。"如果他们停止投资，埃及就没有电影了。"

　　至少还有一些埃及人相信沙特阿拉伯最终会改变，那时，"埃及又会回到原先的状态。"迪娜（Dina）说道，她是埃及仅存的几个本土的肚皮舞蹈家之一。的确，沙特阿拉伯的一个制片公司已经同意资助一个明确以同性恋为主题的电影《亚库比恩公寓》（The Yacoubian Building）。萨维里斯（Sawiris）也推出了一个属于他的卫星电视频道，专播未经审查的美国电影，这些电影相当受欢迎。虽然他志在改变些什么，但是他只不过是一个亿万富翁，而对手沙特阿拉伯却拥有强大的财团。

使用石油上瘾的美国对这一状况向来束手无策。在冷战期间，前中央情报局局长伍尔西（Jim Woolsey）当政时期，美国人习惯了对付前苏联式集权，但中东地区并没有太多的马克思主义者，然而，我们通过能源购买所间接助长的意识形态却更具伤害性，而且公开提倡自杀性恐怖活动。伍尔西说，瓦哈比教派摒弃了"尊重什叶派、犹太人、同性恋者和叛教者，反对对任何人尤其是妇女的不尊重"的教义，"他们的基本理念与'基地'组织所表达的理念在本质上其实是相同的"。换句话说，在纯意识形态领域，沙特阿拉伯的宗教教义和'基地'组织的教义是没有多少区别的。但是，他们一个是美国的盟友而另一个却是美国的敌人，可能这就是所谓的不同吧。伍尔西说："事实上，瓦哈比和'基地'组织之间根本的区别并不是其背后的基本信念。这更像是一场战争，两派系争夺的目的是让本派占据主导地位。这两种被仇恨充斥的信念指向的是同样的方向。世界范围内有很多瓦哈比派资助的学校，响应并传播着这种仇恨，从而让矛盾不断升级。"

　　沙特阿拉伯石油资金也逐渐对中东地区之外的伊斯兰国家产生了影响，在有关这一方面的资料中，莫顿森（Greg Mortenson）的经典著作《三杯茶》是最棒的。这本书［与雷林（David Oliver Relin）共同完成］详细讲述了这位美国登山者出身的教育家如何构建中亚研究所，以及如何在巴基斯坦和阿富汗的郊区建造了超过 50 所先进的、面向现代化的学校，通过减轻贫穷和提高教育尤其是女孩的教育来对抗伊斯兰极端主义。

"我发现沙特阿拉伯瓦哈比教派的清真寺总是沿着阿富汗边境而建，"莫顿森在书中说，

> "我被什叶派在巴基斯坦中心地区修建的建筑物惊呆了，我第一次开始意识到他们所做事情的破坏程度，这令我感到害怕……"
>
> 2000 年 12 月，沙特阿拉伯半官方性质的政治周刊 *Ain-Al-Yaqeen* 杂志指出，瓦哈比四大传教组织之一的哈拉曼基金会（Al Haramain Foundation）已经在巴基斯坦和其他伊斯兰国家建立了"1 100 所清真寺、学校和伊斯兰中心"，并且在过去几年内雇用了 3 000 多名传教士。
>
> 该杂志还指出，9·11 委员将会指控国际伊斯兰救济组织（International Islamic Relief Organization）直接支持塔利班和"基地"组织。国际伊斯兰救济组织是 4 个传教组织中最活跃的一个，目前为止该组织已建造了 3 800 座清真寺，投资近 4 500 万美元在"伊斯兰教育"上，并雇用了 6 000 名教师，当然其中很多是巴基斯坦人。

莫顿森说，他用来在巴基斯坦和阿富汗边境建立现代化学校网络的资源，

> "相比较瓦哈比的资源来说，简直是九牛一毛。每当我视察我们的某个项目后，似乎在一夜之间周围会突然出现 10 所瓦哈比学校。"
>
> 巴基斯坦教育系统功能的失调让瓦哈比教义有了可乘之机。这个国家只有很小比例的富裕家庭的孩子才能进入私立精英学校。但

是剩下的大部分普通孩子却并不能在充满斗争的、资金供应不足的巴基斯坦公立学校学习。莫顿森教育系统针对的正是公共教育系统不能顾及到的这些贫困学生们。通过提供免费食宿和在没有学校的地方建设学校，莫顿森给数以百万的巴基斯坦父母提供了唯一的教育孩子的机会。"我并无意劝说人们相信，所有的这些瓦哈比学校都是居心不良的，"莫顿森说，"虽然它们的许多学校和清真寺做了很多有利于巴基斯坦穷人的工作，但不可否认，其中一部分人似乎只是在不断传播着激进的圣战理论。"

莫顿森非常清楚，这种现象背后隐藏着的正是我们在购买能源时对方提出的附加条件。

"这并不仅仅是几个阿拉伯酋长带着大袋的现金走下海湾航空公司的航班那么简单。他们将学校里最聪明的学生带回到沙特阿拉伯和科威特，对他们进行为期 10 年的精神教化……他们给一代又一代的学生洗脑，并且计划着 20 年、40 年甚至 60 年后，崇尚极端主义思想的人数可以扩大到足以占据整个巴基斯坦以及其余的伊斯兰国家。"

如果"沙漠伊斯兰教"压垮了"都市伊斯兰教"，那得感谢我们对能源的购买。在这个能源气候年代，能源的需求对地缘政治产生了深远的影响。埃及学者凡迪（Mamoun Fandy）曾写过《内战：媒体与阿拉伯世界的政治》[(Un) Civil War of Words：Media and Politics in the Arab World] 一书，他是伦敦国际战略研究所（International Institute of Strategic Studies in London）中东海湾安全计划的高级研究员。根据他的观点，这种能源依赖将会促使伊斯兰教向红海和波斯湾海域蔓延。

我要指出的是，当前存在着两种伊斯兰教："地中海的伊斯兰教"和"红海的伊斯兰教"。如果伊斯兰教的重心向作为海运、贸易以及国际交易中心的地中海转移，那么在贝鲁特（Beirut）、伊斯坦布尔（Istanbul）、亚历山大（Alexandria）或安达卢西亚（Andalusia）的世界里伊斯兰宗教和社会将会变得更加国际化、开放化，并且更积极地参与国际活动。但是，如果伊斯兰教向红海转移，这片区域靠近严酷的、孤立的沙漠和原油资源国，伊斯兰教则会变得更令人可怕、更封闭并且更仇外。

最近，沙特阿拉伯国内同时传出了好消息和坏消息。好消息是，执政的沙特阿拉伯家族已经开始采取实际行动来控制最有杀伤力的圣战传教士、宗教学者和狂热的宗教青年，打击加入国内恐怖组织或自愿前往国外执行自杀式袭击任务的沙特阿拉伯人。而坏消息是，萨拉非-瓦哈比思想已在沙特阿拉伯宗教和教育系统中根深蒂固，消除它绝非易事。如果这些残暴的圣战者的斗争是针对国外的，那么沙特的皇室也不会有任何担心。但是近些年来，随着圣战者们越来越多地袭击沙特阿拉伯国内的组织，沙特阿拉伯当局不得不开始重视这个威胁。

2008 年 3 月 20 日，英国广播公司引用了沙特阿拉伯报纸《中东日报》（*Asharq Alawsat*）的一段话，说这个王国"开始重新培训 40 000 名祈祷引领人——就是众所周知的伊玛目——以对抗伊斯兰武装分子"。这是一种对该国整个上层宗教主导地位的补救措施。同时，当你听说这同一群祈祷引领者被特别要求停止辱骂基督教徒和犹太人时，你也应该意识到问题的严重程度了。2008 年 2 月 1 日，专栏作家奥奎韦（Sa'd Al-Quway'i）博士在政府控制的报纸《利雅得日报》（*Al-Riyadh*）上写道："呼吁毁灭所有基督徒和犹太人的做法是违反神圣的法律的。"他补充道，"咒骂不应该针对某一个异教徒团体。只有当这些团体中的某些个人伤害并打击了伊斯兰时，这些人才该受到惩罚。"

石油美元有积极的作用吗？必须注意的一点是，在每一个石油资源丰富的国家，这种大规模的财富流入也为现代化的发展注入了强大动力：更多的妇女接受了教育，而且并不仅限于宗教学校；更多的男女学生能够出国留学；新式的现代化大学正在建立；阿拉伯的伊斯兰世界出现了更多的媒体，其中包括了一些新式的、有着适当独立性和进步性的电视频道和报纸……阿拉伯的海湾国家正在迅速经历着全球化，他们主办国际会议并邀请美国和欧洲的大学在他们的国家开设分校。这是否意味着美国的学术幼苗已经在此扎根了？未必。但是，世界的整个发展趋势如何我们还得拭目以待。

沙特阿拉伯尤为值得关注。据来自沙特阿拉伯的报告，我可以肯定在那里存在着一部分温和的甚至明显亲西方的沙特阿拉伯人，他们在美国留过学，定期访问美国，并且为他们喜爱的美国球队而疯狂。我见过他们，也曾与他们争辩，我喜欢与他们在一起。他们深爱着他们的信仰，并且因萨拉非瓦哈比教派极端分子的过分行为而感到尴尬。这些极端分子有损沙特阿拉伯的世界形象。最荒唐的是，在 2002 年的一场大火中，15 个沙特阿拉伯女学生被活活烧死，原因是她们没有戴面纱和着装不符合沙特阿拉伯的传统标准，宗教警察不允许她们离开燃烧的校舍，也不允许消防员进入。我相信，大部分沙特阿拉伯人会愿意看到一个更加开放的伊斯兰民族。但是他们并不是制定宗教政策的人，并且在巴基斯坦（Pakistan）、伦敦（London）、摩苏尔（Mosul）和雅加达（Jakarta）蔓延的思潮也不是他们的进步观。

比起妇女必须戴面纱而言，还有更多的东西处于危急之中。受沙特阿拉伯瓦哈比思想的影响，来自沙特阿拉伯、北非和整个阿拉伯世界的一些年轻的逊尼派穆斯林在伊拉克成为自杀式爆炸事件的核心人物。这些人犯下的罪状可不仅仅是在伊拉克战争中让美国为首的军队陷入困境，或是挑拨逊尼派和什叶派穆斯林的关系那么简单。

"如果我可以拒绝一个国家资金的流入，那这个国家就是沙特阿拉伯。"布什政府的副财政部长斯图尔特·利维（Stuart Levey）在一次接受美国广播公司的访问（2007 年 9 月 12 日）时说。

两个月后（2007 年 11 月 22 日），《纽约时报》报道，（美军）在袭击靠近叙利亚边界的伊拉克城市辛贾尔（Sinjar）时，在沙漠的一个帐篷中发现了一个文件资料和电脑硬盘。其中的一份资料披露了以下内容：

> 沙特阿拉伯和利比亚都认为，过去一年进入伊拉克实施自杀式爆炸、并为各种暴力活动提供装备的外国武装分子中有 60% 都是来自以反恐为口号的美国盟军……这次袭击的目标是一个叛徒，他被怀疑是将大部分外国武装分子带入伊拉克的罪魁祸首。袭击结束几个星期后，美国情报人员在整理这些文件和电脑材料时发现，在有记录的武装分子中以沙特阿拉伯人居多——多达 305 人，即 41%。数据显示，尽管沙特阿拉伯在 9·11 后加强了对疑似恐怖分子人员的限制，但一些沙特阿拉伯武装分子仍然钻了空子。

文章援引了一位美国高级军官的话，他们也认为美索不达米亚（Meso-potamia）"基地"组织的大部分资金是由沙特阿拉伯公民提供的，这是为了防止什叶派穆斯林控制巴格达政府。文章指出，辛贾尔文件中说"每一个身带 1 000 美元的外国人，大多将钱用于走私。这位美国军官说，相比较其他民族的武装分子而言，沙特阿拉伯武装分子的钱更多"。

2007 年 8 月我访问库尔德斯坦（Kurdistan）时一名高级保安人员对我说："沙特阿拉伯正在输出恐怖分子，这样做有两点好处：第一，他们自己可以摆脱恐怖分子的干扰；第二，恐怖分子毁灭的是伊拉克人民最厌恶的那些人，如什叶派穆斯林。"而逊尼派"基地"组织所要做的，就是"访问卡塔尔或阿联酋或沙特阿拉伯，并且带回大袋的金钱"。

石油美元使得整个过程变得顺利。全球安全分析研究所（Institute for the Analysis of Global Security）是美国的一个位于华盛顿的智囊团，一直以来都在跟踪研究油价对地缘政治的影响。该研究所负责人卢夫特（Gal Luft）与柯林（Anne Korin）共同撰写的一篇名为"为恐怖主义添薪加柴"（Fueling Terror）的文章中写道：

> 以沙特阿拉伯为例……许多慈善机构的确是出自良好的意愿，

但是也有很多仅仅是恐怖主义分子的洗钱和融资的工具。虽然许多沙特阿拉伯人出自善意向慈善机构捐款，认为他们的钱也会用于善事。但是也有很多人清楚地知道，他们的钱财将被恐怖主义利用。瓦哈拉体系（Hawala system）使得阿拉伯国家当局难以渗透和控制洗钱交易，这是一个非官方的资金转移体系，也是全球恐怖主义的重要资金来源。这个体系已经持续了好多代，并已深深植根于阿拉伯文化中。瓦哈拉交易是建立在信任的基础上的，他们只进行口头交易，不留任何文本痕迹。在这种富人将钱捐给慈善机构再间接注入恐怖组织的活动中，沙特阿拉伯政府也是同谋，因此对该现象自然视而不见。

"如果没有西方的油钱，大部分海湾国家不可能有钱购买军火和赞助恐怖组织，"全球安全分析研究所指出，沙特阿拉伯的石油收入占其出口总额的90%～95%，占其国家财政收入的70%～80%。"最富有的那些沙特阿拉伯人，赞助慈善事业、赞助传播宗教宽容、仇恨西方价值观的教育基金，这些钱财都是从石油产业或其相关产业中获得的。本·拉登的财富来自于其家族的建筑公司，而这家公司的财富大多来自于由石油资金支撑的政府承包合同。"

当沙特阿拉伯为其萨拉非伊斯兰激进组织在全球的传播提供资金支持时，伊朗在1979年推翻沙哈政府后也大力推广其颇具革命性的什叶派伊斯兰教。在争夺伊斯兰世界中的权威领导地位和决定谁才是模范国家的争斗中，这两个国家均视对方为竞争对手。换句话说，1979年后第一次出现了全球宗教之间的军备竞争，一方是盛产石油的沙特阿拉伯萨拉非国家（沙特阿拉伯是欧佩克最大的石油生产国），另一方则是石油资源丰富的什叶派革命性伊斯兰共和国（伊朗是欧佩克的第二大石油生产国），两者的目的都是为了让自己最大限度地左右伊斯兰世界的发展方向。

当2006年夏天真主党（Hezbollah）在黎巴嫩草率发起对以色列的战争后，黎巴嫩真主党领导人纳斯鲁拉（Hassan Nasrallah）声明说，真主党会对数千个由于以色列的报复而家破人亡的黎巴嫩家庭进行赔偿。"我们将支付一定数额的赔偿金，每个房屋被完全摧毁的家庭都会得到足以支付1年的房屋租金和购买家具的补偿，"纳斯鲁拉说，"这样的家庭有15 000户。"纳斯鲁拉还表示，他的组织将帮助房屋受损的企业恢复重建，承诺这些企业"不用从其他任何渠道寻找救援资金。"引用好事达保险公司（Allstate）的广告语："你会得到真主党很好的照顾。"

可是，真主党从哪里弄来重建黎巴嫩所需的30亿美元呢？该组织不生产任何东西，而且也不向教徒征税。答案当然是，伊朗把石油收入的资金输送给纳斯鲁拉，这样它就不用面对这场除破坏外没有任何收获的黎巴嫩战争所激起的民愤了。是的，感谢当时每桶70美元的石油，真主党可以同时拥有火箭和黄油。的确，在石油资本如此充裕之际为何不这么做呢？真主党和伊朗就像两个富有的大学生把黎巴嫩租了整个夏天，如同租用一个海边小屋一般。"来吧，让我们拆了这个地方，"他们对自己说，"管他呢，爸爸会赔偿的！"纳斯鲁拉唯一没有向黎巴嫩说的是"嘿，不用找钱了"。

出于这些原因，9·11事件后，布什总统拒绝采取任何有效行动减少我们对汽油的消费，等于是在推行"不让任何一个毛拉❶（Mullah）落后"的政策。前中央情报局局长伍尔西（Jim Woolsey）更加直截了当："我们正向我们的绞索提供资金。"

石油和自由

这种石油引起的财富大规模转移不仅仅只发生在伊斯兰世界各个角落，而是全球政治的普遍现象。如果政府只需要在地上钻一个洞就能大幅提高其国民收入，这可比动员人们的精力、创造力和企业家精神容易多了。于是自由逐渐被剥夺，教育经费供给不足，人类的发展速度也减缓了。造成这一切

---

❶ 毛拉是对伊斯兰教学者的尊称。"不让任何一个毛拉落后"乃是仿自布什政府"不让任何一个孩子落后"（No Child Left Behind）的教育政策口号。

的原因，就是我所说的石油政治第一法则。

9·11 事件之后，我开始深思这所谓的石油政治第一法则，也开始留意石油国的每日要闻。当我听说委内瑞拉总统胡戈·查韦斯对英国首相布莱尔说"见鬼去吧"，而且也对美洲联盟自由贸易区计划（由美国提出）的支持者也说出了同样的话："见鬼去吧"，这时我忍不住思考："如果今天石油的价格是 20 美元 1 桶而不是 60 美元甚至 70 美元 1 桶，那么不知道这位委内瑞拉总统是否还能说出此话。那时候他的国家就必须靠扶持自己的企业家来维系，而不仅仅是在地上钻几个孔那么简单了！"

我在过去几年一直跟踪波斯湾地区的各种事件，注意到，该地区第一个举行自由和公正的议会选举，并且妇女也可以投票的海湾国家是巴林。这是沙特阿拉伯东海岸外的一个小岛国。巴林是第一个聘请麦肯锡咨询公司（McKinsey & Company）来对其劳动法进行彻底修订以促使其国民形成更高生产率、更能胜任各种工作、更少依赖外来劳动力的海湾国家，也是第一个与美国签订了自由贸易协定的海湾国家。巴林国王和他的顾问团对自己的目标直言不讳：自 1971 年开始，石油产业一直主导着他们的经济，他们要打破对石油的依赖；要将工资的增长与生产率的增长挂钩；要结束国内制造业需要从印度或孟加拉国引进 500 个低工资工人的状况——这意味着巴林的工厂为那些来自南亚的工人及其家庭提供了生活资金，而对巴林本国的工人及其家庭却没什么帮助。作为一个有着国王和选举议会的君主立宪制国家，巴林还全面改革了它的教育体系。它为所有的教师制订了一个再培训计划，并建立了一个多技能培训系统以向那些不愿意上大学的巴林年轻人传授职业技能。同时，巴林国外直接投资的管制也放松到前所未有的程度，同时还放宽了国有企业的私有化限制，这是为了刺激巴林房地产企业之间的竞争——也是为了使其经济脱离海湾地区的经济"竞争"模式，这样的竞争通常是两个由政府资助的公司之间的竞争。

为什么这一切会在 2007 年石油正值火爆的时期发生在巴林呢？原因是巴林并不仅是海湾地区第一个发现石油的国家（1932 年），更是海湾地区第一个将石油资源耗尽的国家（1998 年前后）。而巴林关于腐败的第一次公开辩论正是在 1998 年，世界原油价格在那年跌到了每桶 15 美元。

与那些石油资源富有的邻国不同的是，巴林已经面临着石油耗尽的境况，而且可以把 20 世纪 90 年代石油收入为零的那一天记入史册。因此巴林除了培育和开发人才已别无选择。我忍不住问自己："那只是巧合吗？海湾地区耗尽石油的国家恰恰也是第一个开始政治和经济改革的国家？"我绝不认为那是巧合。并且当我放眼整个阿拉伯世界时，我看到人民民主运动在黎巴嫩如火如荼地进行，以驱赶叙利亚的占领军队。我又忍不住问自己："阿拉伯世界第一次而且是唯一一次真正的民主政治运动——黎巴嫩民主政治运动——恰恰是发生在没有石油资源的少数几个阿拉伯国家中，这也是巧合吗？"

随着思考的深入，我肯定了石油价格与一些政治自由、经济改革进程的速度、范围、持续性之间的关系——那是能够用图形来表示的关系。一天中午我与《外交政策》杂志的编辑摩西·纳伊姆（Moisés Naím）一起用午餐时，我摊开了我的餐巾，画了一幅 1975～2005 年油价与石油生产国自由化进程之间关系的图。图形表示出的关系是，当一方下降，另一方就会上升。

于是我对纳伊姆说：2001 年，当油价是 25～30 美元 1 桶时，美国总统布什从俄罗斯总统普京的眼睛里看到的是一个忠实的美国盟友。布什说："我看着他的眼睛，觉得他是一个非常直率而且值得信赖的人……我能触摸到他的思想。"但是当今年油价突破了每桶 100 美元时，如果你再看普京的眼睛，那就会看到俄罗斯的 Gazprom 和 Lukos 石油公司、消息报（Izvestia）和真理报（Pravda）、国会，以及所有其他的民主机构都被普金大口吞掉。或者，就像某位不愿意透露姓名的世界领导人所说，"当油价每桶 20 美元时，普京获得了 20％的国民选票；而当油价每桶 100 美元时，他得到了俄罗斯人民 100％的支持！"当 1997 年油价跌破每桶 20 美元时，呼吁"文明对话"的改革派领导人穆罕默德·哈塔米（Mohammed Khatami）当选为伊朗新总统。而在 2005 年，当油价变成 60～70 美元 1 桶时，伊朗又推选以"大屠杀只是个神话"为口号的穆罕默德·内贾德（Mohammed Ahmadinejad）作为总统。

"我向你保证，"我对纳伊姆说，"在油价每桶 20 美元的水平上，大屠杀不会仅仅只是一个神话。"纳伊姆拿着这块餐巾回到他的办公室与他的职员讨论。1 个小时后，他打电话给我，要求我就餐巾上的内容为《外交政策》杂志写一篇文章。我照做了，这篇文章发表在该杂志 2006 年 5、6 月份的那一期上。

图中，我把一条轴线设为自 1979 年以来的全球平均原油价格，另一条轴则设为俄罗斯、委内瑞拉、伊朗和尼日利亚等国的经济和政治自由扩张的速度——这是参考自由之家（Freedom House）的"世界自由度报告"（Freedom in the World）和弗雷泽研究所（Fraser Institute）的"世界经济自由度的报告"（Economic Freedom of the World Report）而设的。其中自由度的指标包括自由公平选举制度的普及程度、报纸的开放程度、擅自逮捕发生的次数、议会中改革派的人数、经济改革项目的开展情况、公司私有化和公司国有化的程度等（首先我要指出的是，这不是通过科学实验室得出的结果，因为社会经济和政治自由化程度的高低永远不可能量化或相互转变）。以下显示的就是该图：

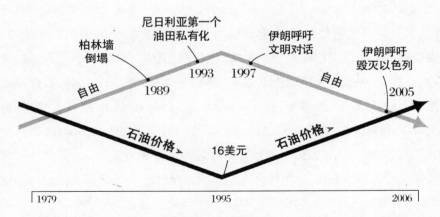

虽然图中表示的关系比较粗糙，但足以说明石油政治的第一法则。该法则就是：在石油资源丰富的石油主义国家，油价和自由化的程度成反比。也就是说，如果全球原油的平均价格上涨，那就会抑制更多的言论自由、新闻自由、选举自由、集会自由、政府组织的透明度、司法的独立性、国家社会法治、独立政党和非政府组织的形成。这种相反的趋势也表现在，油价越高，石油主义国家领导人越不在乎世界对他们的看法。他们有更多的可支配收入来建设国内安全力量、拉拢对手、收买选票或公众的支持，甚至违背国际惯例。

根据石油政治的第一法则，我们也可以预测，较低的油价意味着较快的自由化速度：因为石油主义国家会被迫向一个更加开放的政局和社会转变。这个社会将更加透明、更关注来自外界的反对声音、同外界进行更广泛的相互往来、更重视法律和教育系统的建设、最大程度开发其国民的能力（不管男人还是女人）以应对各种竞争、设立新的公司来吸引更多的海外投资。自然而然，原油价格越低，石油主义国家领导人也会越在意外界对他们的评价。

我将石油主义国家（其国内制度不健全）定义为：出口和政府收入都高度依赖石油生产的独裁国家。几乎所有石油主义国家都是在建立健全透明的政府制度之前就已经积累了大量的石油财富。我认为最具代表性的石油主义国家包括：安哥拉、加蓬、尼日利亚、伊朗、俄罗斯、埃及、哈萨克斯坦、科威特、乌兹别克斯坦、阿塞拜疆、印度尼西亚、委内瑞拉、卡塔尔、阿拉伯联合酋长国、叙利亚、赤道几内亚、苏丹、缅甸和沙特阿拉伯。还有些国家虽拥有丰富的石油资源，但在石油开采之前就已经有了完善的民主体制和多样化的经济主体——如挪威、美国、丹麦和英国——这些国家不受石油政治第一法则的影响。

以图中所示的 4 个石油主义国家为例，1990 年油价下降，这 4 个国家的竞争力、透明度、政治参与度和官员问责制都呈上升趋势——衡量指标包括自由选举的次数、新闻开放度、选举制改革、已经开始进行的经济改革项目数量和公司的私有化程度。但是当 2000 年油价高涨之后，这些国家的言论自由、出版自由、选举的公平度、政党和非政府组织成立的自由都受到了严重的削弱。

在像巴林这样的国家里，领导人已经认识到了这一现实，他们在逐渐耗尽他们的石油的过程中也将其作为一个推进国内改革的平台。但自 2006 年开始迅速上涨的油价却是一个问题，它迫使巴林的改革者改变了论调，阿勒哈利发（Sheikh Mohammed bin Essa Al-Khalifa）是由国家任命的巴林经济发展局首席执行官，他告诉我："我们不得不改变我们的观点，我们的改革从原来的'必须'变成了'愿望'。"这一观点现在更难被接受了。虽然100美元1桶的石油并没有阻止巴林的改革进程，"但它的的确确减缓了改革的速度"。而且议会也不再急于批准提高竞争开放度和减少政府干预等法案。

伊朗：国际贸易自由度和原油价格

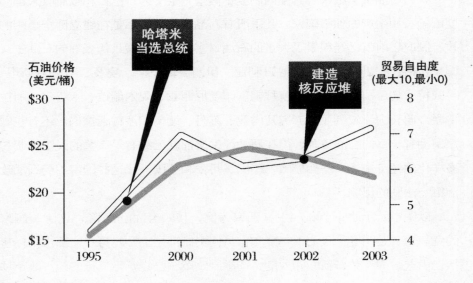

资料来源：《世界能源统计 2005》（*Statistical Review of World Energy 2005*）和国际能源机构（**IEA**）；弗雷泽研究所《世界经济自由度报告》。

俄罗斯：自由之家的"转型国家"排名和原油价格

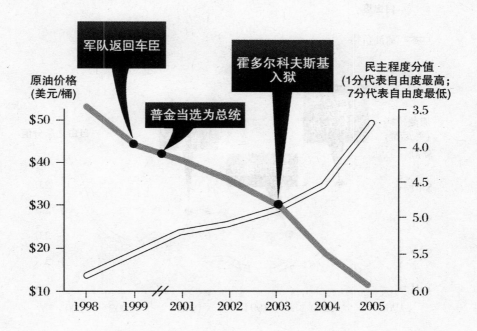

资料来源：《世界能源统计 2005》（*Statistical Review of World Energy 2005*）和国际能源机构（**IEA**）；自由之家《转型国家调查》（*Nations in Transit*）。

经济学家早就指出，丰富的自然资源对一个国家的经济和政治来说可能是件坏事。这种现象被称为"荷兰病"或"资源的诅咒"。"荷兰病"是指自然资源禀赋改变了工业化进程的方向。20 世纪 60 年代初，当荷兰在北海海域发现了大量天然气后，这个词首次出现。患病国家的症状是：石油、黄金、天然气、钻石或其他一些自然资源的发现使得资金突然大量涌入该国，造成该国汇率上升。强势的本国货币提高了该国产品在国外的价格，削弱了该国制造业的出口竞争力，但另一方面却使得进口产品变得非常便宜。富裕的本国人民开始无节制地购买相对便宜的进口产品,这就挤压了国内制造部门,于是该国的工业化进程受阻。

委内瑞拉:自由之家"世界自由度调查"的排名和原油价格

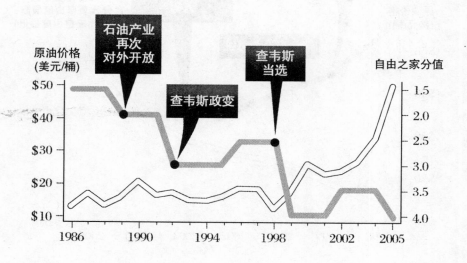

资料来源:《世界能源统计 2005》和国际能源机构(IEA);自由之家《世界自由度报告 2005》。

"资源的诅咒"也是指同样的经济现象,对自然资源的依赖使一国不再把政治、投资和教育作为优先目标,一切都围绕着谁能掌握资源以及谁能从这些资源中获得多少财富而运转。石油主义国家的民众常常误解发展这一概念,他们会认为国家如此贫穷,但国家领导人或其他一些集团却如此富有的原因不是因为国家在推进教育、改革、法治建设和创业上的失败,而是因为一些人盗窃了石油并剥夺了本该属于民众的石油利润。事实上,他们是正确的，的确有人在盗窃石油。但人们会误以为，为了将来的繁荣，他们所要做的是制止那些盗窃行为，而不需要踏踏实实地建立一个以良好的教育、法治、制度和创业精神为基础的社会。

尼日利亚：法律系统、所有权和原油价格

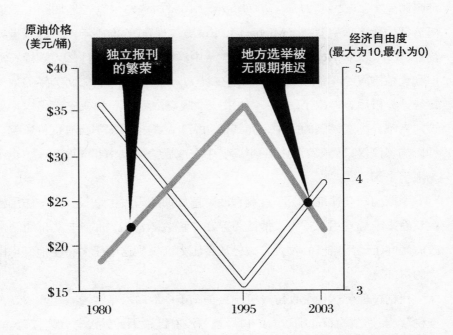

来源：《世界能源统计 2005》和国际能源机构（IEA）；弗雷泽研究所《世界经济自由度报告》。

"如果尼日利亚没有石油，那么整个政治方程式将完全不同，"2006 年 3 月尼日利亚人权运动的一位领导人恩万科沃（Clement Nwankwo）在访问华盛顿时对我说，"石油收入不会是唯一的收入来源，因此多样化的经济活

动会发展起来，民营企业会变得更加重要，人们也会开发自己的创造力。"恩万科沃的话让我想起有一次我与一位西化了的伊朗女记者在德黑兰散步时她曾对我说："如果我们没有石油，那现在的我们应该与日本不相上下。"

石油政治第一法则虽提出了上述论点，但同时也考虑到了石油和政治之间更深一层的关系——认为石油主义国家过剩的石油利润不仅对国内的民主有大范围的消极影响，对石油的实际价格也同样如此。石油的实际价格与民主化的成长或退步，也有些大致的关联。

我所知道的对这种关联性产生原因最精辟的分析来自一个研究报告《石油阻碍民主了吗?》（*Does Oil Hinder Democracy?*），作者是加州大学洛杉矶分校的政治学家罗斯（Michael L. Ross），刊登于 2001 年 4 月的《世界政治》（*World Politics*）上，罗斯在文章中详细地解释了为什么大规模石油出口和大范围民主不能同时存在。他在对 113 个国家 1971~1997 年的数据进行统计分析后，得出了结论："如果一个国家依赖于石油或矿产出口，那么这两者都会削弱该国的民主，而其他初级产品的出口却不会有这种影响。这种影响不仅仅只局限于阿拉伯半岛、中东或撒哈拉以南非洲地区……也不只局限于小国。"

罗斯的研究详细说明了过剩石油财富如何妨碍民主增长，这一作用机制在我看来十分有用。首先，他认为存在"税收效应"。拥有丰富石油储量的政府倾向于动用自己的收入"减轻社会压力，否则这些压力将使他们承担更大的责任"。

我这样理解这种税收传导机制：美国革命的口号是"没有代表权就不能征税"，而独裁的石油国政府的口号是"没有征税因此就没有代表权"。有石油支撑的政府不需要依靠向人民征税来获得收入，因为他们只需要钻油井并运到国外销售即可，他们因而也不需要倾听本国民众和代表的意愿。

罗斯认为石油抑制民主化进程的第二个机制是"支出效应"。石油财富支撑起更大规模的赞助性支出，这就减轻了民主化的压力。第三个机制是"集团形成效应"。当石油收入向一个非民主的也就是脆弱的政府提供了大量现金横财时，"政府将会尽一切力量来阻止独立于政府的社会团体的形成。"

罗斯写道。此外，他认为过多的石油收入还会产生"镇压效应"，因为这些可以让政府大量投资于警力、内部安全和情报力量上并以此来镇压民主运动。最后，他认为可能还存在着"反现代化效应"。这是指大量的石油财富往往会阻碍职业专业化、城市化和高层次教育的发展——而后者常常能带来大规模的经济发展并造就能够表达自己意愿的民众，他们可以自由结合形成各种组织并拥有许多独立的经济权力。

在之后的研究中，罗斯通过分析 169 个国家的数据解释了为什么中东国家妇女仍然缺乏足够的教育、没有劳动权利并且丧失政治权利：因为石油。

罗斯在 2008 年 2 月那一期的《美国政治科学评论》（*American Political Science Review*）上发表了一篇文章《石油、伊斯兰和妇女》（*Oil, Islam, and Women*），他在文章中写道：

> 相比较世界上其他地区而言，极少数中东地区的女性会走出家庭参加工作，也很少会有女性在政府部门担任职位。大部分评论家认为这种现象源自中东地区的伊斯兰传统……一些人甚至认为正是这种对穆斯林女性的不公待遇才使得伊斯兰世界和西方世界的文化发生冲突……在这篇文章中，作者认为中东女性在劳动市场和政府部门受歧视的原因是石油而不是伊斯兰教……女性无法在非农业的劳动部门中工作这一境况已经产生了深远的社会影响：这导致了更高的人口出生率、女孩接受教育的机会进一步减少、女性对家庭的影响降低等。这也产生了深远的政治影响：由于女性很少外出工作，因此她们不太可能与他人进行良好的沟通并克服集体行动困难，也不太可能动员政治力量或进行游说以扩大权利，这当然使得她们很难跻身政府部门。这就让生产石油的国家拥有了异常强大的父权文化和政治体制。

换言之，罗斯认为是高油价——又名"荷兰病"——导致了货币被高估、推动了大规模进口、并抑制了国内制造业发展，其同时也使得女性在社会中处于附属地位。尤其值得注意的是，当民众把石油所得用于购买廉价的进口产品时，纺织和服装业中那些为穷人和教育程度低的女性提供的处于经济阶梯最低层的初级工作也随之消失了，出口业的情况也大致如此。与此同时，石油的繁荣往往会产生更多的建筑需求和建筑就业机会，男性因此就获得了更多的就业机会和权力。罗斯研究报告中的数据表明，在其他条件一样的情况下，一个国家的石油收入越高，女性参加劳动和参与政治的人数就越低。"这些结果与前述的观点一致，即石油生产通过减少外出工作女性的人数从而降低了女性的政治影响力。"他写道。

有人问，为什么 20 世纪 60 年代的低油价时期甚至没有石油收入时期，却没有在阿拉伯世界产生更多的民主呢？（其实，在 20 世纪 40 年代和 50 年代初期石油没被开发之前，埃及、叙利亚、黎巴嫩和伊拉克等国家的政治比现在更加自由。）答案是：1950～1989 年的冷战阻碍了世界各地的民主化进程。因为那时美国对一个国家在国际上是亲美还是亲苏比该国国内民主与否更感兴趣。此外，那时在阿拉伯世界占主导地位的意识形态和政治文化不是自由主义而是阿拉伯民族主义和社会主义。女性的权利在那时根本就不存在。此外，在第二次世界大战后的中东地区，许多掌权的阿拉伯军事派系都得到外来资源扶助，如石油，也就是冷战期间苏联或美国的"外国援助"。

从 20 世纪 80 年代起，所有的这一切都开始改变了。人口数量膨胀、大量青年失业、全球开始了信息革命。这是一个政府可以用高油价来收买民心的时代。如果油价很低，政府就很难这样做。

令我难以想象的是，如果不是因为"石油外交"——冷战时期来自莫斯科或华盛顿的对外援助——埃及和叙利亚的军权本可以一直持续下去的。在此之后，这些国家接受了石油资源丰富的海湾国家的援助和房地产投资，后来在他们自己的国家里也发现了石油和天然气。大量现金盈余让穆巴拉克（Hosni Mubarak）总统在埃及掌权 25 年之久，这是经济和政治停滞的25 年。

当金钱可以从地面提取出来时，人们的改良基因和创业精神根本就不会发展。2008 年 2 月 4 日的《耶路撒冷报告》（*Jerusalem Report*）引用了科威特《政治日报》（*Al-Siyasa*）上巴格达迪（Ahmed al-Baghdadi）博士的文章，这是一篇少有的把矛头直指政府的评论："我们到底生产了什么?"巴格达迪博士问他的科威特同胞们，"我们生产石油却运到海外销售；我们大棚里的蔬菜是由外国人种植照料的，拥有这些大棚的科威特人从政府获得巨额产品补贴，而如果我们进口这些蔬菜，价格将只是本地生产的1/10……我们没有生产任何东西，我们的东西都是进口的，并且我们对进口产品的消耗量还很大。"

当然，这其中一个主要的原因是，当前整个阿拉伯世界或伊朗连一个独立的世界一流大学或科研中心都没有。我认识一个阿拉伯商人，是商界的领军人物，他建立了一个服务公司并真正地参与全球竞争。他曾经说，由于滥用石油资金和政府对一切经济活动的控制致使"阿拉伯世界有很多企业家，但却没有企业家精神……这个地方的企业家们靠石油或反恐过活……那不需要培养人才，我们只需要进口廉价的劳动力并输出本国人民：我们输出白领输入蓝领。试问这样怎么能创造出新的财富呢? 而所有的资源也只是集中在房地产和与政府签订的合同项目中，只有当石油价格降至每桶10美元时，私有化进程才会稍有起色"。

现今俄罗斯的发展也明显有着类似的趋势，尽管其拥有大量人口，但只有两所大学排名进入了世界前500名行列。"当石油价格上涨时，改革的步伐就放慢了，"在我2007年2月访问莫斯科时，一位来自阿尔泰（Altay）的俄罗斯国家杜马成员（他也是在国家杜马中仍愿意站出来说话的极少数人之一）雷日科夫（Vladimir Ryzhkov）大方地告诉我，"俄罗斯正逐渐变成一个更为封闭的国家，而且其经济也更加带有国家导向的性质。我们去年经历的是创下历史新高的油价而不是改革。这就是为什么去年自由之家把俄罗斯列为不自由的国家。我想问你们美国人的问题是：'油价什么时候才会下降?'这是我们俄罗斯民主党人唯一的希望了。"

石油和地缘政治

我们曾预言，柏林墙的倒塌将会掀起一场势不可挡的自由市场和自由人民的浪潮，10 年过去了，事实的确如此。在 1989 年后的 10 年里，在世界各地扩展的自由选举制度使得这股浪潮看得见摸得着。但是那些年的油价只是在每桶 10～40 美元之间波动。2000 年初当油价飙升到每桶 50～120 美元时，这引发了一股截然相反的发展趋势——石油权威主义的趋势——从俄罗斯到委内瑞拉，从伊朗到苏丹，从安哥拉到土库曼斯坦，这股趋势在不断蔓延。那些当选的或自封的政要们利用他们获得的石油暴利，通过收买对手、抵抗自由来巩固自己的权利。

斯坦福大学（Stanford University）研究民主问题的专家戴蒙德（Larry Diamond）认为这就是当今世界面临"民主衰退"的一个关键原因。根据美国自由之家公布的数据，自冷战结束以来，2007 年是世界范围内自由进程发展得最糟糕的一年，这不足为奇。在 2007 年，世界上自由度评分下降的国家几乎是进步国家的 4 倍——从 38 降到了 10。

国务卿赖斯永远不会承认布什政府的作为对石油专制主义的发展壮大负有任何责任，但她直言不讳石油政治的确改变了她的工作。她 2006 年 4 月 5 日在美国参议院对外关系委员会（Senate Foreign Relations Committee）上发言时说："能源政治正在世界范围内扭曲着各国外交，我可以告诉你们，作为国务卿，没有任何东西能比这更让我震惊的了。这让一些国家极具权力，但这些国家行使这些权力的方式却无益于国际体系。若非如此，这些国家在世界舞台上的影响力是相当小的。这促使一些国家尽其全力寻找能源以获得高速发展的机会，资源的开发的确使这些国家前所未有地成了世界上重要的一部分。"

这种地缘政治的"扭曲"包括美国不愿直截了当地告诉沙特阿拉伯是他们的清真寺和传教士在支持伊拉克的自杀式人体炸弹。我只能说，吸毒者是永远不会向毒品贩子说实话的。这种"扭曲"还包括俄罗斯试图将其国旗插在地下石油资源丰富的北极地区；包括英国政府在 2006 年 12 月 14 日做出的决定终止其严重诈骗罪案办公室（Serious Fraud Office）关于 BAE 与沙特阿拉伯进行的大规模军火交易贿赂案的调查。BAE 是世界第四大武器制造商，根据这项协议，BAE 出售价值 800 亿美元的战斗机给沙特阿拉伯空军。据称 BAE 用大约 20 亿美元贿赂了沙特阿拉伯官员，其中包括前沙特阿拉伯驻美国大使亲王苏丹（Bandar bin Sultan），以保证这次规模巨大的军火交易。可在此之后英国首相布莱尔以"国家安全"为理由停止了对腐败案的调查，他的解释是："如果调查继续下去，我们不但会失去数以千计的高技能工作机会和英国产业非常重要的业务，我可以确定调查还将对英国真正的利益造成巨大的破坏。"布莱尔政府的解释似乎表达了这样一种外交方式："沙特阿拉伯人告诉我们如果这一调查揭露了沙特阿拉伯存在从中受贿的行为，那么他们将不再购买 BAE 系统公司的任何武器。因此我们终止调查。"这可能是迄今为止石油造成的对西方民主最严重、最赤裸的扭曲。

需要指出的是，沙特阿拉伯并没有威胁要切断英国的石油，他们威胁的是要切断资金源。当石油每桶 130 美元的时候，从这个泉眼中就会涌出很多钱。至少，持续的高油价会导致经济力量从西方转向油气生产国——可能是俄罗斯、委内瑞拉、伊朗或是波斯湾地区国家。卢夫特（Gal Luft）在一篇给全球安全分析研究所（Institute for the Analysis of Global Security）写的研究报告《石油和新经济秩序》（*Oil and the New Economic Order*）中指出："如此巨大的财富使油气生产国拥有了前所未有的购买力。"举例来说，如果石油涨到每桶 200 美元，那么欧佩克国家就有能力购买美洲银行 1 个月的总产值、苹果公司 1 个星期的总产值以及通用汽车公司 2 天的总产值。2008 年美国次贷危机爆发以来，波斯湾国家的财富资金都发挥着健康的稳定器作用。但是很难想象，随着时间的推移，他们的经济影响力不会转变为政治影响力。毕竟，当美国和英国有充裕的资金实力时这两个国家就是这么做的：他们利用他们的钱扩大了本国的利益。

战后的伊拉克

那么我是什么意思呢？我是要让所有的石油生产国都破产吗？不是的。我并不希望沙特阿拉伯、科威特、埃及、叙利亚、俄罗斯或印度尼西亚中的任何一个破产。那只会导致另外一种不稳定——由贫穷引起的动乱。而且即便我们都使用充电式混合动力车，石油价格也不可能降低到零。正如大多数人都能看到的那样，在未来很长一段时间内我们仍需要以石油为原料的产品——从塑料到化肥。但是，如果我们能够创造出丰富的可再生能源，从而令全球石油需求量降低到一定程度，使得产油国必须促进国内经济多元化、使其国内人民必须以更有创新性的方式工作，那么这会给整个世界都带来更好的政治环境。

在9·11之前，美国将阿拉伯世界视作一个大型油气站的集中地——沙特阿拉伯站、利比亚站、科威特站。我们对那些人说，"嘿，伙计们，这是一个交易：打开你们的油泵，保持低油价，不要过多干扰犹太人，然后你们就可以回去做任何你们想做的事。你们可以不公平地对待你们的妇女，你们可以剥夺任何想要剥夺的民主权利，你们可以出版任何疯狂抨击我们的读物，你们可以教育你们的孩子仇视其他任何宗教，你们可以在你们的清真寺里鼓吹任何你们想要散布的言论……只要你们保证你的油泵开着，保持低油价，不过多骚扰犹太人——你们就可以回去做任何想做的事。"

结果是，美国在9·11事件中遭受了恐怖袭击。那是"基地"组织和本·拉登（Osama bin Laden）的人格化表现。在试图使伊拉克走向民主化的过程中，我希望布什政府能与伊拉克人民一起合作来改变其国内状况。

不幸的是，布什先生几乎没采取任何措施来降低我们对石油的依赖或降低石油价格，而这原本是打击暴政战略的组成部分。他把一切都押在了伊拉克战争的快速胜利上。没有人知道伊拉克传记会怎样收尾。但是有两件事我是确定的：一件是必须一如既往地推动阿拉伯伊斯兰世界的改革——改革教育、赋予妇女权利、推动宗教现代化以及促进政治认同；另一件是任何时候我们美国都不可以再以改革的名义入侵阿拉伯伊斯兰国家——不管在伊拉克发生了什么都不能再这样做。我们必须找到其他途径与那些国家的人民合作来改变他们身后的环境。

我认为如果要在伊拉克战后推动波斯湾改革，那么应采取的战略就是降低全球石油价格——通过开发清洁的电力资源来代替石油——这样就能靠来自外部的全球化力量和内部的经济压力来促使这些国家的领导人进行改革。当初也正是这些力量的结合推动了巴林的改革进程。如果石油价格能降到当前的一半，那么这些政权将无法轻松地抵制政治现代化和宗教现代化的力量。正如约翰·霍普金斯大学外交政策专家曼德尔鲍姆指出的那样："当我们告诉别人他们应该改变时他们是不会改变的。只有当他们自己告诉自己必须改变时，他们才会改变。"石油价格的下降将会让他们告诉自己，必须改变了。

从历史经验来看我们知道这是可行的。以苏联为例，2007 年 2 月，我在莫斯科的美国大使馆就全球化和能源政治问题做了一个演讲。演讲后，我与俄罗斯国民经济研究院（Russia's Academy of National Economy）主任马奥（Vladimir Mau）聊了一会儿天。我问他是否认同我的观点——是 10 美元 1 桶的石油而不是里根总统使前苏联解体（1991 年圣诞节当天也就是前苏联解体那天，油价是 17 美元 1 桶）。

马奥教授坚决摇头。他告诉我，我错了，是 70 美元而不是 10 美元 1 桶的油价拖垮了苏联。他解释道，20 世纪 70 年代阿拉伯的石油禁运政策以及伊朗革命致使油价急剧上升，这诱使克里姆林宫用过多经济补贴来扶持国内的低效产业，推迟了真正的经济改革，同时又入侵阿富汗——当 20 世纪 80 年代和 90 年代初油价突然下滑，一个过度扩张的僵化的帝国就崩溃了。

这是一个真实的故事：在早先几十年里经济效率低下的前苏联之所以能生存下来，依靠的是其廉价的农业，马奥教授解释道，被迫进入集体农场的农村劳动力和廉价的监狱劳动力建立起国有工业。但从 20 世纪 60 年代开始，这些廉价投入已经不够了，于是克里姆林宫开始进口谷物，而在此之前前苏联一直是谷物出口国。那时对于共产党人来说事情还没有到无法收拾的地步。但是 1973～1974 年阿拉伯开始禁运石油使得石油价格突然高涨——前苏联是世界上仅次于沙特阿拉伯的第二大石油生产国——这使前苏联从第三种廉价资源、也就是石油和天然气上过上了 15 年的好日子。石油横财让勃列日涅夫政府有足够的资金来争取不同利益集团的支持，如平分土地、进口商品、收购军事企业集团等。马奥教授说："石油出口在总出口中的比重从 10％～15％上升到了 40％。"这只能让前苏联体制变得更加僵化，"拥有的石油越多，政策就变得越不重要"。

20 世纪 70 年代，前苏联出口石油和天然气，"用所得的钱财进口食物、消费品和开采石油和天然气的机器。"马奥教授说。前苏联不断扩张，在越来越多的领域中投入的补贴全部来自石油收入，而不是源于制造业或农业生产率的提高或征收的税收。20 世纪 80 年代初，由于美国的努力，全球原油价格开始下降。"前苏联本可以降低对其他产品的消费来应对这一状况，但是克里姆林宫不能这样做——它必须收买所有的选民。"马奥教授解释。所以前苏联"开始从国外借款，资金主要用于消费和补贴，以保持民众支持率与社会稳定"。当苏联总理戈尔巴乔夫试图对共产主义进行改革的时候为时已晚，石油价格和产量开始持续下跌。

盖达尔（Yegor Gaidar）是现任莫斯科转轨经济研究所（Institute for Economies in Transition）所长，他清楚地看到了这种经济转型。1991～1994 年期间，他曾担任过代理总理、俄罗斯经济部长、第一副总理。2002 年 11 月 13 日他在美国企业研究所（American Enterprise Institute）的一次题为"崩溃的帝国：当代俄罗斯的教训"（The Collapse of an Empire：Lessons for Modern Russia）的讲话中指出："前苏联解体的时间可以追溯到 1985 年 9 月 13 日。这一天，沙特阿拉伯的石油部长亚马尼（Sheikh Ahmed Zaki Yamani）宣布其国家要彻底改变石油政策。沙特阿拉伯不再对石油价格进行保护，并且迅速恢复了其在世界市场上的份额。在接下来的 6 个月里，沙特阿拉伯的石油产量增加了 3 倍，而石油价格实际上却下降了相同的倍数。结果，苏联损失了约 200 亿美元，失去了那些资金的苏联根本无法生存。"

马奥教授认为，前苏联在石油问题上的愚蠢行径与今天的伊朗十分相似。在欧佩克制造的 1973～1974 年石油冲击后，伊朗国王利用石油大发横财，把现代化引入了仍然固守传统的伊朗社会。社会反对势力发动了伊斯兰革命和 1979 年的阿亚图拉（ayatollah，伊斯兰教什叶派的最高宗教职衔——译者注）运动。阿亚图拉们利用伊朗的石油收入不断扩大领土并对各个领域扩大国家补贴，以此来巩固自己的权力。如果我们现在能使石油价格下降，那么阿亚图拉们将面临与前苏联一样的选择，前苏联不可能这样做，因此导致崩溃。

2005 年，彭博社的官方网站（Bloomberg.com）报道说，伊朗政府石油出口收入高达 446 亿美元，其中的 250 亿美元都花费在补贴上——用于住房、就业、食品和每加仑 34 美分的汽油——以收买利益集团。因此如果石油价格再次大幅下跌，那么伊朗政权就不得不把很多利益从伊朗人身上拿走，就像前苏联不得不做的那样。对于一个已经不受民众支持并且深陷就业问题泥沼的政权来说，这无疑会引发各种各样的问题，至少会再出现一个"阿亚图拉·戈尔巴乔夫"。我们知道结果将会是什么。"只需要看看苏联的历史即可。"马奥教授说。

这就是为什么绿色已不再仅仅是一种高尚环保人士的业余爱好，或是一些像美国副总统切尼（Dick Cheney）曾经宣扬的那种"个人美德"。它现在已经是国家安全的当务之急。美国在石油资源丰富地区实施的任何促进民主的战略中如若没有计划开发可再生替代能源，从而最终降低石油价格，那么这个战略注定是要失败的。

今天，如果你不是一个可以有效节约能源的环保主义者，那么你就不可能成为一个有能力的外交家或有能力的民主传道士。这是石油政治的第二法则……

第五章

地球诡变
气候变化

华盛顿——据星期二的消息称，白昼时间短、夜间凉风习习的秋天在以往四个季节中持续时间都很长，然而经过 30 亿个四季交替后，怡人的秋天这周提前结束了。

曾经一度是夏冬之间令人陶醉的时光——一年中最经典的时段——现在却变得潮湿憋闷，几个月来几乎天天都有阳光，基本上没下过雨。

"我们都很希望秋天常在，不希望另一个季节来代替它。"美国国家气象局（National Weather Service）主席海斯（John Hayes）11 月 6 日（这天很湿热）在记者招待会上宣布，"秋天很美好，但不幸的是好景不再有了。"

海斯说："坦白地讲，我们很惊讶秋天还能像过去一样持续那么久。"

虽然秋天的到来令很多人诧异，但是它的结束并不是没有先兆的。近年来，秋天已经从 3 个月减少到可怜的 2 周了，并且每年来得越来越晚……

尽管秋天的提前结束令人很失望，但许多美国人都认为刚刚过去的短暂的秋季不仅"完全没有给人留下印象"，而且还缺乏以往各年份里的明显特征——气候宜人，带给人们美好的心情。

> ——"秋天在 30 亿个季节后消失了"（"Fall Canceled After 3 Bil-
> lion Seasons"），2007 年 11 月 7 日刊登在具有讽刺意味的
> 《洋葱（The Onion）新闻报》的头版。

许多预警信号都显示出我们已经进入了新的气候时代，科学家们用一些数据来说明这种变化：不断变化的全球平均气温、不断上升的海平面、加速融化的冰川。对我来说，最有效的标志是我开始思考新的问题，尤其是下面两个："谁使气候变暖了？""难道戈尔（Al Gore）不向我们道歉吗？"

在 2005 年 8 月卡特里娜飓风刚过去不久我就开始思考第一个问题。像许多人一样，令我苦恼的远不仅仅是卡特里娜飓风，令我苦恼的还有那些遭到异常猛烈飓风袭击的人们、不同收入阶层和不同种族的人们遭受的不同程度的摧残以及政府对飓风差劲的反应。我也发现了卡特里娜飓风使人失去信心——它引起了和气象问题一样多的哲学问题。

众所周知，飓风从海洋表面水温中汲取热量，在卡特里娜飓风前往新奥尔良的路上，她在墨西哥湾聚集了能量，墨西哥湾的表层水温比每年这个时候的历史平均温度高 2 华氏度。科学家说卡特里娜飓风在经过"水流旋涡"时获得强大动力，这是一条在墨西哥湾里迂回的海洋深层循环带，储存着来自太阳的热量。众多气象学家相信卡特里娜飓风强大的破坏力是由墨西哥湾比以往温度更高的海水造成的，而墨西哥湾海水温度上升的根本原因则是全球变暖。这才是真正麻烦的地方。

2007 年初，我和好友刘易斯（Nate Lewis）共进午餐，他是加州理工学院（California Institute of Technology）的能源化学家。这个学院位于帕萨迪纳（Pasadena）市，校园内棕榈树成行。我们就在校内教师食堂用餐，我不禁问刘易斯："卡特里娜飓风为什么这么令人气馁？"他想了一会儿，喝了口草莓柠檬汽水，然后以他自己的问题回答了我："是我们唤来了卡特里娜飓风，还是上帝？"

起初我并不明白他的话，之后就理解了。当飓风和其他自然灾害袭击人类时，保险公司与大众媒体都称之为"不可抗拒的天灾"。而刘易斯所问的是：是不是因为我们向自然生态系统释放了如此之多的二氧化碳（CO_2）以至于都不知道自然界在哪儿出了差错，而我们却取而代之造出了今天的气候？我们不得而知。他问："究竟是上帝还是人类的行为？"也就是问：是我们还是上帝导致了今天的热、造成了墨西哥港湾的水温升高、加速了卡特里娜飓风的形成？这些都是卡特里娜飓风引出的严肃的哲学问题。刘易斯说："过去所谓上帝的行为，以后都将是或者至少部分是人类的行为。"

如果这是事实，如果我们影响着气候的形成，那么还会发生什么呢？我们怎样解释剧烈的台风、飓风、非同寻常的干旱呢？"难道我们就说：'我们让天气变得很热；我们淹没了孟加拉国；我们让天空下雨？'这就是我们要开始说的话吗？'我们'又指谁呢？"刘易斯说。美国向大气层中释放的二氧化碳比任何一个国家都多，难道就说"是美国让天气变热的吗？"如果中国继续每隔一周扩建一座以煤为燃料的电厂，难道就说"是中国让天气变热的吗？"

美国气象频道（Weather Channel）的气象学家库勒（Heidi Cullen）用独特的方式来陈述这一哲学问题，"去年冬天出现的反常的温暖就像是一份礼物，但现在我们得付费了"。

在圣诞节前几天，几位朋友邀我一起去华盛顿打高尔夫球，我好好享受了温暖的阳光，因为气温高达 60 华氏度，地上无一片雪花。可我不再认为这是免费的"午餐"，正如库勒所言，你不能不付任何代价就来胡乱折腾大自然的运转系统。

"大自然就像一首宏大的、复杂的交响乐，"库勒说，"太阳仿佛是一个大鼓，它的一击就驾驭了一切——从皑皑白雪何时降临到温暖和煦的阳光何时洒满大地。然而现在这首交响乐深深地烙上了人类的音符，人类的行为影响着每天的天气，人类在大自然的交响乐队里大声弹奏着电吉他。"

这真是具有讽刺意味的变化。伟大的哲学家认为，自然系统是按照自己的规律运行的，不受人类、神的干扰。以色列政治理论家埃兹拉希（Yaron Ezrahi）说："古希腊人一直担心神通过自然来主宰人类，他们认为自然灾害是神在惩罚人类，打雷则是宙斯（Zeus）发出威胁的声音。"哲学就是基于这些信仰而产生的，试图证明这些信仰的正确性。但恰恰相反，事实证明自然和科学并不是众神与人类战争的结果，而是独立的自然现象。

"自然是不受人类控制而按必然规则和规律运行的王国——这是现代西

方观念的起源，"埃兹拉希说，"［后期的］希腊人一直在试图证明自然是个独立体系，这样人类就不会感到双重恐惧了——自然事件并非人类引起的。因此他们形成了一个概念：自然是独立于人类、与人类毫不相干的系统。"希腊人没有把人类道德与自然界发生的任何事情联系在一起，这样就从根本上消除了人类的恐惧，让他们相信自己的行为不会引起洪涝、风暴、干旱。

现在人类又对自然产生了恐惧，但与以前不同的是，过去我们问"难道宙斯因为我们的行为而制造了飓风？"而现在却问"难道我们因为自己的行为而制造了飓风？"埃兹拉希说："我们现在问'我们能控制自己，进而控制气候吗？'而不像过去的'我们能控制上帝，进而控制气候吗？'"

我们人类不再是大自然的客体了，从某种程度上说，我们已经成了主体。尽管有些人依然否定自己是乐队中的一员，但我们的确已成为交响乐队中的一分子。

所有这些让我想到了戈尔应该向我们道歉这个问题。

2008 年 1 月，我在达沃斯世界经济论坛上与前副总统戈尔进行了一场讨论。在听完他那颇具说服力的辩论后我谦恭地建议他写一篇评论刊登在社论版，开头可类似于这样："我很抱歉，真的很抱歉，想对大家说声道歉，因为我完全低估了全球变暖的影响，我恳求得到你们的宽恕。"

这一定会引起大家的注意的。

当然我的建议是开玩笑的，因为戈尔并没有做对不起大家的事；正相反，他的杰出成就赢得了诺贝尔和平奖，他通过纪录片《难以忽视的真相》（*An Inconvenient Truth*）唤醒了世界对潜在的气候变化巨大破坏力的认识。在这方面，没有人比他付出得更多，我们都应该感谢他。我之所以鼓励他道歉，是因为我想尽最大所能去纠正那些否定、拖延、怀疑气候变化的人们犯下的错误，以及采取必要行动。

否定气候变化的群体基本有三大类：其一是化石燃料公司，否定气候变化是由人类引起的；再者是少数科学家，他们查阅资料并根据各种原因得出如下的结论——自工业革命以来迅速大量排放的温室气体并不是地球居住条件的主要威胁；最后是那些保守派，大多都是政府监督部门，他们拒绝接受气候变化这一事实是因为他们不想去解决这一问题——因为这需要政府出台更多法规以及进行更多干预。

所有这些使得人类是否引起了危险的气候变化这一问题变得更加含混不清，这给人们的印象是：声称人类行为改变了气候的言论只不过是政治观点，而非科学事实。由于开明的政治家戈尔已成为气候变化威胁论最杰出的代言人，这就很容易让那些否定者、怀疑者钻空子，他们会认为气候变化的争论不是政治与科学的辩论，而是政治间的博弈。

政治家戈尔是怎么变成全球公众人物的？——其实气候变化威胁这一话题本身就很引人注意。物理学家罗姆（Joseph Romm）曾在克林顿政府的能源部门担任助理秘书，他写过一些气候变化方面的著作，其中包括《任何困难》（*Hell and High Water*）。他认为戈尔的声望是由几个因素造就的。首先，美国的科学家很难得到大众欢迎，这就是为什么美国人民在提名美国偶像（American Idol）时更乐意选三名法官而不选一位顶尖的科学家。"在科学领域，"罗姆说，"如果你是公众人物，那么就不是一位严肃的科学家；如果你是位严肃的科学家，就不会受公众欢迎。"此外，一些平常较为敏感的环境学家迟迟不碰气候变化这一话题，尤其是气候变化对地球和人类的潜在影响。最后，身为全球变暖博客（Climate Progress. org）写手的罗姆还认为绝大多数美国媒体都采纳了否定气候变化者的主张——"气候变化是政治而非科学问题，因此它有弊也有利。"

然而这并不是政治问题，因为随着时间的推移，气候变化需要科学来解决。现在几乎每个人都接受这样的事实：气候正在以不同于长期自然演变的方式变化着。一批学识渊博的科学家最终在此问题上达成了一致：人类行为应对当今非同寻常的气候变化负责。但许多媒体似乎对这一观点仍然模棱两可，认为专家们对待此问题是有不同意见的。"媒体总是习惯于把自己看做是最真实的媒介，倾向于认为中间立场通常才是正确的。"罗姆说。

因此戈尔身陷这场旋涡，用自己的声望和权威来唤起世界对气候变化潜在巨大危险的关注。由于他不是一个有名望的科学家而是一个信息传播者，而且他有意识地用警醒的方式来展示事实，因此人们把大量的时间和精力都浪费在讨论他本人身上而不是关注气候变化。这场公众参与的争论与目前的现实渐行渐远——现在已不仅仅是人类行为导致了气候变化，越来越多的证据已经表明气候变化的速度比三四年前最悲观的气象学家预测的还要快得多，有的甚至比预想的更具破坏性、更难以控制。

这才是最重要的，是我们要讨论的。因此我对戈尔那开玩笑似的建议是有意义的。对他来说，唤醒世界对这方面的认识，最好的办法就是向公众道歉，承认自己低估了气候变化。

否定气候的变化者们试图让我们相信我们正在玩一场骰子游戏，只会出现 2 到 12 几个面，2 代表没有气候变化，12 则代表戈尔所说的最强烈、最危险的变化可能成为现实。很抱歉，现在玩的可是大自然母亲的骰子，他们就像"龙与地下城"（Dungeons & Dragons）游戏中的多面体骰子那样，也许是 20 个、30 个面，甚至是 60 个面。不要认为最多只会出现 12。出现 60 的可能性是存在的——现在已有越来越多的迹象表明我们正迈向 60。正如罗姆所说，在气候变化的科学中还没有解决的唯一重要问题是：它是否是"严重的或灾难性的"以及我们是否会更快地触到那一点。

"有关全球变暖的文章我写得越多，就越意识到需要与那些博客圈里的怀疑者们和否定者们以及倡导保守运动的人们分享一些东西。"罗姆在他的气候博客中写道，"我同他们一样怀疑联合国政府间气候变化专家小组（UN Intergovernmental Panel on Climate Change，IPCC）是如何得出气候报告的；怀疑报告中对在气候变化上所谓的一致意见；不同意有些人所持的'科学能解决这一切'的说法。"但一致性意见就到此为止。科学无法解决这一切——而且越来越无能为力，随着人类大肆排放温室气体，科学界每年都会听到许多灾难性的消息。

正如刘易斯有一天对我说的："如果你还是个孩子，妈妈问你长大了想干什么，你说'我想改变这个世界'，猜猜妈妈会怎么回答，'我们已经做到了'。"

我们已经知道的触目惊心的消息

我们究竟做了什么改变了气候？这是从什么时候开始的？联合国政府间气候变化专家小组回答了这两个问题，发表在 2007 年的评估报告上。

一般来说，工业革命以前，即 18 世纪中期以前的约 1 万年间，地球大气层中二氧化碳的含量约为 280×10^{-6}。也就是说，在 1750 年如果我们能够划分出含有 100 万个大气分子的区域，那么这个区域才含有 280 个二氧化碳分子，但今天，这块区域已含有 384 个二氧化碳分子。为什么在这么短的时间内，二氧化碳分子就增加得这么快呢？唯一的解释就是：工业上大量使用的化石燃料释放了许多二氧化碳，除此之外，自工业革命起就开始采伐森林也与此不无关系。

然而，否定气候变化的人们认为除了人类释放的二氧化碳外，还有其他因素也影响着地球的冷暖。气候系统有自己的心跳，而地球绕太阳运转的轨道实际上就是起搏器——它带动着心跳，大体上决定了地球上有多少热量。在整个历史中，地球绕太阳运行的轨道形状就是造成平均气温变化的一个原因。地球轨道是椭圆形而不是圆形的，所以当轨道形状变化时，地球与太阳的距离就会有非常小的变化，进而影响了地球从太阳获得的辐射能量，这个变化周期大约是 10 万年。另一个原因是地轴倾斜度的变化。如果地球不是倾斜的，那就不会有四季变化，纽约会一直处于同一个季节中，因为其所处的纬度获取的太阳能始终一样。由于地轴发生倾斜，在所有纬度夏天得到的太阳能都比冬天多，所以就有了四季更替。地轴的倾斜度每 4 万年会改变 1 度到 2 度，这就会增加或减少地球上不同纬度获得的太阳能。最后一个原因是相对于轨道的地轴倾斜方向的变化，这个周期约为 21 000 年，这也会多少影响地球所获得的太阳能。这 3 个周期性的变化被称作米兰科维奇周期（Milankovitch cycles），这些变化时刻存在，它们共同决定着地球在任意时点上的太阳能分布。

"我们知道这些周期的存在，当地球离太阳近一点或远一点、季节长一点或短一点时，我们能及时推算出地球上不同位置所得到的太阳能的变化。"奈特·刘易斯说，"我们可以从 67 万年前形成的冰核上推算出那时的地球平均温度以及二氧化碳的浓度。现在地球平均温度比那时约变化了 6 摄氏度。当地球处于像现在的这样的间冰期时就比较暖和；而处于冰河期时平均气温就会下降 6 摄氏度，从北极至印第安纳州都是冰川。"

否定者依然声称地球轨道的变化以及洒向地表的太阳光的差异导致了地球气温的显著变化，而人类行为对此无实质性的影响。刘易斯说这种理论有一个缺陷：仅凭光照的变化并不足以造成全球平均气温从冰河期到间冰期的 6 摄氏度的波动。由地球轨道的微调造成的太阳辐射热能的微弱变化不能解释当前全球温度的大幅变动。

"当我们离太阳近一点时，海洋水温就会升高，会释放出二氧化碳；当离太阳远一点时，海洋水温就会降低，会吸收二氧化碳，"刘易斯解释道，"海洋释放二氧化碳，就像加热一瓶打开的雪碧一样，二氧化碳大量涌出，这样大气层就会变热，从而让海洋变得更暖。在这种恶性循环下更多的二氧化碳被释放出来，而且引起冰雪融化，导致冰层对太阳光的反射减少、吸收增加，地球就变得更热。"

我们测出二氧化碳的浓度在冰河期到间冰期的变化不会超过 120×10^{-6}，刘易斯说，而 6 摄氏度的温差相对于浓度变化来说实在太大了。二氧化碳浓度在过去 1 万年间稳定在 280×10^{-6}，地球的气候也因此相当稳定。但大约自 1750 年开始，情况发生了巨大变化。工业革命后，尤其最近 50 年，大气层的二氧化碳含量从 280×10^{-6} 激增到 384×10^{-6}，在接下来的 50 年里，我们又将释放 100×10^{-6} 或更多的二氧化碳，这些额外的二氧化碳不是来自于海洋，而是人类使用化石燃料、采伐森林而造成的。我们之所以能分辨出这些二氧化碳的来源是因为碳是有放射周期的，化石燃料燃烧后产生的二氧化碳中的碳年龄与海洋中的二氧化碳不同。检测结果表明，过去 50 年中大气增加的二氧化碳来源于化石燃料的燃烧。

近 100 年来，地球与太阳的相对位置并没有很大的变化，但大气层中的二氧化碳含量却显著上升，"的确是太阳最先引起了二氧化碳的变化，但这并不意味着别的因素就不能增加二氧化碳的排放，而这'别的因素'正是人类。"刘易斯说，"如果说太阳是扣动猎枪来排放二氧化碳的，那么人类就是点燃大炮来释放二氧化碳的。日益增加的二氧化碳将会形成一种我们从未经历过的气候，因为在过去 67 万年内，只要二氧化碳增加气温就上升；而二氧化碳减少气温就下降。"

IPCC 最近的一份报告（2007 年 1 月）指出：全球变暖"非常可能"是自 1950 年来的气温上升所致。这份报告 90％地相信工农业排放的二氧化碳和其他温室气体是最主要原因。

IPCC 认为，以目前的科技水平，如果人类使大气层中二氧化碳含量达到 550×10^{-6}，那么到 21 世纪中期全球平均气温就会升高 3 摄氏度左右；假若采取限制性减排措施把二氧化碳浓度控制在 450×10^{-6} 之内，那么温度将升高约 2 摄氏度。

Sigma Xi/UN 基金会发布的全球变暖的报告称气温会在 1750 年的水平上升高 2～2.5 摄氏度。据此，气候专家预计："根据我们的判断，这将会进一步推动气候到达'突变点'。尽管人类采取一切方式去适应，但仍然难以忍受这种影响。"这就是为什么欧盟呼吁把气温变化限制在 2 摄氏度以内，这也就是为什么我们需要双重调节——既尽力减少二氧化碳的排放以减缓气候变暖，又要努力适应气候变化。但是，如果现在不减排二氧化碳，那么任何有用的方法都不足以应对这种巨大的变化。

"长期以来，"身为 Sigma Xi 荣誉学会会员的哈佛大学教授霍尔德伦（John Holdren）说，"人们把 550×10^{-6} 和 3 摄氏度设定为必须达到的目标——这并不是因为在这一限度内人类就可以高枕无忧，而是我们不知道怎样才能做得更好。自 20 世纪 90 年代中期以来，几乎所有的科学证据都令人们越发担心——人类其实连 3 摄氏度都忍受不了。"

为什么呢？因为科学家们已意识到他们低估了气候变暖对农业的影响（举例来说，天气越暖和，危害农作物的害虫在冬季被冻死的可能性就越小）；意识到格陵兰岛与南极西部的冰层融化的速度超出了预期；意识到海洋酸化的速度远远超出了起初的预计，而且正威胁着珊瑚礁和贝壳生物——

而这两者是海底生物链中至关重要的环节（酸化是指：二氧化碳溶于水中形成碳酸，虽然它的酸性较弱，但却可以影响海洋的 pH 值，造成碳酸钙的溶解，而碳酸钙正是珊瑚、贝壳生物坚硬外壳的必要成分）。

低估全球变暖的原因还有很多。首先，科学家们天生就不愿危言耸听，因为这样会受到惩罚，但低估并无大碍，这就导致了他们很谨慎。霍尔德伦说："骗子在一句话里就能撒个谎，而科学家却需要用三段文字来进行反驳。"另外，IPCC 或其他模型中的原始数据有时滞。在设计气候模型时，科学家们根据过去已知道的信息与实际情况的吻合程度做出趋势线，然后试图根据趋势线推测未来的走向。但 IPCC 模型的许多数据都与中国经济相关，比尔·科林斯（Bill Collins）是劳伦斯伯克利国家实验室地球科学部（Earth Sciences Division of Lawrence Berkeley National Laboratory）的资深科学家，他说，中国在过去 5 年扩大重工业、水泥生产和建筑业的规模，增建了大量煤电厂。

"但没有人从能源经济模型中获得中国这 5 年的加速排放二氧化碳的数据，而 IPCC 绝大部分数学模型都是建立在 20 世纪 90 年代的基础上，而中国那时的排放量实际上处于下降状态而且前苏联那时也处于崩溃边缘。而眼下正在发生的一切却比 IPCC 模型最坏的预测更糟糕。"

IPCC 用最小公分母法得出以下结论，罗姆总结说：

> IPCC 的报告"决策者摘要"（Summary for Policymakers）是大多数人都熟悉的已达成科学一致性的报告，但摘要中的观点并不是主流的科学主张，因为政府代表们会逐行逐页地修改这些摘要。因此，中国、沙特阿拉伯以及向来都怀有否认情结的布什政府开始否决他们不喜欢的一切，这些否定者们称这种修改行为是"政治科学"，暗示这个过程把 IPCC 的摘要变成了某种非科学的夸大之词。而事实上恰恰相反。最终的结果是利益各方在保守的或打了折扣的文本上产生了分歧。你不能认为这是多数法则，这只是"少数法则"……一篇名为"保守的气候"（"Conservative Climate"）（《科

学美国人》（*Scientific American*），2007 年 3 月 18 日）的文章指出，在一些国家的反对下，IPCC 报告删除了这个句子：人类排放的温室气体对地球近来变暖的影响是太阳活动的 5 倍多。该文章的第一撰稿人、英国利兹大学（University of Leeds）的佛斯特（Piers Forster）说："两者差别实际上是 10 倍……"

IPCC 是怎样虚报了未来的影响呢？2007 年的报告预测 21 世纪海平面将上升 7～23 英寸，然而 IPCC 却声称，"这个模型既没考虑碳循环反馈作用的不确定性，也没考虑冰原变化的全面影响。"也就是说，由于目前不存在一个能够全面解释我们正在目睹的格陵兰岛与南极各种反馈效应——比如，不断加速崩溃的冰川，融化的冻土带释放出的温室气体——的气候模型，所以 IPCC 不得不忽略这些现实。因此，美国宾夕法尼亚州气候变化专家理埃利（Penn State climatologist Richard Alley）在 2006 年 3 月指出，冰川消退时间实际将比 IPCC 所谓的"一致意见"提前 100 年。

事实上，冰川消退并没有提前，大自然正以自己的方式、自己的时间做着自己该做的事情，而决策者们的摘要都是滞后的。

我们尚不知道的更触目惊心的消息

还有极为重要的一点，那就是各种具有极大破坏性、非线性的气候变化怎样相互作用、互相加强呢？我们对此知之甚少，这些气候变化被称为正反馈循环或负反馈循环。如果亚马孙河枯竭与海平面上升同时发生，那这个星球会变成什么样子呢？若再加上格陵兰岛冰川融化，又会怎样呢？倘若所有的循环机制同时上演，那这个世界没有一台超大计算机能知道结果会是什么。

不同类型的气候变化相互作用的表现是什么呢？前任中央情报局长（CIA director）、能源专家伍尔西（Jim Woolsey）是这样说的：位于北极、西伯利亚西部和小部分阿拉斯加州的一段冻土带大约含 5 000 亿吨碳，这相当于全世界土壤中含碳总量的 1/3，以冻结的泥炭沼的形式存在。如果永冻层开始融化，那大量的碳就很快转化为另一种温室气体——沼气，这种气体比二氧化碳更容易导致气温上升。大量释放出来的沼气将会对气候变化产生巨大的短期效应，相当于数千亿吨二氧化碳的作用。这将进一步导致平均气温升高，更多的冰雪融化，更多不可预测的灾难性效应。

但要说服决策者们考虑这种非线性变化因素并为之做好准备是很困难的。"发明家和未来学家库兹威（Ray Kurzweil）认为，多数人对发生的现象都持有'直觉线性'观点，而不是'历史指数'观点。"伍尔西解释道，"在《奇点并不遥远》（*The Singularity is Near*）这本书里，库兹威表示大部分人很难理解指数变化，书里的一个人物就是我们的写照。这个人拥有一个小湖，湖里养着睡莲和鱼。他每隔几天就去清理新长出的睡莲叶子，这样睡莲只会覆盖 1/3 的湖面。可是他出去度假几周回来后惊讶地发现，整个湖里都是睡莲，而鱼全部死了。他忘记了睡莲是呈指数繁殖，并不是像人类所想的那样呈线性繁殖。"我们这一代和未来的子孙必须理解这一点。伍尔西补充道，"大自然并不会因为人类的线性思维就总是以线性方式运作。"

因此，在能源气候年代，我们就得以指数思维进行思考。伍尔西总结道："过去一些可以接受的或者至少不太重要的人类行为现在看来就非常不明智了，因为它们从根本上增加了系统变异的机会。"我们不知道目前的一些微小变化什么时候就会发展成巨大影响。

诚然，反馈系统可以帮助大气维持冷暖平衡。比如，全球变暖会产生低云，一些低云会向上飘移形成高云，高云对地球有降温作用。"云反馈有正面作用也有负面作用，"刘易斯解释道，"各类气候模型的主要差别就在于怎样处理云这个因素，以及什么时候用什么方式处理云的正反馈或负反馈作用。"我们不必借助高端仪器都知道还有许多更加令人不安的云反馈作用。

所有这些预测未来趋势的模型都是外推模型，根据不同的二氧化碳历史水平外推将来的平均气温会是多少；外推新的二氧化碳水平会怎样影响气候、生物圈和人类文明。各类气候模型都是建立在许多不同因素的平均值基础上，它们能就我们的未来走向给出一个平均预测值，可是，这个预测值就将是我们人类的终点。

"地球并非沿着平均值的路径在运行，"刘易斯补充道，"我们虽然还不清楚其路径到底是什么，但越来越多的证据表明这个路径在速度上和范围上都处于气候变化模型的极值，尤其当一些非线性的、不可控的反馈效应开始发挥作用时更会如此……难道 450×10^{-6} 就安全吗？谁能证明 550×10^{-6} 也是安全的？我们不知道，我们所知道的二氧化碳唯一的安全水平是过去 1 万年间维持的 280×10^{-6}，可这个水平也成为历史了。当你把孩子放在一个 550×10^{-6} 的世界里你会感到好受吗？反正我不会好受。这可能也不错——但这个世界里不再有人类。"

否定气候变化的人们就像去看医生的病人，当医生告诉他"如果你不戒烟那将有 90% 的可能死于肺癌"。病人答道："哦，医生，你没有 100% 的把握？那我继续抽烟。"

虽然我们处在哪个轨道上以及我们将何去何从都是不确定的，但两者完全是两码事。不要仅仅因为科学家把注意力集中在他们不清楚的 10% 上就认为他们已经知道的 90% 不值得理睬。

"有关全球气候变化最重要的结论是：气候变化的的确确是存在的，而且这种变化正在加速，已经产生了巨大危害；人类应该对此负主要责任；导致灾难性毁灭的引爆点很可能就潜伏在'一切正常'的轨道中；只要我们开始行动，就可以用还能够承受的代价降低危险——塞拉俱乐部（Sierra Club）或仇恨资本主义的人还没来得及篡改这些结论。"霍尔德伦阐述道，"这些结论来自大量世界顶尖级科学研究，经过了极为细致的审核并备有详细的证明文件，是目前所研究过的最大、最长、最昂贵、最国际化、学科跨度最大、最彻底的科学议题。"

霍尔德伦继续说道，通常来说，怀疑气候变化的论调主要有 3 个层次——更确切地说，科学与社会的分界面上出现了巨大的挑战："第 1 阶段，他们认为你是错的，理由是'气候并没有以不寻常的方式在变化，即便如此，人类行为也不是造成气候变化的原因。'第 2 阶段，他们承认你是对的，但不必大惊小怪：'不错，气候在变化，人类有责任，但这变化并没有什么危害。'第3阶段，他们知道真的有问题了，但为时已晚，无法再挽回了。'是的，气候变化的确将产生实质性危害，但如果要采取措施去避免这种损害已经太迟了、太难了、代价太高了，所以我们只能坐以待毙，忍受吧。'所有这些立场很受气候变化怀疑论者的欢迎，他们接受电视访谈，写互联网博客，寄信给编辑，写文章刊登在综合性报纸的社论版，参加鸡尾酒会。随着时间的推移，当个别怀疑论者关注的迹象或证据变得难以忽视或驳斥时，他们就从第1阶段跳到第2阶段，从第2阶段跳到第3阶段。在过去几年里，那些有资格怀疑气候变化科学的极少数怀疑论者实际上都已经从第1阶段转向第2阶段了。这种变化——从第2阶段转向第3阶段，或从第1阶段直接转向第3阶段——越来越频繁，可这三个立场都是完全错误的。"

霍尔德伦花了大量时间研究气候变化的各个方面，在气候变化问题上提出了一个"霍尔德伦第一原理"，主要内容如下：你对一个问题了解得越多，你就会越悲观。懂得大气科学和海洋的人很悲观；懂得大气科学、海洋和冰雪的人非常悲观；懂得大气科学、海洋、冰雪和生物学的人更悲观；除了上述这些学科，还懂得工程学、经济学和政治学的人最悲观，因为他们知道得耗费多长时间来应对这一问题。

"我喜欢用这个例子来说明问题，"霍尔德伦补充道，"我们在大雾中驾驶一辆刹车失灵的汽车正朝着悬崖边开去。现在我们明确地知道悬崖在那边，但不知道具体位置在哪里，有远见的人建议我们必须开始刹车。"

报纸上几乎每天都会有新消息告诉我们离悬崖比想象的更近了。"2003年7、8月份欧洲遭遇的酷热持续高达100华氏度，导致了35 000人死亡。"霍尔德伦总结道，"根据以往的估计，酷热每100年1次；在我们开始破坏气候前每250年1次；而当前的模型显示，到2050年，酷热将缩短为2年1次，到2070年，欧洲的夏天就将酷毙了。"

霍尔德伦说，10年前人们会想：即使在最坏的情况下，北极夏季海冰也要到2070年才会消失，一些极端悲观主义者认为这个时间是2040年，而现在人们却说几年后就会全部融化。2007年夏天，高温融化了大量北极海冰,从未完全通航的北冰洋开通了。西北航道在历史上第一次出现了没有冰的景象,船可以通行了。美联社在 2007 年 12 月 11 日报道了这起前所未有的、不可思议的事件,内容如下:

今年夏天,已经不断融化的北冰洋大大加快了融化速度,一些科学家担心这是一个预示着气候变暖已经超过警戒线的危险信号,有人甚至推测夏季海冰将在 5 年后全部消失。据国家航空航天局(NASA)最新卫星测量数据显示:格陵兰岛冰川比以前的高峰值多融化了 190 亿吨;夏季末北极海冰的体积仅是 4 年前的一半。"北冰洋正在咆哮。"塞泽(Mark Serreze)说,他是科罗拉多州博尔德市(Boulder. Colo)政府冰雪数据中心的资深科学家。就在去年,两位权威科学家对他们同事的预测感到十分震惊:北极海冰融化得太快了,到 2040 年夏天就会彻底消失。国家航空航天局气候科学家齐瓦利(Jay Zwally)本周查阅了最新的数据,他认为:"以这个速度,北冰洋几乎所有的冰层到 2012 年夏季末就完全融化,比以前预测的快得多。"科学家们最近一直在问他们自己:2007 年北冰洋前所未有的融化现象是气候持续变暖的标志吗?难道一切已经提前进入了一个新的气候循环,远远超出了计算机模型最坏的预测吗?"北冰洋通常被视作是煤矿里的金丝雀❶。"十几岁时拉过煤的齐瓦利说,"如今金丝雀已经死了,这就是气候变暖的标志。现在是离开煤矿的时候了。"

让我们祈祷

越来越多的人都逐渐意识到气候变化的存在,即使说不出为什么,但也知道气候变化已经从科学书里进入了他们的生活。我就亲身经历了这些,最

---

❶ 金丝雀对煤矿矿井里的瓦斯最为敏感,北冰洋对气候变暖最为敏感。

近我开始问自己："30 年前我从听英国广播公司（BBC World Service）的新闻开始步入新闻行业，难道现在就要结束这与气象频道紧密相关的工作了吗?"

在我逐渐成长的过程中，地方新闻逐渐发展为"新闻、天气、体育"3 大部分，但直觉告诉我，到 2030 年，晚间新闻会分成"天气、其他新闻、体育"3 大部分。一些地方的天气和气候问题日益严峻，它们不但成了新闻也成了政治。事实上，仅仅在 2007 年我就碰到了两起政治家号召国民虔诚祈雨水的事件。

2007 年 5 月我访问了澳大利亚，发现自己正赶上澳洲人大声嚷嚷的"大干旱"，持续了 7 年之久的干旱已变得非常严重。2007 年 4 月 19 日，总理霍华德（John Howard）曾让同胞们双手合十，祈求仁慈的主赐予一场倾盆大雨。霍华德说，如果再不下雨，他将禁止人们从墨累-达令河流域（Murray-Darling river basin）汲水灌溉，而这个区域正是最主要的农作物种植基地，其产出占全国农作物总值的 40%。历史上，埃及法老曾禁止人们从尼罗河汲水用于灌溉，美国总统也曾禁止从密西西比河汲水灌溉。

所有澳大利亚人都被总理的举动惊呆了，但霍华德并不是在开玩笑。我在他位于悉尼的办公室里采访了他，他说："我告诉人们，你们必须祈雨，我是认真的。"真正有趣的是真的开始下起了小雨！他告诉我，一位自由党议员住在位于维多利亚省（Victoria Province）北部的马利市（Mallee）附近——那是受干旱影响最严重的城市之一。一天他打电话对霍华德说，当雨水终于降临时，他的孩子们在雨中欢呼雀跃，他们都不到 6 岁，脑海中从来没有在雨中玩耍的情景。大干旱已在他们的生活中留下了深深的烙印。

然而仅仅祈雨是远远不够的。在 2007 年澳大利亚的选举中，气候变化有史以来第一次与工会制度和按揭利率一起成为投票的三大议题。霍华德政府在这一问题上失败了，他依靠的是祷告者而不是政策。票站调查显示：在这次竞选中霍华德被工党击败的主要原因是他几年前坚决反对加入《京都议定书》。竞选成功的陆克文（Kevin Rudd）于同年 12 月在巴厘岛全球气候变化大会（Bali Climate Change Conference）上亲手向联合国递交了一份批准《京都议定书》的文件，这是他的第一次全球外交。

在澳大利亚停留了几个月后我回到美国。我在网上看到了一则新闻报道——美国佐治亚州州长普度（Sonny Perdue）率领祈祷者在州政府大楼前祈雨，祈求缓解已经严重危及佐治亚州和整个东南部的大旱。我决定前往亚特兰大。

"我们这 100 多人集合在一起的原因只有一个——非常虔诚地、谦恭地祈求一场大雨。"州长普度说，"我的主，我们对以往的浪费表示忏悔。"这至少是真诚的。可接下来一周的《时代周刊》（Time，2007/11/19）却抨击了普度及其州议员，批评他们太依赖于仁慈的主而缺乏常识。"当东南部大旱时，是州长和当选的议员而不是主建造了一个有百万加仑人工雪山的户外公园。"周刊写道，"灌溉佐治亚州的棉花农场浪费了很多水，但他们却熟视无睹。"

佐治亚州的水源浪费情况骇人听闻。当干旱破纪录长时间持续时，佛罗里达北部地区几乎要与南部地区发生纠纷，因为北部有一大型牡蛎养殖场，完全依靠从佐治亚州流出的水源，这威胁到了南部。尽管这场纷争没有凶残到像干旱炎热的索马里人与苏丹人争夺水源而爆发内战的那种程度，但两者的实质完全是一样的。

《梦幻国》（Dream State）一书写的就是佛罗里达，2007 年 12 月 14 日，该书作者罗伯茨（Diane Roberts）在《圣彼得堡时报》（St. Petersburg Times）上发表了一篇关于邻州佐治亚州及其州长普度的文章。她抱怨道："亚特兰大城区杂乱无序的样子就像给你脸上抹黑的亲戚在感恩节晚餐后醉酒那样，得意忘形、失去控制。"

> 亚特兰大在过去 7 年扩张到 28 个县以上，拥有上百万人口：连成一片的大型购物中心，高尔夫球场，封闭型高档住宅区，别墅豪宅和综合公寓。没有人考虑是否有足够的水……迄今为止普度解决水危机的方法只有两种：一是祈雨；二是责难濒危物种法案（Endangered Species Act）。我完全赞成祈祷、祈雨舞、萨泰里阿

教（Santeria）的鸡祭品、巫术气象咒符或任何其他法术——只要能把水从天堂哄下来。但普度却对海洋生物兴师问罪，仅仅因为它们依靠查塔胡奇河-弗林特-阿帕拉齐可拉河（Chattahoochee-Flint-Apalachicola）水系的淡水生活。他告诉电视主持人没有哪种软体动物"比亚特兰大的大人、孩子、婴儿需要更多水……""人们常常把这一问题转化为要孩子还是要牡蛎，"地球正义（Earth justice）律师事务所的环境法律师格斯特（David Guest）说，"但最根本的问题是：为什么亚特兰大比以前需要更多的水？" 50 年前亚特兰大挖出的莱尼尔岛湖（Lake Lanier）是为了让驳船在查塔胡奇河上航行，而不是用作水库。但由于没有人监督亚特兰大地区的扩张，莱尼尔岛湖倒成了亚特兰大的圣井……佐治亚州要求美国陆军工程兵部队（US Army Corps of Engineers）减少对下游的放水量。"格斯特对此提出质问："难道会吵的孩子就一定有糖吃吗？"姑且不论下游的生存问题，仍然允许亚特兰大挥霍更多的水，就如同你把 ATM 卡借给刷卡上瘾的人一样，他对你承诺只用一次。"

这就是我为什么放弃了气象频道的环球广播（World Service）一职的原因。

一般来说，猎人、农民、渔夫都很传统，不属于戈尔电影中的那类，但他们深知他们所处的河流、农场、猎场和山谷发生了变化。他们不必看《难以忽视的真相》就能知道，因为他们一直在关注。这是他们的家庭视频。只要到蒙大拿待上几天，你也会有他们的这种感觉。

2007 年 1 月我冒险去了趟那里，我承认那天并没有迹象表明蒙大拿已经变暖了。我来到考尔斯普（Colstrip），想看看露天煤矿的真正样子。我有能想象得到的最好的导游：蒙大拿民主派州长施韦泽（Brian Schweitzer）和他的狗——杰克（Jake），州长告诉我杰克在这里比他更受欢迎。

州长是一个和善、精明的大块头，他驾着一架双引擎螺旋小飞机在比灵斯（Billings）接到我。在我们飞往考尔斯普的途中遇到一股强风，颠得我左右摇晃，像拌沙拉一样，之后我们的飞机在煤矿中心的临时跑道上降落了。（我们返回时又遇到另一股风暴，我把手指深深抠进扶手，结果在扶手的皮革上留下了我的指甲痕。我很感谢飞行员丰富的经验，州长大声说道："今天能请到最优秀的实习生来开飞机，我很开心。"真有趣……）

在飞行途中，州长除了指给我看从空中看到的不同建筑物外，还回忆了他和蒙大拿民众所看到的一幕幕气候变化。

"蒙大拿人得靠天吃饭。"州长说，他是位农学家，他把自己的第一个农场建在了沙特阿拉伯。他说："我们都很清楚气候正在改变……当埃克森美孚（Exxon Mobil）公司雇了一个自称为'科学家'的人嚷嚷不是这样的时候，你不必看《纽约时报》就知道他在瞎说。"

后来，他简单地向我解释了为什么这里的猎人、农民、渔夫都很相信气候已经发生了改变，因为这个州每年 7 月要检查鳟鱼河河水的温度。鳟鱼喜欢夏天从高山冰川流下的冰凉的河水。不幸的是，在过去 10 多年里一些山上的山顶积雪 7 月化完了，所以河流就失去了稳定的冰水来源，鳟鱼也因此变得焦躁不安。蒙大拿著名的弗拉特黑德河（Flathead River）正好流经冰川国家公园（Glacier National Park），该河在 1979 年 7 月是 11.3 摄氏度，但到 2006 年 7 月已升至 15.95 摄氏度；20 年前流淌的几乎是 100% 的融雪水，而现在只有 50% 了，其他的则是雨水和泉水。鳟鱼变得异常不安，蒙大拿州不得不禁止在一些河域捕捞鳟鱼。

"垂钓鳟鱼是一种精神享受，"施韦泽说，"当人们不能在自己喜欢的河域垂钓就会很心烦。"此外，森林火灾越来越频繁。蒙大拿西北部山区全是冷杉和落叶松，形成了一条条林木带。然而，由于冬季平均气温逐渐升高，这些林木带更易遭到昆虫、害虫的侵害。这些昆虫的幼虫原来在每年冬季寒冷的 1、2 月份零下 20～30 华氏度低温中会被冻死，但近几年却不行了。

"现在落基山脉有很多枯死的大树，"施韦泽说，"大自然用自己的方式处理这些枯树——一旦被闪电击中就化为灰烬。健康的森林只会被烧掉一小块儿，接着来场小雨，一切都会恢复平衡状态。但现在有这么多的枯树，只要电闪雷鸣，50 万英亩的森林就将全部毁于一旦。森林的构成正在变化。"

这反过来也影响到了蒙大拿猎人。这里的狩猎季节通常从 10 月份第 3 个星期天开始，猎物主要是麋鹿。"有一半的蒙大拿人都要去打猎，"施韦泽说，"女人希望自己的丈夫外出狩猎，这样她们就能稍作休息；男人们希望可以在森林里待上几天，不用洗澡也不用刮胡子。"蒙大拿人都知道到了 10 月山区就会被雪覆盖，面对高达 6 000～8 000 英尺的大雪山，麋鹿不得不下山，成群结队地出现在山谷附近觅食。猎人根据它们的足迹找到它们并捕获它们。现在雪来得晚了，麋鹿下山也晚了，麋鹿狩猎季节得推迟到 11 月份。这不是灾难，这恰恰在告诉你：环境在改变，因此生活方式也得随之改变。

"麋鹿狩猎季节起始日期的变动并不是科学家造成的，"施韦泽说，"而是由想打猎的人决定的。他们告诉我，'我 3 年都没打到一只麋鹿了。'他们只是一群很有规律的人，没有气候数据，但他们知道他们应该知道的——现在不同于以前了"。

随着时间的流逝，一些问题也会发生变化。美国最大的河流密苏里河水系 70％的水来自于蒙大拿的雪；流入哥伦比亚河流域的水 50％来自蒙大拿的雪。当蒙大拿的雪越来越少，不仅这些河流获得的水越来越少，而且依靠这些河流的水力发电大坝所能产生的清洁的电能也越来越少，这一缺口必须由煤电来补充。此外，当融化的雪水和地表径流减少后，农民就需要安装更大动力的电泵把水抽到地面用于灌溉，这就意味着对电能有更大需求。

"蒙大拿是位于河流上游的一个州，"施韦泽说，"我们的融化雪水流进大西洋、太平洋、北冰洋。过去融化雪水能持续 1 年，而今 7 月中旬就没有了，因为此时山上的积雪已经化完了，而要到秋天晚些时候才会开始降雪。"

2008 年 2 月，《科学》（Science）杂志发表了一份来自加州大学圣地亚哥分校斯克里普斯海洋学研究所（Scripps Institution of Oceanography at the University of California San Diego）的分析报告，报告根据 1950 年以来的数据得出以下结论：根据每年 4 月 1 日的测量数据，在研究的 9 个西部山区中，有 8 个山区的积雪场水含量都在逐步下降。研究者认为这无疑是由于气候变化造成的。考虑到融化雪水非常重要——从灌溉到饮用，再到西部水力发电，"所以改进美国西部的水利基础设施非常重要"。

否定气候的变化者们对蒙大拿的这些事情知之甚少。

"去年，我看到一些民意调查显示 60% 以上的蒙大拿人同意改变他们的生活方式，如果能减缓气候变化，他们愿意多交税，"施韦泽说，"连这辈子从不打领带的乡下老人都会感叹说：'哎呀，环境在变了。'8 月的时候，他们只要看着山顶，就知道积雪消失了。以往熟悉的景象，如今已不存在。他们也知道，流经爷爷农庄的泉水在世纪之交就已经干涸了。他们虽然不知道原因，但他们却明白自己不喜欢的东西正悄然而至。"

一月的水仙花

随着越来越多的人受到气候变化的影响，有更多的人慢慢开始明白气候变化并不仅仅是"全球变暖"那么简单。"哦，天气会暖和一点，但这会有多大危害呢？尤其对那些像我一样刚从明尼苏达州回来的人来说这不见得就是件坏事。"然而，随气候变化而来的将是"地球诡变"。

"地球诡变"一词最初是落基山研究院（Rocky Mountain Institute）的一个创办人罗文士（Hunter Lovins）提出的，用来解释全球变暖引起的各种异常天气：有些地方烈日炎炎并持续很久，饱尝干旱之苦；有些地方频繁遭遇暴雪、风暴、洪水、暴雨、森林火灾等自然灾害；还有些地方面临着物种灭绝的困境。天气将变得很离奇。其实现在已经是这样了。当位于马里兰州贝塞斯达区（Bethesda）车道附近的水仙花今年 1 月上旬就开花了，而往年要到 3 月份才开放，我觉得真的很怪异，就仿佛是从古老的"阴阳魔界"（Twilight Zone）这样的场景里钻出的东西。我向窗外望去，看见节目主持人塞林（Rod Serlin）正在割我们房子前面的草坪。

慢慢适应吧。天气就像科幻，但它背后的科学很真实、很平凡。只要全球平均气温稍微升高一点，就会对天气产生很大影响，因为温度变化会引起地球表面气流和其他循环方式的改变。因此，当你改变了地球表面平均温度，也就改变了风的作用方式，因此季风会随之改变；同时你也改变了水分蒸发的速度，这就导致在一些地方发生强烈风暴，另一些地方则遭遇更炎热的酷暑天气和更持久的干旱。

我们怎么会同时遭遇干旱和潮湿这两种极端的气候呢？当全球平均气温上升、地球变暖时，就有更多的大地水分被蒸发。因此本来就干燥的区域会变得更干，这又加快了蒸发速度，把更多的水汽带入大气层，这样大范围水域附近的地区或者在大气动力学作用下频繁降雨的地区都会变得更加潮湿。我们都清楚水循环的过程：水汽上升后必然会落下来，水汽上升得越多落下来的雨水也就越多。与之相伴的是全球降雨量的增加，而且每一次暴雨的降雨量都会增加，这样洪涝、山洪等灾害的爆发频率就会升高。这就是为什么"全球变暖"这个相对温和的词不能准确表达我们可能将要面对的巨大破坏力。

"眼下流行的'全球变暖'这个词不恰当，"霍尔德伦说，"它是指温度上统一的、逐渐的、温和的变化。实际上，气候变化根本不是这样，它随着地理位置的不同而不同，比气候变化的平均历史速率更快，比生态系统和人类活动的调整期更快。除了温度外，它还影响了一系列重要气候现象，包括降雨量、湿度、土壤温度、大气环流、暴风雨雪和冰覆盖面、洋流和上升流。毋庸置疑，它对人类的负面影响远大于正面影响。应该用'全球气候破坏'代替'全球变暖'一词，尽管这听上去更沉重但也更精确。"

2007 年 8 月 7 日，美国有线新闻网（CNN. com）登载了一篇联合国世界气象组织发布的截至当年发生的全部前所未有的极端天气事件的研究报告，报告名为"地球诡变 2007"：

> 四大季风低气压导致了印度、巴基斯坦和孟加拉国的严重洪涝灾害，而往年通常只形成两个季风低压……英格兰和威尔士 5～6 月遭遇了自 1766 年有纪录以来的最潮湿天气；7 月末，高涨的河水差点淹没了他们的银行……上个月末苏丹遭受的洪水和大雨冲垮了 23 000 间泥砖房屋，造成至少 62 人死亡。这一年雨量异常大，降雨也提前了……5 月份，高达 15 英尺的汹涌水浪横扫马尔代夫

群岛的 68 个岛屿，造成了严重的洪灾和损失……与此同时，一场热浪扑向俄罗斯……欧洲东南部也没有逃过这异常的天气，6、7 月的酷热打破了历史纪录……南美洲南部地区罕见的严冬带来了凛冽的寒风、暴风雪以及少有的大雪。7 月份，阿根廷温度降至零下 7 华氏度（—22 摄氏度），智利降至 0 华氏度（—18 摄氏度）。6 月份，南非下起了自 1981 年以来的第一场大雪，一些地方的积雪差不多有 10 英寸（25 厘米）厚……

更极端的异常天气在 2008 年夏天仍然持续。艾奥瓦州史无前例的暴雨注满了锡达河（Cedar River），淹没了锡达拉皮兹市（Cedar Rapids）城区，水位比海平面高出 30 英尺，远远超出了任何人的想象。《纽约时报》2008 年 6 月 13 日的一篇报道充分表达了艾奥瓦州人对地球诡变的感受：'"如果你想破纪录，那么通常只要 1～2 英寸就够了。' 艾奥瓦州达文波特气象局（Weather Service in Davenport）的水文学家佐格（Jeff Zogg）说，'但用 6 英尺来打破纪录的确令人震惊'！"

我们再也回不了堪萨斯了

当进入能源气候年代后，我们身在何处？我的意思是，虽然许多人都知道天气变得很奇怪，但却没有认真想过天气已变得很危险，需要我们采取必要的措施应对那些注定要发生的灾难，把这些灾难控制在能够控制的范围内。我们需要延展我们的想象力，要知道气候变化的范围比预测的平均区间要宽泛得多。

为了提高人们对气候变化的认识，库勒建议：地方电视台气象播报员应该在平时的报道中普及一些有关气候变化的知识。"如果能让观众对大趋势有一定了解，就能让他们把气候和天气联系起来，"库勒说，她在哥伦比亚大学的拉蒙特-多尔蒂地球观测院（Lamont-Doherty Earth Observatory of Columbia University）获得了气候学和海洋大气动力学的博士学位，"如果地方气象员没能告诉你'倘若我们继续这样排放，那每个月就会有 10 天以上的红色警报烟雾天气，臭氧含量和热指数都会急剧上升'，那么这是不利于应对气候变化的。地方气象员是大众和科学界的桥梁，人们看着他们、信任他们，所以当务之急是他们应该用科学知识把这双方连接起来。这也是一次提高人们环境素养的机会。"

气象频道一直都在追踪出现的高纪录和低纪录情况。"你可以把任何一个月的数据拿来，高纪录的个数肯定超过低纪录。例如，在 2008 年 3 月份的第 3 周（2008 年 3 月 15～21 日）里产生了 185 个高纪录，而低纪录只有 28 个。当你一周接着一周观察这些数据时，就会发现这其中存在很大问题。"库勒说，"为什么气象员没有提到这些呢？人们感觉到了气候的怪异，但很少能确实从地方电视台气象员嘴里听到'全球变暖'一词。这是一个教人们认识气候的机会，就像教人们认识天气一样。尽管现在'低气压'和'高气压'这两个词已经进入了我们的日常词汇，但我们起初是经过了很长时间才记住它们的。与其说卡特里娜飓风是全球变暖的一个例子，不如说这是在告诉人们：我们需要在基础设施方面做出一些长期决策以维持人类生存。天气问题远不是'我需要雨伞吗'？而是'我可以再买一套海景房吗'？以及'堤岸修得足够高吗'？"

库勒在气象网站粘贴了她的一篇题为"摒弃争议，不要摒弃科学"（Junk Controversy Not Junk Science）的博客文章，主要是告诉那些做广播节目的气象员在报道气候变化时该怎样有所保留。从 2006 年 12 月开始，她的提议就引起了强烈反响。尽管大部分气候变化已得到美国气象学会（American Meteorological Society，AMS）的认同，而且该学会还明确发表声明：气候变化主要是由燃烧化石燃料引起的，但有些气象学者出于特定原因还对此持怀疑态度。

2007 年末，我去了趟亚特兰大，参观了她一手挑起的那场风暴的风眼：位于一片另类写字楼区的气象频道总部。库勒的办公桌勉强才能塞进新闻室，在这 100 名气象工作者中，她是唯一的气象学家。她给我看了那篇掀起了轩然大波的博客文章，内容如下：

　　Capitalweather. com 是华盛顿地区铁杆天气迷们的网站。该网站最近发布了一篇采访稿，采访的对象是当地的一个气象学者，他指出目前对气候和天气的划分并不合适，因为分界线就是全球变暖。当问及气候变暖时，他答道："全球变暖这一话题已经成了各大新闻媒体的头版头条，而且也是一个颇具争议性的话题。我努力钻研希望能更好地了解它，但它实在太复杂了。这一话题通常具有浓厚的政治色彩，不同立场的人们也不会开诚布公。历史告诉我们不同类型的气候是循环往复的，尽管我们注意到近年来的气候是属于温暖型气候，但我不知道在缺乏长期科学数据的情况下能推出什么结论。而结论才是我最想要的。"

　　库勒继续说，AMS 已发表了有关气候变化的声明："现有证据有力说明了自从工业革命以来，人类行为导致了大气中温室气体浓度及其他一些物质的增加，这是引发气候变化的主要原因。"所以，库勒写道：

　　如果气象员能得到 AMS 的授权许可（一种电视气象员合法性的认证），那么他们就有责任去了解气候变暖方面的知识。在那些拥有专业科学知识的人群里，气象员是为数不多的能经常出现在我们起居室里的一类人。从这个意义上说，他们有责任引导观众区分什么是严谨的、纯粹的科学以及什么是政治分歧。如果一位气象员不具备气候变化的基本科学知识，那么 AMS 可能不会授予他认证许可。毫无疑问，AMS 不赞同把全球变暖归因于大气形态的循环。这就像气象员在录制节目时说飓风顺时针旋转、海啸是由天气引起的一样，这不是政治声明……而仅仅是不正确的陈述而已。

　　在这篇博客文章贴出来 24 小时后，库勒发现自己引来了众多诘责，有著名科学家、俄克拉荷马州共和党参议员、该州石油天然气工业的支持者、气候专家英赫夫（James Inhofe）和林堡（Rush Limbaugh）。库勒说，气象频道网站一天内遭到 4 000 封电子邮件的攻击，大多都带着怒气。她引述了其中的一句话："就做个漂亮的报道天气的妞儿吧，把精力放在高压系统上就够了，用不着你操心气候变化。"库勒回答说："许多观众来信要求'不要再谈政治了，我们翻到气象频道不是为了了解政治而是要看天气'。谈论气候就是谈论政治。所有科学家都害怕自己成为倡导者，而所有倡导者并不害怕自己成为科学家。因为我谈及气候变化，所以一些人把我看做倡导者，其实我唯一拥护的就是科学，科学才是最重要的。"

人们一直热爱气象频道是因为天气"不是任何人的错"，曾在科罗拉多州博尔德市（Boulder）国家大气研究中心（National Center for Atmospheric Research，NCAR）从事研究工作的库勒开玩笑地说："我们不针对任何人，新闻不是政治。而当卡特里娜飓风来临时天气突然变得不再是天气了，而是别的一些东西。"以前，人们总是把天气看做是大自然的行为，"直到那时才突然认识到天气可能是我们的过错。"

我能理解那些为石油工业辩护的参议员为什么要回避现实，但却完全不能理解林堡和其他保守主义者为什么要把否认气候变化作为保守的共和党的参政纲领。我曾经一度认为保守主义者在所有人里是最保守的——他们都非常谨慎，他们会认为哪怕气候变化只有 10％ 的可能会带来严重危害，那我们也得认真应对并保护这个世界不受侵袭。面对气候专家达成的压倒性一致意见，如果有人站出来说："我坚决支持少数派观点。我以我的农场、我的未来以及我的孩子的未来打赌，少数派才是对的——让其他一切结论统统见鬼去吧。"还有什么比这更疯狂、更极端、更托派（Trotskyite）、更轻率的呢？

加利福尼亚州州长施瓦辛格（Arnold Schwarzenegger）努力阻止共和党把气候怀疑论作为参政纲领，他对我说："如果 98 个医生说我儿子病了需要吃药，而另外两个说'不对，他没有生病，他很健康。'我肯定同意 98 个医生的意见，这是个常识。全球变暖也一样，我们与大多数人、绝大多数人保持一致。"

我当然也赞同 98 个医生的建议，深信气候变化是真实的。但我们不仅需要人们接受它是真实的，而且还得让人们明白它到底有多真实：如果我们现在不携手行动减轻气候变化的危害，那么骰子就会出现 60。就像国际生态技术公司（EcoTech's）的沃森（Rob Watson）说的那样，我们需要"运用一种我们人类才拥有的能力，那就是想象力。我们需要完全掌控可能在我们的一生中出现的非线性的、难以控制的各类气候。因为我们没有安全带或安全气囊，如果我们撞了墙，那我们就会随着这个星球上一次生物实验的失败而从此消失"。

大自然"就是化学、生物学和物理学"，沃森喜欢这样说，"大自然所做的一切事情正好就是这三者的总和，大自然毫无道德原则，也不在乎诗歌、艺术，不在乎你是否去教堂。你不能和大自然谈判、不能欺骗大自然、也无法逃出大自然的规则，你所能做的就是作为一个物种与大自然融洽相处。当一个物种不能学会与大自然很好相处时就会被踢出来。"这很简单，沃森说，这就是为什么"每天当你看镜子时，你都能看到一个濒临灭绝的物种"。

第六章

诺亚时代
拯救生物多样性

大自然是上帝的杰作。

——托马斯·布朗（Thomas Browne），《一位医生的宗教信仰》
（*Religio Medici*），1635

"发展"就像是莎士比亚笔下的善，"一旦过度，就会自我摧毁。"

——奥尔多·利奥波德（Aldo Leopold），《荒野猎场的请愿书》
（*A Plea for Wilderness Hunting Grounds*），1925

去年 12 月的一天，我随手拿起一份报纸，没看两行就开始怀疑自己是不是在读圣经。报纸头版上登有我的同事亚德利（Jim Yardley）的一篇文章，他在《纽约时报》（*The New York Times*）工作，那篇文章是他从中国发来的报道（2007 年 12 月 5 日）。他在报道中说，世界上最后一只雌性长江巨型斑鳖正生活在中国长沙动物园里，而另一只仅存的雄性斑鳖目前则被苏州动物园收养——这两只年迈的巨型斑鳖是"世界上体积最大的淡水斑鳖得以延续的最后希望"。

亚德利是这样描述那只雌性斑鳖的："饲养员为它配制了专门的生肉食谱，龟池周围装有一圈防弹玻璃，有一个监视器监视它的行动，每到晚上动物园还为它配有保安。这样做的目的很简单：绝不能让这只斑鳖死去……它已经 80 岁了，体重接近 90 磅"，将成为它配偶的那只雄性斑鳖"已经超过

100岁，体重约200磅"，但是这两只巨斑鳖配对的可能性并不大。他在最后一篇报道中提到，科学人员正试图为雌性斑鳖进行人工授精，如果受精失败，他们就会在2008年春天斑鳖交配的时期把两只斑鳖养在同一水池里。

亚德利说"斑鳖在中国人眼中是健康和长寿的象征，但人们在这两只仅存的斑鳖身上看到的更多的却是野生动物和生物多样性岌岌可危的困境"。

当前经济全球化的洪水已经开始在这个星球上泛滥，越来越多的物种都濒临灭绝。诺亚方舟的故事首次在我们身上应验了，我们可能是人类历史上真正要像诺亚那样建造方舟的一代人——尽可能多地拯救物种并保证它们的繁衍。就像上帝在《创世纪》中告诫诺亚的那样："每一种有血有肉的生物，你都应该带两个到方舟上，让它们与你一同活下来，它们应该有雄性和雌性。"

但与诺亚不同的是，是我们——我们这一代以及我们的文明——导致了这场洪水，我们有责任建造这座方舟。人类商业的发展已经伤害或危害到越来越多的珊瑚礁、森林、渔场、河流和富饶的土地，是我们让洪水滔天，而我们所能做的只有建造方舟庇护它们。

人类如果开始醒悟就应该意识到，我们面临的挑战和承担的责任就是要像诺亚那样采取行动——建造方舟，而不是制造洪水。能源气候年代的任务不仅仅只是应对急剧增长的能源需求、气候的骤然变化和石油独裁主义的盛行，还要处理这个世界面临的炎热、全球化和拥挤问题——这些因素威胁到了地球生物的多样性，越来越多的动植物物种正在或者已经灭绝。

我在过去10年跟随自然保护国际组织（Conservation International，一个专门从事生物多样性保护研究的组织，以下简称"保护国际"）去过世界很多地方，我的妻子安就是CI董事会的成员，每当我要撰写生物多样性方面的文章时经常会咨询CI专家的意见，这篇文章也不例外。人们持续发现新的物种，而与此同时，由于生物环境变化、经济发展、狩猎和其他人类活动，另一些物种却开始从地球上消失。据保护国际估计，当今世界上每20分钟就有1个物种灭绝，物种灭绝速度比地球生物史上绝大多数时期都快，甚至高达上千倍。很难想象我们人类给自然界带来了怎样的灾难，眼前的数字让我们触目惊心。

"如果当前自然界的某种发展速度是正常速度的 1 000 倍以上，那么我们、我们的生活、我们的生活水平以及我们的地球会受到什么影响？"保护国际组织应用生物多样性科学中心（Center for Applied Biodiversity Science）的高管布鲁克斯（Thomas Brooks）这样问我，"如果降雨量是平常的 1 000 倍会发生什么？我们将被洪水淹没。如果降雪量是平常的 1 000 倍会发生什么？我们将无法生存。如果疟疾或艾滋病的传播速度是现在的 1 000 倍会发生什么？数以百万计的人口将死亡。而这正是今天的地球和生物界面临的灾难。"

这不仅仅是动物园的难题。我们不知道有多少种自然疗法、有多少种工业原料、有多少关于生物界的真知灼见、有多少自然纯美、有多少不为人知的物种活跃在复杂的生命网络中，我们只知道这一切正在消失。

哈佛大学和伍兹霍尔实验室（Woods Hole）的环境学专家霍尔德伦（John Holdren）曾经说过："地球生物的多样性是独一无二的，这是座极具价值的图书馆。但我们在还没有把所有图书登录在册之前就开始放火焚烧它，蚕食鲸吞，根本没有时间阅览它们。"

想象一下如果大量物种不断加速灭绝，世界会变成什么样子？想象一下一个单调的世界——一个没有任何动物植物、树木高山，只有林立的钢筋混凝土的世界会是什么样子。从生物学角度来看，这不但是一个不适合居住的世界，也是一个我们根本不想居住的世界。

未来的画家将从何处的风景或花园中汲取灵感？诗人用什么来写诗，作曲家用什么来谱写交响乐，靠细致入微分析上帝的杰作来体会上帝存在的宗教领袖和哲学家用什么来领会上帝的意图？不能嗅闻花香、河中嬉戏、树下拾果，不能在春天眺望山谷的生活是残缺黯淡的。不错，或许我们可以找到其他替代品，但没有任何一种事物可与大自然质朴的大气、美丽、多姿多彩和精密复杂相媲美，正是大自然的这些特性造就了我们人类。研究表明，住院的病人如果能从窗外看到自然景色将恢复得更快，人们也都早已接受了这一观点。

当我参观著名昆虫学家威尔逊（Edward O. Wilson）在哈佛大学的实验室时他这样对我说："为了眼前的蝇头小利而破坏热带雨林和其他物种丰富的生态系统无异于用罗浮宫的所有画藏充当做饭的柴火。"在他的实验室里，一排排抽屉柜倚墙而立，里面装满了他和他的同事从世界各地收集来的不同品种的蚂蚁。"但是我们却正在做这样的蠢事。'我们需要大面积种植油棕榈卖钱，至于婆罗洲的森林和里面的猩猩就只有对不起了'。"

可即便对于那些从不为生物界的美感和凄哀而动容、从不把绚丽的生物界当作信仰和精神寄托的人来说，生物界仍然有其实用价值，只不过常常被人们忽略罢了。这就是环境学家经常用干瘪晦涩的术语提到的"生态系统服务"。自然生态系统不但给人们带来了诸多好处，还能提供大量"服务"，这些都是超级市场或管道水渠无法做到的：生成淡水资源，净化被污染的水体，向渔场水产供给养料，控制风化侵蚀，庇护人类免遭风暴和自然灾害的侵袭，孕育益虫传播花粉抵御害虫破坏作物，消化大气中的二氧化碳。这些"服务"对于生活在发展中国家的贫困人群至关重要，因为生态系统是他们最直接的衣食来源。

威尔逊在他的《创造》（*The Creation*）一书中写了这样一句话："吵吵嚷嚷的环境保护主义者……常常对卑微和新出现的生物置之不理，他们喜欢把这些生物分为两大类，虫和草。"

他们忽略了正是这些生物构成了地球上绝大多数有机体和物种。他们忘了（如果他们曾经知道的话）正是来自美洲热带地区的贪吃的毛虫拯救了澳大利亚的牧场，保护草场不被仙人掌侵吞；正是马达加斯加的"小草"紫玉黍螺（rosy periwinkle，一种长春花属的植物）含有的生物碱治愈了一例又一例霍奇金病和儿童急性白血病；正是挪威的一种不起眼的菌类植物让器官移植获得成功；正是水蛭唾液中的抗凝血剂让病人在手术中和手术后不会有血栓形成的危险；如此等等。从石器时代萨满巫术使用的草药到现代生物医学的"神奇子弹"，药典册里载满了此类案例。这些小小的野生动植物不但能肥沃土壤、净化水源、传播花粉，它们还制造着人类赖以生存的空气。如果没有这些生灵，人类历史将污秽而平淡。

威尔逊认为，"如果我们扰乱了大自然的秩序，那么处于生物链顶端的大型复杂有机体将受到最严重的冲击，其中也包括人类自己。"

生物多样性不但帮助人类存活下来，还帮助人类适应环境。对于一切有生命的物体来说，生物多样性是帮助它们适应环境变化的良方。2008 年 3 月，我去印度尼西亚了解保护国际组织拯救印尼群岛海洋生物的工作情况，在那里我拜访了 CI 著名的海洋生物学家埃德曼（Mark Erdmann），当我们坐在努萨培尼达岛（Nusa Penida）的海滩上眺望龙目海峡（Lombok Strait）时，他谈起了生物多样性。

"变化是生命的常态，如果没有千姿百态的物种和文明，我们将很难适应环境的变化。可以问问只种一种作物的农民，植物病是如何摧毁他的整个农场的。可以问问把所有资金都压在一种投资产品上的金融人士……即便一个小小的坚果，它的多样性基因都代代相传——我们人类更应该让自己变得柔韧，去搏击全球化巨变的风浪。"没有人知道前方会有什么灾难在等着我们，如果为了棕榈油和甘蔗乙醇就把热带雨林夷为平地，那无异于自掘坟墓。"我们需要多样性，因为世界是变化无常的，多样性可以向我们提供适应变化的原材料。"

在一个炎热、平坦、拥挤的世界里，所有事物都比过去任何一个时期更快地运动着和变化着，我们必须得适应这些变化，否则在这个世界里就没有我们的立足之地。

人们总是提到保护生物的多样性，这其中的内涵到底是什么？我常爱引用生物网站 Biologyreference. com 给出的定义："地球上所有生命；全部陆地、海洋和淡水生态群系和生态系统以及在其中生活的各种生物——植物、动物、菌类和微生物，包括它们的行为、相互影响和生态发展过程。生物多样性同时也直接联结着地球上的非生命构成——大气、海洋、淡水体系、地质层和土壤——两者共同编织了一个巨大的、相互依存的体系，这就是生物圈。"

保护国际组织主席米特迈尔（Russell A. Mittermeier）先生告诉我，科学家迄今已经在这个生物圈里发现并记载了 1 700 万～1 800 万种植物、动物和微生物，但据估计，生物圈物种总数应该介于 500 万～3 000 万之间，一些科学家甚至认为可能还有 1 亿种生物未曾被我们发现，这些生物隐藏在地壳和海洋深处或生活在荒无人烟的地方。米特迈尔说："人们仅在过去 15 年里就发现了 80～90 种灵长类动物，是已经发现的全部灵长类物种的15％～20％。"

绿色行动（Code Green）为此制定了洁净能源战略——为了减缓气候变化及其对天气、温度、降雨量、海平面和干旱地区的影响，以及地球生物多样性战略——我们不能损毁生命赖以存在的植物和动物。请记住：气候变化至关重要，但生物多样性的消失同样也会影响这个星球的系统功能和肺活量——这与气候变化同样重要。然而近年来人们对气候变化给予了很大关注，但对生物多样性的消失却置之不理。正因为这样，绿色行动才会振臂疾呼，呼吁人们开发新型能源，保护大自然。

保护国际组织高级副主席普里克特（Glenn Prickett）先生是经济和环境专家，他曾说："人类滥用自然资源已经让自己尝到了苦果，全球变暖和环境污染只是这其中的冰山一角，海洋中的鱼类被过度捕捞，森林和珊瑚礁遭到破坏。这一切不仅仅只影响到生活在这些生态系统中的动植物，同样也影响到了居住在这些系统之外的人类。"

我们必须全面看待这一问题。他还说，如果全世界的人们只想着降低大气中二氧化碳的排放量而忽视我们的生态系统正在承受的痛苦，"这个绚丽多彩的世界就会在我们的冷漠和逃避中消失。在一个死亡降临的星球上，将不再有宜人的气候和灿烂的文明。而我们的热带雨林和其他自然系统就是调节气候的关键。"

我和格伦在过去 10 年中曾到过一些生物被大量猎杀的热点地区和几处

CI 的工作站——从巴西西南部的沼泽湿地到巴西西海岸濒临大西洋的热带雨林，从委内瑞拉南部的圭亚那盾甲（Guyana Shield）森林带到秘鲁丛林腹地的塔博帕塔河（Rio Tambopata）金刚鹦鹉研究站，从名称颇具异国情调的中国的香格里拉高原到印度尼西亚的苏门答腊热带雨林和巴厘珊瑚岛。在这之前，我也曾独自参观肯尼亚的马赛马拉（Masai Mara）国家保护区，攀登坦桑尼亚的恩戈罗恩戈罗火山口（Ngorongoro Crater），穿越沙特阿拉伯大沙漠（Saudi Arabian Desert）的空域（Empty Quarter）地带，借助绳索进入死海的盐丘（当时我还没有孩子）。在我看来，这些地方都是各类生物繁衍生息的天堂。

不管怎么说，我和格伦的第一次远足让我真正了解了我们的各类生物面临的困境。1998 年我们去了巴西，那次的行程是从一个极不平常（不平常的地理环境）的会面开始的，在一个我从未体验过的地方。时任巴西南马托格罗索州（Mato Grosso do Sul）的环境主管德巴罗斯（Nilson de Barros）强烈要求与我们在尼格罗河（Rio Negro）里进行一次谈话。

南马托格罗索州位于巴西潘塔纳尔地区（Pantanal region）的中部，毗邻巴西、玻利维亚和巴拉圭。潘塔纳尔是世界上最大的淡水湿地（面积相当于美国的威斯康星州），在那里生活着美洲虎和其他许多濒临灭绝的生物。我和格伦乘坐的小型直升机在尼格罗河流域的一处农庄"尼格罗河牧场"（Fazenda Rio Negro）的前院降落，然后改乘摩托艇向会面地点——河中的一处浅滩——驶去。

潘塔纳尔的自然保护区名为"侏罗纪公园"，只可惜那里没有恐龙。我们顺河流而下，看见几十只凯门鳄懒洋洋地趴在河岸上，大水獭在水中嬉戏，还有许多白鹭、蓝紫金刚鹦鹉、犀鸟、朱鹭、南美泽鹿、琵鹭、裸颈鹳、狐狸、虎猫，三趾鸵鸟（鸵鸟的近亲）一路上都在丛林里探头探脑地打量着我们。我被眼前千姿百态的生物惊呆了，如此之多的生灵同时出现在我面前。当我们抵达浅滩时，德巴罗斯和他的同事正站在齐腰深的尼格罗河中等我们。

"先来杯啤酒，洗个澡，然后再谈正事"，他随即打开了一听狮威啤酒，尼格罗河的水在他身边流过。

我觉得我有着世界上最令人羡慕的工作。

德巴罗斯认为当前全球范围内生物多样性和生态系统面临的威胁主要来自两方面。一是生活在贫困地区的人们要从周围的自然生态系统中谋求生计。当太多的人都这样做时，身边的森林、礁群和物种就开始消失。这一现象在亚马孙湿地和雨林地区都很严重，但潘塔纳尔的情况还好，因为这一地区的人们经济条件不错，不必为了生计而砍伐身边的森林。潘塔纳尔文化是现今为数不多的几例人与自然和谐相处的典范——通过经营牧场、渔业和发展生态旅游来发展经济。

但这并不能保证潘塔纳尔的生物多样性可以幸免于难，它的威胁来自外部：全球化。全球化给潘塔纳尔带来了三重威胁：居住在潘塔纳尔盆地上方高原的豆农为了满足世界大豆市场急剧膨胀的需求而大面积开垦农田，他们田里的杀虫剂和泥沙淤塞了河道，污染了野生动植物的栖息地。与此同时，巴西、阿根廷、乌拉圭、巴拉圭和玻利维亚这些国家的政府还成立了贸易集团，希望自己的国家在全球更有竞争力。为了方便这一地区大豆的运输，这些政府计划改造河道，极大影响了该地区的生态系统。此外，国际能源公司财团也正在该地区架设横跨潘塔纳尔的输气管道，要把玻利维亚蕴藏量丰富的天然气输送到耗能惊人的巴西城市圣保罗。

潘塔纳尔不幸沦为了全球化效应的实验室，人们在这里见证了经济繁荣和物种灭亡。全球化让很多人迅速脱贫，脱贫速度之快在人类历史上前所未有。但全球化在提高人们生活质量的同时也提高了世界的产量和消费量，世界更加高效却也更加拥挤。城市在扩张，越来越多的人享受着高速路、机动车和大房子带来的便利与舒适，任由配套设施滥用能源。为了满足全球经济的贪婪，越来越多的公司竞相收购印度尼西亚和巴西等地的原始森林，试图把它们变成油棕榈种植园、豆田或厂房基地，这一速度和规模也是前所未有的。

普里克特说，保护国际、自然保护协会（Nature Conservancy）、世界野生动物基金（World Wildlife Fund）等 NGO 组织已经采取了一系列措施、发起了大范围教育运动，帮助农村地区的贫困人口走上可持续的生活模式，保护他们赖以生存的自然系统。"但我们却没有采取任何措施和行动去应对全球化给生态系统带来的灾难。"他痛心疾首地说。

不可否认，近年来我们的确也看到了环境保护组织和一些跨国公司如沃尔玛、星巴克和麦当劳等开始合作，试图减轻这些公司的供应链和生产过程给自然界造成的压力。但所有努力不过杯水车薪。全球增长抬高了物价，诱使各个公司开垦大片田地来生产食物、纤维和生物燃料，砍伐大片热带雨林来生产木材。大量珊瑚礁因过度捕捞而面临灭顶之灾，大量矿藏因过度开采而发生矿体塌陷。

如果政府不对土地开垦予以高度重视，如果政府没有能力抵御来自世界市场的压力，如果这个已经很拥挤的世界持续增长，那么各类生物最后的天堂——热带雨林和珊瑚礁将岌岌可危，地球也将变得更加炎热，大气中二氧化碳的含量会因森林的消失而增加 20%。

每 20 分钟就有几种独一无二的生物永远在地球上消失，就有 1 200 英亩森林被焚毁或被夷平，保护国际的这些数据让我们的心在战栗。由于森林衰退导致的二氧化碳增加量比世界上全部交通工具——所有的汽车、卡车、飞机、火车和轮船的排放量总和还要多。森林覆盖率的降低意味着野生动物的家园缩小，它们要么迁移、要么适应。适者生存；不适者灭亡。这一规则还是如此简单——唯一不同的是这一进程正在加速，比以往任何时期都快。

面对这一切，我们必须要有环保意识，用它来约束自己的行为。我们必须得有节制地向大自然索取，否则越来越多的生物栖息地、河流、珊瑚、森林就会因为我们而化为乌有。如果我们不能把全球增长和环境保护有机结合在一起，我们就会被一个又一个的棘手问题折磨得遍体鳞伤。

我们首先要做的就是把各个节点连接起来。欧盟为了节能减排已经开始着手提高可再生能源的利用率，他们计划在 2020 年把可再生能源在能源总量中的比例提高到 20%，这其中就包括生物能源——交通工具的燃料既可以来自玉米、油棕榈、大豆、藻类、甘蔗等作物，也可以来自木屑等植物废料，甚至可以来自像柳枝稷（switchgrass）这样的野草。欧盟承诺，在欧洲销售的生物燃料所含的"生物"成分——比如棕榈油和玉米等——绝不会来自热带雨林、自然保护区、湿地或千千万万生物居住的草原。但世界市场中的燃料通常是可以相互替代的，不易监管。欧盟声称可再生能源不会让东南亚的热带雨林变成油棕榈种植园，这很难令人信服，事实上的确就有人不买账。棕榈油除了用作化妆品和调味外，还是最有效的生物燃料。这样，我们就不得不面对一个残酷的现实：尽管使用生物燃料能降低温室气体的排放，但为了生产这些燃料砍伐森林却使得更多的温室气体进入大气，人们得不偿失。我曾乘飞机经过印度尼西亚苏门答腊岛的一片油棕榈种植园，从飞机上鸟瞰，就像有人把 25 个足球场铺在了那片热带雨林中，巨大的矩形次第延伸。

格伦瓦尔德（Michael Grunwald）曾给《时代周刊》（Time）写过一篇文章，他在文章中描述了一片类似的种植园，那是他和一位生态保护者在巴西乘坐飞机时看到的。

> 塞斯纳飞机在距地面 1 英里的高度上空飞行，这是亚马孙流域的南部。卡特（John Carter）从飞机上眺望这块世界上最大的生态瑰宝，极目之处，满是疮痍。他目睹热带雨林被电锯和推土机铲平，取而代之的是牧场和豆田。他目睹大片丛林被烧毁，让科学家不得不探讨亚马孙流域的"稀树草原化"（Savannization）问题。巴西对外宣称该国今年森林开采的速度将提高 1 倍，而来自得克萨斯的牛仔卡特根据他对电锯特有的敏感判断，森林消失的速度远不止此。他在亚马孙流域的边缘地区创立了一个非营利性机构，试图规劝人们合理开采亚马孙地区的资源。他说："眼前的场景令我触目惊心，就像目击了一起强奸事件。你没有办法保护它，因为摧毁它能换来财源滚滚。就在亚马孙的边上，你可以看到市场已经开始运营。"

数字就能说明一切。我们的地球已经 40 亿岁了，而生命的出现不过才

20 亿年。在这 20 亿年里，物种灭绝的"常"速是十分缓慢的，平均来看，一个物种甚至能存活 100 万年才会走向灭亡。但生物史上发生过 5 次大规模的灾难性灭绝，导致绝大多数物种从地球上消失，这一温和而缓慢的进程也中止了几个世纪。自然保护国际的生物多样性专家布鲁克斯（Thomas Brooks）说距今最近的一次大灭绝发生在 6500 万年前，恐龙灭亡。据推断，当时一颗小行星撞击了今天位于墨西哥的尤卡坦半岛（Yucatán Peninsula），该小行星喷发的大量尘埃进入大气造成地球温度下降，动植物因此大范围死亡。

数万年前，地球上开始出现人类的足迹，他们四处迁徙——从移居到夏威夷的波利尼西亚人，到登陆马达加斯加的印度航海家，再到我们更新世的祖先，他们于 12000 年前通过大陆桥（今天已成了白令海峡）来到北美洲，造成那里大型哺乳动物的灭亡，其中包括我们熟悉的猛犸象和剑齿虎——各类生物群因人类活动遭遇不幸。

人类发展进入现代社会后，全球化正在制造所谓的"第六次大灭绝"。这已经不再是局部灭绝了，"根据我们从化石得到的全部信息，这次灭绝堪比行星撞击地球带来的灾难，是地球前 4 次大灭绝的总和。"布鲁克斯如是说。

我们就是那场洪水，就是那颗行星，我们得去建造那艘方舟。国际自然与自然资源保护联合会（International Union for the Conservation of Nature and Natural Resources，IUCN）用了 40 多年的时间在世界范围内追踪生物多样性的状况，并估算出每一种已经知道的动植物灭绝的可能性。该组织的"濒临灭绝物种名单"（Red List of Threatened Species）目前正在监测生物灭绝的进度，而且定期还把监测结果公之于众。

IUCN 的这个项目让我们明白了许多道理。公元前 400 年波利尼西亚人抵达夏威夷，他们在那里造成的物种灭绝只是"'封闭系统灭绝'——虽然这很可怕，但只限于局部地区"，布鲁克斯说。但由于全球化的到来，过去只局限于单个岛屿或地区的生物灭绝现在却同时发生在世界各个角落。

布鲁克斯说，我们可以修复自然栖息地，可以限制人口膨胀，把美洲野牛之类的濒危物种带离灭亡的边缘。我们可以治理污染，哪怕是像泰晤士河污染那么严重的河流也能在我们的努力下重归清澈。他说："我们甚至可以改变气候变化，但生物灭绝却是无法逆转的。《侏罗纪公园》（*Jurassic Park*）只不过是场科幻电影，一种生物一旦灭绝我们就将永远失去它们——我们已经永远失去了我们星球数百万年才造就的精灵。"

以后就意味着结束

虽然雨林孕育了如此之多的美好事物，但种种视觉冲击却比不上那些天籁之音。2006 年 6 月，我的全家和格伦在秘鲁乘内河船沿塔博帕塔河逆流而上，去参观位于该河上游的一处由 CI 赞助的绯红金刚鹦鹉救助站。我躺在蚊帐里，聆听着雨林中的交响乐。这些声音听说上去有点儿像不伦不类的现代音乐：千奇百怪的声音此起彼伏，有各种鸟类、红吼猴、野猪、青蛙，以及各类昆虫的滴答声、鼻息声、叹气声，呱呱呱、唧唧唧，还有类似汽车警报器的鸣笛声和奇怪的门铃声。这动静就像是一支弄丢了乐谱的管乐队，但无论怎样演奏都悦耳动听。但交响乐偶尔也会被尖叫声打断，那是因为我们的人在洗手间里看见了蜘蛛。

这片位于秘鲁南部的亚马孙热带雨林大多是没有人烟的莽莽原林，但却是地球上许多濒危动物的家园，世界上最大的金刚鹦鹉黏土崖壁也在这里——每天清晨，蓝色、红色和金色的金刚鹦鹉都会聚集在这里啄食泥土。俯视雨林，你会看见寻找猎物的黄蜂在攻击毛虫，然后把卵产在它的体内。仰望苍穹，你会看见纺织鸟筑在树冠高处的悬巢。你也许会注意到巢冠鸟总喜欢把巢筑在巨大的白色蜂窝旁边，这是为什么呢？原因很简单：掠食者如果要袭击鸟群，它们必然也会激怒这些黄蜂——多么聪明的自然防护系统。

但环顾四周，你就会看见令人忧心的场景。

向坦博帕塔河的上游行驶，我们看见淘金者用大型机动驳船和金属汞挖掘和过滤泥沙——为了寻找金子而破坏河床。随着全球金价一路高涨，博帕塔河的淘金热持续升温。淘金者铲平森林来修建宿营地，猎杀稀有动物来充当食物。越来越多的掠夺者进入这一地区，横跨巴西大西洋海岸和秘鲁太平洋海岸的跨洋高速公路几乎满负荷运载。随着公路的延伸，农垦、伐木和采矿的规模都在扩大，越来越多的石油和天然气被挖掘开采，越来越多的森林变成农田，随着数以百万的树木倒下，大气中的温室气体急剧增加，人类不得不面对全球气候变化。

眼前的一切让我想起了天气频道的气象学家卡伦（Heidi Cullen）说过的话——我们人类正在大自然母亲的交响乐队里扮演主电吉他手的角色。我们在这样做的时候却忘记了一个最根本的事实：我们是处于这个庞大生命体系最顶端的唯一物种，自然界中没有任何植物或动物能威胁我们的生存——但我们要生存下去却得依靠这个体系中的所有生命。我们是这个体系的一部分。在我们适应这个体系的过程中，这个体系把我们塑造成了今天的样子。我们人类需要它——但它却不需要我们。我们一旦脱离它就无法存活——而只有当整个系统协调运作时它才会欣欣向荣。

威尔逊曾说，生物多样性问题到最后已不再仅仅是拯救大自然了，这也是在拯救我们人类自己。我们要弄清楚我们是谁，知道我们作为一个物种在自然界中的地位；要弄清楚我们如何才能在这颗星球上存活下来，知道我们与自然环境的关系。

当我和威尔逊坐在他哈佛的实验室里交谈的时候，他对我说："是生物圈造就了我们，我们在其中繁衍进化。离开了生物圈，我们就不能算是真正意义上的人类。"全球气候和自然界由于人类的活动每况愈下，不计其数的植物、动物、森林、河流、海洋和冰川因此消失，而这一切曾经都默默地规范着地球上的各种生命，无私地向人类提供着丰富资源。我们毁灭了它们，就得自己动手去规范这颗星球上的一切，毁灭得越多，遭到的报应也就越多。任何一个人如果听过政客们在气候变化问题上的争论，他都会知道人类是不可能像我们的大自然母亲做得那么好的。

威尔逊说："我们破坏得越多，需要付出的就越多，而且每时每刻都得去维护……如果我们不想把地球变成宇航飞船，时时刻刻都得操作控制杆为人类的生活所需而操劳——也就是说时时刻刻都得应对大气的变化——那么我们就得把生物圈的维护权交还给我们的地球母亲，生命从这里开始，并将永远属于这里。在这里，千百万种生物心甘情愿地为我们服务，却不要求半点儿回报。"

我们这样无知地破坏大自然，就像鸟儿破坏自己的窝巢、狐狸破坏自己的洞穴、海狸破坏自己的水坝。我们必须得就此收手，不能自欺欺人地认为这些事情离我们还很远。今天，大规模的物种灭绝已经影响到了整个地球。保护国际组织的人曾说："失去后才知道怀念。"我们不能奢望自己以后可以弥补这些罪过。

以后就意味着结束。但自从进入能源气候年代后，我们就越过了这条心理底线。"以后"对于那些已逝的生命、时代、文明和纪元来说是多么奢侈的字眼儿，它意味着你可以像儿时一样，描绘同一处风景、观察同样的动物、品尝同一种水果、攀爬同样的大树、在同一条河中垂钓、享受同样的天气，或者救助同样的濒危生物——但当你想这样做的时候，请以后再做。大自然的慷慨似乎是无尽的，任何对它的威胁似乎都很有限或者可以被解除。但在能源气候年代，面对如此迅猛的生物物种灭绝与人类发展，我们的词汇里已不再有"以后"二字。"以后"不再意味着你想做什么还能像你童年那样去做，"以后"意味着它们将永远结束，你无论如何不可能再亲身体味。"以后"实在太迟了，如果我们现在还有能力挽回些什么，那我们最好立刻行动。

第七章

能源匮乏

我们怎么知道什么时候非洲大陆能够有机会摆脱贫困站起来呢？我的判断标准很简单：当我看到朱莉（Angelina Jolie）站在加纳拥有大片太阳能电池板的发电厂或在津巴布韦拥有无数风车的风力发电场旁边时就是了。近年来，朱莉和其他社会名流为了让大家了解非洲人民的艰辛做了大量的努力。他们主要强调非洲面临的贫困和疾病问题，这为非洲人民带来了一些急需的全球援助和债务减免。但其中有一个问题几乎从来没有人提起过，那就是非洲电能的短缺。如果看看地球夜景的卫星照片，你会觉得很惊讶，在欧洲、美洲和亚洲大陆上都有灯光闪烁，而非洲则是大片的漆黑。

有很多人都在倡导治疗艾滋病、净化水资源、保护森林、治疗疟疾以及减少贫困，但却没有人提倡解决"能源匮乏"的问题。这个问题没有一点吸引力，没有国际资助、没有人谈论、没有仪器设备、没有人关注。没有人愿意投资发电厂，这要么是肮脏的政治交易，要么的确很脏。更糟的是，发电厂需要好几年的时间来进行融资和建设，你在很长一段时间里看不到投资的回报。

事实上，能源向来都是非洲最不受重视的老问题。但是，我们不禁要问，如果连照明的能源都没有，那么非洲有可能远离贫穷、艾滋病、不干净的饮用水和疟疾吗？根据世界银行统计，现在荷兰 1 年的发电量是 200 亿瓦，相当于除南非以外撒哈拉以南非洲地区的所有国家发电量的总和。中国 2 周的发电量就能达到 10 亿瓦，这相当于除南非以外撒哈拉以南非洲地区 47 个国家年发电量之和。

但是尽管各国发电量差距如此悬殊，能源匮乏问题还是鲜有人讨论。在联合国和世界主要发展机构 2000 年提出的 8 项千年发展目标（Millennium Development Goals）中，甚至没有把普及电力纳入其中。这些发展目标包括在 2015 年前将赤贫人口减半、普及初等教育等。但是，没有根除能源匮乏，我们如何去根除贫困呢？

我从太阳能电气照明基金会（Solar Electric Light Fund, SELF. org）执行董事佛瑞林（Robert Freling）口中第一次听到"能源匮乏"（energy poverty）这个词，该基金会的主要任务是为所有发展中国家的农村和偏远地区提供太阳能和无线通讯设施。使用能源是每个人的基本权利，就跟使用空气和水一样，佛瑞林主张，"可是，这一点却经常被那些致力于解决发展难题的聪明人所忽略。"

据世界银行估计，世界上大约有 16 亿人用不上电，也就是说全球每 4 个人中就有 1 人无电可用。在这个时代这简直令人难以置信。每天晚上这 16 亿人在黑暗中度过。根据世界银行统计，在撒哈拉以南非洲地区，不包括南非，75% 的家庭、约 5.5 亿人口没接上电网。在南亚的印度、巴基斯坦、孟加拉国等地，有 7 亿人没有在电网的覆盖之中，约占这些国家总人口的 50%、农村人口的 95%。国际能源机构（International Energy Agency）预测，如果这一状况维持下去，那么到 2030 年仍将有 14 亿人无电可用。

同时，使用低效率的炉灶和锅具进行明火烹饪造成的室内空气污染每年都会导致约 160 万人死亡，受害者绝大多数是妇女和儿童。生火做饭是最常见的替代用电做饭的方法。根据世界卫生组织的统计，生物质材烹饪是仅次于营养不良、不安全性行为以及缺乏清洁水源和卫生条件的又一大死因。

为什么世界上还有这么多地方存在能源匮乏问题？各个地方的原因不尽相同。在某些地区，高速的经济增长和人口爆炸导致能源供不应求。在另外一些地区，油价和天然气价格过高迫使一些穷国采取限电措施。还有一些地区，长期干旱使水力发电陷于瘫痪。

但是能源短缺的国家都有一个共同点，那就是公共事业经营不善，没有能力筹措足够的资金来兴建及运营发电厂和输电线路。原因在于这些国家要么处于长期的糟糕治理之下，要么长期饱受内战之苦，或两者兼有，而这两者往往相互交织在一起，在非洲更是如此。如果一个国家没有良好的政府或者相对和平的国内环境来保障那些长期工程的规划、设计、融资、建设和运营——比如成本高昂的电厂和输电线路，那么大众就无法享受长久的供电，甚至永远无电可用。不过，即使是在政府有为、社会稳定的地方，电力项目也常常搁浅，因为政府不允许私人出于营利的目的经营这项公用事业，也不允许经营者收取维持投资所需的费用；或者因为政府将这项公用事业变成了政治赞助者的工具或者政治斗争的战利品。事实上，现在非洲获得的债务减免多半都是把失败的发电设施的贷款一笔勾销，造成这些项目失败的原因往往是腐败或者管理不善。

南部非洲电力联营集团（Southern African Power Pool）是由非洲大陆南部 12 个国家的电力公司组成的联盟。集团经理穆沙巴（Lawrence Musaba）对《纽约时报》的记者说（2007 年 7 月 29 日）：“我们已经有 15～20 年没有大量资金投入发电和输电了，无论公共部门还是私人部门都不愿意投入资金。”撰写这篇文章的是我的同事怀恩斯（Michael Wines），他也注意到非洲人口第一大国尼日利亚的政府曾在 2007 年 4 月公布报告：“根据尼日利亚可再生能源协会（Council for Renewable Energy）统计，国内 79 座电厂中只有 19 座在运行……跟全盛时期相比日发电量已下降了 60％，停电造成的经济损失每年高达 10 亿美元。"

能源也是一种经济商品，必须有良好的政府治理、健全的管理机构和有效的市场机制，这样电力的生产和消费才能建立在可持续的基础上。如果没有可靠的能源，生活的方方面面都会受到负面影响。毕竟，能源是万物运行的动力。

佛瑞林解释说："在村庄里，能源匮乏意味着人们不能定期抽取干净的水，无法与外界通讯，成人识字班无法开课，学校也无法使用电脑或网络。"这只会加深社会的不平等。"受能源匮乏影响最大的是乡村地区的妇女。因为她们必须每天走几英里去取饮用水和洗澡水，或者捡木柴。还在念小学的女孩子常常课上到一半就被叫去帮忙做这些日常粗活。"佛瑞林说，除此之外，由于非洲村庄的妇女通常要负责家庭的饮食，她们也是室内空气污染最大的受害者，因为室内空气污染主要是由煤油灯和厨房通风不良造成的。在非洲很多国家，如果学校没有清洁的水，十几岁的女孩子在月经期间就不会去上学。清洁的水是要耗电的。

能源和国民生产总值密切相关。没有电网供电的工厂就不得不依靠成本较高、污染较严重的备用发电机。根据世界银行的统计，非洲制造业企业每年都会遭遇平均 56 天的停电，造成的损失相当于其销售收入的 5％～6％，而对于那些非正规的也就是地下经济来说，该比例高达 20％。世界银行最近的一项研究发现，使用电力可以使孟加拉农村的家庭收入增加 20％，这会使贫困率相应下降约 15％。世界银行另一份研究援引了对孟加拉国进行的调查报告，发现那些家里有电的孩子的学习时间比家里没电的孩子多出了 33％。

换句话说，发展中国家面临的每一个问题都与能源短缺相关。教育问题在于教师和能源的短缺。在撒哈拉以南非洲地区的卫生保健问题是因为缺医少药以及缺乏启动医疗设备和冷藏药品的电力。印度农村地区的失业问题是由于技能短缺、投资不足以及缺乏保持工厂运行所需的能源。孟加拉国农业不振，主要是因为种子、化肥和土地不足，以及缺乏抽取地下水的能源和电力设施。佛瑞林总结说："能源匮乏渗透到生活的方方面面，也让人类在 21 世纪结束前摆脱经济贫困的希望完全破灭。"

可以肯定的是，农村和城市的穷苦大众在能源受限的情况下已经生活了很久，他们烧木柴和粪便，使用牲畜犁田，以水载舟。在工业化国家电力普及 100 多年后，穷人仍然在使用传统能源。如果有汽油或电池发电装置，或者有勉强能与电线杆相连的电线设备，他们也会增加对电的使用。

然而，能源匮乏的问题今非昔比。在这个又热、又平坦、又拥挤的世界里，能源匮乏的后果更加严重。当这个世界变得炎热而你却用不上电的时候，你适应气候变化的能力就会受到很大限制。当这个世界变得平坦而你却用不上电的时候，你也就无法使用电脑、手机或者网络，而这些都是参与全球商业、教育、合作与创新的重要工具。当这个世界日益拥挤而你却用不上电的时候，你在村庄里出人头地的机会就大大降低，于是你更可能会搬到像孟买、拉各斯（Lagos）那样的大城市讨生活，居住在已经过度拥挤的贫民窟里。

现在经济增长比任何时候都更加依赖于能源。能源带来了更丰富的知识、释放了更多潜能、提供了更多的保护，因此，也带来了比过去更多的稳定。能源贫困不仅阻碍了最弱势的群体向上发展，我们也因此无法拥有他们本有可能创造的宝贵财富。让我们来看看原因何在。

能源匮乏和炎热的世界

在这个炎热而日益变暖的世界里，猜猜谁是最大的受害者？是那些最不可能造成全球变暖的人，也就是这个世界上最穷的人。他们没有电、没有汽车、没有发电厂，当然也没有把二氧化碳排放到大气中的工厂。这 24 亿人每天靠 2 美元或者更少的收入为生，他们多半生活在农村地区，直接依赖他们周围的土地、森林和植物为生。

研究气候变化的专家普遍认为，全球平均温度升高、大风天气增多、蒸发速度加快、降雨量增加会导致越来越多的极端天气：某些地区会出现次数更多、更加猛烈的暴雨，某些地区则会遭遇更剧烈、更持久的干旱。对能源匮乏的农村居民来说这会是一场噩梦：土壤来不及吸收暴雨带来的雨水，更多的雨水会流回大海，因此土壤会变得更加贫瘠，而且在蒸发速率加快的情况下土壤也更易受损。与此同时，土地的这种干化现象还容易引发野火。

如果没有电，要让人们适应这些极端天气只会难上加难。由于过度开发、砍伐森林、人口爆炸以及水质较差等原因，很多农村贫困地区早就存在供水吃紧的问题。如果气候变化加剧了这些地区的干旱，就像在非洲和南欧部分地区已经发生的那样，能源匮乏的人们根本没办法像有电的人一样长时间享受电扇、冷藏更多的食物和药品，或者净化水质。地下水位愈下降，穷人就愈需要更多的电力或者燃料从更深的井里抽水。

海平面一旦大幅上升，那些生活在孟加拉等地势低洼的沿海地区的穷人将被迫迁移到内地。同时，居住在高海拔地区的穷人更容易受昆虫传染疾病的侵袭。因为非洲和拉丁美洲那些高海拔地区比低地变暖速度更快，所以蚊子可以把疟疾携带到更高的山上。如果温度继续上升，这两大洲会多出数百万人受疟疾威胁。这些能源贫困的人们无法紧闭门窗打开空调来逃避这一威胁。以卢旺达为例：这个国家绝大部分的乡村地区都没有电网，而汽油或柴油的发电成本又日益增加。且无论能源是否清洁、是否昂贵，如果连可靠的能源都没有，那么卢旺达的人们如何保存疫苗、净化水质、使用电扇或者经营诊所来长期改善医疗卫生情况呢？他们甚至连适应气候变化都做不到。

（能源匮乏地区的人们期盼着有一天能用上电，这需要我们的全力帮助。我们得保护并恢复受损的森林、珊瑚礁和其他自然栖息地。因为这些生态系统可以在穷人取得电力前减缓气候的恶化。例如，沿海的红树林能够保护低洼地区的居民免受洪水和海平面上升的侵袭。在2004年的亚洲大海啸中，珊瑚礁和红树林保护完好的地区遭受的损害比将其变为滨海旅馆和鱼虾养殖场的地区要轻。而且，在旱灾越来越多以及冰川消退导致水源减少的情况下，高地森林能提供更稳定的水源。生态保护甚至也与疟疾有关联。最近的研究表明，那些森林遭到破坏的地区更容易爆发疟疾，因为树木被砍伐后留下的泥水池正好成了病媒蚊滋生的温床。适应气候变化不仅要依靠电力和海堤，也要依靠完好的生态系统。）

能用上电的人们也正目睹气候变化是如何减少供电量的。2006 年 6 月我访问秘鲁，在印加圣谷（Sacred Valley of the Incas）我结识了朗巴利（José Ignacio Lam-barri），他拥有一个 62 英亩的农场。虽然他没有用"地球诡变"来描述发生在他身边的变化，但是他的确描述了一些情况。朗巴利告诉我，他一生的绝大部分时间都在种植巨型白玉米，玉米粒大约有 25 美分硬币那么大。这种巨型白玉米主要外销西班牙和日本，由于水、温度、土壤和阳光的独特组合，他的山谷适宜种植该品种。但是最近，他开始注意到一些变化："水位在下降，而温度在升高。"因此，巨型玉米的颗粒长得不再像往年那么大，新的害虫也开始出现，自印加时期就存在的梯田也开始缺少水源。他还发现，那条他从小起看了 44 年的雪线也在后退。他对我说："我告诉妻子，山上的雪全部消失的那天，我们就得搬出山谷。"

世界各地的农民都和朗巴利一样，必须依靠冰川融水来灌溉农地和维持水坝的水力发电。但是随着温度的上升和冬季的缩短，冰川已不能再提供曾经那么多的融雪水。水荒已经引发了冲突。朗巴利告诉我，每年他和他的农民伙伴们都开会决定如何分配水资源。现在，开会气氛一年比一年紧张，因为土地仍是那样多，但是能够得到的水却更少了。

当我向物理学家兼气候专家罗姆提到这件事时，他告诉我"英文的对手'rival'这个词，实际上最早是指使用同一条河流的人。你去查查字典"。我查了。《韦氏大字典》的解释是："拉丁文 rivalis 原意：与另外一个人共用河流的人。"

如果全球变暖真的朝着预测的方向发展，那么这个世界将多出很多"对手"。

能源匮乏和平坦的世界

50 年前，如果你是一个生活在发展中国家的穷人，而且没有电，那你肯定处于不利的境地。但是尽管你和发达国家的人们差距很大，但也并不是不可逾越的。你仍然可以用笔和纸写信，你仍然可以步行到当地邮局投递信件，即使你得走上 50 英里才能到达首府，但你仍然可以在那儿找到图书馆并阅读纸质印刷的书。50 年前，美国的穷人或者中产阶级也不得不步行或者骑自行车去图书馆或者邮局，不同的是这些地方只在一两英里之外。他们到了那儿，找到的也是纸质的书和信。

换句话说，那时虽然存在贫富差距而且差距很大，但那不是不可逾越的。而在今天，如果你用不上电，那你就与世界上所有的图书馆、所有的邮政信箱以及几乎所有的商店和制造商都失去了联系。因为，没有电你就没有办法使用电脑、浏览器、因特网、万维网、Google、Hotmail 和任何形式的电子邮件和电子商务。因此，你不能搜索那些在线图书馆，不能以最低价格购物，不能随时随地收发电子邮件，也不能在电脑屏幕上写信、书或者商业计划。这意味着你不能使用这些基本的工具，而这些工具正是在这个平坦的世界里人们用来竞争、联系和协作的工具。这就是为什么在这个平坦的世界里用电者和无法用电者之间的差距是按指数律增大，而不是按算术级数增大的原因。

也许专家们早就明白了。我是在 2007 年 10 月去印度偏远乡村的途中偶然发现这一点的。我那时前往印度中部城市海得拉巴（Hyderabad）访问萨蒂扬公司（Satyam）的创始人兼总裁拉于（B. Ramalinga Raju），萨蒂扬公司是印度首屈一指的技术公司，也是 Byrraju 基金会（该国最大的慈善基金会之一）共同创办人，该基金会致力于减轻印度农村地区的贫困。拉于和他的弟弟拉马（Rama）安排我走访了印度东北部安得拉邦（Andhra Pradesh）的一片村落，那些村庄距海得拉巴约 350 英里。这些乡村虽然只是一个小观测孔，但是通过它们我看到了能源匮乏的全部。

在坡塔卡拉帕利村（Podagatlapalli），村民们用黄色花瓣浴以及在额头上印红点的传统方式迎接了我。吃完简便的午餐后，有人带我参观了这个村庄皇冠上的"明珠"——Byrraju 基金会新建的一个健康诊所。当走进一个小房间时，我被吓了一跳，我看见一个非常老的人脱了内衣躺在一张桌子上，他皮肤黝黑，蓬乱的白头发覆盖着他的胸部和胳膊，身上连着心电图仪。一个穿白色制服的护士兼技术员模样的人站在他和电视屏幕之间，正在操作心电图监视器。在电视屏幕上的人是距此以南约 500 英里的班加罗尔一家医院的一位心脏病专家，他正在通过卫星传播信号观察心电图，阅读检测结果并准备开药方。"多么美好啊！"我想，"信息技术革命在这种远程医疗上发挥了最佳的作用。这个世界真的是平的。"

但是当我的目光落在这个屋子右边墙角的时候，看到的东西让我清醒过来。整套仪器——心电图仪和电视都靠 16 个汽车蓄电池带动，一团像意大利面条一样乱的电线通过电力传送装置将两者连接起来。为什么要用蓄电池？因为印度非常非常多的乡村——70％的人口都居住在这些乡村里——都不在电网的覆盖范围内。这是能源技术革命发挥作用最差的地方。

在我写的《世界是平的》这本书里，有一节是"不平的世界"，我知道技术的力量在拉平全球经济方面还没有完成任务。很多人还没有能力走上这个平坦的世界的舞台。但我知道情况正在好转——有越来越多的每天只挣 2 美元的人买得起具有上网功能的手机，或者买得起 100 美元 1 台的笔记本电脑。在印度，每个月大概有 700 万新手机用户入网，到 2008 年初该国 11 亿人口中就会有 2 亿手机用户。未来这些通信工具的成本还会进一步降低，因此，我所谓的"世界平坦化"还在加速。

这是事实。但我也认识到，不管通讯工具变得多么廉价，只有当这个世界是平的和绿色的时候，在金字塔最底层的人们才能真正地链接到这个世界中，那时他们才能享有普遍的联通，而这种联通性是靠充足、清洁、可靠和廉价的电力来支撑的。为什么必须是平的和绿色的？因为，发展中国家在能源方面以跨越式发展赶超发达国家是至关重要的，就像电话的发展方式那样。很多发展中国家经历了从没有电话直接过渡到手机的历程。我们也希望，那 16 亿没有电的人会从没有电网直接过渡到使用清洁的分布式能源，比如太阳能或者风能，不要在火电为主的阶段停留。

当然，在不久的将来，一定数量的火力发电厂对于非洲或者南亚地区来说是必要的。因为可以替代火电的绿色替代品还没有升级。如果那些用不上电的 16 亿人全都靠煤、石油或天然气发电，那么这对气候的影响以及造成的污染可能是灾难性的。你已经看到了这个世界 3/4 的人使用矿物燃料所引起的气候变化，再想象一下如果另外 1/4 的人也加入进来后果会是什么？这就是为什么我们亟须充足、清洁、可靠和廉价的电力，对这一点我们坚定不移。我们越能让太阳能、风能甚至核能的价格下降，并且把这些技术安全送达到这个世界的穷人手中，我们就越能缓解能源匮乏、阻止气候变化以及全球变暖。

2008 年 1 月大学寒假期间，我女儿娜塔莉在津巴布韦的布拉瓦拉市（Bulawayo）一个社区中心做了几周实习生，为那些因艾滋病失去父母或者本身就是艾滋病毒携带者的孩子们服务。她在那儿的时候几乎无法与我们联系，多次停电损坏了看护中心的电脑，很多电话也没法用。津巴布韦有一部分电力要靠南非供给，而且电网负荷一直很大。CNN 从南非发来的报道（2008 年 1 月 29 日）是这样说的："频繁停电让政府难以实现 6％的年增长率，而且也不利于降低已经高达 25％的失业率。"这不足为奇：不能运行的电脑和不能充电的手机仅仅是摆设，还不如纸笔和信鸽更有用。

在平的世界里，你如果不能用上稳定的电力就会错过很多，而当你能使用的时候也会收获很多，同样，整个地球系统也是如此。我从另一个观测孔看到了这一点，这个观测孔就是坡塔卡拉帕利村的一所乡村小学，Byrraju 基金会建立了该学校。学校是 1 所极简单的水泥建筑，但是我看到教室里坐满了印度的孩子。他们正在轮流使用 4 个多彩的 kidproof 学习站，该机器由 Little Tikes 公司生产，安装了 IBM 的互动教学软件。这是儿童早期智力开发工程（KidSmart Early Learning Program）的一个组成部分，每一个终端都是由蓝色塑料做的，在中间有一个电脑触摸屏。它们是专门为促进边远地区的教育而设计的，那些地方缺乏合格的教儿童读写的老师。

留给我印象最深的是两个印度孩子，一个穿蓝短裤的小男孩儿和一个穿白色连衣裙的小女孩儿，他们蜷缩着坐在一个终端前的方凳子上，听着耳机里的指示在触摸屏上进行操作。耳机是成人型号的，对这两个小孩子的头来说太大了，像巨大的头盔。但是，坐在那里紧张操作终端机的两个小孩子看上去都那么好奇，那么渴望学习。

在回家的路上我一直在想着他们，一个想法萦绕在我脑海里，这些孩子中的某一个很有可能就是下一个爱迪生或者居里夫人，赖德或者卡拉姆，后者是印度前总统和权威火箭科学家。但是除非他们能够获得与他们现在拥有的信息技术相配套的可靠的能源技术，否则他们永远不可能成长为这样的人物。

"把电脑引入农村课堂，并用无线技术把这些课堂与世界其他地方相连起来，这会产生深刻的影响，"罗伯特佛瑞林说，"当学校引进远程教学的时候老师和学生们都非常兴奋。他们与遥远土地上的人们建立电子友谊。分享音乐和舞蹈。文化更显出其多样性，世界好像变小了。"

无线连接不需要电话线和电线杆，分布式能源也不需要电线和电线杆，这两者在减少发展中国家农村贫困方面发挥着任何其他创新都不可比拟的作用。2000 年，太阳能电气照明基金发起倡议在南非建立第一个以太阳能发电的高中，地址选在距离德班（Durban）两个小时路程的千山之谷（Valley of a Thousand Hills）。Myeka 高中装备了一套太阳能发电系统，能够给一个电脑实验室和一个联网卫星接收器供电。随后，太阳电气照明基金鼓励学生们参加一个关于太阳能带来的影响的作文竞赛［由国际太阳能学会（International Solar Energy Society）赞助］。获胜者是 11 年级的德罗摩（Samantha Dlomo），她在文中写道：

我今年 16 岁，在过去的 14 年里我一直生活在农村地区。在那些年里，我点着蜡烛学习、做作业。在学校，黑板是重要的教学辅助物品。当一些太阳能板安装在学校里的时候，我甚至对它们如何工作连一点点概念都没有。几个月后我们收到了 1 台高架投影仪。这是一种全新的学习经历的开始。不久我们又收到了下列设备：20 台电脑，2 台电视机和 1 台视频机器。最近我们已经通过卫星连接到校园学习频道和因特网。现在的学习都以研究为导向。这意味着我们应该把因特网作为主要的信息资源。过去，我们要花大量时间从黑板上抄笔记。在新的千年，学校也打算让自己焕然一新。到

2005 年，学校计划培育出从事科学、技术、工程、医学和其他领域工作的人才。而在几年前，这还是一个遥不可及的梦想。

试想，如果我们能够发掘那些世界上最穷的人的创造力和创新能力；试想，如果我们能赋予他们工具和能源让他们去参与竞争、连接和协作，那么这将会给各个领域带来创新的剧增——从科学和技术到艺术和文学，这将是这个世界从来没有见过的。丰富、清洁、可靠、廉价的电力将"第一次真正在世界上创造一个公平竞争的环境"。卡尔森指出，他是硅谷的科研智囊团斯坦福研究院（SRI International）的首席执行官。这样做将"释放这些人的创新能力，他们会帮助我们解决长期存在的重大问题，这些问题主要是存在于卫生、教育和能源方面。解决这些问题需要自下而上和自上而下的共同协作"。

电子数据系统公司的未来主义者瓦克认为，创新者是那些能够利用 99％已知，创造 1％未知的人。如果你不知道这 99％，或者不能获得它们，你就没有建立那新的 1％的基础。更有可能的是，你只是在大家都已经知道的那 99％上进行重建。如果我们的电力不能覆盖到那用不上电的 16 亿人口，从而把世界拉得更平，我们就不能把他们与所有人都知道的 99％的知识相连接，也就没有更多的人来研究那所有人都不知道的 1％。瓦克说："只有这样，世界每个角落才会有创新。"

《经济学家》（*The Economist*）将其称为"大规模创新的时代"。文章作者瓦西斯瓦伦（Vijay Vaitheeswaran）是这样说的（2007 年 10 月 11 日）：

创新的历史充满了精英和中央集权。但是如果我们看得更仔细一点，你会发现普通人一直在这一过程中默默发挥作用。在《文化进步：技术和西方世界的千禧年》（*A Culture of Improvement：Technology and the Western Millennium*）一书中，弗里德（Robert Friedel）描述了处于社会各个阶层的个体所做出的些许努力对我们这个后现代主义和后工业化社会能享受到的惊人的进步有着多么巨大的影响。想象一下如果公司和国家能够发掘出这些等待被发掘的创新者们的创造潜力，那么公司和国家就会在创新方面取得多大进步。在大规模创新的时代，这个世界甚至可能找到有利可图的模式来解决 21 世界最大的需求问题，包括可持续的清洁能源、向老龄人口提供可承受的、普遍的医疗卫生以及全新的工业。人类的智慧才真正是这个世界上取之不尽的自然资源。

能源匮乏和拥挤的世界

能源不仅可以让人更能忍受一个愈发炎热的世界、让一个愈发平坦的世界变得更加公平，而且还能让这个更拥挤的世界变得更加舒适。我在安得拉邦透过一个更亮的观测孔看到了这一点。这个观测孔在伊萨柯塔（Ethako-ta）村。印度 IT 巨头 Satyam 公司在村里成立了一个远程数据中心，这是一个为大型跨国公司提供后台管理和外包业务的服务公司。从 2006 年开始，Satyam 开始从其位于海得拉巴的总部向伊萨柯塔村的村民分派一些比较简单的外包工作。在香蕉和棕榈树丛中，120 名受过大学教育并受过 Satyam 公司培训、可以通过无线网络与世界相连的印度村民正为一家英国杂志出版社处理数据，向一家印度电话公司提供服务。这个数据中心实行 8 小时轮班制，每天轮两班，但是如果不是每天都要停电 6 小时的话，它每天可以轮三班！

当我在伊萨柯塔村数据中心采访那里的工作人员时发现了几件出乎我意料之外的事。在数据中心有几个城里人。他们出生在这里，曾经外出到印度的大城市工作了一阵子，现在他们又选择回到伊萨柯塔村生活。因为虽然这里工资比较低，但是生活却更富裕、更安宁。有了 Satyam 的设施，有了电话可用，他们虽然住在小村庄里但却可以在全球范围活动。30 岁的瓦尔马（Suresh Varma）是一个数据管理员，他曾在海得拉巴的一家美国石油公司工作，但是他决定回到这个他父母出生的繁荣的村子。这就像从硅谷搬到一个真正的山谷，他解释说："我在这儿的生活质量比在印度任何一个城市都要高。城市很拥挤，你大部分的时间都花费在路上，从一个地方到另一个地方。而你在这里只需步行去工作。我在这里也能了解城市里发生的事情，而且我的职业热情丝毫不减。"

城市外包中心 24 小时营业，人员频繁跳槽。与城市不同，"在村里，没有人会放弃这些工作。"Byrraju 基金会的雅各布（Verghese Jacob）说，该公司计划逐步将数据处理中心的所有权交给村民。"他们富有创新能力，也很积极。因为他们中的一些人以前从来没在电脑前工作过，他们比城市孩子更珍惜这个机会，那些城市孩子总是把这种工作认为是理所当然的。"如果这种经验可以大规模推广的话，可以在一定程度上缓解印度特大城市面临的问题，如孟买（1900 万人口）和加尔各答（1500 万人口），这些城市根本无法持续增长。越来越多的人挤进这些相对较小的区域所造成的社会和环境影响已经超出了那些生活在社会底层的人群的可承受范围。

唯一的解决办法是大力建设村庄。雅各布估计，仅一个农村外包中心中就创造了相当于 400 英亩农田所能带来的就业机会和收入。换句话说，印度如果能在农村建立起大量像这样能提供数百个就业机会的知识服务中心，就相当于变相开拓了更多农田。这可以让村庄成为年轻人创造自己未来的地方，而且这比城市要稳定得多。但是，他们既需要丰富、清洁、可靠、廉价的电力，也需要链接因特网和电话。有了链接，村民可以获取最新的农业技术知识和市场价格，这可以帮助他们把产品卖个好价钱。互联网使村里的工匠能够上传当地做的艺术品和手工艺品的数码照片，让他们直接把货物提供给世界市场。

印度和中国的人们离开自己的村庄，和家人一起涌进大城市，不是因为他们真的喜欢那里的生活，在许多情况下，仅仅是因为那里有工作和机会。这一情况可能会一直延续下去，但是如果我们能把 Satyam 公司做的——能源生态系统、教育、链接、投资——带到村庄，这种情况可能会改变。这些可以创造一个可持续发展的村庄。而且我们需要制造很多可持续发展的村庄。当你让这样一个村庄运转的时候，你不仅是在帮助那些仍生活在农村的穷人，你也在创造一个更平衡的世界。但是，为了使村庄运转，你必须让村民们实现住所当地化而生活全球化；你必须向他们提供机会和获得机会的方法。但是，这一切都需要电力。

最佳能源公司（Bloom Energy）的创始人兼 CEO 斯里德哈（K. R. Sridhar）出生于印度，他曾经说过："在世界历史上，这是我们第一次在本地化与全球化之间取得平衡。"如果各大洲农村的穷人都有了工具和技能与全球联通，也有了丰富、清洁的能源来支持这种联通的时候，他们就不再需要搬到城市去从事制造业工作或者开出租车、做女佣了，斯里德哈说："他们将能获得本地化和全球化带来的最大好处。"

到那时，他们就能继续待在乡下，享受其好处，保持其传统，如食品、衣着和家庭关系，同时还能获得足够收入维持生计。此外，越来越多的农村人口的生活水平将会提高，妇女也会少生孩子——这是另一种减少拥挤的途径。

斯里德哈认为："当你把本地化和全球化协调到一种平衡状态时，你追求的最终目标就是人性化——人性化的时代即将到来。""当你有自己的根——本地，和翅膀——全球时，你就是脚踏实地而又胸怀抱负的。你可以最大限度地发挥人类的潜力。但是，这只能在信息技术、能源技术、平坦、环保协调运作的时候才能实现，因为只有那时所有的人力和物力才能达到分散而连接的状态。如果我们能让这些变成现实，斯里德哈说："这个世界将会拥有一套全新的运作系统。"

第八章

启动绿能，才能从地狱到天堂

我们拥有充足的时间——如果能从现在做起。

——达纳·麦多斯（Dana Meadows），达特茅斯学院（Dartmouth College）已故环境保护主义者

2006 年，斯坦福大学能源环境小组的一个学生邀请我去他们学校做一场关于绿色革命的演讲。当我在后台踱步时，校长轩尼诗（John Hennessy）先生看了我的介绍，然后提出了他自己关于该问题的思考框架。他说，今天所面临的能源气候挑战正是共同事业（Common Cause）的创始者加德纳（John Gardner）曾经描述的"隐藏在无法解决的问题下的一系列重大机遇"的缩影。

我喜欢这样的描述——隐藏在无法解决的问题下的一系列重大机遇。他用非常简短的语言，十分精确地表述了我们应该怎样走向未来。

在这本书的前半部分，我写了一些看似解决的问题，即能源供给与需求的不平衡、石油专制主义、气候变化、能源匮乏以及生物多样性丧失。它们已经出现在能源气候年代，而且未来可能会改变我们的生活和我们的星球。

在该书的后半部分，我想说：解决这些问题，对任何一个面对这些问题的国家来说都是难得的机遇。

为什么说是机遇呢？非常简单，因为自从工业革命以来，我们已经进入能源气候年代，人类以前适应的以化石燃料为基础的体系也随之改变了，我们不能再继续依靠该体系去维持人类自身的发展。如果我们还这样做的话，地球上的气候、森林、河流、海洋和生态系统就会被进一步破坏。我们需要一个新的清洁能源体系去推动经济发展，使更多的人摆脱贫困——而不是破坏我们的地球——因此，那些发明并且部署实施清洁能源技术的国家、社区和企业将会在今后的全球经济发展中占据主导地位。因为在一个炎热、平坦和拥挤的地球上——在这里，能源、水源、土地和自然资源都很紧张——每个人都得支付他们所耗费的能源的实际成本、所导致的气候变化的实际成本、所引发的生物多样性丧失的实际成本、所造成的石油专制的实际成本，以及他们所承受的能源匮乏的实际成本。

绿色秩序策略公司（Green Order）是一家协助企业从环保创意中获利的战略性公司，该公司的首席执行官夏比洛（Andrew Shapiro）认为，不管你或其他人生产、消费了什么，你都不能把这些成本强加到你们孩子身上。大自然、国际社会、我们的社区、顾客、邻居、孩子和雇员都要求公司或国家支付"所有权总成本"。所有权的总成本包括"短期和长期的、直接或间接的、看得见的和看不见的、资金、地理政治、社会和环境的成本"。

为什么我能确定我们不得不在未来支付该成本？有两个原因。第一，我们已经到了一个转折点，能源供求、石油专制、气候变化、能源匮乏及生物多样性丧失等问题都极为严峻。没有缓冲，无处可逃，也不再有绿色区域供我们倾倒垃圾，不再有更多海域任我们过渡打捞，也没有可以无尽砍伐的森林资源。我们已经到了这样一个阶段，即我们的生活方式对地球上气候和生物多样性产生了巨大影响，这种影响已经超出了我们所能控制的范围，我们不能再把它"外部化"或是对它置之不理。我们的环境储蓄账户已经空了。这不是现在支付还是未来支付的问题。只能现在支付，不会有未来了。

第二个原因是：我深信，我们必须支付的是那些可见、可测、可评估且不可避免的后果的真实成本。在一个平坦的世界里，每个人都可以看到其他人在做什么，也可以看到这样的做法会造成怎样的后果。因此，不管未来生产什么、销售什么，我们都无可避免支付所有权的总成本。现在"次优级星球"时代已经结束了——我们不能再免费拥有它。在那一时代，我们不用支付利息，所有真实成本都被隐藏起来，或被拆开分散在很多地方，以至于没有人知道谁拥有什么。

把这些整合在一起就是所谓的能源气候年代。"绿色"不再是业余消遣、不再是流行口号，也不再是你想好好做、并希望可以在 10 年内得到回报的东西。绿色是你发展、建造、设计、制造、工作及生活的方式，"因为这就是更好的。"夏比洛说。当所有的成本都被纳入进来，绿色环保变成了最时尚、最有效率、成本最低的做事方式。这正是我们正在经历的最伟大的转变。绿色从流行变得更好；从一种选择变成了一种必须；从一种时尚变成一种必胜的战略选择；从一个无法解决的问题变成了一个巨大的机遇。

这也是我为什么深信：发展清洁能源和高效能源技术将会变成决定未来 50 年国家经济地位、环境健康、能源安全及国家安全的战略选择。为了生产洁净的电能、清洁的用水、干净的空气、健康和充足的食物，我们必须得设计、建设、出口绿色技术，这些能力将会成为能源气候纪元的流行能力——不仅如此，在计算机、微芯片、信息技术和飞机坦克领域也是这样。

一些人现在就意识到了，还有些人将来也会明白，最终所有人都会明白。我希望每个国家尽快开始变革，但是作为一个美国人，我希望我的国家能引领这次变革。

皮尔·杰弗逊投资公司（Piper Jaffray）的常务董事夸姆（Lois Quam）说："绿色经济将成为所有市场的主流，并将提供长期经济投资机会，因为它已经成为一切活动的基础。"全球气候变暖这一挑战给所有人带来了巨大机遇，它会向我们回报前所未有的高投入和高增长。为了找到与之相媲美的经济变革，我们不得不回到工业革命时代。工业革命时代有着很清晰的以前和后来。"后来"，所有事情都变得与以前不一样了：企业建成了但又破产了，市民社会变了，新的社会习俗产生了，工作和生活的每个方面都变了。

随之而来的是新的全球化力量。这场"清洁技术革命"在历史上会成为与工业革命相媲美的变革。夸姆说，如果你数一下那些已经改头换面的工业和新的可再生能源产业的话，现在美国已经有 800 万个绿色工作职位。而且，这仅仅是开始。

综上所述，这已经不再是我们祖父辈的绿色运动。这是绿色法则，关系到国家强大与否。今天美国或其他国家为了走上绿色道路所做的每一件事都会使我们的国家更强大、更健康、更安全、更具创新力、更有竞争力、更能受到尊重。那么还有什么会比这个更爱国、更有地缘政治特色呢？

这就是为什么我把这一章命名为"绿色新美国"的原因：因为这是一项既可以缓解气候变暖、生物多样性丧失、能源匮乏、石油专制及能源供给短缺等问题，又能使美国变得更加强大的战略计划。我们在解决自身问题的同时也在帮助全世界解决该问题，我们在帮助全世界解决问题的同时，也恰好解决了自身的问题。

面对不同的听众，你所强调的侧重点可以有所不同，但是它们是相互补充的。面对环境保护主义者，我会说："让我们把美国变成世界上最环保的国家吧，让它成为减缓气候变化、推出清洁能源、保护生物多样性的国家——这样，其副产品就是更强大的美国。"面对保守主义者，我会说："让我们采用清洁能源吧，把美国变成能源气候年代最强大的国家——这样，其副产品就是我们让全世界平静接受戈尔所说的一切。"

当我听到美国人说："如果气候变化到头来只是一场骗局或是一种时尚，而我们却为此变革了整个经济、错乱配置了资源资金，那么有谁担当得起这样的责任呢？"我的回答都是一样的：如果气候变化只是一场骗局的话，那么它将是美国历史上最精彩的骗局，它把我们的经济转变成清洁能源经济、减缓气候变暖还能应对能源气候年代的其他许多挑战，这是可以与奥运会三项全能相媲美的：如果把它拿到奥运会上去，你会有更大的机会获胜，你依然是更健康、更强、更优秀的，而且你更可能比别人长寿，并在人生的每一次竞赛中胜出。而且，有这三项全能，你改善的不仅仅是某块肌肉或者某种技能，很多方面都会相互影响并改善你的整个系统。

夸姆又说："最重要的是发动一场真正的革命——也就是绿色行动——这才是"美国机会之所在"。我们需要全力以赴。我们需要做大量试验——就像研究性大学和国家实验室一样；需要很多企业不怕风险、不怕失败地去反复尝试，很多寻求巨额回报的风险资本已经做好了豪赌的准备；我们需要企业、政府和研究机构的共同合作；需要成千上万的人在车间里工作，尝试成千上万种方法。而且，最主要的是，这是一个有着很大利润和重大意义的国家项目，不仅会把美国变得更富裕，还会把世界变得更好。

如果仍然有人担心气候变化到头来只是场闹剧——但是我们却把目光集中在美国生产清洁电力和全世界最节能的汽车、电器和建筑物上，而且我们把美国看做全世界保护热带雨林和自然栖息地的先驱——那么这场闹剧最坏的结局会是什么呢？我们的国家将会有清洁的空气和水源、高效的产品，将为下一个伟大的全球化工业时代准备更多的受过教育的工人，我们将会有更高的能源价格和更少的欠款，更高的生产力和更健康的人们，以及全世界都想买的清洁能源产品——更不用说全世界人们的尊敬和感激之情了。我们必须为自然资源而战，因为如果人类不能创造更多更充裕的能源，我们就会无休止地争夺所有短缺资源，而资源短缺将会是这个又热又平又挤的世界的常态。

那么，如果我们知道那些气候怀疑论者和否定者所说的——气候变化是一场骗局——是错误的，但是却听之任之而不采取任何措施，这又会发生什么呢？地球上将会同时出现干旱和洪水，冰川融化会导致海平面上升，资源冲突会频频爆发，海岸线会被大片淹没。就像生态顾问沃森（Rob Watson）说的："人类是这颗星球一次很糟糕的生物试验。"

这就是为什么我认为我们既要重新定义绿色这个概念，又要把美国放上绿色行动议程中心的原因。首先也是最重要的一点，因为这会使美国变得更加强大，而且通过赋予议程更多行动方案，我们还可以让美国在即将到来的时代里更加自在。

但是这不是唯一的原因。我们依然负有道德责任——这是因为我们的人均资源消耗量在世界上最高；因为我们拥有的可用于创新的资源比其他任何国家都多；因为我们的影响力比其他任何国家都大；因为我们肩负着把自由带给每一个人的使命，向世界上更多的人提供他们需要的清洁能源工具正是这一使命的应有之义。

恰恰是美国制度和研究型大学造就了最强大的创新引擎，如果没有美国，没有美国的总统、政府、企业、市场以及美国那些要么引领变革、要么期望变革的人们，世界就不能迅速、大范围地有效解决能源气候年代面临的严峻问题。加利福尼亚已经证明，通过创新和监管可以大幅度降低人均资源消耗量，同时证明了该州对其他 49 个州的影响有多大。美国对世界的影响就好比加利福尼亚对美国的影响一样。

外国人比美国人更能深刻地认识到这一点让我很吃惊。2007 年，我在去印度的旅途中与印度 IT 巨头萨蒂扬（Satyam）公司的拉朱（Ramalinga Raju）谈到了这个问题，他说：“美国依然站在尖端技术的前沿。现在依然是我们可以想象得到的最好的设计师。”他又说：“美国的工作是向新的、前沿性的清洁、环保技术进行投资——就像它生产电脑、DVD、音乐播放器一样——然后借用印度低成本服务和中国制造平台，迅速把这些新技术的价格降到中国和印度可以接受的水平。”

拉朱说：“如果美国没有抓住这次机会的话，那么印度、中国和其他国家终究会抓住的。”他们的解决方案可能不是最好的，因为他们无法用尖端的科学技术知识来解决这一问题，也不会迅速形成规模，但是这比任何事情都不做要好得多。“就算没有最好的设计师，砖头搬运工和水泥匠也会学着建造房屋，只不过这可能要花费 4 年时间而不是 2 年。虽然其中可能有很多的错误，也没有太多资金，但是房屋终究会建成，而且一旦建成，这个复制过程可能每 6 个月就会重复一次，在这个过程中是没有美国的位置的。我们会看到，我们将不是房屋建筑队的成员，也不能以设计者的身份从中获取最大利益。但是如果我们是领导者的话，世界就会在我们身后排队。”

我们要向世界提供的不仅是能源技术革新。美国在保护自然资源领域已经是创新者了，我们还应该把保护自然资源这种理念推广到全世界。100 多年前，我们创建了国家公园体系，这种理念被全世界效仿。在过去的 30 年里，我们的对外援助项目已经帮助了从巴西到印度尼西亚的很多发展中国家，帮助他们保护森林、草地、珊瑚礁和濒临灭绝的物种。这些项目不仅促进了其他国家快速发展，而且还让美国把最好的东西拿出来，向世界展示我们的风采。

如果美国能够成为世界清洁能源技术和环境保护的领导者，它将会毫不犹豫地把世界引向这个方向。这听起来可能有些过时和强硬，可我不是那个意思。我只是依然坚持这种观点——如果没有美国领导，世界上会有很多糟糕的事情发生，而好事却不多——无论是在反抗纳粹和法西斯主义还是在重建战后欧洲等问题上都是如此。

借用阿基米德的一句话：给我一个绿色美国，我将让整个世界变绿。

尤其是近年来，我们忘记了，当世界上那么多人都在批评美国的时候，我们有多少东西还在受到追捧——我们也忘记了，当美国不再引领潮流或者引领负面趋势时，整个世界都受到影响。就像 E2 环境企业家英国人柏克（Tom Burke）所说的那样：正是尼克松政府的国家环境保护法案（National Environmental Protection Act）把完整的"环境影响声明"这一理念放在了大规模破坏环境的项目前面。柏克说："欧洲每个国家都照着做了，现在，整个世界也在模仿。"

让我们听听法国总统萨科齐是怎么说的吧。2007 年 11 月他就职以来的第一次正式访问就是到华盛顿。我在一个记者早餐会上问了他一个问题："如果美国成了世界领导者会在阻止气候变化方面产生什么影响？"萨科齐开始讲述他对美国文化的热爱："我是听着猫王（Elvis Presley）的歌、看着美国的电影长大的，美国是一个前所未有的经济成功、民主成功的例子。我会永远爱美国。所以当我看到有人憎恨美国时就会感到很痛苦。"法国总统又补充说："当美国没有成为气候变化这等大事的全球领袖时，我在问'美国梦到底是什么？发生了什么事情？美国梦到哪儿去了？'我们在国际会议上提到美国。这就是发生的事情。美国处于两个大洋之间，如果海平面上升的话，她将是第一个受影响的国家。美国应该为全世界树立一个榜样，应该为保护环境奋勇作战。你们虽然不是第一个倡导保护人权的国家，但也不会在环境保护上拖后腿。"

我在德国也得到了类似的信息。该国十分重视欧洲自身的领导力，但是欧洲没能像美国那样在最佳时机抓住人们的想象力。德国联邦环境部长加布里埃尔（Sigmar Gabriel）在一次采访中对我说："美国是世界上最有活力的国家，也是世界上最强大的国家。我们需要借助它的市场和它的创新者。我们需要用美国的制度来解决这个问题。如果美国走上了一条绿色道路，那么世界上其他国家也会选择走这条路的。"

绿色行动（Code Green）战略不仅是要把美国变得更加富裕、让热带雨林更加安全、让飓风不再肆虐、打击石油垄断主义，也是要利用美国的力量把资源分配给生活在世界上最不发达国家的人们，帮助他们改善生活、实现更多梦想。

布什政府能源部助理秘书卡斯纳（Andy Karsner）是高效能源和可再生能源的负责人，他曾在巴基斯坦、菲律宾和中国这些发展中国家推动能源建设项目，增长了不少阅历。他从 1999 年就开始考察非洲东部、非洲西部以及地中海地区可再生能源的情况，希望找到开发风能和太阳能的机会。这让他第一次发现：绿色能源以不可思议的方式让人们联想到了美国。他向我讲述了他在摩洛哥卡萨布兰卡（Casablanca）出售太阳能板技术时颇具启发性的经历：

> 我曾经雇佣过一个摩洛哥小姑娘法蒂玛（Fatima）（这是个假名），她那时大概 20 多岁，学识出众，拥有超乎寻常的聪慧、远见和热情。她告诉我她是来美国求学的，那所学校在美国中部。到达美国几个星期后，她给了自己一天时间放松，只是到处逛逛，她很愉快地沉浸在游玩中，目的地变得不重要了。对于这个喜欢现代和崇尚独立的伊斯兰女孩而言，也许这是她第一次旅行，是件大事。她说，这是一次解放，她很高兴，仅仅是因为能够来到美国的一个内陆州，而且还可以在她喜欢的任何一家快餐店大吃一顿。法蒂玛

的热情很有感染力，毫无疑问，我当即就雇佣了她。

她毕业后必须回去。她为我做了些事，渐渐变得越来越忧郁。有一天，她来找我，问我能不能支付给她一些现金——或者小部分支票加大部分现金。她妈妈过着传统的柏柏尔族（Berber）生活，穿着黑色衣服，她的兄弟们从她的银行账户取走了她的全部存款。她对我说："除非我能偷偷留下一些钱，否则无法摆脱他们的控制。"

就在同一天，当我沿着海滨开车回家的时候，公路被一大群从公共浴场涌来的人堵住了。这只是近期频繁发生的集会中的一次。这些集会通常由信奉宗教激进主义的伊玛目（全体穆斯林的领袖和思想上的导师）组织。那么多失业的年轻人不去踢免费的足球，却积极参加这些布道会。

这件事情让我深思良久。我对自己说："我们培养了多少愿意接受我们的价值观、愿意分享我们的解放和自由的法蒂玛？不久前，他们的人数是超过那些放弃免费足球的年轻人的。"法蒂玛的目的就是存足够的钱，然后离开那个国家，如果有必要的话就把它留给伊斯兰激进分子。但是，如果想让美国最好的最普遍的价值观再一次彰显魅力，我们就需要向全世界的法蒂玛提供帮助，赋予他们力量。

在法蒂玛家乡那个小村庄里，她的工作是开发技术，我猜这就是为什么她想来我公司的一个原因。当居住在摩洛哥农村地区的人们获得了太阳能板和风力涡轮机时，他们的生活就开始改变——这并不是"奢侈的"高档的环保物品，而是保证人们在未来10年能过上体面生活的技术。在没有电网的柏柏尔南部地区，太阳能板可以冷藏疫苗、汲取新鲜的水源用于饮用和灌溉——更重要的是，它让年轻人在天黑之后能够学习，直到第二天太阳升起再辛苦劳作。而这些繁重的劳动大都是由发展中国家妇女来完成的。

尽管法蒂玛没有使用过"美国梦"这个词，但我明白这就是她对于她居住的村庄以及她钟爱的祖国所怀有的"美国梦"。她希望绿色能源技术能够更快更广泛地传播，这于公于私都有好处。于公，她在我们位于卡萨布兰卡（Casablanca）办公室里看到了大规模风能蕴涵的巨大能量，可以帮助摩洛哥迅速摆脱长期以来沉重的国家债务，而这些债务很大程度是由于对中东地区（援助国）的能源依赖造成的；于私，她从太阳能上看到了无尽的健康、知识和机会。我感觉她看到了绿色能源的"破坏性"力量而且她似乎对此很是热衷。绿色能源就是她的尼娜（Nina）、平塔（Pinta）和圣玛利亚（Santa Maria）。

我们什么时候会因为自己是美国人而感到骄傲呢？那就是当我们与别人一起、并且可以帮助他们的时候。引领这次绿色革命可以让我们做到这一点。这是一次让我们找回最佳状态的机会——重树我们的道德权威。有一种理念，认为有些东西比国家本身更为重要，超出了一国的社区与国界，一个国家只有秉持这样的理念才能真正走上环保之路——这才是这个世界上真正重要的。诺沃格拉茨（Jacqueline Novogratz）建立了商机基金（Acumen Fund），该基金是一个全球性非营利企业组织。有一次她对我说："我年轻的时候在肯尼亚市（Kenya）工作过一段时间，那里有个古老的故事，说是如果村里有妇女生病了，治病术士就会来给她看病，第一件就是让这个妇女给全村人做饭吃。因为他们认为是心灵的疾病导致了身体的疾病，当你奉献自己的同时也就治愈了自己。"

"9·11"事件后，布什总统提出了许多道德规范。但是，美国和布什总统在反恐战争中却丧失了许多道德权威。重新树立权威的最好方法莫过于给世界树立一个开发清洁能源、高效能源和保护环境的榜样，因为绿色行动是谦逊的象征。它告诉世界：虽然我们是超级大国、是世界上最富裕的国家，但我们并不认为我们有权利比其他国家占用更多资源。

明白这一点并不意味着我们要放弃自己的利益——我们决不会放弃。而有些时候，"无私"恰恰是我们自己的利益所在——让人们知道我们有很多问题需要解决，让人们知道在我们眼里美国人和其他人是同一个物种。我们希望可以同时做到这两点。

就像施瓦辛格说的那样：在气候变化方面，让美国从无所作为变成世界的领导者，这可能会"创造出非同一般的副产品"，他解释道，那些因为美国攻打伊拉克而不喜欢美国的人们最起码会这样说："'嗯，我确实不喜欢打仗，但是我却因为美国无与伦比的领导力而喜欢上它——我不仅喜欢它的牛仔裤和汉堡包，还更喜欢它的环境。'人们会因为环境而喜欢我们。但现在还不是这样。"

1844 年，豪尔（Daniel Walker Howe）在他的《上帝创造了什么》（*What Hath God Wrought*）一书中引用了爱默生（Ralph Waldo Emerson）的话："美国是一个未来国家，很多事物在这个国家里起步，它拥有无数计划、设想和期望。"

今天依然如是。现在又面临一个新的开始。我们又有了宏大的工程、雄伟的蓝图和无限的期望。美国要在全球继续保持其强大地位的唯一办法就是：把握全球大事的主动权。而在当今世界，没有比生产环保能源、高效能源，保护森林、草原和动物栖息地更大的事情了。

A 计划：绿色行动

A 计划是一项为期五年、以 100 分为满分的计划，该计划致力于解决商业以及全球面临的重大问题。我们与顾客和供应商合作，防止气候变化，减少废气排放，保护自然资源，维护正当贸易，建设更为健康的国家。我们正在做这些事情，因为这是人们希望我们去做的，也是我们应该做的。我们把它称为 A 计划，因为我们相信这是今天从事商业活动的唯一方式。我们的词汇里没有 B 计划。

——英国零售商马莎百货（Marks & Spencer's）关于可持续性的声明，2007 年 5 月 4 日我很喜欢"A计划"这一定义，这是我们立即要着手做的事情，是人们希望我们做的事情，也是我们做生意的唯一方式。我就是这样看待绿色行动的。绿色行动计划就是我为这颗星球设计的A计划，就是在一个没有B计划的时代里的唯一计划。

从本章开始，我将集中笔墨谈这个问题。但是一定不要忘记：绿色行动计划是一项巨大的工程。我们需要一套全新的体系让我们的国家变得强大有力。这是一个系统问题，唯一的解决方案就是建立一套新体系。

自从工业革命和现代资本主义制度萌芽以来，我们就一直依靠所谓的污染燃料体系（The Dirty Fuels System）推动全球经济发展。这一体系有三大组成元素：污染环境、廉价但却十分充足的化石燃料；长期对这些燃料大肆挥霍，仿佛其取之不尽用之不竭；无节制开采自然资源——天然气、水、土地、河流、森林和海洋渔业——似乎它们也是无尽的。（我并不是想诋毁那些主张把所有的煤炭、石油、天然气都开采出来的人，全世界的人在过去两个世纪中使用的正是这些能源。他们做的是人们希望他们做的事，他们的工作就是提供石油以提高全世界人们的生活水平。我也知道，我们现在可以用比以前更干净的方式燃烧煤炭，天然气也被广泛使用，这比煤炭更清洁。我使用"污染"这个字只是想描述燃料对我们环境和气候产生的影响。）

事实上，并没有人设计这个污染石油体系，是它自己从18世纪演变至今。它先是带动了西方工业革命，后来又促进印度、中国、南非、波兰和埃及这些发展中国家飞速发展。

随着该体系的发展，一切都在有效运行。世界上的煤炭、石油和天然气被开采出来后由油船、火车和管道输送到各个发电厂和冶炼厂，最后再由加油站和高压输电网把这些能源输送给消费者。消费者甚至从来不去想电灯会不会亮，或者几英里之外是否会有加油站。同样，森林、水和鱼类——我们所有可以吃的东西都面临同样的境况，一直到没有任何剩余。这就是该体系的特点，而且根深蒂固。

但是，我们不能再延续这种污染燃料体系了。如果继续下去，能源、气候、生物多样性、地缘政治和能源匮乏就会影响到地球上每个人的生活质量，最终危害到地球本身。

很不幸，我们直到现在还在逐个解决由这个污染燃料体系引发的问题，而不是建立一套新体系取代它。结果是，如果我们想要解决一个问题，就会引发另一个问题或者使其恶化。

想想看：那些立志于保护生物多样性的人们建立了自然保护区来保护濒危动植物物种——这是非常重要的——但是气候变化却改变了这些生物栖息地的气温和降雨量，使保护区不再适合那些需要保护的生物居住了。污染燃料体系正以我们无法控制的方式改变气候，只要我们还在这一体系中，我们努力保护生物多样性的做法就永远也不可能成功。

想想看：美国打着帮助中东地区推动民主化进程的口号入侵了伊拉克。中东地区是非常重要的，数千万辆燃烧汽油的车辆都得依靠这一地区的石油，这一地区维系着一个庞大的交通系统，这也意味着我们的生活方式正在间接地支持这一地区破坏美国民主的势力。要想在污染燃料体系下推动中东民主化进程，我们也永远都不会成功，因为该体系是民主化最大的敌人。

想想看：我们试图减少全球贫困，而与此同时污染燃料体系却给美国农民和农业带来了大量补贴，鼓励他们大量生产用于制造酒精的玉米，这会造成全世界粮食价格上涨。只要我们延续该体系，只要我们仍然努力与贫困作斗争同时却鼓励人们用粮食作燃料而不是减少汽车的使用、乘公共交通工具出行、使用能行驶更多里程的汽车，就永远都不会成功。

所有这些措施都试图解决一系列错综复杂、互不相干的棘手问题。我们遇到的都是系统性问题，但采取的措施却不是系统性措施。实施效果不尽如人意。我们需要建立一套新体系。所以让我们先停下来考虑一下这个体系最重要的两个特征——一个特征你可以通过观察自然而领会到，另一个你则可以通过驾驶丰田-普锐斯（Toyota Prius）体会到。

该体系首要规则就是：任何事物都是相互联系的，"自然力量"清楚地告诉我们这一点。塞拉俱乐部（Sierra Club）创始人缪尔（John Muir）1911 年对自然界的描述在今天依然是正确的："当我们从自然界拿出任何一样东西时，都会发现它与其他一切东西都是连在一起的。"

2007 年 8 月 5 日《纽约时报》上的一条新闻恰如其分地印证了这一真理，新闻报道了美国西部著名黄石国家公园的拉尔玛山谷（Lamar Valley）中，白杨树神奇失踪而又突然出现的故事。该文的作者康韦（Chris Conway）解释说它们的失踪并不奇怪：在白杨树长大之前，麋鹿就把他们的根吃掉了。但是最近几年，白杨树又突然繁茂起来，康韦说，研究人员发现了令人吃惊的原因："1995 年黄石公园引入狼群。而在那之前，狼群在那里已经消失近 70 年了。"

狼群会对白杨树有利吗？

康韦写道："当然，狼群捕食麋鹿，根据统计学家的计算，在冬天，平均每只狼 1 个月就要吃掉 1 只麋鹿。"

但是，拉尔玛山谷中白杨数量的回升不仅仅是因为过去生物法则中的食物链规则。根据俄勒冈州立大学的科学研究，发现其中还可能与"恐惧"有关。尽管该地区的狼的数量有 60 多只，但是这里却至少有 6500 只麋鹿，足够继续破坏白杨了。但是研究发现"恐惧中的生态系统"帮助山谷重新建立了生态平衡，几十年来第一次把小白杨树根从麋鹿嘴里解救出来。

该大学森林学院教授、课题的研究者里普尔（William J. Ripple）说，白杨树在麋鹿难以逃脱狼群攻击的区域逐渐成长起来。他说："我们认为，这些麋鹿要在被吃掉的危险和它们最喜欢的觅食区之间寻找平衡。因此恐惧中的生态系统，食物和危险之间就达到了平衡。"该书的另外一位作者、该校退休教授贝斯塔（Robert L. Beschta）先生把这一情况与他研究灰熊时的经历相比，他说："当我身处灰熊活动范围内时我变得十分小心，尤其在那些我看不见的盲区更是如此。我想，麋鹿也是这样。在麋鹿很难看到狼群、很难从狼群口里逃脱的地区植物长势旺盛。这很像我们害怕走进危险地区。"

　　谁能想到呢？黄石公园里的狼越多，白杨树就越茂盛，原因是麋鹿不敢在盲区贪吃杨树根。与自然界里的情况一样，同样的道理也适用于能源、气候、资源、生物多样性和石油霸权：我们要采用系统性的思维方式和行动方式，以一种最有效的方式影响它们。我们得向大自然学习——这才是最终的适应性体系，一个复杂的体系。

　　从事绿色建筑和社区开发的房地产商、自然资源保护委员会（Natural Resources Defense Council）的董事、业余系统理论家洛斯（Jonathan F. P. Rose）先生曾经提出过他的想法："地球的系统属性是持久而强大的。自然界是一个系统，总是会反映出系统性的特征。这是它本身所固有的特征，不会时强时弱。自然界永远都按照该方式运行，而且坚定不移。"

　　洛斯先生又补充说，唯一发生变化的是我们如何看待自然界的系统性以及按照这一属性活动的方式。"但是如果要用全局性眼光看待自然界，就需要我们拓展思路，真正以联系的思维思考问题。自然界普遍联系的本性就像万有引力一样，一个建筑师不用考虑建筑物的哪一部分符合重力法则、哪一部分不符合。你不会与重力讨价还价，它是存在的事实，就像重力一样，普遍联系这一自然界的内在属性也是无处不在的。"

　　所以，如果系统的第一法则是：任何事物都是普遍联系的，那么，第二法则就是：只能把个人利益最大化到某一点。如果没有抛弃旧体系、建立新的体系的话，那么你所做的每一件事最终会受到限制。如果你把新体系合理地整合起来，那么所有的结果都会走向好的一面。新体系最终会造福每个人和整个社会。就像洛斯所说："最大化个人利益可能只会使增量变化，而最大化系统利益则可能带来社会生态变革。"

　　丰田-普锐斯这个例子可以很好说明：新体系代替旧体系可使整体功能大于部分功能的加总。普锐斯有非常好的系统！普锐斯有刹车系统，别的车也有；普锐斯有蓄电池，别的车也有；普锐斯有引擎，别的车也有。普锐斯与其他车的不同之处就在于，它的设计者把它当作一个完整的系统——这一系统有很多功能——而不仅仅由各种零部件组成的。设计者们想："可以把刹车产生的电能储存到蓄电池中并加以利用，从而让汽车尽可能使用这些电能而不是使用油箱中的汽油。而且，当普锐斯下坡的时候，我们可以把车轮转动产生的动能也储存在蓄电池中，以供它上坡之需。"

换句话说，丰田通过采用一种系统化的方式，从每英里耗油量的量变转为质变——汽车可以自己产生一些能量。丰田经历了一个从问题困扰（怎样降低每英里耗油量）到变革创新（怎样使汽车在降低耗油量的同时创造能量）的过程。它创造了一个系统，该系统的功能远远高于各个部分的总和。每个人，即使是你我这样的普通司机也可以做到不寻常之事——驾驶普锐斯跑 50 千米只需消耗 1 加仑汽油。而且，一旦你开始有系统地工作，好处和机会将会是无穷无尽的。

今天，我们无论作为自然界一分子还是国家公民，所面临的挑战都是如何建立一个清洁能源体系。我们要让每个普通人在生产清洁电能、改善整个能源体系、提高资源利用效率和促进环保方面都能做出不寻常的事情。这是我们最大的挑战。因为只有在这样的体系下，全球经济才能发展，不但能够不加剧能源供求矛盾、石油霸权、气候变化、生物多样性丧失和能源匮乏等问题，而且实际上还能最终解决这些问题。

但如果没有这样的体系，我们就束手无策。如果你听到政客们提倡"可再生能源"，都可以不予理睬。如果你听到一个政治家提倡"可再生能源体系"，那就竖起耳朵吧。

让我们看一下这个体系的关键要素——清洁电能、效用和环保——想想我们怎样才能做到不是独立开发各个要素，而是把它们整合起来。

清洁电能

我从基本原理开始说起：一个全球化的社会需要发展，没有发展就没有人类进步、穷人就不能从贫困中解脱出来。但是，发展不能靠使用排放二氧化碳的燃料，因为这会污染环境。我们不得不尽量多地使用清洁能源。所以，我们要建立一个体系，该体系能够促使研发人员大量开发清洁、可靠、廉价的电能。

保护国际（Conservation International）高级领导人托顿（Michael Totten）说："21 世纪最伟大的变革就是我们从分子时代走向了电子时代，从煤炭和烟囱时代走向了网络时代。"毫无疑问，从分子时代走向电子时代会使该体系联系更密切、更有效，从而带领我们走进能源时代——从商用电能到家用电动车。而且，网络还可以帮助普通人在创造、使用和节能方面做出不普通的事情。

要更好地解决能源气候年代的问题，就需要创造一种丰富的、清洁可靠的、廉价的电能，没有比这更好的办法了。给我足够的、清洁可靠的、廉价的电能，我可以给你一个能够持续发展但不会引起气候变化的世界；给我足够的、清洁可靠的、廉价的电能，我能从沙漠中挖掘深井为你提供水源；给我足够的、清洁可靠的、廉价的电能，我能把所有石油独裁者赶出市场；给我足够的、清洁可靠的、廉价的电能，我能终止那些迫切需要燃料的国家乱砍滥伐森林，我能阻止任何破坏大自然的行为；给我足够的、清洁可靠的、廉价的电能，我能把世界上成千上万的穷人联系在一起，让他们冷藏药品、让他们的妇女接受教育、让他们夜晚灯火通明；给我足够的、清洁可靠的、廉价的电能，我能像软件工程师创造互联网共享软件一样也创造一种网络，让全世界的人彼此分享他们的节能创新。

虽然能生产清洁能源并不意味着能解决所有问题，但这一办法比其他任何单一模式都能解决更多问题。这也就是为什么清洁能源体系（Clean Energy System）的首要任务就是鼓励创新。因为直到现在也没有比电能更好的能源——它同时满足丰富、清洁、可靠、廉价这四个条件。

激励创新的方式有两种——一种是短期的，另一种是长期的——我们需要两者兼顾。

第一种方法，就是借由已大量发展、可提供清洁能源的科技，更快让学习曲线产生效果，自然地激发创新。技术发展的历史就是一部发明创造不断进步的历史：它们变得更轻巧、更智能、更便宜、更多产、更充足还更可靠。比较一下你的第一部手机和你现在用着的这部；比较一下你的第一台笔记本电脑和现在拥有的这台；比较一下你的第一台空调和现在使用的这台。由于创新，它们都变得更好也更便宜了，而且创新过程也正是大规模生产和改进新产品的过程。但这种形式的创新常常不受重视，而我们需要的、而且能够做到的正是这种创新，它会帮助我们克服技术壁垒，让现有风能、太阳能变得更便宜、更充足、更可靠。这种创新源于对现有技术的深入开发和改善，我们鼓励这种创新的方式应包括：税收激励、监管激励、可再生能源授权以及建立市场机制形成对现有清洁能源技术的长期需求。

第二种创新方式是研究人员在试验室里搞发明创造，从而实现突破性创新。鼓励这种创新的方式有两种：增加政府研究基金或形成对清洁能源的市场需求。我们需要更多人、公司和学校去尝试，需要市场迅速抓住有发展前景的新思路并将其发展壮大。这种方式创新——突破性创新是很难预测的，在能源创新方面也是如此。比尔·盖茨（Bill Gates）曾对我说，"你看不到它正在到来"，"突破往往来自于你最不抱希望的那个角落，只有当我们回顾这段经历时，才知道它是怎么发生的。"

我们要大规模进行这两种创新，但就能源创新而言，我们要把重点放在后者上。当创新的可能性就隐藏在我们眼皮底下的时候，我们要集中力量发掘它们。能源物理学家、前克林顿政府能源部官员罗姆（Joseph Romm）说："风能和太阳能已经是很划算的了，打破市场壁垒让它们能够得到充分利用远比把赌注压在新技术革命上，比如低碳技术，能产生更大的影响。"

罗姆说，荷兰皇家壳牌集团（Royal Dutch Shell）在 2001 年预测未来50 年的能源使用时指出了一个重要历史事实："一种初级能源投入商业化使用后，需要 25 年的时间才能在全球市场上占到 1％ 的份额。"罗姆说，"注意，用了 25 年才有那么一丁点儿。从科技创新到商业应用很可能得花费几十年的时间。我们还没有看到氢燃料电池电动车，也没有看到电池电动车商业化——而这项技术早在 160 年前就存在了。这向我们传递了两个重要道理。第一，新能源技术改革进入市场的速度不够快，我们试图到 2050 年大规模使用这些洁净能源，让清洁能源占到全球 5％～10％ 的份额甚至更多。第二，时间紧迫，我们得采取非常措施，以前所未有的决心大力推动洁净能源技术的发展。"

　　这就是我们要不断发明充足、清洁、可靠而又廉价电能的原因，也是我们要不断尝试用现有技术来生产清洁能源的原因，这些能源包括太阳光电能、风能、太阳热能和地热能等，它们的数量众多，而且更为可靠、廉价。"发明"来自于我们发现未知的事物，"利用"来自于我们深入学习已知的事物——借助于学习曲线，我们可以迅速地大规模运用这些现有技术（我将在第 11 章和第 12 章详细解释我们是怎样鼓励这两种创新的）。

　　光电能是一种清洁能源，很便宜，它通过硅等物质把太阳能转化为电能。但是，我们需要发明一种蓄电池，把大量太阳能转化的电能储存起来，这样，当没有太阳的时候我们就可以利用这种能量了。而光热能却不需要把能量储存在蓄电池中，这一技术有着很好的发展前景。它只要用镜子把太阳光汇聚起来，用汇聚来的光热加热流体来驱动发电机运转就可以了（在我看来，这是所有清洁能源技术中最有发展前景的一种）。它跟煤炭一样都是利用蒸汽发电，但是它没有废气排放。尽管光热能是清洁可靠的，而且一些国家（比如西班牙）已经开展实施，但是开发这项技术需要花费很多钱。我们要在更多地方发展光热能，增加它的产量，让这种能源成为煤炭的替代物。风能也是清洁能源，也比较便宜，但是只有当有风的时候才有大量风能，这同样需要研制蓄电池以大规模储存这种能量。

　　虽然来自集散式柴油发电机的能量廉价又丰富，但是它并不清洁（回忆一下当你跟在拖拉机后面走的时候闻到的味道吧），而且在规模上也不可靠。地热能来自于自然界和火山运动时产生的蒸汽，因此它是清洁、可靠的。但它却存在另外一个问题，那就是既不充足也不便宜。收集煤炭燃烧时产生的二氧化碳也能给我们带来清洁、充足的电能，但是这也不便宜（而且积聚的二氧化碳越多，产生的电能总量就越少），而且没有人知道碳汇的过程到底可不可靠：肯定会有一些二氧化碳逸出。核能是可靠的、清洁的，但是它同时也是昂贵的，而且数量也不多。此外，储存核废物还是个问题，它们随时有可能泄露或被加工制造弹药❶。

这些新能源科技各有利弊，所以荷兰皇家壳牌公司的远景规划小组报告说，风能在 2007 年只占到世界初级能源总生产量的 0.1％，而太阳能电力甚至还达不到这一水平。鉴于目前技术创新和技术传播的发展趋势，壳牌公司预测，如果一切进展顺利的话，到 2050 年再生能源将占到世界初级能源总产量的 30％，但是化石燃料仍占 55％。这不是一个新系统——甚至连新系统的边儿都没碰到。我们应做得更好，为了做得更好，我们应进行更多创新。

能源利用率和资源生产力

清洁能源体系的第二要素是效率。虽然我们应该最先考虑的是清洁能源技术创新，但是我们不能把明天全部压在技术创新上，我们必须大力提高能源效率和自然资源的生产力。麦肯锡全球研究所（McKinsey Global Institute）主任法雷尔（Diana Farrell）说："我们必须把重点放在需求方面"——创造节省电能的增长模式，减少森林、水源和土地的"投入"。这就是能源

---

❶ 那么，生物燃料怎样呢？所谓生物燃料，就是粮食作物、农业废料、木屑或特殊草木等。我对此不抱太大希望：它们无法有效解决我们的能源问题，而且我们也不应该让它们成为解决该问题的方式之一。只有电能才能向我们提供所需要的大量能源。但是，随着汽车由汽油作动力转变为由电作动力，生物燃料也可以作为过渡——但得满足以下四个条件：第一，当我们考虑到所有投入（包括作物生长、收获、加工以及提供燃料时所需要的水、化肥、汽油和运输费用）时，生物燃料要呈显著的正能量平衡（positive energy balance）。由甘蔗产生的生物燃料大概有 8∶1 的正能量平衡，而由玉米产生的生物燃料最多才能达到 1∶1。第二，生物燃料不能以增加自然界的碳为代价。如果你想砍伐热带雨林、种植油棕榈作生物燃料的话，那么需要花 50～80 年的时间来处理从土壤和树木中释放出来的碳。第三，生物燃料的生产不能破坏该地区丰富的生物多样性，要非常仔细地计划在哪里生产。第四，不能大规模用粮食换燃料，否则在解决一个问题的同时又会引发另一个问题。在巴西这样有着大量耕地和甘蔗的国家，生物燃料可以作为过渡能源，这同样也适用于从非洲到加勒比海的热带地区。但是，除了上述情况，现有的生物燃料技术并不是解决问题的最终答案。如果我们大规模生产生物燃料的话会产生负面效应。创新或许能改变这种状况，我们应该试图从非食用作物和废料中获取生物燃料并对这种技术进行投资。但是今天，对巴西有意义的事情不一定在美国也有意义。清洁电能才是我们的未来。

和资源生产效率的含义：以更少的成本换取更多的发展。开发能够生产清洁可靠、廉价丰富的电能的新技术可能需要耗费很多年时间，但是改进能源和资源的生产力立刻就会帮助我们大幅降低能源使用量和二氧化碳排放量。能源和资源的生产力越强，我们需要生产的清洁能源就越少，需要开采的自然资源也越少。

麦肯锡全球研究所的一份研究报告指出，我们可以降低对从现在到2020年的全球能源的需求量，"通过提高能源的效率，我们至少可以把耗能量削减一半。"只要我们更合理地设计和使用楼房、包装、车辆、冰箱、空调和照明系统，并不断提高效率标准，我们就能降低能耗——我们就可以用更少的资源得到同样的舒适度、便捷性和照明。

所以，与其等着炎热、平坦和拥挤的世界逼迫我们放慢经济增长速度，不如让我们着手做一个更大、更可持续的馅饼，通过创新清洁能源和提高能源利用效率来实现这一目标。如果我们继续肆意妄为，那我们就会把自己困在一个能源稀缺的世界里，我们的子孙就得继承这样的世界。所以，在这一切发生之前，我们要竭尽所能改变这种状态。杜克能源公司（Duke Energy）总裁兼首席执行官罗杰斯（Jim Rogers）说："我们要进行各种形式的创新，做到世界上一切可能做到的事情。"

美国印裔燃料电池发明者、Bloom Energy 能源公司创始人斯里德哈（K. R. Sridhar）说："我不想成为告诉我的孩子他们的生活会比我们更差的一代人，把这话留给别人吧。我一定要竭力找到出路。"

环保道德

我们需要建设一个以清洁电能和高效能源及资源利用效率为基础的新体系，但与此同时，我们不能忽视环保，这个部分与前两部分一样重要。"环保道德"在今天必不可少，明天可能会更加重要，特别是当我们创造出足够、清洁、可靠、廉价的资源时尤为如此。为什么呢？我们从污染能源系统中总结出了一条真理：当事物是免费的或价格很低时，如空气、水、土地、森林、渔业、汽油和电能，人们就会过度使用它们。如果没有环保道德——一种把我们对自然界的影响降到最低的生活习惯——那么足够、清洁、可靠、廉价的能源可能会变成我们掠夺自然界的许可证。如果能源是足够、清洁、可靠、廉价的话，我们为什么不买一辆悍马在热带雨林中奔驰呢？

什么是环保道德呢？我们可以从什么不是道德说起。道德不是法律，不是国家强制执行的。但它是人们自愿接受的准则、价值观、信仰、习惯和态度，是我们身为社会成员迫使自己遵循的。法律从外部规范人们的行为，道德则在内部发挥作用。道德是不管你身在何处、进行何事都得遵守的准则。

哈佛大学政治哲学家桑德尔（Michael J. Sandel）解释说："环保道德包含若干准则，如对自然界的负责意识和管理意识等。环保道德是一种约束准则，即我们有责任保护地球资源和自然景观，因为它们构成了地球上所有生物赖以生存的生命网。"

桑德尔说："但是，除了对自然界的管理意识外，环保道德还必须包括托管意识。管理意识意味着要对自然界负责，它来自于对生命多样性和至高无上的大自然的敬畏。托管意识则是对后世子孙负责，即对那些未来将居住在这个星球上的人负有的责任。这把我们的命运与我们子孙的命运连在了一起。环保道德既要求管理也要求托管——这是一种对我们所居住的地球和下一代表示尊敬的克制习惯。"

桑德尔又说："要想成为出色的管理人和托管人，我们必须控制我们自己，不能完全按我们现在的需要、想法和欲望支配地球和自然资源。我们必须养成新的消费习惯和态度。"

否则，不管我们研发出什么技术都会助长我们肆意挥霍的习惯，让肆意挥霍的中产阶级在这个炎热、平坦和拥挤的世界里迅速滋生。遵循环保道德是否意味着美国或世界经济停止发展了呢？是否意味着我们作为个体必须把生活水平降到最低，大大低于美国上流社会和中产阶级的平均消费水平呢？反资本主义、反消费主义、主张回归自然的环境人士会认为我们不仅应该这样做，而且还应该大力宣扬这种做法。这种想法或许没错，不该置之不理，不过我认为目前还言之过早，因为就连已经确知可行、也不必彻底改变现在的生活方式的一般做法，我们都还没试过呢。

　　告诉想要拥有并且买得起汽车的人，告诉他们不能拥有汽车，这将彻底改变我们的生活方式。但是，如果只是禁止重量或能耗超标的车，或重新将车速上限规定为 55 英里／小时，或强制出租车使用混合式发动机，这些措施并不会让我们每个人的生活彻底改变；告诉人们从今往后要限制用电，每人每个月只能用一定量的电，这很可能将使得我们的生活彻底改变，但是如果只是规定办公室下班之后不关灯是违法的，对我们来说不会对我们的生活带来翻天覆地的改变，可是当你午夜之后在美国的大城市驾车行驶的时候，就会发现成千上万的美国公司在下班之后都毫无觉察地让灯继续亮着；告诉人们不能再用 iPod 或笔记本电脑肯定会彻底改变人们的生活，但是如果要求所有的 iPod 和笔记本电脑都要用可回收材料制造，在我看来不会对我们的生活有太大的影响；告诉人们不能再住超过 5 000 平方英尺的房子，肯定会改变我们的生活，至少对发达国家的人们来说是这样，但是，如果要求想住在超过 5 000 平方英尺的大房子里面的人，必须保证其住宅能实现能源净和为零，即其通过太阳能、风能或地热能生产出来足够其消耗的清洁能源，在我看来，这一要求不会彻底改变我们的生活；要求每个人都必须骑自行车上班会彻底改变我们的生活，但是如果要求市政部门在从郊区到市中心的公路两边多设自行车道，在我看来不会让我们的生活完全变样，这样做反而会让人们变得更加健康；要是让美国的一些大城市都像伦敦和新加坡那样征收交通拥挤费，肯定对我们的生活会有很大的影响，但是如果与此同时大量增加对公共交通的投资，或许我们不仅不会从中受损，反而会受益。去年我开始经常乘坐华盛顿地区的地铁去上班，而不再自己开车上班。我到达办公室和以前一样早，甚至更早。我在坐车期间可以浏览完两份报纸，到了办公室也不会觉得过于紧张和疲劳。如果更多的国家更多地投资公共交通，而不是补贴石油，越来越多的人会愿意放弃驾车，改乘公共交通。

　　总而言之：如果认真思考我们该怎样生活而不是该怎样限制生活，那么当人们发现环保可以让我们的处境更好、可以给予我们更多的时候，我们同样也能节省上万桶石油和上万千瓦电能。正如我所说，这可能给我们的生活方式带来翻天覆地的变化，既可以拯救我们自己也可以拯救地球。我不会排除这种可能性。但是，我不知道我们是否要选择激变，我们甚至连最基本的尝试都未曾试过。

保护国际（Conservation International）成员普里克特（Glenn Prickett）说："环保不是消费的反义词，我们要消费，这样我们才能生活并促进经济发展。但是我们可以在进行更多消费的同时更多地保护自然资源。我们要划出需要保护的地区和资源，保持其自然状态和正常增长。"而且我们还要区分哪些做法是在浪费——出于习惯或无知，哪些做法没有必要——然后废除它们。普里克特说："如果我们足够精明、精打细算、大力保护我们以前置之不理的事物，我们就还有很大的空间保护环境和享受消费。"

关于能源-环境辩论的正反方往往误解了这一问题：许多环境保护主义者反对增长，他们的论调是这会把穷人推入穷困。许多批评环保主义的人们把环境保护看做是反资本主义意识形态的把戏。他们都没有清楚地认识到自然是多么重要——清洁的水、空气、健康的森林、海洋和物种的多样化，这些有利于我们日常生活和精神健康，对经济发展更是好处多多。但是，另一方面，大自然也很容易遭到破坏。

普里克特说："并不是所有土地和海洋都需要保护，而那些需要保护的都是支撑生命系统的关键部分，它们可以给濒危物种提供栖息地、保护水域、缓冲水流并保持河流中的泥沙和养分、为我们食用的鱼类提供繁衍生息地、阻止大气中二氧化碳增多、保护生物多样性以使大环境更能适应气候变化。除此以外，大自然还丰富了人们的精神生活，这是人类生活中最重要的部分。"

因此，我们需要一个清洁能源体系，能够同时最大限度实现三项目标——创新和生产最清洁、最廉价的电能；最有效地利用这些电能及其他自然资源；时刻保护自然生态系统并对公众灌输正确的物质观、精神观和审美观。

我们生产的电能越清洁，我们的增长就越高，排放物就越少；我们利用能源的效率越高，我们增长所需的清洁能源就越少；我们越是保护环境，我们所需要的清洁能源就越少，需要达到的能源利用率就越低，经济发展所需

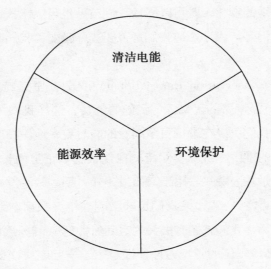

消耗的自然资源也就越少。

太平洋研究所（Pacific Institute）气候专家格雷克（Peter Gleick）说："有些人认为，长远看来无限的廉价能源是一场灾难。但是，从短期来看，我们现在的问题是没有足够的清洁能源。这更危险，因为这意味着我们无法应对气候变化的威胁。但是，从长远来看，我们的确得考虑廉价的后果。"

佛得角先生（Senhor Verde）

让我们设想一下：在清洁能源系统下，巴西理想的农场会是什么样子？试想佛得角先生拥有一个上千英亩的农场，流经农场的河中有大量的鱼虾，沿岸是大片自然森林，里面有丰富多样的动植物。他会这样经营他的农场：

他以使用智能拖拉机开始他的一天，就是迪尔（John Deere）设计的那种。拖拉机会在犁地的时候实时测量每平方米的水分和养分含量，并根据设定的收益率自动施加确切数量的化肥。这样，就不会有剩余化肥污染河流、危害水生生物和下游流域。低氮肥料也意味着氮氧化物这种温室气体的排量减少。由于这项技术，他把所有时间都用于耕种他产量最高的那部分土地，因此也就没有多少动力仅仅为了种植更多谷物而去热带雨林砍伐河边的树木了。事实上，他和他邻居与当地一个非政府组织一同划分农场，把最高产的土地用于耕种，留出其他区域种植原生植被。这样既可以保护河流，又可以让野生动物迁移到面积更大的自然栖息地。顺便说一下，这种智能拖拉机是插入式油电混合动力的，还有个靠生物燃料运行的备用电动机，所用生物燃料都来自产于于巴西贫瘠土地上的柳枝稷，国家专门预留出这种土地以避免亚马孙河流域因为生物燃料的需求而受到侵蚀。土地上每平方米施加的化肥量和最终收益数据都会出现在电脑上，从而他可以明智地做出下一年的计划，甚至在减少投入的情况下增加收益。自动喷水灭火系统也是一个智能系统，它可以为灌溉每平方米土地提供精确的用水量。经过生物工程改造的作物所需要的化肥、水和杀虫剂都是最少的，它们比未经过生物工程改造的作物更强壮、产量也更高。也有人想把它们改造得更有营养，这样就可以让人们食用更少食物的同时却拥有更健康的体魄。

此外，因为使用的肥料数量较小也较为清洁，因此对当地河流的影响很小，所以他只需投入很少的能源和化学品就可以把水资源回收再利用。此外，他保护河岸旁的树木生长而不是在那里耕作，就保护了他最宝贵的资产——生长作物的耕地——免于水土流失。树根和湿地成为他的天然滤水器，使河道不会被泥沙淤积，也有效防止了下游湿地退化。河流健康地流淌，他可以在河边钓鱼或在河里游泳，也可以让别人每年夏天来钓鱼，并以此赚取外快收入。在与热带森林接壤的土地上，他修建了一个小型生态旅店，全部电力都来自一个 1 000 千瓦风力涡轮机，每年吸引着成千上万的生态旅游者。

政府允许佛得角先生修建生态旅店的前提是要保护旅店周围的热带雨林，并为附近的国家公园提供保护基金。为公园筹集资金对他来说意义重大，因为这样可以保护授粉蜜蜂和一些捕食害虫的昆虫的栖息地，并省下购买昂贵化学杀虫剂的钱。而且原始森林也保护了集水区，使他的农场有了稳定的水源（这在由于气候变化越来越干燥的环境里愈发重要），森林还是野生动物的栖息地，吸引了很多给他带来外快的生态旅游人士。结果就是，现在的生态系统比以前更加健康、更赏心悦目、生产力更高。各个部分都相得益彰，因此促进了农业增长、保护了生物多样性、产生了更清洁的能源，而且更少、更清洁、更智能的投入也带来了收入的增加。这就是我们的理想，我们必须努力争取。

过　渡

那么，我们如何实现这个目标呢？我们怎样从现在的污染燃料体系过渡到一个清洁、高效、环保的能源体系呢？我们需要进行战略性的思考，想想如何建设这个体系的每一部分。我们必须开始实施一项全局性的规划，而不是在没有任何战略蓝图的情况下就一次次地实施一次性项目，就像美国对玉米乙醇的生产进行大量补贴一样；或者，就像埃及贸易与产业部部长拉希德（Rachid M. Rachid）先生所说："你们在做什么？埃及家庭食物平均支出大约占家庭总收入的60％。我们是世界上最大的小麦进口国——每年达到600万吨！"而为了生产乙醇，很多美国农民都在种植玉米而不种小麦，因此小麦的价格已经从2006年底的180美元/吨涨到了2007年底的390美元/吨。拉希德说："这是一场灾难，它还没有结束，最主要的原因就是美国对生物燃料进行补贴。我告诉你，贫穷的埃及人憎恨生物燃料。他们虽然对它了解得不多，但却很讨厌它。"

玉米乙醇只能提供少量的能源，却要排放大量的二氧化碳，这样荒唐的事情，不禁让我想起已故的经济学家鲍尔丁（Ken Boulding）对"次优理论"的解释：尽最大的努力，做好了根本不应该做的事情。

那么，更系统的解决途径是什么呢？Google就是一个范例。2007年11月，这个巨型网络搜索引擎公司宣布它不再只提供"强力搜索（Power searching）"，它自己也要搜索能源（searching for power）——非化石燃料的清洁能源。Google说："是的，我们将要进入能源变革和更新的经济时代，我们的目标是生产大量可再生的清洁能源，使其满足整个旧金山的需要，我们要尽快实现这一目标。"这是一次大胆的尝试。我们应该赞扬Google，这个公司用自己的资本和智慧来支持这样的倡议。

　　我对 Google 的做法有一个小小的疑问：Google 把它革命性的目标抽象为一个简单的公式"RE＜C——可再生能源比煤炭便宜"，好让这种清洁能源在中国、印度和其他发展中国家大量生产。

　　确实，可再生能源必须比煤炭便宜，但是，我认为这还不够。我们依然需要不断创新以提高能源和资源的生产力，我们也需要环保道德——没有环保道德的保证，那个 RE＜C 公式就会把很多生物多样性扫地出门。但 Google 的核心观点是对的，我们需要表明立场，有重点地实现我们的目标。我想提出一个更长期的想法，事实上，我的想法可能包含了你的全部想法。

　　我想厚着脸皮说，我们所需要的是 REEFIGDCPEERPC ＜ TTCOBCOG ——在可再生能源生态系统下进行创新、生产和部署清洁能源，提高能源效率和资源生产力，保护环境＜燃烧煤炭、石油和天然气的实际成本。也就是说，我们需要比化石燃料更便宜的清洁能源，这些燃料引发了气候变化、环境污染、能源战争，而这些都是我们这个社会的实际成本。

　　在我看来，绿色行动意味着建立一个体系，在这个体系下制定国家政策、调控计划，安排研发基金和提供税收优惠，使之鼓励创新、生产和部署清洁能源、提高能源效率和资源生产力以及宣扬环保道德。我们得采取系统性的方法，从而得到系统性效果。这就是我们的战略。

　　这里没有捷径。我们必须以清洁能源体系替代污染能源体系。在政治经济领域，我们把一个体系替代另外一个体系的过程称为"革命"。

　　有人说，这正是我们现在正在做的，我们已经在经历着一次绿色革命。

　　请原谅，我并不相信这种乐观的判断。

第三部分

我们如何继续前行

第九章

拯救地球的 205 个简单方法

"上帝啊，他们来了——绿色行动！"

　　——鸡尾酒会上，当另外一对夫妇走向他们时，一个丈夫对妻子
　　　　如是说。这是刊登在 2007 年 8 月 20 日出版的《纽约客》
　　　　(*The New Yorker*) 上的一幅漫画。

最近的一项研究表明，打高尔夫球的美国人 1 年大约平均要走 900 英里的路程。而另外一项研究表明，他们在 1 年中平均要喝掉 22 加仑的酒。也就是说，平均每加仑酒相当于 41 英里路程。

看来是颇值得骄傲的。

　　　　　　　　　　　　　　　　　　　　　　　　　　　——来自互联网

你 说什么？我们并没有开始绿色革命？但是我刚刚在医生的办公室发现了一本《职业母亲》(*Working Mother*)，封面故事是："拯救地球的 205 个简单方法"（2007 年 11 月号）。这激起了我的兴趣，于是立刻用 Google 搜索有关这方面的书和杂志——伙计，看看我都找到了什么："帮助地球的 20 个简单方法"、"保护我们星球的轻松方法"、"保护地球的简单方法"、"保护地球的 10 个方法"、" 20 个保护地球的简单快速方法"、"保护地球的 5 个方法"、"让家庭变得环保——10 个最简单的方法"、"保护地球的 365 个方法"、"保护地球——你可以做到的 100 个方面"、"保护地球的 1 001 个方法"、"101 个方法拯救地球"、"10 个并不痛苦的方法——拯救我们的星球"、"21 个方法，让你在拯救地球的同时赚到更多钱"、"14 个简单方法让你每天都是环保主义者"、"环保的轻松方法"、"拯

救我们星球的 40 个简单方法"、"10 个拯救地球的简单方法"、"一起来保护地球：实现改变的轻松方法"、"拯救地球的 50 个方法""50 个简单方法：拯救地球、轻松致富"、"十大方法让你的性生活更加环保（天然避孕套、太阳能振荡器——我从未尝试过）"、"拯救地球的创新方法"、"拯救地球，设计师们可以做的 101 件事情"、"拯救地球的 5 个新奇方法"、"保护地球的 5 个方法"，而对那些以救世主自居、却又没钱没时间的人来说，看看这个："1 分钟内拯救地球（并省钱）的 10 个方法"。

谁能想到保护地球能够变得如此简单，而且 1 分钟就办得到！

这种潮流有好的一面。更加环保的生活和工作方式越来越流行，比如使用更清洁的电力能源、提高资源利用率，以及倡导环保的道德意识。对那些生活在东西海岸或科罗拉多州或佛蒙特州边远地区的人而言，它不再仅仅是一个在精英圈里讨论的问题了。

如今，如果一名从事科技产业的人士从未应邀出席过某个绿色科技会议，要么他已经过世，要么就是因为所有人都弄丢了他的 Email 地址。而如果有人还认为绿色只是一种平常颜色，那他就太过时了。根据美国专利商标局（U. S. Patent and Trademark Office）的统计，"绿色"是 2007 年注册量最大的一种商标。新闻编辑室里，环境栏目的记者过去坐在离主编最远的角落里，忽然间却变得很酷。高校增加了环境保护的课程，同时与越来越多的公司一样，在积极减少碳排放（carbon footprints）。没有任何候选人在竞选时忘记这三部曲：我会支持清洁能源！我会将美国从对石油的依赖中解救出来！我会向环境变化宣战！

这一议题的政治影响是如此之快，即使是那些始终牵动着世界神经的基地组织（al-Qaeda）的支持者们，也开始了他们的绿色事业。2007 年 9 月的《新闻周刊》（*Newsweek*）曾报道："2007 年 7 月，某伊斯兰极端组织以地球之友的名义，公开怂恿将印度尼西亚变成一个完全信奉伊斯兰教的国家。它的领导人曾公开宣布支持本·拉登，并在印度尼西亚集会抗议美国的矿业公司和布什政府……（真正的）地球之友组织谴责他们擅自使用其标志的行为，并否认与其有任何联系。伊斯兰极端组织会不断利用社会行动的外衣掩盖其真实的目的，对此我们不应感到惊讶。"

不仅仅是穆斯林，犹太人也参与其中。2007 年 12 月 5 日，合众国际社（United Press International，简称 UPI）报道："以色列一个环境保护组织在网上倡议全球犹太人在光明节至少少点 1 支蜡烛……绿色光明节的发起人说，每根蜡烛燃尽会产生 15 克二氧化碳，全球每个犹太家庭燃烧的蜡烛加起来，将产生超额的碳排放。该运动号召全球犹太人省下最后 1 支蜡烛以保护地球，而我们则不需要创造另外一个奇迹了。该运动的发起人之一奥塔（Liad Ortar）是这样向《耶路撒冷邮报》（*The Jerusalem Post*）解释的。"（我看到有篇博客回复道：为什么不干脆号召全世界的人戒烟呢？）

我读到、听到许多人在说："我们正在进行绿色革命。"的确，是有很多绿色的声音在议论纷纷。但是每当我听到"我们正在进行绿色革命"的说法时，我总忍不住回敬："真的吗？真的吗？你曾见过没有任何人受伤的革命吗？这就是我们所谓的绿色革命！"现在的绿色革命，每一个人都是赢家，没有人需要放弃什么，最经常的用来形容"绿色革命"的词就是"轻松（easy）"。这不是一场革命，而是一场派对！我们事实上就是在举行一场绿色派对。还有，我不得不说，在美国，这更像是一场化装舞会，到处都是"看上去很绿"——每个人都是赢家。没有一个输家。美国的农民是赢家。他们是绿色的。他们种植乙醇，并因此得到了大笔的政府补贴，尽管这对二氧化碳减排政策没有任何实际意义。埃克森美孚（Exxon Mobil）说他们正在变绿，通用汽车（General Motors）也不例外。通用汽车给他们生产的混合燃料汽车加上黄色的天然气标签，说明它们可以由汽油和乙醇混合来提供动力。多年来，通用汽车不厌其烦地强调他们的汽车是混合型动力驱动，并以此作为卖点。但通用汽车生产这些混合动力汽车的唯一原因是，只有这样，美国政府才会允许他们在国会制定的燃油节能标准（CAFE）之下，生产更多更耗油的悍马和皮卡车——怎么会适得其反呢？

煤炭公司也在变绿：它们把名字改为"能源公司"，同时强调他们怎样限制二氧化碳的排放（其实他们从没这样做过），最终提供给我们的是"清洁的煤"。我相信切尼❶是绿色的。他在怀俄明州有套房子，并且在那儿打猎，还有他还支持煤制油❷。

我们都是绿色的。"是的，这是正确的！女士们先生们，在美国的这场绿色革命中，每个人都尽情地享受，每个人都是赢家，没有人受到伤害，也没有人需要做什么困难的事情。"

就像我说的那样，这根本就不是什么革命，而是一场派对。

谢天谢地，很多人都超脱出了这场派对。一直追踪环境问题的 Greenasathistle 网站上，有一位博客不无讽刺地写道：

> 增强对全球变暖问题以及环境友好型产品的意识、人们身体力行的环保行为，毫无疑问，这一切都很好。但是，架子上的每本杂志都在谈论环保问题，这有必要吗？我开始相信公众对于气候变化的关注已经过度，特别是当它已经成为一种时尚的时候。我是说真的，如果我再读到生态时尚（eco-chic）之类的字眼，我会用自己那支可以生物降解的钢笔戳我的眼睛。我只是担心，一旦这些杂志认为环境问题不再符合他们的口味，会毫不犹豫地抛弃它，就像对待一切过时的事物一样。下个月他们也许就会丢弃掉曾经热衷的循环利用，转而大肆宣扬消耗天然气，大标题就是"乱丢垃圾是最新流行的黑色！"

为了让人们"意识"到能源气候问题、做出一些象征性的姿态号召大家给予重视，在这上面花费的时间、精力以及口舌，与设计一个系统性的解决方案所付出的时间、精力与努力，是完全无法相比的。我们有太多的地球生命音乐会、号召"绿色假日"的圣诞节采购清单，却只有很少的人努力游说国会对绿色能源转型立法。如果把花在"地球生命"上的财力和精力，用于

---

❶ 切尼（Dick Cheney）是当时的美国副总统。
❷ 煤制油（Liquefied Coal）是将煤转化加工成汽油、柴油等液态燃料的煤液化技术。

游说美国国会通过更加长期而优惠的可再生能源项目，并给予投资生产可再生能源的企业以税收上的减免，这样所带来的影响，恐怕要深远得多。但是，落到实处比嘴上说说要难得多。我住在马里兰州的蒙哥马利（Montgomery），这里到处都是宣扬环保、热心循环利用的环保主义人士。但当我想在侧面的院子里安装两个太阳能电池板时，却被告知这是违法的。因为看上去不美观。当地的法律只允许在后院安装太阳能电池板。但是我们的后院没有足够的阳光。最后，太阳能公司不得不聘请了一位律师要求改变法律才最终成功，而这耗费了我们近 1 年的时间。

五角大楼的战略家喜欢说："没有根据的设想是一种幻想。"现在，我们正在进行一种绿色的幻想，而不是一场绿色的革命。我们正在给自己和后代编织一种没有根据的绿色幻想——缺乏建立在合理的设计和必要的市场支撑之上的系统的解决方案。而高效率的标准、严格的监管和环保的道德意识，才有可能把幻想变为现实。我们想要得到满意的结果，却不重视实现它的过程。

没错，如果以过去的 5 年为期限，以我们介入其中的程度而言，我们的确进行了一场绿色革命。但如果以未来的 10 年为期限，我们只不过正在举办一场绿色派对。在这一点上，没有人比阿勒尼学院（Allegheny College）的政治和环境科学教授曼尼耶特（Michael Maniates）说得更好了。他在 2007 年 11 月 22 日的《华盛顿邮报》（*Washington Post*）上这样写道："从未在如此关键的时刻，对如此重大的问题要求得如此之少。"

畅销书一本接一本地告诉我们"必须要求自己和其他人做什么"，曼尼耶特解释道：

> 它们甚至建议我们避免大量流汗，这从标题里就能看出来："环保很容易"、"懒人环保法"，甚至有"绿色书：拯救地球，每天只需简单一小步"。
>
> 尽管每本书都提供了相似的建议（"多次使用便签条"、"减少淋浴时间"），但是其中的暗含之意却引人深思。书的字里行间充斥

着三个论断：①作为消费者，我们应该寻找简单、经济的方式，因为这是我们的能力所能达到并可以掌控的。②当每个人都这样做时，个人的力量集合起来，足以拯救地球。③以人类的本性而言，我们其实没有任何兴趣做那些不是私人的、不经济的，特别是不轻松的事情。对于简单的崇拜，并不仅仅局限于最新的自助环保手册。美国若干个大型环保组织、环境保护局，甚至连美国科技促进会（American Association for the Advancement of Science）的网站上，都在显著位置列出了相似的活动，告诉我们，只要通过一些经济的、简单的，甚至恰恰是时髦的消费选择，我们就能拯救地球。

当然，我们并不能单以消费方式来解决这一难题，也并不存在"简单"这样一个按钮，只要我们按下，世界就会成为绿色。曼尼耶特继续写道：

> 真正的事实是：如果综合我们所推崇的那些轻松、经济且有生态效率的方式后，我们会发现，最好的结果不过是在减慢环境损害的速度……痴迷于循环利用和安装一些特殊的灯泡，并不能从根本上解决问题。我们需要着眼于能源、运输和农业系统的根本性转变，而不是执著于科技的细枝末节。但由此带来的转变和成本，却是全球目前和潜在的领导者所不愿面对的。这实在很遗憾，因为美国人民在面对困难时，是完全能够尽最大努力团结起来（有时是前赴后继）共同应对的……的确，我们需要做一些轻松的事情，这会减缓对环境的伤害，也会潜移默化地影响我们的下一代。但是我们不能允许领导者低估我们。止步于"轻松"就意味着，我们最终就是在浩浩荡荡的无组织的个人行为中接受一种对罪恶的消极应付政策。

问题是，一旦我们撇开那些振奋人心的"环保的轻松方法"，围绕这一议题的任何容易达成的行动共识都会被打破。事实是，尽管我们讨论着如何变绿，"整个社会并没有在什么是变得更加'绿色'的问题上达成真正的共识"。太平洋学会（Pacific Institute）气候问题专家格雷克（Peter Gleick）如此评论道。每个人都可以宣称自己是绿色的，却没有任何统一的标准。

我希望能够在本书的剩余部分说明系统的绿色战略应该是怎样的。但在那之前，我们先稍稍停下来，看一下体重问题。

当你觉得自己胖了时，你便不会再去量体重——至少我是如此——因为你不想知道自己需要减掉多少磅。绿色问题也是如此。人们倾向于完全抽象地讨论它，根本不去联系实际：我们需要减少多少二氧化碳的排放？如何才能更有效率地利用资源和能源？因此，在采取其他措施之前，我们需要考虑一下实际问题，认真看看这些数据，而不是一扫而过，了解这是一项多么巨大的工程。

首先，记得我们正在尝试干什么：我们试着改变气候系统——为了避免难以控制的和管理难以避免的事情！我们试图影响降水量、风力强度、冰雪融化，除此之外，我们还试图保护和回复几近枯竭的生态系统——森林、河流、草原、海洋和各种各样生存于其中的动植物。最后，我们试图减少人类社会对汽油的依赖，它不仅深刻地影响了气候环境，也带来了地缘政治问题。没有什么比这些更重要的了。完成这项任务与从事某种兴趣爱好不同，永远都不能用"轻松"之类的词来形容。

事实是：不仅没有 205 个轻松方法可以实现真正变绿，甚至连一个都没有！如果我们能够完成这项任务，这将是人类在和平时期取得的最大成就。不过，全球鲜有政治家敢于如实地承认这项任务是一个多么大的挑战。

结果，这项任务最终落在了石油、天然气和煤炭公司的管理层上。他们很乐于告诉我们环境问题有多么严峻，并且还窃窃自喜。因为他们想让我们相信，真正的绿色革命是根本无法实现的，这样我们就毫无选择，只能继续依赖石油、天然气和煤炭。他们想打破我们任何试图抵抗的想法。他们的隐含信息是："现在就向你内心的耗油魔鬼投降吧；要想让世界有所改变，我们需要付出的代价实在太大了。投降吧，投降吧，现在就投降吧……"

对于他们的分析，我下意识地产生了警觉。但我也对那些真的决意投身可再生能源领域、并真心寻找生意的公司充满期待。例如，雪佛龙（Chevron），全球最大的私人电力企业，就是通过清洁的地热资源（由地心的火山物质所产生的蒸汽、热量和热水，为涡轮发电机提供动力和生产电力）来生产电力的。以下是它的首席执行官奥赖利（David O'Reilly）关于如何认识在范围和规模上，清洁能源所带来的挑战的看法：

"在能源认知方面，我们存在着问题，"奥赖利认为，"如果把全世界每天消耗的能源换算成等价的石油，相当于我们每小时消耗 1 000 万桶石油——就是每小时 4.2 亿加仑。想象一下，这就是把所有的水资源、煤矿、石油、再生资源以及其他资源加在一起，我们消耗能源的总量。要想真的有所改变，有三个方面的问题：需求的规模、生产替代品所需的投资规模以及生产替代品所需要的时间。许多替代产品还仅仅处在萌芽期。"

"现在先来看看日益增加的能源需求。我曾听人说过'黄金 10 亿（the golden billion）'——即这个星球上已经过上有质量的生活的 10 亿人群，也就是美国人已经达到的生活标准。但还有正在朝着这个方向努力的 20 亿人口，以及另外 30 亿仍生活在贫困之中的人口。正在成长的那 20 亿人口，想达到我们现在的水平，而另外 30 亿人口也想有所提高——为了世界的繁荣，我们当然希望他们能够迈上发展的阶梯。最后，还有 30 亿目前还未出生（预计将在 2050 年达到）的人口。现在的能源供给，只是集中在满足黄金 10 亿和发展中的 20 亿人口上，没有关注那贫困的 30 亿人口，更不要说还没有出生的另外 30 亿人口了。因此现在每小时 1 000 万桶的消耗量（这正是我们消耗的）不会静止不动的，"奥赖利说，"还会继续上涨，因为在能源消耗和优越的生活条件之间，存在着不可割舍的联系。"

奥赖利说，现在再看看创造能源生产和使用的新方式方面所遇到的挑战吧。"人们高估了新方式所带来的效果，"他解释说，"让我们谈谈效率问题：如果关闭了整个运输系统——我是说所有的轿车、卡车、火车和飞机，以及任何天上飞的、地上跑的交通工具，那么全球范围内的二氧化碳排放量会减少 14%。如果停止所有的工业、商业以及居民（切断每个家庭的能源消耗）活动，二氧化碳排放量会减少 68%……可以这么说，节能是有所帮助的，但是先别忙于做什么虚伪的承诺，因为我们仍然需要天然气和石油，需要煤炭，也需要能源效率的进一步提高。"

即使没有这些问题，根据奥赖利的观点，如果没有突破性的进展，替代品实现大规模生产仍需要数十年的时间。"我希望我的后辈们能够生活在一个能源、环境和经济相互平衡的世界里。但这肯定不可能在一夜之间就实现，"他强调，"今天我们所使用的系统，是投资超过百年的产物，下一个系统将会需要另一个百年的投资。（因此）要当心那些我们在华盛顿或其他地方听来的轻飘飘的承诺。我的预测是，与现在相比，十几年后全球温室气体的排放量会更高，但是当我的孙子孙女们到我这个年纪的时候，也就是他们 60 岁时，温室气体的排放量可能会显著降低。我们需要领导人能够站出来说，这是一个艰难、巨大的问题，需要大规模投资。"

我问奥赖利，那么我反复听到的，于 2007 年投资于绿色的 50 亿风险资本是怎么回事呢？他嘲笑地说，这甚至不够买下一个先进的新式炼油厂。"如果真的想改变我们的行为方式，你需要在前面加一个'万'字——50 万亿。否则我们还会继续走在现在的道路上。"

让我们假设你是个乐观主义者。你相信现有的可再生能源技术和提高能源效率的计划，已经先进到足以对环境变化和能源价格产生根本性的影响。那么，我们从现在开始究竟应该如何去做，才能让新能源技术和节能计划产生根本性影响呢？

普林斯顿大学的工程学教授索科洛（Robert Socolow）和生态学教授派克拉（Stephen Pacala）共同给出了这个问题的答案。此前，他们一起领导着一个名为碳减排协议（Carbon Mitigation Initiative）的社团，专为气候问题设计可扩展的解决方案。索科洛和派克拉最初的观点刊登在 2004 年 8 月的《科学》（Science）杂志上，他们认为在二氧化碳的总量没有达到近代地质史上闻所未闻的水平之前，人类只能排放固定数量的二氧化碳，否则地球的气候系统会陷入混乱。政府间的气候变化会议上，他们认为真正的危险是当大气中二氧化碳的浓度超过工业革命前的 1 倍之时，那时的含量是 280×10^{-6}。

"气候变化问题就像是潘多拉的魔盒，盒子里面是各种各样的妖魔鬼怪——下面可以有一长串的名单，"派克拉说，"我们所有的科学研究都表明，如果二氧化碳的含量翻了一倍，最危险的撒旦就会出现。"

因此，作为每个人都能理解的一个简单的目标，就是我们应该防止二氧化碳含量翻倍。问题在于：如果我们基本上不采取任何措施，全球二氧化碳排放量继续以目前的水平增长，我们很快会越过临界点——大约在 21 世纪中叶，大气中二氧化碳含量将达到 560×10^{-6}，而 2075 年左右，这一数字很可能会达到工业革命前的 3 倍，派克拉说。你无法想象生存在一个二氧化碳浓度为 560×10^{-6} 的世界里，更何况是 800×10^{-6}。为了避免它的发生，也为了给发达国家的生长留有余地，少用些碳，同时给中国、印度这样的发展中国家留下发展的空间，这些国家在脱离贫穷，并且变得更有能源效率之前，至少还要再排放 2 倍甚至 3 倍于现在的碳，所有这些工作都需要规模巨大的全球能源产业计划才行。

为了表示这项计划所涵盖的范围，索科洛和派克拉制作了一个饼状图，把它分为 15 个部分。有些部分是代表无碳或者低碳的发电技术；另外一些是代表能节约大量能源和防止二氧化碳排放的有效体系。索科洛和派克拉认为，为了生产充足的清洁能源，并为世界经济发展储备和提高能源效率，避免到 21 世纪中叶时大气中二氧化碳含量翻倍，从现在开始，全世界必须立刻大范围地部署其中的 8 个方案，或者是全部的 15 个方案。

如果能够在 50 年内逐步实施所有的方案，可以减少使用 250 亿吨的碳。截止到 2050 年，能够减少总计 2 000 亿吨的碳排放量。派克拉和索科洛相信，这一数量能让我们免于二氧化碳翻倍的厄运。某项技术若想成为 15 个方案中的一部分，必须是现在就已经存在并能够进行大规模应用的，同时该技术减少的碳排放量是可以度量的。

如今，我们有了具体的目标：避免到 21 世纪中期的时候，大气中的二氧化碳含量翻倍。为了实现这个目标，从现在开始，我们需要减少 2 000 亿吨的碳排放量。让我们来看一下这些方案，选择你认为最"轻松"的 8 个：

● 提高 20 亿辆机动车的燃油效率，从 30 英里每加仑提高到 60 英里每加仑。

● 若燃油效率仍为 30 英里每加仑，那 20 亿辆机动车每年只行驶 5 000 英里，而不是 10 000 英里。

● 将 1 600 家大型火力发电厂的效率提高 40%～60%。

● 将 1 400 家大型火力发电厂转型为天然气企业。

● 为 800 家大型火力发电厂安装碳收集和碳封存（carbon capture and sequestration）装置，这样二氧化碳就可以在地下进行分离和储藏。

● 在新的燃煤工厂安装碳收集和碳封存装置，这样就可以为 15 亿辆氢动力的交通工具提供氢气。

● 在 180 家煤气厂安装碳收集和碳封存装置。

● 在目前全球核电能力的基础上新增 1 倍核能设施，取代以煤炭为基础的电力。

● 增加 40 倍的风力发电场，以代替火力发电。

● 增加 700 倍的太阳能发电场，以代替火力发电。

● 增加 80 倍的风力发电场，为清洁汽车提供氢能。

● 推出 20 亿辆由乙醇驱动的汽车，将全世界 1/6 的耕地用来种植所需要的乙醇。

● 停止所有的砍伐、焚烧森林的活动。

● 保护耕地，因为在全世界的农业用地中，耕地排放的二氧化碳量要少得多。

● 家庭、办公室和商店的用电量减少 25%，同时减少同样数量的二氧化碳排放量。

如果整个世界能够仅就其中的一项达成一致，便是个奇迹。而如果能有 8 项方案达成一致，那就是奇迹中的奇迹，但这确实是达成最终目标所需要的。派克拉认为："通过清洁能源技术和封存技术相结合，在未来的 50 年里，在保证经济增长的同时，我们能够减少 2 000 亿吨的二氧化碳排放。如果现在就采取行动，完成这一目标是完全有可能的。但我们每推迟 1 年，这项任务的难度就增加一层。因为每推迟 1 年，下一年就要完成得更多——如果我们推迟了 10 年、20 年，避免二氧化碳含量翻倍（甚至更多）的目标，就会成为天方夜谭。"

加州理工学院化学和工程学专家刘易斯（Nate Lewis）采用了一个和索科洛、派克拉有些不同的计算方式，但是就描述我们所面临的挑战来说，他的方法也是非常有用的。刘易斯是这样推算的：2000 年，世界平均的能源使用消耗量约为 13 万亿瓦（13 太瓦）。这就意味着，在当年任何给定的时刻，全球平均消耗 13 万亿瓦能源。这是"世界电表"的数据。即使采取积极的节能措施，这个数字在 2050 年仍将翻倍，达到将近 26 万亿瓦。如果我们想避免大气中的二氧化碳含量翻倍，允许我们自身的发展以及像中国、印度这样的发展中国家同时实现增长，以今天的水平计算并立刻开始行动，2050 年我们大约需要减少 80% 的二氧化碳排放量。

也就是说，2050 年，我们只能使用 2.6 万亿瓦以碳为来源的能源。但大家都知道，那时候总需求会翻 1 倍，大约为 26 太瓦。"这意味着，大致来讲，"刘易斯说，"从现在起到 2050 年，我们需要利用节能的方法保存和目前消耗量差不多的能源，与此同时，还需要通过发展无碳排放的新型技术，生产出和目前消耗量相当的清洁能源。"

现在，核电站平均 1 天生产约 10 亿瓦电能。因此，如果从现在起至 2050 年，我们需要的所有清洁能源（大约是 13 太瓦）都由核能来提供的话，则大概需要新建 13 000 座核电站，也就是说，从现在开始，在随后的 36 年里，每天都要建 1 个核反应堆。

"这项挑战需要投入我们所有的人力资本和财力资本，"刘易斯说，"有人说这样的一个项目会损害我们的经济发展，是我们负担不起的。而我想说的是，这是一个我们输不起的项目。"

请不要搞错：我们现在正在走向失败。刘易斯说，"一切并没有好转。

事实上，反而在恶化。从 1990～1999 年，全球二氧化碳排放以每年 1.1％的速度递增。随后，所有人都在谈论《京都议定书》，因此我们仿佛又扣上了安全带，变得严肃了起来。展示一下随后我们都做了些什么：在 2000～2006 年，我们让全球二氧化碳排放量的增速增加了 2 倍，平均每年递增 3％！看看我们的本事吧！嘿，看我们一旦认真起来都干了些什么——我们比原来更快地排放越来越多的二氧化碳。"

这就是当气候、能源和技术遭遇到政治时出现的困境。我们是否拥有政治能量——是否有人拥有政治能量——来开展和部署上述规模的工业化项目？

当然，如果只是在口头上讲讲，绿色运动的纲领和共和党与民主党广泛宣扬的政治原则都不抵触。但是一场雷厉风行、全面铺开的绿色革命，会和这两个党派在经济、地区、企业方面的核心既得利益发生冲突——从艾奥瓦州的农民到西弗吉尼亚州的煤矿主。因此，如果民主党和共和党之间就这一议题没有真正的冲突，美国就没有真正的绿色革命。

"当每个人——无论民主党人还是共和党人、企业还是消费者——都声称赞同你的考虑，你就应该怀疑自己是不是没有正确地界定这个问题，或者没有把它作为一个真正的政治问题，"哈佛大学的哲学教授桑德尔（Michael J. Sandel）说，"严肃的社会、经济和政治变革，是充满争议的，是会激起争论和反对意见的。除非你认为这是个纯粹的技术问题，否则应对能源挑战需要坚定的政治意愿和承担必要的牺牲。真正的政治无法离开对立双方的利益冲突。政治意味着艰难的选择，而不是感觉良好地做出一些姿态。只有当一场真正的辩论爆发时，我们的绿色议程才真正具有政治意义。"

如果应对某项艰巨挑战的政治可行性微乎其微，就不能称之为革命。威廉和弗洛拉休利特基金会（William and Flora Hewlett Foundation）的气候专家哈维（Hal Harvey）说：能源气候年代（Energy-Climate Era）所带来的挑战"在目前的政治参与水平上根本无法解决，你不能从制造问题的角度来考虑如何解决这个问题"。

　　环境顾问沃森（Rob Watson）对我说，如果有一天世界真的开始应对环境问题的挑战，会让他想起自己在童子军（Boy Scouts）时的一段经历。"我太高估自己了，有些事情我以为我能做到，但在现实生活中我却无法做到，"他解释道，"有一次，我们童子军要进行 50 英里的远足。为了这次远足，我们需要认真开展一些远足训练，于是我开始自我训练。我想我每次可以完成 9～12 英里的训练，但事实上我只走了三四英里。而当我真的跟着队伍来到野外时，我因中暑倒下了，因为我从没真的走过那么远。我令自己和队伍里的每个人都陷入危险之中。我理解人们有时候需要自我感觉良好，但是如果我们不清楚自己的真实情况，就无法根据自己的条件在野外生存。"

　　他补充道，人们似乎没有意识到，我们并不是坐在泰坦尼克号上避开冰山一角，事实上我们已经撞上了冰山。脚下水流湍急，而一些人仍不愿离开舞池，另一些人则不愿离开自助餐台。但是这些艰难的选择，如果我们不做的话，大自然会替我们做。目前，仅仅是科学界的专家们认识到了这个问题的艰巨性和紧迫性，但很快每个人都会目睹。

　　别误解了我的意思：我希望更多的年轻人参与其中。正如 Greenasa-thistle.com 网站的一位博主所言："在环境问题上，伪善的人总好过冷漠的人。"只要你知道自己在干什么，只要你朝着正确的方向不断努力，你就绝不会过早地宣布胜利。过早地将旗帜插上并宣布胜利，才会让我们陷入最大的危机。而这恰恰是我们最近正在做的：绿色的标语，绿色的活动，绿色的音乐会。

　　能源企业家海德瑞（Jack Hidary）形容说："这就好像我们在攀登珠穆朗玛峰，我们刚刚到达 6 号营地——这个山峰的最低处，却开始四下张望，放下登山设备，拍拍向导的肩膀，并开启庆祝的白兰地。但与此同时，珠穆朗玛峰所有的 29 000 级台阶，仍然摆在我们面前。"

　　在珠穆朗玛峰的峰顶向下眺望，会是什么样的景色？那应该是真正翻天覆地的清洁能源革命的情形吧？请看下一页。

第十章

能源互联网：IT 与 ET 相会❶

　　"革命不是请客吃饭，不是做文章，不是绘画绣花，不能那样雅致，那样从容不迫，文质彬彬，那样温良恭俭让。"

——毛泽东

站在珠穆朗玛峰顶向下眺望，你会看到一幅你从未见过的画卷。事实上，走进这一画卷也是一种你从未感受过的经历。在这幅画卷里，你家中的所有的电力系统和信息系统会进行交流，而且它们还融合成为一个大的、无缝的平台，能够进行清洁能源的存储和生产，甚至进行交易。就像信息技术革命（IT）和能源技术革命（ET）已经融合成为一个系统。就像你居住在一个"能源互联网（The Energy Internet）"中一样。

　　我知道这个听起来就像科幻小说一般，但是其实并不是。许多的技术将组成"能源互联网"——这个词语来自《经济学家》杂志中提到"智能电网

---

　　❶　这里的 IT 和 ET 是指信息技术革命（information technology revolution，IT）和能源技术革命（energy technology revolution，ET）。

(smart grid)"❶ 的时候——这是已经存在而且正在实验室中进一步完善的一种技术。现在我们所需要的是一套完整的政府政策——法律与标准，税收与优惠，激励与任务，下限与上限——利用各种政策来引导和刺激这个市场进行进一步的创新，将这些新的理念尽快地商业化，将这种革命尽快引入我们的生活。

从本章起共四章，我将描述一个清洁而有效率，并且节能的能源系统，以及我们如何将它变成现实。这一章将描述我和你，还有左邻右舍在"能源互联网"下的生活。在这种情况下，我们将如何 24 小时不间断地节约能源和高效地利用清洁能源——无论你是否意识到了这一点。随后的两章我们将讨论什么样的政府政策才能引导和刺激投资者将资本投向这样一个"能源互联网"，使得我们有充足的、清洁的、可靠的和便宜的能源保证。最后的一章将讲述我们如何建立政策来保护我们的环境——所有维持我们生活的植物、动物、鱼、海洋、河流和森林。

总的来说，这些章节将讲述为什么 REEFIGDCPEERPC＜TTCOBCOG，就是为什么在一个可再生能源生态系统下进行创新、生产和部署清洁能源，提高能源效率和资源生产力，以及保护环境的成本，会低于一个燃烧煤炭、石油和天然气的系统（即我们现在的系统）的实际成本。

虽然形成这个系统的许多原材料都已经以某种方式存在，但是形成这个系统并不容易——革命都是不容易的。但是，这个系统确实不是科幻小说的内容。所以，请睁大您的眼睛，放开您的心灵，记住已故的伟大科幻小说家克拉克（Arthur Charles Clarke）所说的："任何非常先进的技术，几乎与魔法没有区别。"

---

❶ 简单地说，智能电网就是通过传感器把各种设备、资产连接到一起，形成一个客户服务总线，从而对信息进行整合分析，以此来降低成本，提高效率，提高整个电网的可靠性，使运行和管理达到最优化。不仅电力公司可以读到用户的电表，用户也能看到整个城市的电力供求情况，在功能上实现数据读取的实时、高速、双向。下文将会对智能电网进行详细的说明。

美国能源公司 Xcel 在 2008 年 3 月 12 日宣布，计划在美国科罗拉多州的伯德市修建全美第一个智能电网城市。

在我们将这场魔法表演的大幕拉开前，我需要做一些世俗的事情。我需要先介绍一下美国现在的电力系统，一个主要基于公共管制的公用事业体系。或许你对电力厂商的最后一个印象是，是古玩大富翁（Monopoly）游戏时，买了一块地皮，而必须决定是否要花 150 美元去买一家电力公司。这的确是我在写这本书之前的状况。我知道我的汽车情况如何以及最近的加油站在哪里。我知道本地的水塔和泵站（pumping station）在哪里。但是我对电力系统却一无所知，虽然它为我每天的生活提供电力。我以前只知道我们会每个月收到一张电力的账单并需要付钱，但是这已经是我知道的全部情况了。事实上，我们的电力系统比你我想象的要有趣得多，而且这也是我们进行绿色行动革命（Code Green Revolution）的关键所在。

可能你觉得可以跳过这一部分。不，请不要这样做。无论你喜欢还是讨厌它们，地方性和区域性的电力公用事业系统在很长一段时间内将依然是我们国家（美国）的能源系统的核心。如果我们要建立一个清洁能源的平台，将大部分通过现有的电力系统的改造实现。他们有大量的客户基础，能够聚集大量的便宜的资本，能够进行"能源互联网"所需要的科技基础建设，而且民众相信公用事业。当有些人想要进行诈骗的时候，他们最喜欢的策略之一就是装扮成当地电力公司的人员，敲敲门说要进来检查。"嘿，进来吧。"

现在这个电力系统运行得如何呢？美国与其他大多数国家现存的电力系统，都是在一个全局性的策略上建立起来的：负责满足所有电力负荷的要求。这个是当地政府和州政府，以及它们所设的管理委员会❶赋予当地的电力公司垄断整个地区的电力和燃气供应的权力的结果。作为回报，电力公司有责任提供如下的三项服务：提供价格合理的电力，提供可靠的电力（24小时×每周 7 天×每年 365 天），提供"随处可得的"电力（在电力公司运营的区域内，任何顾客都可以在任何地点获得电力服务）。

---

❶ 美国负责制定费率的电力管理者，称为公用事业委员会（public utilities commission），委员会的成员一般是由州长或议会指派；跨州的电力交易则由华盛顿的联邦能源管理委员会（Fedeval Energy Regulatory Commission）负责管理。

这种系统是由爱迪生的门徒英萨尔（Samuel Insull）精心设计的，他将爱迪生的发明商业化，并早在 100 多年前就把这套系统卖给了政府代理机构。这套系统为电力公司提供了实实在在的利益——用很低的成本和很高的效率融资来修建大的电力工厂和传输设施，因为他们有客户作为保证。同时这套系统为用户提供了几十年的廉价、可靠而且随处可得的电力。大部分公众监管的电力公司符合这项交易的要求，为美国 20 世纪的发展提供能源支持。

但是这种大型的各州独立的系统已经有逐渐走下坡路的趋势，一开始人们总是认为美国的电力电网系统，包括输电站和供电线路，经过不断演变将成为人类制造的最庞大的机器。这可能是对的也可能是错的，但是有一件事我可以很肯定地告诉你，这套系统是人类有史以来建造的最拙劣的大型机器，而且它的拙劣还不只体现在一个方面。

我知道我对它的指责有点不公平。简单地说，美国的所有家庭、城镇和工厂的电气化，是 20 世纪最伟大的工程之一。如果没有这个工程，我们的经济将不能达到今天的水平。但是，虽然这个电网确实提供了随处可得的、可靠且廉价的电力，它却不是一个智能化的设计。它只是由一个供电设施系统到另外一个供电设施系统，一个服务区域到另外一个服务区域，一个公司到另外一个公司，一种本地规则到另外一种本地规则，以这样的方式存在着。美国直到今天也没有一个真正意义上的全国供电网络。现有的系统实际上只是全国各地的东拼西凑，相比之下，巴尔干半岛的国家分裂其实还不算什么。

现在美国大概有 3 200 家电力公司，其中一些大公司的足迹跨越多个州的大片区域，而小公司可能只是为一个镇服务或者一小片区域服务。最终这些电力公司与它们的网络连接成 3 个大的地区性网络：东部网络，包括美国东部沿海地带，大平原地区，以及加拿大东部的一些省份；西部网络，包括太平洋沿岸所有的州，不包括得克萨斯州。得克萨斯拥有它自己的电网——得克萨斯电力可靠性委员会（ERCOT），这就是美国的全部电力网络。

这些地区性的网络之间的整合程度是令人吃惊的小，甚至每个地区内部的电力公司整合程度也是非常小。想象你要开车横穿美国，从纽约到洛杉矶，不走州际高速公路系统，而是各州内及地方型的高等级公路，而且只采用每个县各自的地图来辨识你正在哪个位置。这个就像从纽约传输电力到洛杉矶去所要经历的网络。当然现实是，你不会真的想要横穿美国去输送电力，因为在传输过程中会损失大量的电能。但是这个拼凑起来的网络依然是一个大问题，即使在地区间进行电力的传输，也是非常困难的。想象一下，你从凤凰城驾车到洛杉矶，只使用地方公路，你就会明白从亚利桑那州北部的风力发电厂传输电能到加利福尼亚南部的市场，该是多么复杂的一个过程。

现在的电力系统在定价方面也显得有些愚蠢。我们的电厂提供可靠的电力，但是它们对提供的电力完全不作区分。也就是说，大多数情况下你为相同的电量付出相同的价格——不管这些电能是由煤炭、石油、核能、水力、风力、太阳能或者天然气产生的——也不管它们是在什么时间被生产出来的，或者是不是在用电高峰期间被消耗掉。你无法对此作出判别。当电力公司从你家屋后的电表读出电量的时候，你为每一度电付出一样的价格。现在电力系统的收费情况，远远不能与电话费账单相比。❶

最后，现在电力系统还有一个拙劣的地方，就是你和电力公司之间没有双向的交流。作为一个消费者，我们不能要求电厂为了一个特定的用电设备，或者是特定的发电来源而制定专门的价格，而电力公司也不会提供此类服务。在美国的大部分地方，当我们家里电力中断的时候，我们不得不打电话给电力公司。电网本身不会知道我们电力中断了。

但是上帝对这个电网还是有所眷顾。虽然这个电网确实有些拙劣，但是多年以来它提供的电力服务，还是廉价的、随处可得而且是可靠的——可靠到大多数美国人不会问自己电力是从哪里来的，它是如何被制造的，以及为何当我们需要的时候，它就会从墙上的插座源源不断地流出。我们只是知道它肯定有电，如果没电了，即使只是 15 分钟的断电，也是一件非常糟糕的

---

❶　电话账单会为不同时段、不同距离的通话实现不同的收费标准。——译者注

事情。

由州政府指任的管理委员会会告诉电力公司每度电的价格应该是多少。管理机构基本上会这样跟电力公司说明："你必须提供廉价的、可靠的、随处可得的电力，我们将给予你垄断地位来达到这些目标。每隔几年我们会定一个你能满足服务地区用电负荷的回报率，这个回报率将保证你收回成本并得到合适的资本收益——前提是你要提供好电力服务。"

确切来说，管理者和电力公司制定出一套计划——有时被叫做整合资源计划，有时候只是一套基本的资本预算计划。在这些计划中，电力公司告诉管理者，"我将服务我的客户和履行我的责任。提供我所能提供的，随处可得的，最廉价和最可靠的电力——利用这些电厂和线路，在既定的成本约束下。"一旦这个计划被批准，电力公司就会告诉管理者，"我将需要这么多钱来支付我的成本。"

然后管理者就带着写了电力公司需要多少钱的声明（叫做收益要求），将价格砍低一大截——因为最初的要求一般是被吹大了的——然后再将它们分散到电力公司预期销售的每一度电中。这样就得出了每千瓦时电的价格，也就是电力公司向消费者收取的价格。这个价格里包含了电力公司运营现有的电厂的固定成本，建设新电厂的投资需求，以及购买燃料以便生产电力的可变成本——就是说，煤、油、天然气，或者铀原料——加上劳动力成本、税收、保险和"蛋糕顶端的那个小樱桃"——股东们的一些税后利润。

简而言之：电力公司靠建设新建筑——更多的电厂和电力线路进而使它们向更多消费者销售更多电力赚钱，因为监管者会依据它们的投资支出加上一定的利润率来支付给它们钱。电力公司投资的金额越多，赚的钱也就越多。由于它们的新投资必须由需求的增长来决定，电力公司就很有动力来鼓励更多的消费。这样它们才能得到允许建造更多的电厂和线路，从而增加它们的回报。这是一个巴甫洛夫（Pavlovian）❶ 式的循环。

"想一下电力公司，"曾经在加利福尼亚引发公用事业创新的传奇人物，自然资源保护委员会（NRDC）公用事业专家卡瓦纳（Ralph Cavanagh）说，"它们有巨大的沉没成本，无论它们销售多少电力。假设它们投资一个新的天然气发电厂或者一个风力发电厂，可能需要花费几百万甚至几千万美元，这些投资并不因为消费者消耗多少电力而改变。所以电力公司的切身利益在于推进电力消费与天然气销售，这样它们才能收回成本。"

在许多方面，电力公司就像一个提供"每人 5 美元吃到饱的电力自助餐"的公司，电点公司（GridPoint）（一个制造家庭电力系统管理装置的公司）的首席执行官科塞尔（Peter Corsell）表示，"它们提供可靠、廉价、尽可能多消费的电力，从管理者那里得到钱。"而我们则每天都享用这种自助餐，尽可能地多吃。每天都开张，每天都很便宜，所以生活是很美好的。

这种自助餐一直都很便宜的原因，在于公众和管理者从未要求电力公司提供另外两道菜。第一道是我们没有对电力公司提供的电力所产生的二氧化碳的排放进行限制。（我们对传统的污染，特别是烧煤过程中汞、氮氧化物和硫氧化物的排放进行了限制，现在电力公司在这个方面做得很好，但是二氧化碳却没有。）另外一个是我们没有鼓励它们提供高效的能源计划。我们没有鼓励电力公司对消费者节约能源的行为进行奖励或者允许消费者对供给和价格的变化进行反映，这样他们就可以在电价比较便宜的时候购买更多电力而在电价比较高的时候少消费一些。

这里强调了低价制胜和全球变暖。毫无疑问，现在的电力公司尽量依靠煤炭发电厂。而且多年以来，如果电力公司能够以 5 美分 1 千瓦时电的价格提供电力，很少人会关心这些烧煤的发电厂排放多少吨二氧化碳，也没什么人会关注自己使用的电力是由非常低效的、浪费大量能源的装置生产出来

---

❶ 巴甫洛夫，俄罗斯生理学家、心理学家，在神经生理学方面，提出了著名的条件反射和信号学说，获得 1904 年诺贝尔生理或医学奖。巴甫洛夫在心理学界的盛名首先是由于他关于条件反射的研究，这里文中也是指电力公司有这种条件反射。

的。公平地讲，管理者要求电力公司将价格降低导致了它们热衷于煤这类较为便宜的原材料。

"随处可得的"和"可靠的"这两个要求也与有效地提供电力相互违背。为什么？因为这些要求导致电力公司过度建设，以留下一定的"备用余额"——这种生产能力的过剩是需要很高成本的，而这些成本将转嫁到消费者身上——这样它们才能在最热的那些天气里满足峰值负载时的用电需求。然而这种情况一个夏天可能只会发生一两次。电力公司从不去努力研究客户的需求，过分供给永远是所有问题的解答。

但是有一天一件有趣的事情发生在我们去享用这种"尽量吃到撑"的电力自助餐的路上。一些人——像戈尔（Al Gore）——开始混到厨房那边去闲逛，然后他们发现他们所看到的一切并不美好。接着他们就回到自助餐的前台，告诉其他这些人："你知道后面厨房在干什么吗？你知道为什么这个'吃到撑'的电力自助餐只需要花费你5美元吗？因为有很多成本没有算在我们消费者头上。另外一些人买了单。"

这些成本将由全社会支付，或者算到我们的下一代的账上。特别是，煤、天然气和石油这些成本比较低的原料会导致全球气候暖化、儿童期哮喘、酸雨、滥伐森林、生物多样性丧失和石油专制政权——而且没有人将这些成本分摊到每千瓦时电的成本之中。由于这些东西免费，或者实际上免费，人们就会消费更多。对便宜的电力需求更大，更多的破坏就随后发生。

营运这些电力自助餐的是你我的邻居。他们并不希望伤害社会，他们也是其中的一部分。但是这个"污染燃料系统"是为每个消费者提供"尽量消费"的、最便宜的电力（以及为每个驾驶者提供最低价格的汽油）而设立的，即使这意味着以破坏我们的生态系统和气候作为副作用。我们以前只是没有把这些联系起来——当然许多人现在也还没有。

现在公众的意见越来越一致。现在我们开始意识到我们需要一个新的系统——一个"清洁能源系统"。我们依然需要廉价、可靠、随处可得的电力，但是我们现在也需要这些电力尽可能地来自不需要排放二氧化碳的原材料以及一个高效的提供和保存能源的系统，而不单单是消费与污染。更具体来说，美国排放的大概 40％的二氧化碳是来自于家庭、办公室和工厂所消耗电力的生产过程。另外 30％来自运输部门，主要是汽车、卡车、船舶、火车和飞机。所以如果我们能将除飞机以外的交通行业电气化，而且为交通行业以及我们的建筑物提供有效的能源——通过更加智能的电网为这占据排放量 70％的建筑和交通提供清洁、充足、廉价、可靠的电力——这个就是问题的解决办法。这将是美国朝着削减化石类燃料消耗量和削减碳排放量的一大步。

这是我们所找寻的真正的绿色革命。但是对多数人来说这个还是太过抽象了。所以现在让我们跳上时间机器，到未来的能源气候年代第 20 年——20E. C. E.，看看生活在真正的绿色革命中将是什么样子。

能源气候年代

你的闹钟在 6 时 37 分开始响起，播放的是披头士（Beatles，或称为甲壳虫）的经典乐曲《太阳出来了》（*Here comes the sun*），这是你昨晚从你的电力公司、电话公司同 iTunes❶ 合作为你提供的 10 000 首乐曲中选出来的。实际上你没有闹钟，这个音乐是由你的电话播放出来的。这个电话已经和你的家庭智能黑盒（Smart Black Box，SBB）融合为一体。现在每个人都有一个家庭智能黑盒，它是你的私人能源仪表盘。就像你装上有线电视会得到一个机顶盒一样，你从一个先进的电力公司安装"能源互联网"，你就会得到一个家庭智能黑盒。例如你住在卡罗来纳州，你可以联系杜克能源（Duke Energy），假如你住在西部，你可以联系南加利福尼亚爱迪生公司（Southern California Edison）。

它是一个微波炉大小的黑盒子，装在你家的地下室，控制和确保你所有

---

❶ 苹果公司提供的一个热门的音乐软件，可以在网上购买正版的音乐、影片和游戏等。

的能源设备，信息通讯设备和娱乐设备的相互操作性❶。包括你所有房间的温度设置和其他能源消耗，照明，家庭报警系统，电话和电脑与互联网连接设备，你所有的电器，你的娱乐设备，还有你的电池可拆卸的混合动力车以及电池。任何时候家庭智能黑盒的触摸屏都可以告诉你任何时刻你的屋子所有的设备正在消耗电力的准确数据。

你的"汽车"，顺便提一句，应该不再叫"汽车"了。它应该被叫做"循环能源存储单位（rolling energy storage unit，RESU）"，就像说"我驾驶一辆福特野马（Ford Mustang）RESU"。"汽车"这个词已经如此遥远，唉，20 世纪的事情了。

这还不是唯一的老派的东西。在能源气候年代的初期，我们从一个连接我们家用电脑和包含各种网站资源的万维网❷的互联网发展到物联网：一个能源互联网。能源互联网中所有的装置——无论是开关、空调，还是地下室的锅炉、汽车电池，抑或是输电线路和输电站——都植入微型芯片并直接或者通过家庭智能黑盒与你的电力公司联系。它们会告知电力公司它们何时开始运转，并且消耗多少电力，同时也告诉电力公司想在什么时候进行购买或售出电力。你和你的电力公司现在是双向交流的。

你的空调系统、电灯以及所有的家用电器——洗碗机、烘干机、电冰箱以及汽车电池——现在都可以在电力需求比较多而电价比较贵的时候在低能耗的状态下运行，而在夜晚的时候全功率运行——或者，以你的电力车为例，在晚上电力需求较低而电价较便宜的时候充电。

不用害怕：是否加入这种系统是完全自愿的。不会有"老大哥（Big

---

❶　所谓相互操作性（Interoperability）是指一个软件系统与另一个软件系统互相间具有接收、处理并共享所发送信息的能力。

❷　即我们现在的网络，world wide web 的缩写 www 就是我们现在大部分网站网址的开头。

Brother)"❶ 来强迫你去加入这个系统。如果你不愿意在家中安装一个家庭智能黑盒，你可以不买。你可以继续使用旧的比较笨的方式来获得电力。但不要想得太美：如果你不选用这个系统，你就会被丢进一般客户群体，而你的电价将会提高。因为电力公司没有办法优化你的电力使用——其他的消费者也不会愿意支付更高的价格来补贴你的这种浪费且污染环境的行为。

在你读完报纸、喝完咖啡和用完早点之后，你通过你的 iPhone 或者黑莓（BlackBerry）或者家用电脑唤醒你的家庭智能黑盒。这个色彩斑斓的、非常容易读的屏幕将告诉你家中的每个电器现在正在用着多少电，它们每天总共用多少电，以及一套适合你个人的用电计划。

正是如此：一套适合你个人的能源使用计划。你的电力公司现在提供多套计划，就像电话公司一样，所以你可以规划你家里能源的使用——以最低的成本，最清洁的能源，最大的效率为目标，或者根据你在家或在公司的时间等其他因素来制定。

最流行的选择是"协议能源——夜晚与周末"计划。这个计划让你的电力公司将白天和傍晚的电价提高，来将这部分高峰时期的电力需求转移到电价较低的深夜，以此来平衡与削减总体能源需求。通过你的家庭智能黑盒，电力公司轻微地调整你的家庭恒温器的温度高低，命令你的热水器、冰箱和空调短时间内周期性地停止工作——这个时间非常短，以致你根本不会发觉。同样电力公司可以在深夜启动你的洗碗机和烘干机，或者关闭你所有外部的电灯一小段时间。

---

❶ 英语里有一个专有名词，Bigbrother，直译为汉语便是"老大哥"，典出乔治·奥威尔的名著《1984》。《1984》是一部幻想小说，出版于 1949 年，描述的是"未来的"1984 年的社会现状。2000 年，英国生产了一档电视娱乐节目《BIGBROTHER》，电视台召集一些年轻男女，把他们放到一个四处布满摄像头的公寓里，拍摄他们的生活然后剪辑播放。同时，在电脑技术领域，出现了一款同名软件，功能为"系统监视"。无论是电视娱乐节目还是"系统监视"的得名，都来源于《1984》里的一个经典场景："老大哥在看着你！"在小说《1984》里，乔治·奥威尔为我们描述了一个无处不在的"老大哥"形象：一个无时无刻无所不在的"老大哥"监视着所有的人的一举一动，无论是吃饭、睡觉、工作或者走在街上、躲进洞穴——包括思想活动。

作为允许电力公司用这种方式控制你的能源使用的回报，你将在月底的电能账单上获得一个 15% 的折扣优惠。这个对电力公司来说是很大的一件事情，因为它现在可以更有效率地使用它所有的发电厂——因为需求的高峰和低谷已经被抹平了——所以它也不需要为高峰时期的需求而建造新的工厂了。

另外一个受欢迎的计划是被称作"日间电力交易"的计划。在这个计划下，你的电器可以变成你的代理能源交易者。你在你的家庭智能黑盒里面输入这样的要求：哪些家用电器（例如你的烘干机、洗碗机、热水器、空调等）只在电价低于 5 美分每千瓦时的时候运行，空调或者加热系统（视季节而定）在电价高于 10 美分的时候循环停止。（你将需要穿上一件毛衣或者开一扇窗户来代替。）所以你会在睡觉前将洗碗机准备好，但是它在凌晨 3 时 36 分，你的家庭智能黑盒检测到电价已经跌到 4.9 美分每千瓦时的时候才开始工作。而你的空调一整天都开着，直到下午 6 时，当电价升到 12 美分每千瓦时的时候自动停止工作。在晚上 9 点，电价跌到 9.9 美分的时候，它又开始工作了。

这比以前好多了。在能源气候年代之前，当时大部分电力公司还是无视实际需求和供给的波动，对所有的电力收取一样的电价。而在现在这个新的时代，你所需要做的，仅仅是选择"日间交易"能源计划，而你的安装了智能芯片的洗碗机和空调，会与家庭智能黑盒一起合作，代表你进行电力的交易，在实时电力交易市场上每 5 分钟出一次价，来自动获得最好的价格。

大多数消费者并不了解，但是电力市场是一个实时的，持续变动的现货市场，其中的电力成本不断变化而且白天的价格要高得多。你月底的账单上只有一个粗略的价格，看不到电力市场上价格的每时每刻的变化。实际上这些价格的变化是由你所在的地区电网的电力需求与供给（包括煤炭，天然气发电厂，水电站，风力发电厂，或者核能发电厂来提供）来决定的。

举例来说，当本地的电力需求超出了最低成本的电力供应的时候——那些由煤炭发电厂产生的电力——电力公司就不得不启用天然气发电厂，这样电力的成本就变成燃烧天然气发电的成本。在需求下降的时候，情况刚好相反，电价可能跌到最便宜的核能或者水能发电。这一切在污染燃料系统时代被隐藏起来了。但是现在已时过境迁——当然前提是在你安装了家庭智能黑盒和智能家用电器，而电力公司在电网中使用了更多智能技术之后。所以你在家里可以读到实际的电力价格而且在电价低于你的预定价格的时候才启用电器。你现在用的电不单是最有效的，而且由于不断稳定增长的效率标准，你的用电量也是历史上最少的。你的家用电器使用的电力大概是一个世纪前它们使用的三分之一。

有了智能电网，控制你的能源消耗就像开关电灯一样容易。在同时采用上面这两个计划的时候，在你要离开家的时候，只需要按下家庭智能黑盒控制面板上的"睡眠"键，所有的电灯和电器都将关闭或者处于最低能耗的状态。你可以在经过了旅途刚刚回到本地的机场的时候，通过手机"唤醒"你的家庭智能黑盒，因此当你到达家里的时候，空调已经打开，屋子里已经凉快下来了，而热水也准备好了。

用电与否视乎开关的"开"或"关"，而智能电网的目的是确保无论何时开关是"开"的时候，是处于最有效率的时候。为什么当你不在家的时候，你的电器要开着，吸血鬼一样地耗着电？因为你的电器太傻瓜。通过在夜里自动开关这些电器，智能电网基本上可以消除这种几乎占了家庭消耗电力的十分之一的吸血鬼式的耗电量。（当然，当你确实需要在某个时间开着烘干机或者洗碗机的时候，你可以将开关从"自动"调回来，系统会自动为你获得当前可以得到的最便宜的电力。）

你的邻居，是一个"绿色狂热者"，签署了一个"来自天堂/地狱的能源"计划。在这个计划下，你需要每个月付出额外多一些的费用，而电力公司同意把你使用的每千瓦时电算作是来自风力、太阳能、地热能，或者水力这些绿色能源——所有你没有用从"地狱"来的能源。这个并不意味着你每时每刻使用的能源都是绿色能源，而是电力公司每个月必须生产如此多的绿色能源——由这些渠道产生的绿色能源，必须和签订了这些计划的消费者所消费的能源相等。你可以对你的能源感到放心了（不用再担心污染环境），因为你迫使电力公司生产更多的绿色能源，而且电力公司还因此更有成本方面的优势。

你和你的邻居还一起签署了"我的电表能走多慢"计划。它的意思是：在你院子的 4 个角落，你装上 4 个太阳能电池板。这些太阳能电池板是从你的电力公司租来的。它们产生的太阳能电力直接进入你家里进行使用，因而减慢了你的电表的速度——通过太阳能电池板提供的电力，减少了你需要从电网中获得的电。它们被称为"地区发电与存储单元"，由电力公司进行维护。有一天，你发现电力公司的人员正在替换 2 块由冰雹损坏的太阳能电池板。没有人需要打电话给电力公司通知替换，因为每个太阳能电池板都直接与电力公司的超级电脑相连，电力公司可以直接知道这些太阳能电池板的情况。与此形成鲜明对比，在祖父告诉我们的故事里，当年一场风暴席卷了这片地区，他的房子停电了。但是电力公司完全不知道，直到他打电话过去。唉，祖父啊，你当年的日子多么难过啊。

电力公司很愿意安装这些太阳能电池板，因为通过提供这种服务它们可以获得收入，而且你居住的是一个高人口密度的地方，在用电高峰期，电网会有很大的压力——所以这种分散的供电装置可以分担一些电网的压力。只要你能流畅地、安全地产生你自己的风力电力或太阳能电力来为你的电器供电，越多人使用，为电网减轻的压力也就越大。

你的一些居住在洛杉矶的亲戚更加大胆。他们和电力公司一起制定了一项计划："绿色朋友与家庭计划"。他们租下街道小学后面的 3 个停车位。然后他们从南加利福尼亚爱迪生公司租来一个"能源可逆燃料单元机器"，再把它联到自己家里。这是一个有 1 辆客车那么大的黑盒子，它在许多方面省钱、省电、环保。它可以在深夜电价较低的时候使用电网中的电，通过一定的程序，将水电解成为氢气并存储起来。以后也可以将氢气转化成为电力，为家庭和汽车提供电力——唯一的"浪费"是清洁的水。你可以使用"农业垃圾"来电解，它会使用内置的熔炉来将垃圾转化为氢气和电力。附近的那个小学里的各个年级，与其他居民相比，为这个机器提供了最多的原料，产生了最多的电力。

你的电力公司很高兴提供这些服务，因为它们从中赚到了钱——而不单是销售便宜的，愚蠢的，鼓励大家多浪费的电力。管理者也非常高兴看到这种情况，因为他们相信这些服务对消费者有利，对环境有利，而且减轻了电网的压力，所以没有必要花更多的钱建造电厂。

你所未看到的而且非常重要的是，能源互联网——这个智能电网使得电力公司可以使用更多的可再生能源。就像上面提到的，以前电力公司总是建造很多的电厂来确保他们可以应付每年夏天最热的几天所有空调都打开，用电量达到最高峰的时候所需要的电量。他们之所以能这样做，部分是因为靠预测需求，然后制定供给计划，在需求达到最高峰的前一两天达到这个供给。他们非常擅长做这个。但是为了防止他们计算错误，或者突然遇到一波非常长的热浪，他们也额外为电网多准备了一些容量，因此，在理想状态下，没有人会在最热的几天里用不到电。他们依靠修建额外的电厂来做到这点。这个听起来很明智——但是决不是有效率的。想象你有 1 个制造贺卡的工厂。如果你的经营策略像电力公司一样，你会建造 1 个价值 1 000 万美元的工厂，每天都生产贺卡来满足日常的需要。然后你会再建造另外 1 个 1 000 万美元的工厂，它只在圣诞节前 1 周和母亲节、父亲节和情人节的前 3 天才生产贺卡来满足当时的需求。在每年的其他时间，这个工厂都不生产东西。但是所有的机器都在低能耗的情况下准备着，以防市场上对生日贺卡有突然的需求。这是使用资本的一个非常低效的方式，但却是我们多年管理电网的方式。

既然现在智能电网已经准备就绪，我们就可以控制需求。因为无论电力公司还是消费者，都有能力在电力使用的时候进行优化。所以许多人会自动在夜晚电价便宜的时候运行更多电器而在白天电价较高的时候运行较少电器。"能源互联网"已经变得非常智能，它知道你何时使用电力，什么时候可以从你的汽车电池或家庭太阳能电池板中购买电力。这样一年 365 天中的电力需求就变得平稳起来了。"平稳"到电力公司可以大概描绘所有消费者在每天的电力需求情况的程度——这样用电高峰就不是非常高，而且已经被削平——这样就不需要非常多的后备发电厂来应付需求。这样，实际上是以能源效率来替代能源生产。

这就是"能源互联网"所实现的东西。而且它不单增加能源效率，还可以使得大规模可再生能源的生产变成现实。为什么？因为你的电力公司面对的需求曲线越平坦，它就越可以购买或者生产可再生能源并将其卖给你和你的邻居，而不是使用煤炭或者天然气生产电力。在能源气候年代第 20 年，南加利福尼亚爱迪生公司一半以上的能源来自两种大量的可再生能源——风力和太阳能——同时使用核能，天然气和碳处理过后的煤作为补充。SoCalEd 公司已经在怀俄明州和蒙大拿州建立大型风力发电厂，并且和许多沿途的小厂签订了协议。怀俄明州的风力发电厂非常之大，已经成为当地的一个旅游景点了，就像胡佛水坝（Hoover Dam）一样，有一望无际的涡轮发电装置。

智能电网让这一切大规模可再生能源变得可行。在以前，风力和太阳能的巨大缺点是它们的可变性太大。白天会有阳光，却不是一直都有。风力在全国大部分地方都是夜晚和清晨最大——就是说，在非用电高峰时间，在当前的电池技术下，由这些清洁的可再生能源产生的电力不能被很高效地存储起来。电力工业中最可行的存储技术是"抽水存储"——在夜里利用能源将水抽到山上，等到白天利用水往下流进行水力发电。问题是，相对来说全国的抽水存储工程还是非常少。它们建造昂贵，而且消耗 3 个单位的能源在夜里将水抽高，第二天才能得到 1 个单位的能源。这些事实让电力公司难以依赖风力和电力来进行超过 20％的电力供给，因为它不得不建造额外的天然气电厂，为阳光不够强或者没有风的那几天做准备。

但是现在我们已经到了"能源互联网"时代了——智能电网已经出现了。电力公司现在可以控制你的冰箱或者调整你的温度调节器符合风力发电或者太阳能发电的情况了。它已经可以调整需求来匹配供给了。因此，它可以以更低的成本使用更多的可再生能源。在乌云蔽日或者无风的时候，电力公司的智能电网通过提高电价来降低需求（所以你的家庭智能黑盒决定暂时不洗衣服）或者调整你的家庭温度设置。在阳光明媚或者风力很强的时候，电力公司将打开你的烘干机，因为这个时候电价较低。所以电网的智能程度如何，能源效率如何以及多少可再生能源能够被使用，这两者之间是有直接关系的。

这个革命像其他所有的革命一样，但是这个革命会马上改变许多事情。当智能电网扩展到智能家庭再到智能汽车，它就在你电表的另外一边创造了一种全新的能源市场。在以前，除了原始的电力进入你的家庭外，并没有什么市场。所有的东西在到达电表的时候停止了，而你只是每个月付出电表上计算出来的电费。一旦你的电器变得智能，同时一个家庭智能黑盒装进了你的家中，一个市场也就不再仅限于你家的电表，而是遍及你家里各个角落，而且也可以广泛地深入到全国的所有工厂和公司。

一些电力公司已经决定进入这个市场，帮助你来优化你的智能家庭，以便获得最清洁、最便宜的电力服务。大部分电力公司已经决定成为这个全新产业的服务商——能源效率服务公司（EECS）。这种能源效率服务公司已经出现——就像互联网提供商是由传统的电话提供商服务公司慢慢转变形成的一样。这些能源效率服务公司将帮你优化电力的使用。电力公司已经创造出这个市场来告诉你，消费者们，它将给你很大的折扣，甚至补贴，来安装高效的电器或者使得你的屋子适应气候变化来降低你的电力消费。这是因为政府管理者已经和电力公司达成一项新的协议。依据这个协议，电力公司可以依据它帮助消费者节省的电量来获得政府的补贴。是节省的电量，而不是消费的电量！（我将在第十二章详细解释这个问题。）这些能源效率服务公司将加入并帮你解决这个问题。

你所住的房子已经有 20 年了。就在前几天，一个通用电气（General Electric）能源效率服务公司的销售人员来到你的门前。这个销售人员提供这样一笔买卖：首先，他们将免费给你的房子做一整套效率检查。他们使用设备来给整间屋子增压，然后显示给你看哪里会泄漏热量或者冷气，哪里没有连接好，使得暖气只是在加热供电线或者水管之间的缝隙，让老鼠们享受舒服。然后他们会贷款来维修，封住这些缝隙和泄漏的地方，避免它们静静地从屋子里抽走能源，让你的电费单上的数字增加了 30％。他们也会安装高效的家用电器，你不需要为此先付款。能源效率服务公司将和你分享你每个月从电费和煤气费中省下来的钱，而且它们还会从全球市场上售卖你所节约的那部分能源省下的碳排放许可证，以此来赚钱。通用电气能源效率服务公司会获得你节省的电费的 75％，其中 50％用于归还贷款，其他的 25％则是它们的利润。而你可以获得其他的 25％。你的房子现在在能源利用方面更加高效，而且有更高的市场价格。同时，西尔斯（Sears）❶ 能源效率服务公司则刚刚扔下一本宣传手册，上面提到了它们愿意提供同样的服务，而且是六四分成。因为这种交易的现金流具有非常高的可预期性，它们可以将它卖给投资银行，再将其转化为绿色储蓄债券（green savings bonds）。

在洗完澡，吃完早餐之后，你决定去办公室参加今天的第一个会议。这段路程包括走一小段路——大概 20 步——走下大厅到你的家庭办公室去，手上拿着你的智能卡。你的智能卡，由维萨（VISA）和美国航空（United Airlines）的前程万里特惠计划赞助发行，看起来就像一张信用卡，只是更厚一点点。你一天的工作从将它放进桌上的 Sun Ray 终端机扫描区插孔开始。这个终端机由太阳微系统公司（Sun Microsystems）制造，它的耗电量只有 4 瓦，相比一般个人电脑的 50 瓦要少得多。因为它没有硬盘，只有一个屏幕和下面的一个插孔。但是只要你把你的智能卡放进插孔中，它立刻就会连上"网络云（network cloud）"，你的所有软件、电子邮件、互联网应用程序和个人文件都存在那里。"网络云"是一个数据中心，同时提供各种服务。它坐落于哥伦比亚河（Columbia River）的附近，利用清洁的水电能源来运行你的程序（也为其他成千上万的人服务），并利用水来为机器降温。

你办公室里的智能电灯，由运动传感器触发，在你走近房间的时候立刻就变亮了，同样的还有空调。当你不在这个房间的时候，一点电力都不消耗。每个电器，每间新房子，以及每栋新建筑，现在都不断跟随着新的能源效率标准建造。在 2007 年的能源法案里，布什总统宣布将在 2014 年以前逐

---

❶ 美国的一个大连锁超市体系。

渐停止使用爱迪生发明的白炽灯，因为它将 90％的能量转化为废热，而不是我们需要的光。我们都注意到了这一点，在我们试图更换 1 个还没有冷却的灯泡的时候，我们的手指是会被烫着的。而现在，电灯已经被一种智能紧凑型荧光灯所替代。它消耗的能量只有白炽灯的 1/4，而且也减少了发热量，降低了需要空调来降低房间温度的能量。

在你的桌上，就在终端机的旁边，你有 1 个 6 瓦的台灯。是的，只有 6 瓦——因为这个灯利用发光二极管和小镜子来给你强度很高的聚焦光束。这些光束相当于 100 瓦的灯光，但是只要 6 瓦的电能消耗。你屋子里的其他电器也类似。你的电冰箱非常高效，耗电量相当于 1 个 20 瓦的灯泡。你的电视机，你的数字电视（TiVo）❶ 和跑步机在不使用时都是完全关闭的，不再消耗能量。

一般来说，你的公司都鼓励你尽可能地在家工作。但是今天，你在终端机上，你发现一个来自你的老板的信息，今天上午 10 时 30 分在市中心会有一个电视会议。参与者包括你的管理团队和在印度金奈（Chennai）的同事。你的公司在金奈有一个巨大的房地产项目。9 时 45 分，你坐上了你的福特野马 RESU，它是一辆相当于每 100 英里耗油 1 加仑的置入式混合动力（Plug-in Hybrid）车。置入式混合动力车像平常的混合动力车一样，只是它有着更大的电池，而且可以用墙上的插座充电。因此，你的本地旅途都将使用电能，但是你也一直有 1 个油箱作为备用。汽车的电池会在每晚充电，或者在任何需要充电的时候充电。而且它也像你的烘干机和其他电器一样，自动连上电力公司的网络去购买最低成本的电力，一般是在深夜非用电高峰的时候。

在你出发前往办公室的路上，车上的全球定位系统（GPS）地图告诉你经常去办公室的那条高速公路上发生了一起车祸，并推荐你使用另外一条

---

❶　TiVo 是一种数字录像设备，它能帮助人们非常方便地录下和筛选电视上播放过的节目。1997 年，迈克·拉姆齐和几个好友共同开发了这个名叫"TiVo"的数字录像机。他们当时的想法是："TiVo 的使用者不管有多忙，都可以按自己的兴趣选择录下喜爱的节目，在方便的时候观看。"

路线。

要进入市区，你必须经过一个电子大门，这个电子大门自动收取了你12美元作为在早上10时到下午2时之间进入市区的费用（在繁忙时段要收18美元）。这是你尽可能拼车或者坐公共汽车去工作的一个原因。这是拥挤收费系统的一个部分，这样是为了大大减少进入市区的车辆，为电力公共汽车和其他大众交通工具留出空间。这些大众交通工具现在已经能为更多的人提供更加便捷的服务了。你这个城市的市长甚至是靠"为交通定价，让道路不再拥挤"这个口号而赢得了竞选。"你不需要成为一个火箭科学家，"市长说，"如果你想要更少的二氧化碳排放量，就向排放二氧化碳收费。如果你想让某段时间路上的车辆减少，就对这个时间上路的汽车收费。"这个方法在所有地方都有效。

在你到达办公室的时候，你将你的汽车停放在一个停车场。在那里你的汽车电池可以充电，也可以将电力卖给电网。现在全美国各个家庭和停车场都有这种双向的插口。你决定将车停放在这个停车场，因为它在你询价的时候出价比街角那个停车场要低。这种停车的竞价现在非常普遍，你的停车场提出了每个月有4天免费停车，而且每个星期五有洗车服务的优惠，因而赢得了竞价。

为什么这些停车场如此想要你的车停放在它们那里？因为他们将分享你的车将多余的电又卖给电网所获得的收益。停车场的整个屋顶都是太阳能电池板，能够产生清洁的能源，并为停车场的汽车电池充电。停车场的主人称它为"E汽油"。这个停车场的名字是"比尔的人工汽油田"，所以它的生意是包括停车和能源生产。在下午2时32分，当气温到达87华氏度的时候，你的汽车电池中还充满着大部分昨晚充的电，它自己做了一个计算，判断智能电网上的电力价格已经到达了顶点，应该卖出电能了。你的智能汽车先计算你一般星期三下班例行路径所需要的电力——包括送孩子去足球场练球和停在食品杂货店买东西——再加上10%的电力以防你改变原有的路线。然后它以每千瓦时电40美分的价格售出剩下的电力。电力公司通过停车场的通用接口从你的汽车购买了5千瓦时电。这不仅让电力公司可以满足用电高峰期电力负载的需要，也可以维持整个系统的负载曲线平坦。当然这也为你的停车场老板赚到了钱。在这笔交易中，你赚到了 2 美元。提供太阳能电池板和连接你的汽车与电网接口服务的停车场老板也赚到了一小部分。这个月到现在你的汽车电池依靠存储和卖出电力，已经为你赚到了 24 美元。同时，这个月的汽车电池充电费用也只花费了 47 美元，因为你一般都在晚上用电低峰时期进行充电，电价比较便宜。这意味着折算起来你大概花费了 1.5 美元每加仑汽油的费用。许多人还更少开车而使用公共交通工具——因为拥挤收费系统所收来的费用会去补贴公共交通，促使他们去搭乘公共交通系统，而不是购买高价汽油去补贴那些汽油供应商。

在办公室的时候，你的老板召集所有负责印度金奈郊区的智能房屋设计计划的同事们。你与六个在金奈的印度同事讨论了 3 个小时，仔细检查了从融资到建筑设计方面的所有问题。以前，这种讨论不得不在面对面的情况下进行，那么至少你们有好几个人就不得不飞到金奈，花费可观的时间、金钱和能源。而现在，一切都已经不需要了。

这次 3 个小时的会议是通过思科公司（Cisco System）❶ 的电子会议系统（TelePresence system），经过思科的网络传输完成的。你的团队坐在一个工作室里，而对方是由一个墙壁大小的电视屏幕，以 3D 的方式生动地显现出来的。思科的这个电子会议系统可以让所有人的样子和声音就像他们亲临现场一样。和每个人一样大小的虚拟图像，高清晰的视频和立体声，可以让你们清楚地辨别是哪位成员在发言。这些图像和声音如此真实，以至于你会以为他们就坐在同一个房间中，而忘记了和他们相隔半个地球。事实上，你甚至在会议结束的时候还站起身来，试图和他们握手，引得大家一阵笑声。

在会议结束后，大概下午 4 点，你回到家并将车停到车库里。在你开着全电动割草机割草的时候，你的孩子从他们的混合能源校车中出来了。这个混合能源校车也是一个巨大的能源存储单位，像你的汽车一样存储和销售电

---

❶ 美国一家著名的互联网设备供应商。

能，为学校赚钱。

小区附近的小学现在是一个双重用途的教育和商业中心——一个 DUECC（dual-use education and commercial center）。学校的厨房，在它供应完午餐之后立刻被爱因斯坦兄弟百吉饼公司（Einstein Bros. Bagels）❶ 接手。这个公司现在不再建造自己的糕饼店了，它们在下午 3 时到第二天早上 6 时使用学校的厨房来制作它们的百吉饼，然后将这些百吉饼送到城市各个地方的销售店和食品杂货店。双重用途已经成为一种非常流行的趋势，可以省下大量的电力、土地和建筑，也可以为学校带来大量的收入以聘请更多的老师。达美乐比萨（Domino's Pizza）也是利用学校厨房下午闲置的时间，制作与派送比萨饼到城内各处，公司已经很多年没有租用或建造新的商业厨房了。

学校也是一种零耗能建筑。它的设计和建造，从墙壁、窗户、照明系统、水处理系统到空调系统，无论从部分来看，还是从整体来看，在使用能源上都是非常高效的。同时，学校的屋顶和外墙都是微型的发电厂——太阳能电池板，太阳热能发电器的集合。而智能窗户会在白天让阳光透过来取代屋里的灯光，因此，在工作时间，学校是一个净能源生产机构，它将多余的电力卖给智能电网。在晚上，当爱因斯坦兄弟百吉饼公司在烘烤它们的百吉饼的时候，学校从电网中购买比较便宜的电力。在月底，学校的电费单上是净值为零的。现在，除非你的房子是零耗能的，否则已经不可能获得建造许可了。

为什么零耗能的建筑，以及双重用途是如此大的一件事情？我们先来看看这个有趣的事实：全世界的水泥生产——锻烧石灰石所需的热量和过程中排放的二氧化碳——大概排放量与全世界所有轿车的二氧化碳排放量相同。所以建造一栋愚蠢的水泥建筑是一项巨大的能量吸收和二氧化碳排放工程。一旦我们意识到使用智能汽车和智能建筑能为我们节省多少能源，建筑标准就和里程数标准一样重要。

---

❶ 美国一家连锁食品公司，百吉饼是一种先蒸后烤的发面圈。

我知道我上面的描述听起来已经有些牵强了——就像出自简特森（Jetson）卡通❶或者一本科幻小说一般。但是，这种幻想并不遥远。"能源互联网"的一个简单的模型已经在华盛顿州的奥林匹克岛（Olympic Peninsula）部署下来。这是一个由太平洋西北国家实验室（Pacific Northwest National Laboratory）能源部、博纳维尔电力管理局（The Bonneville Power Administration）和当地电力公司一起组织的实验。在 2007 年 11 月 26 日，微软全国广播公司（MSNBC）刊登了这个实验的初步结果，它的题目是"智能家电学习省电"。报道中说到："作为实验结果的一部分，研究者发现他们可以连续 3 天将参与实验的家庭的用电峰值降低一半。"报道中引述实验室多部门合作项目经理普拉特（Rob Pratt）说：

> "这简直令人吃惊。"……布劳斯（Jerry Brous）在当地电台听到这个项目的消息就立刻去签订了测试协议，他说他的用电量降低了 15%，而且他还自己用 Excel 去计算热水器、蒸汽泵和烘干机使用的电量，以便精准地找到如何更加省电。他还每个季度从这个项目收到节约能源的奖励支票，最近的 1 张是 37 美元。在出外露营的时候，布劳斯可以通过上网告诉他的房子"进入睡眠状态或工作状态"，并且通过远程控制热水器的开关。

这篇文章还说：

> 在布劳斯先生的家里，以及奥林匹克岛所有人的家里，智能热水器和恒温器每 5 分钟更新不断变动的电力价格，这些电价由供给和需求决定。屋主们可以在用电高峰调整他们的设置来降低能源消

---

❶ 《简特森一族》是美国第一部彩色动画片。

耗以节省费用，也可以在招待晚餐的客人或者爱挑剔的亲戚的时候关闭自动节能装置……卡特瑟夫（Richard Katzev），社会学和环境行为学专家，波特兰和俄勒冈地区（Portland，Ore.）公共政策研究机构的会长（President of Public Policy Research）说，只是提供更多信息给消费者并不够有效，还要给他们动力去行动。屋主们会迅速地接受只需要稍微调整生活习惯的省钱装置，他说，像延迟洗碗机或者烘干机工作的时间以便获得便宜的电力。

这篇文章继续写道：

研究者为大概 200 个参加两个相关研究的家庭安装了电器监控装置，平均每个家庭花费了 1 000 美元。如果是为更大范围的普通居民使用，他希望这个安装费用在 400～500 美元之间，而且如果电脑芯片能在每个装置离开工厂前就被装进去，可能费用还能进一步降低。"如果这一切足够便宜，连你的咖啡机都能够变成智能的。"普拉特说。如果最终在全国范围采用，节约能源的电器可以在 20 年内为新电厂的建造费用和电力传输费用节约 700 亿美元。

连咖啡机都能变成智能的，普拉特和他在华盛顿州里奇兰市（Richland，Washington）的太平洋西北国家实验室（Pacific Northwest National Laboratory）的同事戴维斯（Mike Davis）以及伊姆霍夫（Carl Imhoff），在我拜访他们的时候给我展示了他们的成果。他们带我到一个像一般家庭厨房或洗衣房一样的房间，有洗碗机、烘干机、热水器、冰箱以及咖啡机。每个电器都装备有由太平洋西北国家实验室设计的芯片。这个芯片被叫做"电网友好设备（GFA）"控制器。这个控制器是一个大概为 2 英寸×2.5 英寸大小的电路板，可以被装在电冰箱、空调、热水器以及其他家用电器上。它监控电网情况并自动关闭电器几秒到几分钟的时间，而并不会损坏电器。它进行判断的依据是电网的负荷情况。在发电厂不能产生足够的电量来满足用户需求的时候，控制器就会减少一些能源消耗来平衡供给和需求。

所以在我走进这个模拟的厨房的时候，所有的电器都在工作，包括开着门的电冰箱。头顶的数字屏幕显示所有的电器现在正全速工作，分别消耗着多少瓦电力。整个房间都非常吵闹。然后它们降低这个厨房70％的电力供给。令人惊讶的是，所有的电器都还在继续工作着，吵闹的声音一点也没有减少。但是它们现在只使用着30％的电力，这是如何实现的？控制器发现电力下降并切断它们控制的电器部分的需求。例如，烘干机关闭了加热装置，只剩下甩干桶还在旋转。热水器的加热部件已经关闭了，但是已经有足够的热水存储在水箱之中，所以即使你正在冲凉，也并不会发觉。在电冰箱里，除霜系统被中断了，但是当你打开冰箱门的时候，里面的灯还是会亮起来。冰箱里的食物也很容易在电网有负荷压力、电力变少的情况下，保持两三分钟的冷却状态。这些"电网友好设备控制器"每个25美元（每个电器需要安装一个），而且在大量生产的情况下肯定还可以大大降低价格。

这项技术现在已经在一些更大的社区进行初步实验，它有好多先进之处。首先，刚才这种情况的能源供给不足在你的电网上也就每周几次。在现在我们的电网中，你不会去发觉电力供应不足，因为现在电力公司会有多余一到两个的发电厂来发电应付这种情况，甚至在它们没有发电的时候，它们也在运转着，以便它们能随时应付突然的需求上升。这个被称为"储备要求"。如果这个储备发电厂是一个燃煤发电厂，那么它就在排放着二氧化碳。

如果我们可以用控制需求的方式来应付这种情况，只是调低电器的使用而不是总靠增加额外的供给，我们可以节约能源、资金和减少二氧化碳的排放。太平洋西北国家实验室能源科学与技术董事会（Energy Science and Technology Directorate）的副董事戴维斯说："在以前电网的建设阶段，我们总是尝试采用新的技术来解决供给方面的所有问题——我们从来没有想过采用新技术从需求方面来解决问题。"现在我们已经有技术可以这样做了。如果有人想要每天关掉我咖啡壶的加热装置几分钟，同时有好几百万个家庭愿意这么做，那么我们就不需要额外的煤炭发电厂了，我会非常乐意配合。

我上面想象的模式，与戴维斯以及他的同事们所实验的模式，将为电力产业带来革命性的变化。电力产业，原本它们的视野仅限于建造发电厂和抄抄你家里电表的数字，现在这一切将被完全改变。它们所关注的世界将从生产清洁的能源的一端扩展到你的家用电器，你的汽车电池，甚至是你家里屋顶的太阳能电池板。它们不再仅仅做一个傻笨、污染电力的售卖者，而会成为这整个智能电网——能源互联网的促成者，而且也能从这个系统的优化中赚钱。

罗杰斯（Jim Rogers）是位于北卡罗来纳州夏洛特（Charlotte）市的杜克能源公司（Duke Energy）的首席执行官，他喜欢说与其花费 70 亿美元建造新的核电厂，更愿意管理者让他花同样多的钱建造智能传输电网，帮助他的客户们在屋顶安装太阳能电池板，在屋里安装智能黑盒，在汽车里安装智能电池，以及安装电网友好芯片在他们的电器上，然后让杜克能源维持与服务这个网络。

罗杰斯说："过去的几百年我们将市场局限在从发电机到屋子外面的电表之间。"接着他站起来说道："我希望市场从发电机延伸到我们客户的屋顶，也延伸到所有的智能电器，而且能源网络可以直接建置在客户的住宅、办公室和汽车里。因为，从优化这些能源网的使用做起，才是真正的节能……我要让我的网络成为智能型网络，让每个人的房子变成智能型房子，所有的工厂变成智能型工厂，然后优化他们以便每个人都能得到最好的服务，最低的价格，以及最少的二氧化碳排放量。

这对电力公司来说是一个全新的挑战——从提供 5 美元一次的"吃到撑"电力自助餐，到优化能源互联网。但是，这个就是未来。

EDS❶ 公司的战略分析师瓦克尔（Jeff Wacker）总喜欢说："未来就在这里，只是还没有完全实现而已。"他的意思是我们可以从今天看到未来的情况。我们可以看到技术开始成形，只是我们还需要一些关键性的突破来使得未来成为现实。

---

❶　EDS（Electronic Data System），全球第二大电脑服务公司。

　　我上面描述的"能源互联网"，如果我们能将其建造起来，通过调整用电的高峰与低谷，它将有潜力让我们在更少的发电厂的情况下获得更快的增长，更高的能源效率，以及更多可再生能源（如风能与太阳能）。如果我们能在这些技术的基础上再加上一个更加重大的突破——发明一种能为我们提供充足、清洁、可靠、廉价的能源来为"能源互联网"提供电力，这将大大减少我们对煤炭、石油和天然气的使用。也只有这样，革命才算完成。然后，我们就可以将清洁的电力输入高效的智能电网，为每一个智能家庭，为每一辆智能汽车提供电力了。

　　当这一切发生的时候，那将是一次巨大的能源使用的变革。IT 革命和ET 革命的融合就像两条巨大的河流汇入一起。当它的的确确发生的时候，将超越你我的想象，将解放更多的人类潜能，将带来更多创新，带来更多的机会，让人们可以用可持续的方式脱离贫困。我真希望能活得够久，可以看到这一天的到来。下一章将讲述我们如何让它成为现实。

第十一章

没有石头的石器时代

最近，有报道称发明家爱迪生（Thomas A. Edison）先生最终完善了蓄电池的设计，预计价格低廉且几乎不用维护的电力汽车数月后即将面市。同样的报道一年年重复，但问题却似乎没有多大改善。

——《国际先驱论坛报》（*International Herald Tribune*），1907 年 10 月 1 日

假如我问顾客需要什么，那他们一定会告诉我需要一匹跑得更快的马。

——亨利·福特（Henry Ford）

津市集中了许多中国汽车制造业巨头，2007 年 9 月我应邀前往天津，在"绿色汽车会议"上做演讲。中国人一直致力于改进国产汽车里程标准和排污标准，他们现在要举办一次会议来讨论在绿色汽车技术方面的最新进展。谁知道呢？会场设在天津的滨海新区，听众大多是中国汽车行业的主管人员，他们通过耳机里的翻译听我的演说。我左思右想应该对这个群体说些什么，希望能让他们去思考，能给他们一个全新的视角。最终，我决定直击要害。我讲演的要点如下：

"每年我来中国，都会听到年轻的中国人对我说：'弗里德曼先生，你们美国人这 150 年来的增长都是脏兮兮的——你们用煤炭和石油进行了工业革命，现在轮到我们了。'是的，今天我在此代表所有的美国人告诉你们，你们是对的，现在该轮到你们了。请不要着急，只要你们喜欢，想变多脏就多

脏。请不要着急！因为我认为我的国家只需要 5 年时间就能发明出你们中国所需要的所有清洁电力和节能工具，然后把它们卖给你们，这样你们就不会被污染弄得窒息了。我们将在下一个伟大的全球产业——清洁电力和节能比你们至少领先 5 年。我们将把污染产业全部让给你们支配。所以，请不要着急，只要你们喜欢，你们想变多脏就多脏，想要多久就多久。如果 5 年的时间都不够，那就太好了。如果你们想让我们在下一个伟大的全球产业中当上 10 年的领导者，那将更好。请慢慢来，不要着急。"

起先，我看到许多抱怨不已的中国汽车制造商在调整他们的耳麦，以确保能清楚听到我所说的话并议论道："他刚才说了些什么鬼东西？美国将在下一个伟大的全球性产业中击败我们？那是什么产业？"随着我继续往下说，我也能从那些理解了我的意思的人中看到一些人在点头，而且一些人露出了认同的微笑：清洁电力将在未来 10 年中成为全球标准，清洁能源工具将成为下一个伟大的全球产业，能够利用和销售这些工具的国家将拥有竞争优势。这些国家将拥有最干净的空气以及发展最快的商业。

这就是我在天津试图阐明的观点：中国越是沉湎于一个即将被淘汰的世界里——人们在这个世界里肆无忌惮地使用污染能源，她就越会延迟实施那些能够鼓励清洁能源产业发展的政策、价格和规章制度。而作为一个美国人，我也就越发高兴。

美国赢了！美国赢了！美国赢了！

如果……

如果我们国家也懂得这一点，并尽力让胜利公式发挥作用：REEFIGDCPEERPC＜TTCOBCOG。也就是说，在可再生能源生态系统下进行创新、生产和部署清洁能源，提高能源效率和资源生产力，保护环境会比燃烧煤炭、石油和天然气消耗的实际成本更低。但是我们国家并不懂得这一点，也没有尽力，所以中国仍然可以击败我们。

我在前一章描述的能源网是这个革命性的新清洁电力系统的核心。那个智能电网对于提高能源效率、降低能源需求和减少排放是非常必要的，但仅仅依靠它还远远不够。我们还需要把充足、清洁、可靠、廉价的电能输入智能电网里，并创造一个完整的清洁能源系统：从发电厂到居民住房和企业，到路上的汽车。

不幸的是，正如前面说的那样，我们还没有找到一种能给我们带来充足、清洁、可靠、廉价的电能的能源生产模式。到目前为止，我们在风能、太阳能、地热能、太阳热能、氢能和纤维酒精方面取得了越来越多的进步，但在其他能源资源方面却毫无进展。渐进性增长我们已经有了，但我们需要的是呈指数律的突破。

这就是为什么绿色革命首先是一个创新的革命，而不是制度的革命。微软公司的首席研究战略官蒙迪（Craig Mundie）说："工程师们最终拿出解决方案。"但是这些绿色讨论和宣传怎么没让我们实现大规模创新或者工程突破呢？

答案有两个方面。第一，真正意义上的能源创新非常困难。我们正跌跌撞撞试图冲破目前物理学、化学、热动力学、纳米技术和生物学等学科的限制，我们需要进一步开拓所有这些学科的前沿。

但是更为重要的是第二点，也是这一章和下一章的主题：我们还没有真正去尝试。的确，我们还没有真正去尝试。

我们还没有为这样的尝试做好准备：配套政策、税收激励和约束以及法律法规。只有这些才能促使市场形成能源网、推动我们已有的清洁能源技术——如风能和太阳能——更快地沿学习曲线下移，激励所有的人在他们的车间或实验室里积极创新以创造我们未来所需的清洁电能。

我必须得强调这一点。如果你只能从这本书里带走一个理念的话，那么请带走：我们不可能通过改变我们的生活方式来解决能源气候年代的问题，我们只能通过创新寻求出路，通过地球上最高效最多产的系统，即市场体系来寻求出路，通过市场寻求转型创新和新产品商业化的道路。只有一样东西比自然母亲地位更高，那就是利润父亲，而我们还没有把它引入这场革命里。

在清洁能源问题上，我们需要的不是"曼哈顿计划"❶，而是清洁能源的市场计划。而这正是我们正在失去的东西。我们不需要一个由政府秘密操控的、由10来个顶级专家组成的行动小组隐蔽在偏远地区发明创造，我们需要1万个相互合作、相互依赖的创新者来创造充足、清洁、可靠、廉价的电能以及实现能源效率上的突破。我们需要为现有的像风能和太阳能这样的清洁能源技术创造出巨大的、狂热的需求，以降低这些技术的成本并让它们成为传统化石燃料——煤炭、石油和天然气——的替代品。如果我们能够创造出巨大的市场需求以使整个国家大规模生产清洁能源，那么现有的清洁能源技术就将更廉价、更高效、更快地沿学习曲线向下移动。我们就能像中国生产球鞋和玩具那样生产太阳能和风能。

但是，只有在自由市场里我们才能促使新技术创新以及变革现有技术。只有市场才能快速有效地汇集和分配足够多的资本，让1万个发明家在1万个公司、1万个车间和1万个实验室里工作，并以此来实现转型突破。而且也只有市场才能给那些最有意义的创新带来财富，并提高创新速度扩大创新规模，以满足我们之所需。

但市场并不是田野，我们只需浇浇水，然后坐在一条草坪长椅上观看所有随机生长出来的芽，认为最好的结果总会出现。不是这样的，市场应该是花园。你必须得精心设计和施肥——合理的税收、规章制度、激励和约束机制——以使其间的幼苗茁壮成长，最终给我们带来丰收。

到目前为止，我们还没有设计出能给我们带来大量清洁电能的能源花园——根本没有。如果说我们的确设计过，那就是我们让它用廉价污染的燃料（主要是石油、煤和天然气）生产能量。然后我们任凭从这些燃料中获益的国会和私人部门在政府的支持下疯狂地往花园里倾倒水和肥料——对其他一切却熟视无睹。我们的能源花园里只有一条法则，即"强者生存"［英国

---

❶ 第二次世界大战末期，由美国理论物理学家奥本海默主持，为率先研制出原子弹而进行的计划。该计划集结了当时西方国家（纳粹德国除外）的第一流核物理学家、动员12万多人，在花费20亿美元、耗时3年之后，终于在1945年7月16日于新墨西哥州的沙漠中，成功试爆世界上第一颗原子弹。

经济学家科利尔（Paul Collier）创造的词]，也就是由那些拥有最大游说集团和最雄厚财力的人制定政策。

现在，我们的能源花园里满是煤炭、石油、天然气管道、炼油厂和加油站，新生事物很难在这里存活。毫无疑问：是那些石油、煤炭和天然气的既得利益集团在设计我们的花园，让花园为他们服务——保持这些燃料的价格优势和巨大产量，让它们难以被取替。而且欧佩克组织和石油独裁者们也插手其中，瓜分利益蛋糕。根本不存在让每个人都能公平竞争的能源"自由市场"。那仅仅只是一个幻想。

美国对从巴西——自己的民主同盟国——进口的甘蔗乙醇征收 54 美分每加仑的关税，而对从沙特阿拉伯——超过半数的 9·11 劫机者都来自那里——进口的原油只征收每加仑 1.25 美分的关税，在什么样的自由市场里会发生这种事？这就是我们现在的市场，美国的玉米利益集团在国会有足够的影响力，他们害怕来自巴西的蔗糖乙醇冲击美国的玉米乙醇——尽管蔗糖乙醇的能量是玉米乙醇的 8～9 倍；这就是我们现在的美国，石油游说集团希望我们依赖石油燃料，他们竭力阻挠更具价格优势的替代品进入。美国斥资数十亿向石油产业、煤炭产业和天然气产业提供大量永久或长期的税收优惠，但在过去 30 年中每隔两三年才给予风能和太阳能产业少得可怜的税收减免，让这些产业没有稳定的长期资金来源，在什么样的自由市场里会发生这种事？这就是我们现在的市场，一个让化石燃料保持廉价而让可再生能源变得稀缺昂贵的市场。正如我《纽约时报》的同事毛阿瓦德（Jad Mouawad）2007 年 11 月 9 日写的那样，油价已升至 100 美元，"但即便在如此之高的价位上，石油仍然比 180 美元 1 桶的进口瓶装水和 150 美元 1 桶的牛奶便宜"。

当 1 桶石油比 1 桶水或牛奶还便宜时，你将不会大规模地进行能源创新。

如果我们想要看到在清洁电能、智能电网和能源效率方面有任何突破，那么我们必须好好地设计我们的花园——市场就是其中之一。当谈及开发下一代清洁电力时，贝克特尔公司（Bechtel Corporation）的副总裁、大型电力系统专家阿维丹（Amos Avidan）说："我不相信进化论，我只相信精心设计。我们需要精心设计的政策来尽可能地推动创新。"

人们经常问我："你认为最好的可再生能源是什么？你是不是一个太阳光电支持者？风能支持者？地热支持者？太阳热能支持者？"我的回答非常简单："我认为最好的可再生能源是一个能推动能源创新的生态系统。我是这个系统的支持者。"这才是我们最最需要的东西——一个由政策、税收激励和税收约束以及规章制度组成的精心设计的系统。这个系统能让我们现有的每一种具有发展前景的清洁电能和提高能效的技术更快地沿学习曲线下移，让每一个能够生产清洁电能的新主意更快地走出实验室大门迈向市场。只有这种系统才能给我们带来智能电网——靠充足、清洁、可靠、廉价的电力提供能源的电网。需要用一个系统来制造另一个系统。

但是，单单一个曼哈顿计划是无能为力的。《创新：创造顾客所需产品的五个法则》（Innovation：The Five Disciplines for Creating What Customers Want）一书的作者之一卡尔森（Curt Carlson）是 SRI（位于硅谷的一家研究公司）的总裁兼首席执行官，他说："政府得通过重塑市场来鼓励创新，呈指数律增长的创新。只要政府做好它该做的，那么剩下的一切都会水到渠成。"自由世界里的许多主要工业国似乎都明白这一点，而且都已经采取了一些精心设计的措施来推进及部署能源和环境创新。但美国却落后了。卡尔森补充说："我们国家唯一有适当产业政策的领域就是农业。但我们却没有为能源创新和商业化精心设计一套国家战略。"

卡尔森又说，我们不想让政府决定谁才是胜出者（这就是我们深陷玉米乙醇的根源）。我们希望政府制定合适的税收政策、调控政策和教育政策，并向基础研究提供资金以开拓材料科学、化学、物理学、生物学和纳米技术——政府提供土壤，让市场和风险资本能精心呵护每一个可能实现从研发跃向市场的萌芽。这就是精心设计的内涵所在。卡尔森说："转型性突破在短期内是不可能实现的。但长期来看，如果我们坚持做正确的事情，那么清洁能源将是一个解决问题的得力工具，将让我们的世界变得更加美好……但是如果没有精心设计，一切免谈。"

本章即将谈到这个精心设计的系统的一个组成部分——价格信号。

在我们探讨我们需要哪种价格信号之前，我得认真梳理一下我们美国在过去 50 年面对能源创新时是多么脆弱。让我们从统计数据开始，2007 年，投入美国电力研发的总资金大约占总收入的 0.15％。而在大多数竞争性行业中，这一数字是 8％～10％。如果你在研发方面的总投入只有年收入的 0.15％，那么这笔钱除了订阅几本《大众机械》和《科学美国人》之外什么也干不成。事实上，美国宠物食品行业每年都比公共事业行业用在研发上的开支多。

为了进一步说明，我在此提一个问题：美国最近的一次清洁能源大突破是发生在什么时候？答案是：1957 年。那年在宾夕法尼亚州希平港（Shippingport）建立了世界上第一个商用核反应堆。的确，从无过滤嘴香烟和种族隔离时代起，我们在清洁能源上就再也没有大规模地突破了。

你是不是还试图寻找更多证据以证明我们在能源领域多么没有创新精神？世界顶级电力系统制造商通用电气（General Electric）的董事长兼首席执行官伊梅尔特（Jeffrey Immelt）对我说：在他为通用电气工作的 26 年里，他见证了 8～9 代医疗技术革新，他是从通用公司从事 X 线设备、磁共振设备和电脑辅助测试扫描设备等医疗保健设施上看到这些创新的——这要感谢政府和医疗市场建立的价格机制、激励机制和竞争机制，这些机制驱动着源源不断的创新。在这个领域创新的利润很高且容易实现。但在能源领域呢？伊梅尔特说，他平生只见过一次真正的创新。

他说："我们现在还在出售我刚来的时候就有的那种煤电厂。虽然它们如今比以前干净了一些，也更有效率了，但基本模式没什么变化。"医疗保健领域经历了 9 次变革而电力系统领域只有一次，这说明了什么？这说明我们还没有把这个市场塑造成生产清洁能源的市场。伊梅尔特总结道："回顾过去的 30 年，能源市场还没有开始运作。"

受到政府管制的电力和天然气公用事业都是垄断企业，这些企业背后的石油公司自然而然也就垄断着交通燃料，这样，能源市场的主要参与者就失去了创新的动力，新兴企业也没有了成长空间。伊梅尔特说："从技术角度看，能源领域的投资实在太少了。卫生行业每年都要在研发上投入约 8％ 的年收入，而整个能源行业每年却只投入 2％。"

阿尼萨集团（Annisa Group）总裁、行业咨询师兼纽约市立大学柏鲁克学院杰克林商学院（Zicklin School of Business at Baruch College of the City University of New York）的兼职教授戈德堡（Edward Goldberg）给《巴尔的摩太阳报》（*The Baltimore Sun*，2007 年 2 月 23 日版）写了一篇文章，其中谈到：

现代美国资本主义的增长模式令全世界羡慕，它成功地利用人类需求和相互竞争推动了发明创新。苹果电脑与苹果公司一起兴旺，微软夜以继日地工作让其软件不断升级。但是当竞争衰减下来而且市场也不再追捧创新时，现代资本主义这个丰饶角（cornucopia，希腊神话里哺乳宙斯之羊的角，象征丰饶——译者注）就会停滞不前且社会也将因此受损。我们在能源领域遭遇的正是这样的困境。私人企业是最能有效开发新能源的主体，但是我们的那些能源公司并没有感受到现代市场资本主义的压力，因此开发新能源的事业也就只停留在口头上。当美国资本主义不断深化、效率更高并出现大量创新的时候，能源产业却似乎更具重商主义色彩了……如果这只是发生在一个小行业里，那几乎无人问津。但当市场在我们最关键的行业中怠于发挥其创新作用的时候，作为我们国家守夜人的政府就必须成为创新的催化剂……那种为争取客户而进行创新的动力早已在能源产业里绝迹多年。人们最后一次在电视广告上看到石油公司说自己产品和服务比竞争者的更好是在什么时候？虽不是垄断，但能源公司实际上却实实在在地操控着公共事业和交通系统。能源对一个国家的重要程度决定它必会受到特殊对待，美国军方投入了大量人力物力来保障国内的能源供给和来源，能源产业与其他产业的不同也就不言而喻了。能源公司可以无视哈佛商学院教授克里斯坦森（Clayton Christensen）的"颠覆性技术"的格言：由于新技术更为廉价且消费者更易掌握，所以新技术会取代现有技术。由于可以无视市场创新，能源公司只需维持或增加能源供给就可以了。没有市场压力推动创新以找到可替代能源，社会从这些能源公司获得的利益被大大削减……如果当福特公司仍在制造越野汽车的时候，丰田公司通过生产混合动力汽车拿走了福特公司的市场份额，那么福特就会遭到市场的惩罚。但由于能源公司通过能源采购就能获得巨额利润，所以它们并不需要竞争性的创新来生存。它们的获得的利润都是超额利润，它们不但没有因缺乏创新而被市场惩罚，反而获益了。与此同时，它们还可以无视那些推进美国资本主义前进的市场驱动力所发生的变化。能源寡头们知道，如果石油价格能够一直低于竞争性能源产品的话，那么它们就无须投资于新型能源。如果石油市场土崩瓦解……这一停滞局面将更难逆转……在一个能源短缺的世界里，美国不能再让陈旧的、没有创新力的资本主义成为这个工业体系的核心，扭曲并威胁整个国家了，它已无力承载。

唯一可以改变这一状况并点燃新型能源之火的办法就是重塑市场，让清洁能源技术有资本与这些污染的燃料竞争，然后把它们扫地出门。唯一能做到这一点的就是税收和激励机制，为现有的像风能和太阳能这样的清洁能源技术创造出更多的需求，让这些技术沿学习曲线降至"中国和印度的价格"；利用税收和激励机制促使更多的私人企业和大学进行研发；利用税收和激励机制鼓励更多的投资者把政府、大学或私人部门实现的任何突破快速带入市场。

加州大学伯克利分校的能源创新专家柯曼（Dan Kammen）说："无论你怎样费尽唇舌告诉市场你想要它做什么，它都只会对价格信号做出反应。"因此，"任何一个想求助于市场却不求助价格信号的人都是没学好经济学的。我们现在就是在试图求助能源市场，但我们却不用价格信号。如果你想让市场来生产某种产品却不给它价格信号，那么这个市场就形同虚设。我们必须拿出价格信号"。

价格和创新

已故的沙特阿拉伯石油部长亚马尼（Sheikh Ahmed Zaki Yamani）曾一针见血地指明了相对价格在刺激可再生能源创新方面所发挥的关键作用。20世纪70年代，当欧佩克石油输出国组织刚开始认识到自己的重要性时，亚马尼就常常告诫他的同伴们不要过快过高地提升石油价格，否则将促使西方国家的政府和市场大规模创新风能、太阳能和其他形式的可再生能源。

有报道称，亚马尼是这样告诉他的欧佩克同伴的："请记住，小伙子们，石器时代之所以结束不是因为石头用完了。"石器时代之所以终结是由于人们发明了青铜和铁替代石器工具。亚马尼知道，如果各大石油消费国联合起来大规模生产可再生能源，或者大幅提高能源效率，石油时代将伴随着成千上万桶石油还埋在地底下而终结，正如石器时代是以许许多多的石头躺在地上而画下句号一样。亚马尼知道价格信号——石油价格相对于可再生能源价格——是非常重要的，且欧佩克必须精确地保持原油价格在卡特尔能获得最高回报而又不会促使西方国家创造出石油替代品的水平上。

我们的目标就是要让亚马尼的噩梦成真。

要实现这一目标，我们就要建立我们自己的价格信号来让市场在1万个车间和1万个实验室里发起1万个清洁能源创新。只有我们给予市场它所需的价格信号：碳税、上调燃油税、可再生能源任务、限制排放与交易许可等间接征税机制——或者这些措施的组合，市场才会给我们那些我们想要的东西。

加州理工学院能源化学家刘易斯（Nate Lewis）用了一个很贴切的比喻来解释为什么对污染燃料征税会有助于推动大规模清洁能源创新：比方说我发明了第一台手机，亲爱的读者，我对你说："我刚刚发明了1台你可以放在口袋里随身携带的电话，你对此感兴趣吗？"

你或许会说："哇，1台我能放在口袋里随身携带的电话？真的吗？这会改变我的生活。我要买10台，把它们分给我的员工。"

我会说："10台！但我必须提醒你：这是第一代手机，每台手机将花费你1 000美元。"你会毫不迟疑地说："听起来很贵，但这值得。正如我说过的，随身携带的电话将会改变我的生活。"

因而我卖给你10台，卖给下一个读者10台，再下一个读者10台……6个月以后，猜猜怎样了？我又发明了升级版的手机，它比原来的更小、更轻便且只要花费850美元，我正沿着学习曲线下移。

现在我回到自己的创新实验室，又发明了1盏太阳能电灯。于是我又来到你面前，对你说："还记得我卖过你手机吗？挺好用的，是吗？好，现在我再给你看点儿新东西。看到你头上的电灯了吗？我用的是太阳能向它供电。但这是全新技术所以比较贵：你每个月将为此多付100美元。"

亲爱的读者，你会怎样回答我？你或许会说："嗯，汤姆，记得你卖给我的手机吗？现在它改变了我的生活，我以前从没有用过类似的东西。但是你可能没有注意到，我头上已经有电灯了，它工作得很好。坦率地说，我根本不在乎电是从哪儿来的。抱歉，汤姆，我不想购买你的发明。"

只有一种方式可以改变这种情况。必须让政府来告诉你，我亲爱的读者，从今以后你将为你排放的二氧化碳和制造的污染——来自你那明亮的、煤炭发电的电灯——买单，并且你每月将因此花费125美元，那么我的每月只花费100多美元的太阳能电灯就是一个廉价品了。你将会买10盏，所有这本书的读者每人也会都买10盏。6个月以后，猜猜怎么了？同样的太阳能电灯每月就只用花75美元了。我将沿着成本-数量学习曲线下移，并且创新也就名副其实了。最终，我将使太阳能电灯的成本低于用煤炭发电的电灯。我让新发明达到了一定规模。

人们都说建造一套可再生能源基础设施是我们这一代人的登月计划。我希望是这样。

但刘易斯却说："建造一套无污染物排放的能源基础设施与把人类送到月球上是不一样的。"

在登月计划中钱不是目标——我们所要做的事就是到达那儿。但今天，我们已经有来自煤、天然气和石油的廉价能源了，所以让人们支付更多的钱转而使用清洁燃料，就像是让美国航天局（NASA）拿出钱来再建一艘新的登月宇航船一样——但在此之前西南航空公司已经到过那里了。我们已经有过一次去月球的经历了，而且也不贵。一次经历就是一次经历。对大多数人来说，电就是电，他们不会去管它是怎样生产的。制造更清洁的能源并不能提供他们任何新的东西，所以让他们为已拥有的东西付费也是一样。如果人们的手机可以下载音乐，那么他们就不会花费太多的钱去买iPod。

你得牢牢记住：清洁能源给予我们的是一个新环境而不是一种新的功能。刘易斯写到："电就是电——没有蓝色或绿色之分。它们只是让灯泡发光，它们不会为你搜索电子邮件也不纠正你的拼写。"

因此（我一再强调），如果我们想大规模地进行两种形式的创新——全新的清洁能源产量的突破和让我们已有的清洁能源技术沿学习曲线更快地下移，那么我们就需要政府对我们不想要的产品（来自煤炭燃烧的电力）征税以及对我们想要的产品（清洁能源创新）进行补贴，这样才能营造公平的竞争环境，这样才能创造出巨大的市场需求。

2000 年，国际能源机构（International Energy Agency）发布了《能源技术政策的经验曲线》（*Experience Curves for Energy Technology Policy*）报告，报告强调，如果政府通过价格信号增加了需求，那么其将使现有技术快速沿学习曲线下移并且以更低的成本更快地大范围推广这些技术。国际能源机构称："光电模板现在正以 15％的年增长率前所未有地快速增长，到 2025 年有望达到盈亏平衡点。如果增长率提高 1 倍，这一时间将会提前 10 年到 2015 年……如果我们想在这个新世纪的头 10 年里就让低成本的二氧化碳减排技术传播开来，那么就必须让现今的市场开始学习这些技术。

我们非常需要新的东西。但是旧的东西——风能、太阳能、太阳热能和地热能——已经存在了，而且还很奏效。但如果我们能够适当运用价格信号来刺激市场让新技术沿着学习曲线更快下移，那么情况就将会发生很大转变。当市场需求在整个国家开始扩大时，你所要做的就是静待太阳能电池板和风能发电的价格平稳下降。生产者利用规模经济和新技术更高效地生产太阳能电池板或风力涡轮机。但是这些新能源终究逃不过要与煤炭竞争。这就是我们要不断扩大现有可再生能源的市场的原因，而且这也是我们需要的是市场而非曼哈顿计划的原因。

能源物理学家罗莫（Joseph Romm）主张说："把清洁能源计划比做政府阿波罗计划或曼哈顿计划是不恰当的。这些计划没有预算约束，是为特殊的顾客制造的非商业化产品，只要把大把的钱往里扔就可以了。但为了保持适合我们生存的气候，我们却需要为许多有不同预算约束的顾客制造出大量市场商品。"我喜欢神奇，我们需要神奇的突破。闭上你的眼睛并且祈祷，让我们很快就会找到一个。但在此期间，让我们也睁开眼睛看看那些被我们忽视的已经存在于现有技术里的清洁能源——如果我们能让市场给出合适的价格信号，那么它们就能形成规模。

这样的价格信号甚至可以不是税收，最低价格就能达到效果。当原油价格为 50 美元 1 桶时，美国国会定不敢施加每桶 50 美元的税收而让油价升至 100 美元。但是现在原油价格已经超过了 100 美元 1 桶，而且这刺激了市场更多地投资于替代品，政府就可以宣布说它们将实行 100 美元 1 桶的最低价格政策。如果原油价格停留在 100 美元以上，那么很好。如果油价跌到了 90 美元 1 桶，那么政府将对每桶原油征收 10 美元的税。同样，政府也可以把汽油价格固定在 4.50 美元 1 加仑的水平上。

这样，最低价格将会消除能源投资者们面临的不确定性。假如投资者和风险资本家认为他们所投资的清洁能源不比肮脏的旧能源更有发展前景，那么我们就得不到我们所需的大规模创新，而且我们能让现有清洁能源技术沿着学习曲线快速下移。20 世纪 70 年代的油价上涨引发了大量太阳能和风能创新，但欧佩克油价在此之后 10 年里表现出来的疲软又赶走了所有这些投资，并且政府也不再有兴趣支持它们。企业和投资者们已经太多次目睹这种事情的发生。他们一直都很小心谨慎，甚至对目前的油价也很谨慎。他们可能会在可再生能源上豪赌一把，然后基准油价（目前超过 140 美元 1 桶）下拉至 75 美元或甚至 50 美元 1 桶。这时可替代品市场就会消失，他们的行为在股东们看来是非常愚蠢的。

想一想丰田公司。当我写这本书的时候，美国等待购买混合动力车普锐斯（Prius）的买单已经排到了 3 个月以后。为什么呢？普锐斯自面世以来就是在日本生产然后运到美国销售。普锐斯的销售量与汽油的价格同步升降。当美国汽油上升到每加仑 4.50 美元的时候，普锐斯的需求量达到了顶峰。丰田在 2008 年 7 月就宣布要扩大普锐斯的生产，并把一部分生产搬到美国来进行，厂址选在一家位于密西西比州的原先生产 SUV 车型的工厂里。而丰田原计划要到 2010 年才实施该项目。我向你保证，如果白宫在9·11 之后就对汽油征收爱国税或者规定石油和天然气的最低价格，那么今天在美国的 3 个州里都会有普锐斯工厂——此外，每加仑汽油也会给美国财政部多带来 1～2 美元的税收，这笔钱也不会再落到石油专制者手里。

正是这种缠绕在长期油价上的不确定性阻碍了那些我们认为最有潜力的能源公司全力以赴进行清洁技术创新。你在电视上看到过这样的场景：来自拉斯维加斯的一个戴着太阳镜和棒球帽的家伙推出他全部的筹码，说："全押上"，然后房间里的每一个人都深吸一口气。这就是我们想看到美国最好的创新企业要做的事——把他们所有的筹码都押在清洁能源和能源效率的创新上。的确，风险资本非常重要，但是这些大企业的冒险精神也同样重要，因为当它们看到了一个持续时间长、经得住考验而且利润丰厚的可再生能源市场时，它们就能够动员成千上万名工程师、科学家和研究者，而且它们还具备全球生产和营销才能，它们能比任何人更快、更广地让产品达到一定规模。

通用电气公司、杜邦公司和微软公司是美国首屈一指的工程、化学/生物科学和软件公司。然而，如果你采访这 3 家公司的主管，他们都会告诉你他们并没有全力投入可再生能源或能效软件（微软）。这太糟糕了。微软仅研究预算就达 60 亿美元——这比 2007 年投入清洁能源技术的风险资本总额都多——而且是联邦政府用于能源效率和可再生能源研发资金的 3 倍。

虽然这三家公司都在清洁电力和能源效率创新上下了赌注，但是他们并没有全力以赴。虽然 140 美元 1 桶的油价对他们来说颇具诱惑力，但真正能让他们"全押"的动力却是对原油或煤炭规定的最低价格，这会向他们以及他们的投资者传递一个信号：这些化石燃料的价格绝不会低于某一水平。正如麻省理工的创新专家奥耶（Kenneth Oye）喜欢说的那样："价格波动与价格居高不下是两回事。"油价升至 140 美元 1 桶并不意味着经济一定会衰退，巴西海岸发现的一处油田不会让价格再次下跌并赶走在可替代能源上进行的投资。这就是像通用电气和杜邦这样的公司不关心石油的最高价格却十分关注最低价格的原因。

通用电气的伊梅尔特（Jeffrey Immelt）清楚地阐明了这一点：能源大亨不会在"一个只持续 15 分钟的市场信号上下数十亿美元的、40 年的赌注。这是不可能的"。像通用电气这样的行业大佬只有在得到了一些确定的价格信号后才会在清洁能源上下大赌注，对于那些认为政府不该制定最低价格或者鼓励清洁能源开发的市场教条主义者，你应该告诉他们：现实点。"别把谬论奉若真理。政府能干预每一个行业。如果政府必须存在，那么我希望他们是生产型的而不是破坏型的。"

那些已经明白这一点的政府早已大大获益。目前，通用电气正在清洁电能领域进行第三代创新——风力涡轮机。伊梅尔特说："多亏有欧盟。"丹麦、西班牙和德国这些国家颁布了风能发电标准，要求其公用事业的年风力发电量要达到一定数额，并向这些企业提供长期补贴。20 世纪 80 年代，美国因油价大跌而放弃使用风能，而欧洲却为风力涡轮机制造商创造了很大的市场。伊梅尔特说："我们的风能事业在欧洲有了很大发展。"

如今，美国大约一半的州都制定了可再生能源的标准，并要求其公用事业在发电时要用太阳能、风能、水力、地热和生物燃料生产一定比例的电力，但是每一个州的标准都不同！2007 年，国会曾试图通过一个统一的国家标准，却失败了。

伊梅尔特说:"假如我们有一个能覆盖所有 50 个州的可再生能源国家标准,那么我们就会对风能、太阳能或地热能产生巨大的需求,这样就能真正地豪赌一把。2000 年,欧洲能源和环境部长告诉我欧洲将有 10% 的可再生能源,如此一来,我们的风能产业可以在那里扎根了。必须得有人向我们保证有稳定的需求。我们可以冒险尝试新技术、我们可以为技术研发投入大量资金,但是我必须知道如果我们的技术奏效了,就会拥有 1 个 200 亿美元的市场。这样的市场在医疗和航空领域已经存在,但能源领域却还差得远……这已成为制约核能发展的最大障碍。我们担心我们在这些研发上投入大量资金后却不知道能否收到订单。"

杜邦公司首席执行官霍利迪(Chad Holliday)说,政府对原油或汽油规定怎样的最低价格——是 80 美元 1 桶或是 4 美元 1 加仑——并不重要,重要的是这要是一个可信的最低价格。

> 他说:"这样一来,我的投资者会说:'我知道你没有在浪费我的钱,市场是确定的。'如果市场已经建立起来了,我所要做的就是让他们相信技术是有效的。我一直在试图说服投资者,他们总是问我:'如果这一切都不复存在了怎么办?'我们需要一些确定性……我们过去曾经营过一个石油公司康菲(Conoco),但我们认为它不能成长为一个大石油公司和科技公司,于是我们决定卖掉它。我雇了世界上最好的 3 个咨询公司,让他们告诉我原油价格的走势。他们向我保证说原油价格不会超过 24 美元 1 桶,或者超过的可能性很小。市场根本看不清原油价格的发展趋势。现在油价正在上升,但没有人能保证它不会下降。这就是伊梅尔特和我认为必须要制定一个碳成本的原因,不管怎样设计都好,但必须得有一个明确的价格信号。

2007 年,霍利迪(Holliday)给我举了一个具体的例子:"我们有大约 100 位科学家在从事纤维乙醇(来自于废弃物或柳枝稷而不是食物作物)的研发工作，我估计我们还能再增加 1 倍的人并再找 50 人来推销这种技术。我们扩大规模所需花费的资金应该不到 1 亿美元。但是我还没有准备好这样做。我能估算成本和价格，但是会有市场吗？会有怎样的规章制度？乙醇补贴会减少吗？政府会对石油征税来保证酒精的竞争力吗？如果我知道答案，那么就会有一个明确的价格目标。否则，我不知道市场有什么用，并且我的股东也不知道该怎样评价我正在做的这些事……我们需要确定的激励机制和市场信息，因为我们正在谈论的是涉及数十亿美元的长期投资，我们需要很长一段时间才能起飞，我们得确信不会四处碰壁。"

有些人对此很是不屑，认为这不过是企业的牢骚。我却不这样认为。能源创新很昂贵，而且我们总要与现有的、廉价污染的能源作斗争。如果对美国的原油、天然气和汽油规定最低价格或者实行永久碳税以提高煤的价格，你就会看到那些制约能源创新的因素将不复存在。伊梅尔特说："政府是医疗领域的主要参与者，投入了巨大的补贴。因此，我们在有生之年就能找到治愈癌症的方法。为什么在可再生能源领域就不可以呢？"

霍利迪说："我们想尽快研发出新一代光电技术。中国香港地区和新加坡政府察觉了我们的意图，都很想让我们到他们那里建厂。美国为何不这样做？我前往香港参加一个会议，香港新任特首不请自来地出现在我们的会议上，只为告诉我们：'你们应该选择香港，这点非常重要。我知道新加坡也正在和你们洽谈，但是你们应该来这儿。'美国当局却没有这样做。"

底线：美国需要能源技术泡沫，就像需要信息技术泡沫一样。为了得到这个泡沫，政府需要毫不迟疑地对可再生能源进行投资。当然，我们会浪费一些钱；也会有很多人在这个过程中失败，但我们最终将变革美国经济，把我们自己从纷繁芜杂的麻烦中解救出来。

此刻，我们在美国已经制造出清洁能源"故事"泡沫，但是我们还没有清洁能源泡沫。2007 年投资于清洁能源的风险资本还不到 50 亿美元，而 2000 年投资于网络热的风险资本在高潮的时候却达到 800 亿美元。如果在网络泡沫中有 50 亿美元从桌子上掉下去，甚至都没人会动身把它捡起来。

在 1999 年达沃斯世界经济论坛上，我从比尔·盖茨（Bill Gates）那里第一次了解到泡沫的价值。我在我的《凌志汽车与橄榄树》（*The Lexus and the Olive Tree*）一书里记录了他那次即兴演讲。盖茨在一年一度的达沃斯新闻发布会上大谈微软和技术创新，那时正值网络泡沫急增。那里的所有记者一直在问他这个问题："盖茨先生，这些网络股都是泡沫，是吗？当然，它们是泡沫。它们肯定是泡沫吧？"最后，恼怒的盖茨对台下的记者说："它们当然是泡沫。但是你们都没抓住要点。这些泡沫将会吸引大量新资本流入到网络行业中，它将越来越快地驱动创新。"的确，正是过热的网络泡沫在20世纪90年代后期到21世纪初，把高达数十亿美元的过量资金引入到光纤电缆行业中，这意外地把世界连在了一起，同时也让世界变平了，让每个人都能享受网络连接。这个网络基础设施主要是由美国和欧洲的投资者来付费的。他们中的许多人最终在网络泡沫的破灭中破产了，但是他们留下来的网络世界却让印度人、中国人、巴西人和其他来自发展中国家的人能够相互竞争、联系和合作，以前所未有的低成本享受前所未有的便捷。在20世纪90年代，网络泡沫为许多创新提供了资金，仅用了10年时间就催生出互联网—万维网—电子商务系统，并最终演变成IT革命。

经济学家早就知道尽管泡沫会导致大量钱财浪费并带来痛苦，但它却快速推动创新，并用巨额资金为下一次的繁荣、泡沫和破灭铺平道路。《新闻周刊》的经济学专栏作者格罗斯（Daniel Gross）曾写过一本书《砰！为什么泡沫能推动经济发展》（*Pop! Why Bubbles Are Great for the Economy*），该书论证了泡沫的经济逻辑，并声称泡沫已成为"美国经济发展和创新的"主要驱动力。他说，大多数早期的投资者们在铁路或者电报泡沫中破产了，但是他们留下的基础设施却推动经济向前迈进。当然，格罗斯也主张，引发一个真正的能源泡沫是推动可再生替代能源创新的最佳方式。泡沫带给IT的成就，同样也能运用在ET（能源技术）上。

价格：不良行为的刹车

除了创新之外，一个健康的社会如果想用税收和规章制度来重塑能源市场，那就还需要另外一样东西。它叫做生与死，或者稳定与不稳定。这是一个生存问题。原因非常简单：在一个炎热、平坦、拥挤的世界里，污染能源体系会让能源气候年代走向不可控制的极端——能源供求失衡、气候变化、石油垄断、生物多样性丧失和能源匮乏。我们需要市场来传达不同的信号。著名的环保主义者布朗（Lester Brown）在他的名著《B3.0计划》（*Plan B 3.0*）中援引了埃克森美孚（Exxon）公司在挪威和北海地区的前副总裁德尔利（Oystein Dahle）的话："计划经济失灵了，因为它不允许市场说出经济真理。市场经济可能也会失灵，因为它不允许市场说出生态真理。"

他想说的是，成形于19世纪和20世纪工业时代的资本主义认为，污染、废弃物和二氧化碳排放等都是些不相关的"外部性"，可以置之不理。任何一本经济学教科书都会告诉你：外部性是指不直接参与交易的当事人所承担的或收到的由该交易所产生的成本或收益。工厂向大气中排放污染气体和二氧化碳以及向河流中排放有毒废弃物，这就是外部性的一个经典案例。让我们假定这个工厂是制造玩具的，这些玩具的价格就是劳动力工资＋原材料成本＋利润，交易双方为厂商和消费者。制造玩具所用的煤电以及由此产生的有毒化学物污染了空气、河流，加剧了全球变暖，并引起了短期性或长期性的健康问题，这些都是"外部性"，而第三方——全球社会和地球环境——却要为此买单。

我们的会计记账法从来不把这些外部性的成本计算在内，我们就一直用这种方法自欺欺人。正如布朗（Lester Brown）所说的那样，我们的社会，"一直像不诚实的能源巨头安然（Enron）那样做着非常愚蠢的事"。每年我们账面上的利润和GDP看上去都非常不错，"因为我们在本子上隐藏了一些成本"。然而自然母亲并没有被愚弄，这就是气候变化的原因所在。那些没有被定价的东西就得不到我们的珍惜，假如我们开放的土地、清洁的空气、水和健康的森林没有被明码标价，那么已经非常拥挤和平坦的地球将很快沦为一个炎热的、没有成本的垃圾填埋场。当市场不能给外部性定价从而低估了商品和服务的价格，并因此严重影响经济、健康和国家安全的时候，政府就应该介入，重塑市场并纠正错误。

地毯制造商 Interface Inc 公司一直致力于生态保护，该公司的创始人兼董事长安德森（Ray Anderson）曾问："如果市场不能妥善处理外部性成本，那么这只看不见的手怎么能成为一个合格的资源配置者？"

政府通过税收和教育让成千上万的人戒烟、戒酒，政府需做同样的事让经济停止滥用煤炭和汽油。我们经济的、身体的和地缘政治的健康都依赖于此。

哪种价格信号

是的，我们需要价格信号，那么每种价格信号的优缺点都是什么呢？通常我们所说的价格信号有：碳税、燃油税、收费和优惠综合税制、限制排放与交易许可等间接税、可再生能源法令。只要有效税收足够高、持续时间足够长，足以真正改变人们的行为，那么上述任何一种方法都能奏效。

在限制排放与交易许可制度下，政府会规定一个到某一日期为止美国经济可以排放到大气中的二氧化碳的总量上限，这个上限将界定美国二氧化碳的最大排放量。这一上限将随时间推移而逐步下调，进一步减少二氧化碳排放量并抬高排放成本。每家企业通过分配或拍卖的方式得到与其可以排放的二氧化碳总量相当的交易许可。那些能够有效减少自己的排放量的企业可以把自己没有用完的许可卖给其他企业。限制排放与交易许可使美国最终得以控制酸雨。

皮尤全球气候变化中心（the Pew Center on Global Climate Change）总裁克劳森（Eileen Claussen）认为限制排放与交易许可在许多领域都优于碳税。首先，她说："税收提供的是成本确定性，而限制排放与交易许可制度提供的却是环保确定性。"政府根据科学家们计算出的为保护气候而应控制的排放水平制定上限。克劳森说，税收的缺陷在于一些人只是付钱，现在他们支付更高的汽油价格但依然去买悍马车，向大气中排放更多的二氧化碳。并且，众所周知，新税收法案很难在国会通过——尤其是那些真正可能控制二氧化碳排放的税收法案。此外，限制排放与交易许可制度还给了政府更大的灵活性。它能调整严重依赖煤炭的公用事业和企业的配额，这些机构可能因此受到很大冲击，从而向低碳经济转型。然而，要让限制排放与交易许可制度奏效，我们还需要在排碳交易上贴一个有公信力的价格标签——每吨二氧化碳排放量不得低于 30 美元。

碳税的倡导者们却不这样认为（我赞同他们的观点）。他们认为税收比限制排放与交易许可制度更适合，因为这种方法更简单，更透明，计算起来更方便，而且这种方式可以覆盖整个经济系统，还能通过降低低收入群体的工资税而减轻他们的税收负担。税收倡导者们认为覆盖整个经济的限制排放与交易许可制度实施起来较为复杂，而且各种利益集团会积极游说以争取特殊豁免。

限制排放与交易许可制度除了操作复杂性以外，它还让人感觉就像是一个粉饰太平的策略，而正是这种思维方式导致了我们今天的困境。人们必须清楚我们是处在一个需要进行系统改变的新时代里，但是限制排放与交易许可制度的核心就在于掩盖痛苦并假装我们没有在征税。在我看来，这就像是1962 年通过让梅雷迪斯（James Meredith）去读夜校，试图保持密西西比大学的种族隔离政策一样。❶ 这样永远不可能奏效。他必须光明正大地从大门走进来，而且要让所有的人都看到。这才能改变一切。碳税也是一样。煤炭的价格信号不仅仅是要改变人们的经济行为，它还要改变我们对自己的国家以及我们自己所处境地的看法。这是不能掩盖的。我们必须从"这是我们能做的最好的事"转变到"我们怎样才能把事情做得更好"。

但不管哪种方式，只要能最快获得国会通过，只要能保持其初衷不变，我都会很乐意接受。

---

❶ 1962 年黑人学生梅雷迪斯（James Meredith）两次申请进入密西西比大学被拒之后，诉诸法庭，终于法庭裁决密西西比大学必须在 1962 年 9 月接收他。这个裁决引起当地支持种族隔离政策的白人一片愤怒。最后，美国总统肯尼迪决定出动联邦军队执行法庭命令，护送梅雷迪斯入校。当天引起了一场 2 000 多人参加的暴动，并遭到联邦军队和法警的镇压，最后 2 人死亡，多人受伤。这个事件在 20 世纪 50 年代开始的民权运动中占有极其重要的地位。——译者注

有些人认为碳税会让我们的出口产品变得更加昂贵而缺乏竞争力，不利于美国经济。我不这么认为。首先，出口价格中包含很多因素，其中最重要的就是货币的价值。其次，像丹麦和挪威这些欧洲国家一直都在征收二氧化碳税。但如今丹麦却是世界上风力涡轮机出口的佼佼者，国内失业率大约只有 2%——部分原因是它征收能源税的方式推动了整个新兴清洁技术产业。最后，如果美国要实行碳税，并假设别国却不这样做，那么国会很快就能会对别国用污染燃料生产的出口产品征收"碳关税"。

对于如何解决汽油问题，下面有几种可行的方法。一种方法是我在前面建议的最低价格。能源经济学家弗尔莱格（Philip Verleger, Jr.）已提议引入汽油税，5 美元或 10 美元 1 加仑，用这些钱来降低工资税并建立一个政府基金，用于回购超级耗油车型，然后压扁它们。现在很多消费者都乐于用他们负担不起的大排量汽车折价换购更小的更省油的小车。弗尔莱格说："一堆被压扁的超级耗油车，就是我们最好的 9·11 纪念碑。"

落基山研究所（the Rocky Mountain Institute）的创建人之一，著名环保主义者洛文斯（Amory Lovins）提议，通过对汽车实行"收费和优惠综合税制"以使人们不再购买大排量汽车，鼓励他们购买节油车。洛文斯说："我们把车按大小分类，在每一级别里，新车所有者要么付费要么获得返款——取决于他们的车的能效——收取的费用将用于返款。价差的扩大会促使消费者在他或她喜爱的车型里挑一款节能的。这样，消费者节约了钱；汽车制造商获得了更多利润；国家安全也改善了。"

由于欧洲的高税收政策，美国的燃油税还不到欧洲的一半，因此没有比提高燃油税更有效的方式了。燃油税将促使人们减少消费，转而使用更省油的交通工具，让石油垄断者们从我们身上少赚些钱，改善空气质量，让美元更加坚挺，保持国际收支平衡，缓解全球变暖，让市民知道他们正为反恐事业贡献力量。

约翰·霍普金斯大学外交政策的专家曼德尔鲍姆（Michael Mandel-baum）说："这不只是一个双赢，而是五赢。"

伊梅尔特（Jeffery Immelt）认为另一个有效的价格信号是国家可再生

能源法令。这一信号会告诉每个州的电力公司到某一时期，比方说 2020 年，法律将要求他们所生产的电量的 20% 必须来自可再生能源——如太阳光能、太阳热能、水力、风能、波能或任何其他清洁能源。这种可再生能源法令会激发大量创新，因为这将创造一个巨大的、确定的国家市场，投资者会涌入这一市场投资于现有的像风能和太阳能这样的清洁能源技术，使这些技术沿学习曲线快速下移。一个叫做布什的政客在他担任得克萨斯州（Texas）州长的时候就已经验证了该方法的可行性。1999 年，他签署了得克萨斯州可再生能源任务法案（Texas Renewable Portfolio Mandate），规定到 2009 年止，得克萨斯州电力公司必须用可再生能源特别是风能来多生产 2 000 兆瓦的电。猜猜发生了什么？包括一家爱尔兰公司在内的十几家新公司涌进了得克萨斯州市场，大力兴建风力涡轮机以完成这项任务——如此之多的风力涡轮机，以至于到 2005 年就提前实现了 2 000 兆瓦的目标。因此，得克萨斯州的法律把任务提高到 2015 年完成 5 000 兆瓦，每个人都知道这一目标最终也将得以实现。可再生能源法令奏效了。

最后一种方式是，我们在 1979 年前的 25 年里建造了 100 多个核电厂，但因 1979 年发生在三哩岛（Three Mile Island）的那场事故停止了所有核电厂的建造工程。我们应该把工程继续进行下去，而且我们需要出台应急计划以延长已建核电厂的寿命。有如今的这些新技术，核泄漏的威胁比气候变化的威胁要小得多了。但是目前建造 1 座新的核电厂最少要花费 70 亿美元，而且从设计到建成将花费大约 8 年的时间。大多数 CEO 只有 8 年任期，而且很少有哪个公用事业的 CEO 会把 70 亿美元——这或许比公司市值的一半还多——押注在一个核项目上。在早几十年里，对于许多公用事业来说，建造核电站就是一个"商业赌注"提案，会导致公司破产或像长岛照明公司（Long Island Lighting Company）和印度公共服务公司（Public Service Company of Indiana）那样陷入经济瘫痪。因此，由于核项目容易引来官司或者由于种种原因被拖延，美国核产业的重建很可能要在政府最低贷款担保下进行。

请仔细听好

如果想进一步了解我们在转向清洁能源体系的过程中所面临的挑战，那么最好的方法就是重温马基雅维里（Machiavelli）的《王子》（*The Prince*）一书。在书中我最喜欢的段落是："应该记住，没有比引领新秩序更困难、更危险、更不确定的事了，因为创新者的敌人是那些在旧条件下做得很好的人，而他们冷淡的拥护者却是在新条件下可能比他们做得更好的人。这种冷静一部分源于对那些有法律支撑的反对者的害怕，另一部分则是由于人们的怀疑——除非已经长时间接触新事物，否则人们是不容易相信新事物的。"

鉴于此，我们就需要政府来制定价格信号并以此激发能源创新。当我们从一个体系进入到另一个体系时，第一步总是痛苦而昂贵的，而且在一个炎热、平坦和拥挤的世界里，我们每多等 1 年，这就会更痛苦一分、更昂贵一分。价格信号早晚会推动公众和企业转型，但我们的领导者却不愿引领这一趋势。因此，只有当外部因素——如 20 世纪 70 年代阿拉伯石油禁运——引起足够多的痛苦和足够长的队伍抢购汽油时，领导者们才会知道他们是有政治资本来做正确的事情的，为美国汽车争取来 2 倍的燃油。

谁会来告知人们？我知道专家们认为，从政治上来看，让公众在没有短期回报的情况下缴税是不可能的。然而在过去，在女性参与选举和公民权利等大事上，公众的行动都是先于政治家的，并且当公众清楚地知道什么是正确的以及替代物的实际成本和收益时，政治家们往往低估了公众想做正确事情的意愿。

上述是全部构想。让我们设想一次竞选，在这个竞选里一个候选人支持燃油税而另一个反对。反对征税的候选人会说几十年来此类候选者一直在说的话：

"自由主义的反对者又来了——又要求增加一种税收。他向来很喜欢征税。现在他想提高燃油税或者对二氧化碳征收很高的税。美国人民的税收负担已经很重了，上帝保佑我们的国家，谢谢！"

但另一种回答正等着呢，并且一个真正的绿色环保候选人不会回避它，他或她会这样说："美国人的赋税确实很重。我完全赞同。现在他们正承受着来自沙特阿拉伯、委内瑞拉、俄罗斯和伊朗的税负，而且如果我们还停留在这条路上，他们很快就会承受来自大自然母亲的税负。而且当大自然母亲开始向我们征税的时候，你就再也不能打电话给政客要求税收减免了。让我们把事情变得直接点：我的反对者和我都赞成征税。我始终坚持这个古朴、老套的观点：我们应该向美国财政部交税，而不是向沙特阿拉伯、伊朗、委内瑞拉或俄罗斯的财政部交税，一想到这些我就有些不安，我想让我交上去的税用来建设自己的国家。"

"想想看：2001 年 9 月 11 日上午，美国的汽油价格是 1.60 美元到 1.80 美元 1 加仑。如果第二天布什总统征收了 1 美元每加仑的爱国税，那么汽油价格会接近于 3 美元 1 加仑。美国政府的财政收入会很快增加，汽油需求也会下降，而且对更节油的交通工具的需求将会急增。即便在过去 7 年里由于中国和印度需求的增加使今天美国的汽油升至 3～4 美元 1 加仑，但是我们已经完成转型了。更多的美国人会像欧洲人那样驾着更省油的小汽车，因此他们每罐汽油的实际里程数会大大提高，而且是美国财政部而不是伊朗财政部会从燃油价格中得到额外收入。但是由于我们没有勇气在 2001 年 9 月 12 日做出这个转变，因此 2008 年 9 月 12 日的燃油价格超过了 4 美元 1 加仑，美国汽车的油耗依然很高，而且由于从 9 月 11 日开始油价翻倍，我们为此支付的数十亿美元都到了石油生产者的手中，其中包括在我们后背画靶心的那些政府。"

"如果在一个炎热、平坦且拥挤的世界里，我们仍旧无所作为，那么我们会很快看到美国的汽油价格上涨到 5 美元或 6 美元 1 加仑。这当然会引发转型——真正推动创新，真正让消费者改变消费，甚至还会有更大的转变。然而，由于我们已经等待得太久了，对于大部分美国人来说，这个转型的代价是痛苦的——我们正在经历——而且政治不稳定。只有上帝才知道这会给贫穷国家和发展中国家带来什么样的影响。我们每隔 10 年回顾往事时都会说：'假如……就好了。假如 10 年前我们就做了正确的事就好了。'好的，我的美国同胞们，如果想确保我们缓慢地沦为一个二流国家，那我们只需要再一次把正确的事情延迟 10 年。我们这些在婴儿潮中出生的人处于这样一个时代——要保持我们生活方式就得利用和开发我们继承的大量自然资源。物换星移，如果我们还想保持自己的生活方式，那么我们就必须利用和开发我们的智力资源，通过创新和技术来实现。而只有塑造一个全然不同的市场，我们的创新和技术才有发展空间。我相信，大多数美国人都会愿意多付一点钱给能源创新，只要他们相信这么做，可以让他们的汽车、房子和家电所消耗的能源大幅降低，这就是对国家建设策略的真实贡献。"

如果这个论点还是不能说服大众的话，那么我们就真的是前途渺茫了。

第十二章

如果不让人乏味，那它就不是绿色

里有一组新闻测验：

　　宾夕法尼亚州的哪个城市同中国、墨西哥及巴西有贸易顺差？

　　答案：伊利市（Erie）

　　为什么像伊利市这样的老牌蓝领制造业城市能够同中国、墨西哥及巴西有贸易顺差？

　　答案：因为在伊利市有一家公司：通用电气交通运输集团（GE Transportation）（译者注：以下简称通用运输）。

　　通用运输在伊利生产的是什么产品，出口市场如此之好？

　　答案：这家公司制造的是大型火车头——那种超大工业尺寸、烧着柴油、拖着长长的列车往前跑的大火车头。

通用运输位于早期美国制造业的腹地，但现在这一地区已被人称作"锈带"（rust belt）。它怎么能成为世界上最赚钱的机车制造企业的呢？

答案：这取决于 3 个要素的完美结合：首先，这家坐落在传统城市的传统公司有强大的工程设计能力；其次，全球市场对绿色机车的需求越来越大；最后，美国政府不断提高机车的环境标准。这些高标准推动了大型机车引擎的创新，减少了污染，进而使燃料利用率更高，二氧化碳排放量更少。这就是政府管理者同企业管理者、工程师之间相互配合的结果。听起来真是晦涩、枯燥无味。但如果我们想刺激创新，推动一场真正的绿色革命，就必须在更大规模上推动这种合作。

当然，每个人都想成为环保明星，像戈尔（Al Gore）这样有见地的环保明星是我们急需的；他们让更多的人关注环保事业，并且给这项事业带来激情。但是只有那些"革命性官僚（revolutionary bureaucrats）"追随这些明星，才能真正带来变革。这些"革命性官僚"就是那些起草和制定排放和效率标准的官员们，他们只要轻轻挥笔，就能改变 5 000 万台空调器的耗电量或者是 1 000 辆火车头 1 年的耗油量。这就是革命性。

绿色革命开始了，这项事业越乏味，它的革命性就越强。如果不让人乏味，那它就不是绿色。我根据电影《裸枪》给它起名为："裸枪 21/2 原则"。在这部有些才气而又古怪的电影里，尼尔森（Leslie Nielsen）扮演中尉德鲁宾（Frank Drebbin）：一个做派十足的警探，他发现了一个想破坏美国能源政策的阴谋。这场电影以总统布什的一场白宫设宴开始，嘉宾都是美国能源界的领导者：石油产业领导者社团（Society of Petroleum Industry Leaders, SPILL）的代表，多炭能源社团（Society for More Coal Energy, SMOKE）的代表，以及核能集团——人类核心原子能利益（Key Atomic Benefits for Mankind, KABOOM）的代表。总统决定在制定能源政策时无条件地参考独立科学家梅恩海默（Albert S. Meinheimer）博士的建议。太阳能计划有可能获胜，并且声望越来越高。所以石油、煤炭以及核能工业集团阴谋绑架梅恩海默博士，并让他们的同伙取代博士的位置，然后建议美国的能源政策以石油、煤炭和核能为主，而不是太阳能。结果尼尔森发现了这个阴谋，他找到石油工业的头并对他说："你这种人已经濒临灭绝了，就像那些现在还能数得出 50 个州的名字的人一样。"梅恩海默博士获救了，最终他建议美国总统布什在制定能源政策时"要重视能源效率并采用清洁的可再生能源"。事实上，美国自然环境保护委员会（NRDC）也是这部电影的顾问之一！

我最喜欢的镜头是电影的结尾部分。那是一个全国记者俱乐部（National Press Club）的记者招待会，梅恩海默博士正在台上解释他推荐的复杂的可再生能源政策。他使用很多图表和统计来支持他的分析，却弄得所有的听者和侍者都开始昏昏欲睡，鼾声大作！

如果不让人乏味，那它就不是绿色……

法规和标准是很重要的，即使它们能让你昏昏欲睡。虽然使用价格信号来推动已经存在的洁净能源技术加速发展，刺激市场寻找新的充足、清洁、可靠并且便宜的电能，以便供应我们的输电网、智能建筑和智能汽车，是非常有必要的，但是只依靠价格信号还是不够的。如果我们等待能源技术上的新的突破性进展，可能要等上很多年。

这就是为什么我们还需要在能效和自然资源的利用上取得突破，这样我们马上就能用更少的能量和自然资源投入，来取得更高的增长，更多的动能、热能、光能和电能。这将使我们现在就有能力降低二氧化碳排放量，而不用等待充足的、清洁的、可靠的、廉价的能源出现。而且等到这些能源真的出现的时候，我们的能耗也将更低。

简而言之，这也就是切合实际的能源政策需要做的：我们需要发展现在能得到的任何合算的提高能效的办法，因为这比开发新能源要便宜得多。同时，我们需要开发最廉价的低排放能源去填补能源需求的缺口，然后我们就可以用最清洁的方式获得经济增长。

上一章讲到价格信号在这样一个政策组合中的作用，这一章则关注如何使用标准和法规去促进清洁能源的开发和创新；提高家居、电器、建筑、汽车、电灯以及取暖和制冷系统的能效；并且改变电力企业同消费者之间的关系，使得电力企业称为一个优化者，而不仅仅是 5 美元"吃到撑"的电力自助餐的提供者。

当谈到使用法规促进能效创新，没有比通用运输（GE Transportation）更好的例子了。这家公司在伊利市的总部和格罗夫城（Grove）附近的一家分公司一共有 5 100 名员工，其中许多人都是工程师。通用运输的总裁和CEO 迪宁（John Dineen）说他的机车工厂就像一所"科技大学"，因为"它看起来就像一个百年的工业建筑，但是里面却是世界一流的工程师，他们正在努力开发下一代机车技术。当人们看见我们的工厂时，会误认为这是一家传统的企业，但推动我们业务发展的其实是技术"。

通用运输的工人得到的薪水是其城市里的工人平均工资水平的 2 倍。这主要归功于那些重 24 万磅、价值 400 万美元的进化系列（Evolution，EVO）内燃机车的出口。通用运输公司将在 2009 年之前向中国出口大约300 台机车，同时还向世界其他国家，包括墨西哥、巴西、澳大利亚以及哈萨克斯坦的铁路公司出口机车。你如果觉得，像中国这样的铁路大国应该制造自己的机车，那你是对的。中国确实在制造自己的机车，制造了上千辆，并且都比通用公司的便宜，但问题是通用的设备更加节能，二氧化碳、传统的颗粒物以及氮氧化物的排放量更低，并且吨千米耗油更低。这就是为什么中国会买通用的机车。EVO 的新型 12 缸引擎能产生传统的 16 缸引擎的马力。迪宁说，最重要的是这种机车运行良好，"它不会坏在铁轨上"。

一个促使通用公司设计 EVO 的关键因素是美国环保署（EPA）的Ⅱ级排放标准，该标准适用于机车及其他运输车辆。这个于 2004 年实施的新标准要求大量减少氮氧化物和颗粒物排放量。通用运输必须遵守这一新的标准，但问题在于如何才能达到标准。当一家制造机车的公司遇上这样的问题时，它可以选择改变参数的方法来达到要求。比如说，如果它想让其机车达到更环保的标准，可以降低小时耗油量、降低时速，或是降低可靠性。GE的主席伊梅尔特（Jeffrey Immelt）决定不降低现有机车的性能，这样他们就只能重新设计机车了。

"我们知道必须降低排放量，"迪宁回忆说，"我们也知道可以通过牺牲燃烧效率或可靠性来达标，但是我们赌了一把：我们决定重新设计机器，同时提高这 3 个方面的性能……一旦你想把所有参数都调整到正确的位置，你就需要从一张白纸开始。我们开始研发更大、更强劲的引擎，使用新材料、新的设计、新的活塞，从而使汽缸可以承受更大的压力。我们使机器的可靠性更强，排放更低，甚至单位油耗的里程数也更高了。"是的，最终是 GE 的工程师找到了解决这些问题的技术，GE 也影响了 EPA，使得他们注意在制定标准的时候更加注意各方面因素的协调和平衡。但是最大的功劳应归于 2004 年的 Ⅱ 级排放标准。迪宁说："正是这些标准刺激了新的需求，推动了机车技术的改进，EPA 功不可没。"

碳排放与机车每加仑燃料行驶里程数（mpg）直接相关：mpg 上去了，排放量自然就下来了。所以 GE 决定生产一种新的机车，不仅在氮排放方面达到 EPA 的 Ⅱ 级排放标准，而且吨油耗里程也得到提高，这就是为什么 EVO 能同时减少氮氧化物和二氧化碳的排放。

在 2004 年时，后一种改进似乎只是一个附加的特殊功能。二氧化碳排放量减少并不是 EPA 的 Ⅱ 级标准中的一部分。但在过去的两年里，碳排放，特别是对中国这样的国家来说，已经成为一个大问题，中国的国有铁道和其他一些客户急切地想买通用的机器，目的就是为了提高燃料利用率，并减少氮氧化物和二氧化碳的排放。迪宁说："我们本来拿不准中国人是否会对低排放感兴趣，但是他们的确兴趣很大。"中国在 2008 年已经超过美国成为世界上最大的碳排放国，中国的大型国企也急于寻找一种合算的方式减少碳排放。但是，关键还是要让低碳排放成为中国铁路公司能负担得起的几乎是免费的价值附加。迪宁说，如果能通过减少燃料使用来减少二氧化碳排放，"各地的企业都乐意为之。我们发现市场接纳我们产品的速度很快，不仅仅是在美国市场，那些没有政府管制的国外市场上也是如此"。

迪宁补充说："在碳排放问题上前进的速度超过了我们的想象。我们走在前面，因为美国政府的管制更为超前。管制迫使我们勇往直前。当别人也开始对碳排放感兴趣的时候，我们已经成为这一领域的先驱。"

新的 EVO 比以前的机车节省 5％的燃料。5％是什么概念？假设 1 台机车能开 20 年，这一进步将节省大约 30 万加仑柴油，相应的碳排放也会减少。如果一家铁路公司一次购买上百台这种机车，就可以节省大量的燃料，减少大量的碳排放。

迪宁说："现在我们已经开始讨论Ⅲ级以及Ⅳ级排放标准，只要对碳排放征收的税更高，燃料价格就会提高，就越推动我们进一步提高效能。GE 和 EPA 已经吸取了Ⅱ级排放标准的经验，今后将寻找既能提高能效、减少碳排放，又能减少像氮氧化物这样的传统污染物的新技术。顺便再说一下，技术标准越高，就需要更多的技术来解决问题，这意味着我们必须要雇用更多有才华的工程师。"

确实，通用运输需要招聘大批有才华的工程师，但是伊利市的学校体系却难以提供足够的数学与科学训练。所以 GE 基金决定投入 1 500 万美元，改善当地学校的数学和科学教学。GE 这么做并不是想招聘伊利市的高中生做工程师，但是 GE 想要吸引有才华的工程师来伊利市的话，就必须提高当地教育系统的质量。

迪宁说："这可是在宾夕法尼亚州的西部，这里不是硅谷。我花费了大量时间，试图说服当地政府认识到我们的竞争优势是技术，而不是低成本的电气焊接。所以我们一直在督促这个小城想尽办法改善数学和科学教育。"

总之，公司喜欢落户在工程师数量众多、质量出众的城市，公司也希望当地的技术标准能促使它们不断创新。每件事情之间都有联系：更严格的气候和排放标准需要更优秀的设备，更优秀的设备需要更优秀的人才，人才喜欢住在干净的环境里，有着优秀的学校，于是他们又会要求更严格的气候和环境标准。假如美国想在能源气候年代继续兴旺发达，那么联邦、州和地方政府都必须始终推进这种良性循环。

关于环境法规和创新的最有名的理论可能就是"波特假设"。哈佛大学商学院教授波特（Michael Porter）1991 年首次提出这一假说。他宣称：

"适宜的环境法规将会刺激技术创新，导致支出的减少和质量的提高。因此，国内的商业企业就可在国际市场竞争中脱颖而出，工业生产率也会同样提高。"

波特向我解释，从另一个角度来说，污染其实也是一种浪费：浪费资源、浪费能量、浪费材料。企业要想结束这种浪费，就必须以更高的效率投入资本、技术以及新材料，来使生产价值最大化，因此，企业也就变得更有竞争力。所以，适宜的环境规制会带来一种"买一送一"的好处——他们可以改善一国的环境状况，又可以提高国内企业竞争力。

一旦制定并实施了关于能效的规制和标准，那么每个人都会清楚地知道："让你的律师和说客们待一边儿去吧，解决问题需要靠工程师。"布什政府试图阻止空调器能效标准的故事可为殷鉴。克林顿在其第二任总统期间曾规定将空调器的能效标准（SEER）从 10 提高到 13。这一措施一旦实施，将使能效改善 30%：更少的电能就能产生更多的制冷。（SEER 代表"季节能效比"，意思是在正常使用期内的总制冷输出量除以同期内的总电能输入量。制冷输出单位是英制能量单位：BTU。电能单位是瓦·时。）

一贯尖锐的科技专栏作家莱昂纳多（Andrew Leonard）2007 年 9 月 17 日在 Salon.com 上撰文，他引用加州大学洛杉矶分校的法律教授卡尔（Ann Carlson）的研究指出，SEER 已经变成一个政治皮球。布什组建政府不久，他就准备把 SEER 重新降回 12，这样能效的改善就只有 20%。布什政府做出这一决定的时候，甚至无视其管辖的环境保护署的意见。环境保护署认为做出这一决策所依据的数据分析夸大了提高 SEER 给生产商带来的成本压力，低估了提高 SEER 能节省的能量。尽管如此，布什仍然决定，将 SEER 的标准降低。

自然资源保护委员会和 10 个州政府决定上诉布什，并最终获得了胜利。2004 年，美国上诉法院指令美国能源部把中央空调器的 SEER 标准恢复为 13。最后，到了 2007 年 1 月 1 日，也就是过去了 6 年之后，原本由克林顿政府制定的标准才正式被付诸实施。

莱昂纳多问："20% 与 30% 的差别大吗？这之间的差别也就是 12 个 400

兆瓦的发电厂！"

　　纳达尔（Steven Nadel）是美国能源效率经济委员会（American Council for an Energy-Efficient Economy）的执行理事，曾经在克林顿政府期间为 SEER13 努力工作过。他在美国上诉法院做出裁决后说："这一重要的规定将为消费者节省大量美元，降低断电的风险，并且减少气体污染物和温室气体的排放……美国节能委员会（AEEEE）的分析表明，到 2030 年，美国消费者将因此节省 2 500 亿千瓦时电和 210 亿美元电费。同期，将避免建设峰值为 20 000 兆瓦的输电设备，节省数十亿美元资本，同时也会降低电价。碳排放将减少 5 000 万吨以上，基本相当于 1 年从美国的公路上减少 340 万辆汽车。"

　　我猜想空调业肯定会出面游说，反对提高能效标准。但是这一政策对整个国家、对环境保护的好处却是如此明显，尤其是当能源价格不断上涨的时候。布什政府仍然一意孤行，的确非常拙劣。

　　我引用这一实例是为了强调，规制的小小的转变，就能带来能源生产、能源效率以及温室气体排放等方面的巨大变化，这些变化甚至会影响整个经济。我引用此例同时还为了揭露在能源辩论中的常用伎俩：那些反对提高能效的人经常夸大改变标准带来的成本，并且低估改善的效果。国家自然资源保护委员会（Natural Resources Defense Council）的罗兰·黄（Roland Hwang）和 CALSTART 的匹克（Matt Peak）2006 年 4 月对规制与创新关系的研究非常清楚地说明了这一点。（CALSTART 是一个致力于研究清洁运输解决方案的机构）

　　他们研究了一个十分简单但又非常重要的问题：在加利福尼亚州对汽车产业的环境规定实施之前，汽车产业对规定的态度如何呢？他们自己认为将要面临多么困难的处境？但是，在规则实施之后，对创新和价格的实际影响又有多大呢？黄和匹克发现，将要被管制的目标产业的企业会一贯地极度夸大新规定给他们带来的成本，同时也极度贬低新标准给创新带来的好处。

　　在 20 世纪 70 年代中期，汽车制造企业强烈反对使用安装催化转化器的方法减少引擎有毒气体的排放。"汽车产业的执行官们说，这项规定技术上不可行，还会给企业带来沉重的经济负担。"黄和匹克写道。

比如说，在 1972 年一次国会作证中，通用汽车（GM）副主席斯塔曼（Earnest Starkman）说，假如汽车制造企业被迫在 1975 年的汽车上安装催化转化器，"整个汽车行业可能都会停滞，公司、股东、工人、供应商以及社会都将忍受巨大损失"。福特汽车（FORD）的主席艾柯卡（Lee Iacocca）则说："假如美国环境保护部（U. S. Environmental Protection Agency）不推迟实施催化转化器法规，将会使福特公司破产，并且导致以下几项损失：①GNP 减少 170 亿美元；②失业工人增加 80 万人；③各级政府的税收将减少 50 亿美元，一些地方政府就会破产!"但是尽管有这些申诉，加利福尼亚还是推行了这一规定，要求 1975 年出厂的汽车安装一级催化转化器，1977 年出厂时则需要加装三级催化转化器。汽车制造商克莱斯勒（Chrysler）申诉说，要达到提议的 1975 年联邦污染法规，将会使每辆汽车涨价 1 300 美元。以今天的购买力换算，这相当于 2 770 美元。福特估计，在平特（Pinto）车系上安装这一装置将增加 1 000 美元（按 2004 年购买力换算相当于 2 130 美元）。然而，1972 年白宫科学办公室（White House Science Office）的一份报告却估计，成本仅为 755 美元（按 2004 年购买力换算相当于 1 600 美元）。这一法规推迟到了 1981 年才实施。实施之后的实际成本，估计在 875～1 350 美元之间（按 2002 年的购买力计算）。

同时，空气污染物排放的减少却是显著的。天没有塌下来，美国经济也没有像汽车大亨们预测的那样，会停滞不前。

黄和匹克发现，在其他环境法规出台的时候，类似的故事多次出现：工业界人士，甚至是那些法规的制定者，都往往过分高估高标准带来的经济成本。黄和匹克认为，从某种意义上来说，这是故意的，但从另外一个角度，这是因为工业界和法规制定者们低估了"未预料的创新"的作用。

通过对汽车行业法规的历史进行回顾，他们写道：

> 这些事例表明，生产企业经常会利用之前没有想到过的技术和手段，这就使得最终的成本增加远低于事先的估计。对空气污染法规的研究也清晰地表明，强有力的管制能够促进创新。强有力的法规消除了管理中的不确定性，并且为汽车制造企业和他们的供应商提供了强大的竞争激励，使得他们不得不进行创新，从根本上减少成本的增加。

明确的价格信号和法规总能为创新创造一个更有利的环境。

黄和匹克谈到，1969 年之前，减少汽车污染的唯一措施是排气管道末端技术，比如催化转化器。"然而，随着加利福尼亚州的管制措施付诸实施，国家层面的政策也受到了影响，最终导致 1970 年的联邦清洁空气法案（Federal Clean Air Act of 1970）要求在全国范围内减少 90％的汽车排放量。本田汽车（Honda）最终找到了一种减少污染的替代措施。"

> 这家公司的创始人，本田宗一郎（Soichiro Honda）要求他的工程师们"尝试在引擎内部清除废气，而不是依靠催化转化器"。那些工程师通过新的方式整合现有技术，最终达到清洁燃烧。他们的努力最终导致了"复合涡流控制燃烧（CVCC）"发动机的诞生。这种发动机在汽缸上面有一个小"预燃室"。他们发现，通过预燃油气混合物，大部分杂质在到达排气管之前，就已经在预燃室内都被清除了。这一技术使得他们在不使用催化转化器的情况下，达到了 20 世纪 70 年代清洁空气法案的标准。这一技术给本田汽车带来了巨大的收益。底特律（DETROIT）的汽车制造厂原本对本田的每一项专利创造都不屑一顾，但现在都要购买本田的技术专利。20 世纪 70 年代本田思域（Civic）汽车应用新型的 CVCC 发动机，宣

告了底特律汽车业的说法——同时达到排放标准和燃料经济标准是不可能的——彻底破产。Civic 最终在 EPA 的燃油经济性排名中名列第一。

布什总统和他的官僚们总是说，他们不会制定过分严格的能效标准，比如提高空调能效或提高美国汽车运输效率的法案，而这么做是为了保护美国的大企业。这并不难理解：这些官僚们认为自己对工商界是友好的。但这又是愚蠢的。如果你是世界上最具创新性的国家，拥有最好的研究型大学、最好的国家图书馆、世界上最好的基础科技实力，你就需要有更高的标准——因为其他国家的企业不能满足这些标准，你的企业却可以。为什么美国的空调企业要游说降低我们的标准？这样做的结果只能是让能效差、成本低的中国空调更容易和美国货竞争。

麻省理工学院的教授欧耶（Kenneth Oye）是研究规制与创新的政治学家。他认为，对更高标准的恐惧根深蒂固，尤其是那些产业界的精英们更是如此，这使得他们忽视了一场更大范围的战争。欧耶说："企业经常意识不到更加严厉的能效法规实际上对它们自身有利，因此他们从来不会行动起来，争取这些能够给它们带来优势的政策变化。埃克森美孚（Exxon Mobil）会是洁净燃料高标准的最大受益者，因为其他石油公司没有足够先进的技术和创新去应对这些标准，因此会在这场竞争中落败。但是企业已经习惯于去反对法规，而没有认识到这是打败对手的最佳机会。他们对管制带来的设备成本的增加锱铢必较，但却不去分析管制会给自己和对手的技术与成本差距发生多大的变化。"

提高能源效率的重要性怎么估计都不过分。这将在今天就带来延缓气候改变和节省能源账单的好处。就像 Google.org 的首席能源专家雷彻尔（Dan Reicher）说的："这就是树枝上低垂下来的果子，而且摘掉就会再长出来。"他的意思是说，只要企业达到了一条标准的要求，政府马上就能制定下一条稍微更高的标准。西北国家实验室（the Pacific Northwest National Laboratory）的科学家戴维斯（Mike Davis）补充说："我们必须比以前更努力地提高能源效率。我们需要 30～50 年的时间才能解决清洁能源的供给问题，但是从需求面上来说，我们已经迫在眉睫。"

提高能效是创造清洁电能的最快、最省、最有效的措施，因为最好的能源就是根本不需要生产出来的能源。由于我们减少了对能源的需求，自然就会减少生产能源所消耗的资源。当平坦遇到拥挤，这就更有可能变成现实。为什么？因为如果我们想要扩大清洁能源生产，不管是风力发电、太阳能电池板、地热系统，或是核能，其成本都会越来越高。清洁能源生产需要的每一种原材料，从为了制造风能发电塔而投入的钢铁，到制造叶片所用的复合材料，再到太阳能电池板的硅，再到核能设备所需的特殊材料或传送管线，现在都已经处于短缺状态。即使你可以得到这些材料，承担施工工程的企业也早就超负荷生产了，并且价格会上涨。所以节省电能、而不是制造出更多电能的方式，才是最有价值的做法。

麦肯锡全球研究所（McKinsey Global Institute）的研究认为，假如荧光灯被广泛使用，并且提高电冰箱、热水器、厨房设备、门窗以及房屋隔热材料的能效标准，那么美国家庭的电力消费到 2020 年可以减少 1/3。由此节省的能源相当于 110 座 600 兆瓦燃煤发电站的发电量。有些专家认为这种统计有所夸张；但是，我认为即使是夸张的，但是他的方向仍然是对的。

自然资源保护委员会（NRDC）市场创新中心（Center for Market Innovation at the Natural Resources Defense Council）的主管杜克（Rick Duke）说："如果我们努力把能效提高，节省下来的钱将足够支付将现有的能源体系清洁化或所谓去碳化。那样我们就能在提高经济实力的同时，减缓气候的变化。"我们还需要 30～50 年的时间去扩大可循环能源的规模，提高碳吸收和存储技术，以便为我们的经济提供足够的、清洁的、价格合理的电能。我们该如何填补这段空白呢？要么，我们可以大幅度地提高能效，这样就能减少未来 20 年所有的能源需求方面的增长，我们将不需要再释放哪怕一个碳原子，要么，我们就只能靠燃烧更多的污染能源填补这个空白。

这并不是无端的揣测。1973～1974 年的石油危机后，加利福尼亚州就开始着手制定全美最严厉的建筑和家电（如冰箱和空调）能效标准。最后的结果是：尽管加利福尼亚州经济在过去 30 年里有了很大发展，但是其人均电量消费却几乎保持不变。而根据 NRDC 的统计，美国其他州的人均电量消费同期则上涨了近 50%。NRDC 认为，假如加利福尼亚州的能源需求也像其他州那样迅速增长，那么还需要新建总规模为 25 000 兆瓦的发电厂，相当于新建 50 座 500 兆瓦级发电厂。

2005 年，一项由威廉和弗洛拉·休伊特基金会（William and Flora Hewlett Foundation）委托，由斯坦福大学学者里德（Walter Reid）和来自巴西圣保罗环境部的专家进行的研究发现，在过去的 20 年里，加利福尼亚州和圣保罗提高能效的政策都减少了人均温室气体排放量，并且消费者也能从中获利。

根据休伊特基金会（Hewlett Foundation）2005 年 12 月 1 日的报告：

> 加利福尼亚人均温室气体排放量比美国其他州少一半。这主要归功于加利福尼亚州鼓励使用天然气和可再生资源替代煤，以及积极促进提高能效的政策。加州人均排放量已经降低到 1975 年的 1/3，而同期全国水平与 1975 年持平。这项研究注意到，仅仅通过提高建筑和家电能效标准，1975～1995 年间加州人均每年节约大约 1 000 美元（用于电费的支出）。能效措施为经济增长贡献了 3 个百分点，约为 310 亿美元。在未来 12 年里，为提高能效产生的新产业带来的就业增长将带来 80 亿美元的工资收入。

假如一个人想对环境有所影响，他应该做的第一件也是最重要的事情就是学习能效和排放方面的有关法规，并弄清这些法规是如何操作的。化石燃料巨头们深谙此道。他们知道聊天室和衣帽间的区别，他们不会在网上的聊天室里浪费太多时间；他们会直接走进国会大厦的衣帽间，或者是走进州议会的走廊和会议室，目的就是为了影响那些制定法规的人，因为正是这些书写法规的人制定了游戏规则并最终决定谁能淘到金矿。

关于这个问题，我最喜欢的一则故事是 NDRC 的主席伯南克（Frances Beinecke）讲给我听的，这是关于"著名"官员霍洛维茨（Noah Horowitz）的故事：

> 不知疲倦的工程师霍洛维茨是 NDRC 里一位真正的明星，他就在我们位于旧金山的办公室工作。他的名字并不为大多数人所知，但是诺亚的影响却无处不在。就拿再普通不过的自动售货机为例吧。几年前，诺亚注意到它们一夜之间突然出现在超市、加油站、医院、学校甚至是运动场上。现在平均 100 个美国人就拥有一台苏打水自动售货机。全美国大约有 300 万台这样的机器，一天到晚嗡嗡作响。这些机器消耗的电量是家庭冰箱的 10 倍。之所以电耗如此之高，是因为既要制冷，还要点亮照明灯、保持找零机器的运转。在大多数情况下，没有人会想到要改进这些机器。霍洛维茨赶往多家饮料厂，但是没有一家愿意跟一个留着胡子的环保人士交谈。最重要的是，饮料厂并不为机器的运转付钱，成本都落在店主、校董会或者是其他任何摆放售货机的人身上。所以后来霍洛维茨跑去见这些人，他说："为什么我们不能一同解决这些问题？"霍洛维茨得到了他们的支持，并最终得到了大型饮料制造企业的关注，他们同意见面并寻找解决方案。比如寻找更高效的压缩机和风扇，改善照明系统。他们同样还关注了一些简单的问题，比如不要在冬季让饮料机在室外整夜工作。最终结果是新机器比老机器节能一半。一旦可口可乐和百事可乐最终完成机器的调换工作，预计我们 1 年将能节省近 50 亿千瓦时电，这些电能足够 1 000 万户家庭的电冰箱使用。
>
> 他还同生产商合作，提高电脑显示器的性能标准。到 2010 年，EPA 估计这些协定将节省 140 亿美元电力成本支出，减少 400 亿磅二氧化碳排放。霍洛维茨绝对是我心中的英雄之一。

设计使然

假设是在若干年前。一天，你的老板招呼你说："我有项任务给你！我们要制造最先进的微处理器，我正在琢磨在哪里建造我们的下一个晶片制造厂。中国、新加坡都已经承诺如果我们在他们那里建厂，他们就会给我们诱人的补贴和税收减免。但是我们仍然想待在达拉斯，靠近我们的晶片设计中心和其他的设施。但是不管在哪里建厂，你们——建筑施工队——得在2005年建成，还得比我们1998年盖的那个工厂少花1.8亿美元。"

"哦，好吧，"你说，"建造一个比7年前预算少1.8亿美元的建筑，谁能做到呢？"听起来很疯狂，但这确实是得克萨斯仪器公司（Texas Instruments）在21世纪初交代给它的施工队的任务。而真正疯狂的是：建筑队真的做到了。还有更疯狂的是：建筑队的省钱策略是尽可能让建筑更加绿色、能效更高——这是他们制胜的关键。绿色设计就是他们的省钱之道，这背后的意义很是耐人寻味。

除了提高住房和汽车的能效外，通过建筑设计提高商用建筑的能效也是颇具发展前途的节能手段。得克萨斯仪器公司在理查德森（Richardson）的工厂就说明了这一点。设计合理的节能建筑不仅运营起来十分省钱，而且其建造过程也比一般建筑要省钱。建筑物要消耗美国40％的能源和70％的电力。如果大众意识到绿色建筑在建设和运营上都是最便宜的，那么革命的那一天就真的快要来了。

2006年我参观了得克萨斯仪器公司的新晶片厂，当时我正在为探索频道做一个能源方面的纪录片。（顺便解释一下晶片是什么。根据Webopedia.com科技词典的定义，晶片就是用来制作微型集成电路片的圆形半导体薄片，通常以硅作为材料。硅材料先被加工成圆柱体晶块，然后被切成薄片，接着再把晶体管植入其中，最后切成更小的半导体芯片）。一般来说晶片制造厂都至少有3层楼，因为结构复杂的制冷系统和相关支持设备必须环绕生产线安装。但建筑师却把总面积为110万平方英尺的工厂设计成双层结构——这样不但大大节省了总面积，而且各种支持设备对材料、能量的需求也因此大大减少。得克萨斯仪器公司在设计厂房内的其他设备时还积极与罗文斯（Amory Lovins）以及落基山研究所的绿色建筑专家进行沟通，试图让这些设备在厂房的使用寿命内节省能耗以抵消整个厂房的建筑支出。于是得克萨斯仪器公司和落基山研究院的工程师在设计大型输水管以及空调管道时尽量减少管道的弯头，这样液体流动中产生的摩擦力就小了，与其相应，功率更小、更节能的水泵就能满足要求。在日照充足的得克萨斯，工程师们为了降低制冷成本设计出了一种可以反射85％的太阳辐射能的屋顶塑料薄膜。此外，他们还在管理部门一侧的窗户上安装有一种特殊的架子，可以向屋内反射光线，因此就减少了室内人工照明。工厂用循环水来运行冷却系统和灌溉室外绿地——这样就可以利用自然植物降低建筑物对环境的影响。除了这些设计外，工厂在空气循环、制冷等方面也下了很大工夫，大大降低了整个系统的热效应，工厂也因此节省了一台大型工业空调设备。

"我们只需要7台空调，而不是8台。"威斯布鲁克（Paul Westbrook）说。他负责监督仪器公司在世界各个地方的建筑队的可持续性设计和发展情况，而且当年正是他把得克萨斯仪器公司的领导人带到他的太阳能房子里，说服他们最终接受了绿色建筑。"这些空调每个重达1 600吨，购买和安装1台就需要100万美元。"绿色建筑不仅仅只是用风力发电机和太阳能设备来制造电力，他补充说："关键在于能耗方面。这些创新设计可以最大限度减少废弃物排放，减少能源消耗量。这就是下一场工业革命。绿色建筑可能会提高总成本，但是总体来看，这座绿色建筑比6英里外我们原先那座建筑每平方英尺要节省30％的能源。"

实现这一切的关键是让得克萨斯仪器公司建在理查德森的工厂成为"晶片制造厂里的普锐斯"，威斯布鲁克说。这是什么意思？"我们并不是在旧的设计上进行一些修改，然后从这里或那里省钱，而完全是从零开始。我们探寻事物之间如何相互作用，最终我们完成了一个全新的设计，从建筑到运营都是最便宜的。"

威斯布鲁克说，他们的主要经验就是，假如你回过头来看看每一道程序以及每一道程序之间的联系——比如说，如何让一个系统的废热为另一个系统所用，而不是多开启一台空调进行冷却，就像普锐斯利用刹车能来发电并存在蓄电池里一样——你就会发现你可以同时达到两个在人们眼里相互矛盾的目标：既便宜省钱，又绿色环保。

但这并不容易，你需要在最初设计时倾注大量心血。你不能把建筑物当成只是单纯装了照明设施、取暖以及制冷设备的墙壁、窗户和天花板，而必须将这些东西都视为一个系统中的系统，然后反复思考它们彼此之间如何交互作用。从传统的眼光来看，取暖和制冷设备从来都不喜欢窗子，窗子从来不喜欢照明，照明从来不喜欢过道。这些东西的功效相互削弱，更不用说怎么考虑它们和电网和能源市场的关系了。但在一个智能建筑里，每个房间都装有一个传感器，你可以让礼堂、教室或者办公室只有在使用时才能够获得供暖或照明。智能窗户可以在黑暗寒冷时让更多光线和热量进入房间，而在明亮温暖时减少光热能进入，这些窗户可以不断跟头顶的电灯和空调系统交流信息。太阳能墙可以为学校照明，为校车的蓄电池充电。一旦你开始认识到房子其实是一系列子系统有机结合而成的一个大系统，而不是一堆砖时，一切都有可能实现。试想一下，如果所有的智能建筑都联入能源因特网，那么每栋建筑的资源不仅可以为己所用，而且还能服务于网内的其他建筑。

尽管工厂在 2006 年就已竣工，但由于得克萨斯仪器公司的晶片业务萎缩却迟迟未投入使用。整座工厂已验收通过，而且检验结果显示，当整座工厂全面运转时，按照目前的电价，"我们将会看到，第一年将节省 100 万美元，以后每年将节省大约 400 万美元。"威斯布鲁克说。这将比老式的设备节省 20％的电力和 35％的用水量。"一旦开始投入生产，这些数字都会随着生产年限的增加而增加。"他补充说。

2006 年，也就是这栋建筑刚竣工的时候，得克萨斯仪器公司全球设备副总裁布莱克（Shaunna Black）对我说，得克萨斯仪器公司应该为"它能变得绿色环保、节能高效、节省成本和增加利润"而感到骄傲，"当人们完成了不可能完成的任务时，奇迹就会出现"。

这就是我们在全美国应该推广的东西：承担责任，完成不可能完成的任务。假如我有根魔术棒可以帮助人们尽快实现这一目标，那么我就会变出一项法规要求所有大学一年级的设计、工程和建筑专业的学生都得学能源与环境设计先锋（Leadership in Energy and Environmental Design, LEED）课程。这一认证体系通过建立一系列公认的绿色建筑的设计、建造以及运行标准来鼓励人们采取可持续的建筑方式。LEED 是在 20 世纪 90 年代中期由环保顾问瓦森（Rob Watson）率先倡导，目前由美国绿色建筑委员会（U. S. Green Building Council）负责管理。LEED 根据 5 项标准——环境可持续性、节水性、能效性、材料选择以及室内环境质量，把建筑物分为 4 级：通过认证、银级认证、金级认证、白金级认证。上面提到的得克萨斯仪器公司位于理查德森的工厂在 LEED 的评级中得到了银级认证。

LEED 是民间制定环保标准的优秀例子，这说明社会正越来越认识到可持续性建筑的价值。这一标准迅速得到推广：范围之广、速度之快，人们不接受都不行。有研究显示，经过 LEED 认证的建筑的入住率、租金以及房价都比普通建筑要高。

但是我们不能仅仅只依靠自愿的环保行为。房东一般不会在环保设计上投资，因为他们的水电费等费用是房客来支付的，这样房东就不会关心房屋未来的居住成本，所以他们就会把前期投入降到最低。而一旦房东在环保设计上投了资，那么房客也就不再关心效率问题了，也就不会再想着节省水电消费。人们通常都不知道这只灯泡或那台洗碗机跟同类产品比起来有什么能效优势，所以他们也就不会做出正确的选择，即便他们有经济上的动机也不会正确选择。因此这就需要政府出面引导市场。

有很多办法能解决这个问题，比如明令禁止使用高能耗电灯，或者规定汽车、建筑物以及各种设备的能效标准。这样，人们除了选择能效高的产品外就没有别的选择了。正如斯坦福大学气候学家施奈德（Stephen Schneider）在接受埃利森（Katherine Ellison）的采访（2007 年 2 月 2 日 Salon. com 网站发布了这条新闻）时所说的："仅仅依靠自愿是行不通的。我已经说过 85 000 多次了！这就像自愿限制车速一样起不了作用。如果没有警察、没有法官，那就会有马路杀手；如果没有法律、没有惩罚，那就到处都是二氧化碳。要是没有政策支持，二氧化碳的排量就会是现在的 3 倍、4 倍。"

新的法规能够激励科技创新、造出能效更高的设备和建筑，而它们最大的潜力就是能够刺激我们最古老、最笨重但是却最重要的行业——电力企业——进行金融创新。我们负担不起用全新的设备替换现有的发电设施，因为这一行业现有的基础设施规模巨大，但我们同样也负担不起让他们继续廉价出售电力，如同"5 美元吃到饱的电力自助餐"一样。作为一个有机的整体，美国需要重新安排电力企业、管理者和消费者之间的基本社会经济契约，需要转变电力企业，让他们推动全社会在电网的消费端最优化利用清洁电能，在电网的生产段最大化制造清洁电能。

我在前面已经提到，在讨论能源因特网时，电力企业是靠买电和兴建电厂来挣钱的。当越来越多的人开始安装节能灯并在离开房间时随手关灯，电厂就会因为销量减少而遭到损失，利润下滑也会让他们推迟投资。所以当我们大肆挥霍电力的时候，最高兴的就是电力企业了。当你忘记随手关灯时你父母会提醒你："嘿，你有电力企业的股份吗？"他们是对的。对电力企业来说，你开着灯对他们来说是件好事。

"消费者经常处在矛盾中：既想自己节省电费，又想让别人放肆用电以增加自己手上的电力企业股票的分红。"卡瓦纳（Ralph Cavanagh）说，她是美国自然资源保护委员会（NRDC）的电力专家。"这就像你把一只脚放在刹车上，而另一只却放在油门上一样。"但是我们的确正在这样做，必须改改了。在现行的商业模式下，我们不能要求电厂通过减少自己的利润来提高能效，这就像我们想让耐克公司滚出去而提醒人们别买运动鞋一样。我们必须在提高能效的同时也让电厂的利润得到保证。

那我们该怎么办呢？首先要做的就是制定新法规，用行话说就是"售额与利润脱钩（decoupling plus）"，目前，加利福尼亚、爱达荷等州已经开始执行这一新法规。这一法规就是要改变电力企业只有通过卖电才能赚钱并且收回投资的旧模式，利润和销售额的上升必须"脱钩"，不再以卖出多少电力或新建多少电厂、新铺设多少电缆为消费者的付费标准。脱钩的方法是：管理者们在年终时会把电力企业一年的实际售电额与其计划预期售电额作比较，然后由独立审计师计算电力企业通过环保措施为消费者节省的净金额。假如电力企业售电量因此而意外下降，那么管理者不但会为企业弥补损失，还会根据节省的净金额给予企业一定比例的奖励。具体的数额由独立审计师来计算，他会告诉管理者电力企业的节能项目为消费者节省了多少电。而假如电力企业表现不好，就会遭到惩罚。假如电力企业的售电额因此意外增加了，那么这家企业就必须以降低未来电价的方式交出额外的利润收入。这样一来，电力企业的老总们肯定会开始关注他们的生产效率，而不是消费者到底用了他们多少电。

例如，电厂可能就会支持消费者购买能效更高的空调器，或者是资助商业建筑设计师设计低能耗建筑——比州政府的"绿色"建筑标准所要求的还低。审计师就会计算出这些环保措施的成本和节电度数。假如新型空调比标准型贵 500 美元，但是在其寿命期内却让电厂少发了 1 000 美元的电能。那么你实际上就用今天多支付的 500 美元换来了未来的 1 000 美元，这盈余的 500 美元就可以被电厂和消费者共享。

2007 年，加利福尼亚州的电力企业光在节能项目上而不是在扩大发电规模上就投资了约 10 亿美元。加利福尼亚的目标就是通过提高能效——而不是新建发电厂——来满足从现在到 2020 年一半以上的电力需求。

"每一次新的能效突破都会伤害电力企业，因此他们总是反对设备和建筑的节能标准，也总是想卖出更多的电。但这一法规却打破了这种日模式，"卡瓦纳说，"他们反而还跟我们站在了一起，寻求每一条能提高能效的新途径，因为他们能因此得到补偿。只要给他们激励，他们就会切实减少他们的零售额。那时，电力企业们就会对商业建筑的设计者说，'你们要是能把你们的建筑节能标准再降低 30％，那么我们每平方英尺就多付 2 美元'"。

这种情况也会发生在房主身上，到时候电力企业也会付钱给房主让他买一台能效更高的冰箱换掉费电的那台。房主通常并不知道他们的冰箱的耗电程度如何，也不知道买一台新冰箱是否会有什么好处。但是电力企业却很清楚，而且正在计算这样做给他们带来的经济利益。一旦电力企业在这种动机推动下让消费者和他们自己都得到实惠，那么事情就真的会发生变化了。到那时电力企业就会投资建设更加智能的输电线路、电表以及用户家中的用电设备，并以此来追求效能效益。

这就是为什么杜克能源公司（Duke Energy）的 CEO 罗杰斯（Jim Rogers）把能效称作"在煤炭、石油、可再生能源以及核能之后的第五种能源"。"到 2040～2050 年，整个世界都会为资源而战，而我们的能效情况则让我们有能力维持我们的生活标准以及保持我们的持续增长力。"罗杰斯说。

布莱森（John Bryson）是南加州爱迪生公司的母公司爱迪生国际的主席兼 CEO，他告诉我说他的公司通过提高能效而节省的电力成本约是每千瓦时 1.7 美分，而今天每发 1 千瓦时电的成本是 10 美分；所以通过能效来节省成本是非常可观的。提高能效是"我们想做的事"，布莱森说。

美国顶尖的电力专家凯勒曼（Larry Kellerman）曾经在高盛的能源机构 Cogentrix Energy 工作，他说他要在那里放"一大块奶酪"——更高的回报率——以鼓励电厂积极实施能效改善措施。理想状态是电力企业通过让消费者节省更多的电而赚到更多的钱，也就是说电厂的总利润上升，消费者的总支出下降，因为节省的能源在抵消能源成本后还有剩余。如果你有一个能源环保系统（产生的二氧化碳更少且节能高效），它能带来社会价值却没有商业价值（让消费者省电，让电力企业增加利润），那么它肯定不会广为接受。它必须对双方都有利。很长时间以来，有很多的人通过做错误的事在能源买卖中富起来了，我非常希望看到这些人能通过做正确的事在能源买卖中变得富裕。

我们也需要动用奶酪，并且是很多奶酪——激励电力企业在其他方面提高能效。凯勒曼建议，应该让管理者出台一项指令：如果电力企业想建造一个传统的、会制造大量二氧化碳的煤电厂，那么他们自己就得去筹集资金。这一规定不允许他们把新建电厂的成本算入费率基础——这就意味着这一部分成本得不到弥补。但是如果他们想投资建造利用太阳能、风能、水能、地热能或是核能发电的电厂，抑或是可以达到或超过能效标准、低二氧化碳排放等要求的化石能源电厂，那么管理者将会让他们得到丰厚的资本回报——一块超大的奶酪。

电力企业也不用完全靠自己来建设所有的太阳能电厂或风能电厂，因为有很多企业现在都想投身清洁能源产业。国有电力企业可以走出去，和民营企业签订协议，让他们来建设能够连接所有清洁能源供应商的智能输电网。国有电力企业可以跟每一个想做这笔生意的民营企业都订立协议，让他们彼此间相互竞争磋商——消费者因此可以享受最低电价。这些民营企业毕竟需要借助国有电力企业的电网接触客户，而电力企业则可以从这些供应商处得到更多清洁能源。

凯勒曼也认为，管理者可以通过更具创造性的方式去推动老式技术提高能效。它们应该告诉电力企业：“你可以使用煤炭、天然气、核能、风能来发电。但你的电厂能排放的二氧化碳就这么多，按你现在的排放程度，你只能得到一般回报，但如果你能通过提高燃煤效率、减少能量损耗而让你的锅炉和涡轮机大幅度减排，那我们就给你额外回报。”美国一半的电能都来自煤电，因此在全美煤电行业推进这一激励措施将促使电厂提高电煤发电效率，减少二氧化碳排放量。

我希望还能通过激励措施鼓励电力企业积极帮助消费者购买并安装分布式太阳能或风能发电设备。设备可以安在家里、办公室、屋顶以及停车场，尤其是那些输电线路压力非常大的地方，这样，这些设备就能发挥更大的作用。如果我们能让更多的家庭和办公场所安装风能或太阳能发电设备，那么就可以大大缓解输电线路的压力。随着这些风能或太阳能技术的进步和设备价格的降低，电力企业就更没有理由拒绝分配并安装这些设备了。

“今天，每当我向客户的屋顶上望去，就好像看见了未来发电厂的厂址。”罗杰斯说，他曾经建议电厂在客户的房顶上安装太阳能电池板，把因此产生的费用计入发电设备总费用，或许将来有一天法律将允许他的公司把这些成本计入费率基础。

但是必须明智而谨慎地行事。考虑到目前的技术水平，对于大多数住户来说，集中进行清洁能源生产仍然是首选。

"以房屋为单位独立进行发电必须首先满足经济效益。小型分布式发电设备发 1 千瓦时电的成本要比大型发电设备高很多，所以这从经济上来说并不可行。"凯勒曼补充说，"要是把 1 个 5 千瓦的太阳能光电板阵安装在比弗利山庄住宅的屋顶上，还要尽量美观，从每千瓦时电的成本来看，要比安装和维持死亡谷（Death Valley）的 1 个百万兆瓦的太阳能发电设备高多了。还有，由于沙漠海拔高、湿度低，所以那里的日照时间更长，强度更大，因此那里的发电设备可以产生惊人的电量。因此，我们应该把社会资源用在那些能产生效能最高而且最廉价的电力的技术上。"

此外，还应该让电力企业积极行动起来，促使州议会或国会出台建筑和设备能效法案。"假如南加州爱迪生公司或者太平洋煤气电力公司（Pacific Gas & Electric）致力提高建筑和设备的能效标准，让消费者节省更多电费，也应给予奖励。"卡瓦纳说。

但是，如果想获得最大能效并建成完整的能源因特网，还需要解决一个很大的难题：实现电力交通，把现在这些依靠内燃机提供动力的汽车、卡车、巴士、火车全部换成插入式混合动力车或完全靠电力运行的电力车。电力车靠自身的蓄电池提供的直流电运行，混合动力车可以产生和储存自身所需电能，外接电源进行充电。这两种汽车都将极大地减少能源需求、推动可再生能源发展并且减少碳排放。

来看看这些数据：约有 30％的温室气体是由运输部门产生的，所以如果能用清洁的电能代替汽油，让运输工具断绝对汽油的依赖，情况就会发生很大改观。但是直到现在，美国仍约有一半电能来自燃煤，20％来自核能，15％来自天然气，3％来自石油，7％来自水力发电，还有 2％来自木材燃烧、地热、太阳能以及风能。法国已经有 75％的电能来自核能发电（实际上，美国的核能发电总量是法国的 2 倍多，但因为我们的经济规模比法国大，所以核电占的比例相对就小）。1 桶原油 42 加仑，美国每天大约消耗 2 100 万桶原油，其中的一半以上要靠进口。在这 2 100 万桶原油中，约有 1 400 万桶要供给汽车、卡车、飞机、巴士以及火车的发动机，剩下的 700

万桶则被建筑供暖、化学品和塑料制造等产业消耗。

如上所述，目前的混合动力车使用的是混合动力：汽油引擎、蓄电池和发电系统，这三者会把汽车滑行期间和刹车时产生的能量转换成电能，然后储存到蓄电池内以备以后之需，而如果是燃油车那么这些能量通常都会被浪费掉。混合动力汽车在行驶时交替使用蓄电池内的电能和油箱内的汽油，所以使用较少的汽油就能行驶更多的里程，每英里二氧化碳排放量也因此减少。等到我们开始用全电动引擎取代内燃机时，我们就会迎来下一个飞跃，那时我们将拥有足够大的蓄电池，完全靠电网提供电能。

这种车将比目前的混合动力车更环保，因为它们每英里电能消耗排放的二氧化碳要远远低于每英里汽油消耗排放的二氧化碳。没错，它们将更干净、更环保、更廉价，因为它们能自己发电（即便使用的是煤）并把这种电能转换成驱动汽车行驶所需的动能，这远远强过燃烧汽油的内燃机提供的动能。电力输送系统的能量损耗要远远小于汽油输送系统的能量损耗。在从油井到车轮（from well to wheels）的模式下，从石油开采，到运输、提炼，然后到汽油配送，再加上低效率的内燃式引擎，汽油输送在每一环节都要损耗大量能量。

"跟汽油动力车不一样，对电力车来说，输电网多清洁，我们的车就有多清洁。"克莱默（Felix Kramer）说，他创建了加利福尼亚州汽车倡议组织（California Cars Initiative；calcars. org），该组织旨在倡导人们使用插入式油电混合动力汽车。"但是这仅仅只是开始。我们需要对所有运输工具进行认证，我们已经开始这项工作了，这非常关键，因为这将整合两大工业部门——运输部门和供电部门，将为电力企业带来全新的业务——用汽车的蓄电池分布式储存能量——也将让两大部门都变得廉价、高效、环保。"

目前美国大约有40％的电力生产能力处于闲置或者减产状态，而且夜间的能效状况相对较好，而这正是电动车进行充电的时候。这也就意味着上千万辆电动车可以在夜间进行充电，而且我们也不用再建新的发电厂，只要开动闲置的马力就可以了，而且这样还能提高效率。（但是请记住，这些夜间电力大部分还是来自老式煤电厂，所以这些电厂升级换代或是退役的速度越快，我们就能越快从电力运输中尝到甜头）。西北太平洋国家实验室（PNNL）的一项研究发现，我们可以不用新建发电厂以及输电线路就能让美国73％的轿车、卡车和SUV都换上混合动力引擎，因为它们都可以错开用电高峰在夜间进行充电。PNNL的研究还表明，使用充电汽车将让美国减少52％的石油进口，城市温室气体的排放量也将降低27％。PNNL的戴维斯（Mike Davis）估计，如果全美国所有的汽车都更换为电力车、都装有可以行驶30英里的蓄电池，那么所有这些电池储存的能量就相当于全美国电网6～8小时的供电量，当然，这一前提是我们要有智能电网和相应设备能把这些电池作为后备。爱迪生国际的布莱森对我说："非高峰时期的电价只相当于每英里燃油价的25％～50％。"

为了让电动车能正常工作，并将其同智能住房、智能电网结合起来，我们还必须制定法规，让整个系统实现标准化。这就意味着不管你的GE洗衣机内置什么样的芯片，它都必须和你的惠尔浦吹风机、霍尼韦尔空调或你电力车上的电池使用统一的通讯和传输协议——只有这样它们才能跟智能黑匣子、你家里的智能电网网关或发电厂的超级计算机进行对话——然后执行指令何时关机、何时开机、何时充电、何时低挡运行，或者告诉调控中枢它们需要充电或者想向电网供电。

电厂也需要投资研发更多设备，比如电网相量同步传感器（phasor sensor）。这是一种可以测量不同时刻电网电压值的高精度仪器，类似于测量水管中的水压和水温的仪表。这样电厂就可以精确地知道每30～60秒内每英里输电线路的输电能力有多大。到目前为止，只有少数电厂拥有这样的能力。

除了要统一设备同电厂之间的通讯标准之外，我们还需要统一电动车上的插座、充电器以及蓄电池的标准。这样一来，假如我驾驶电动车从华盛顿到明尼阿波利斯（Minneapolis），就可以在沿途的任何一家汽车旅馆或加油站进行充电；如果愿意的话，我还可以把电能卖给输电网和电厂。"在北美有超过3 000座发电厂，其中有14家正在尝试制定标准，"布莱森说，"但是它们很难达成一致，这就是需要政府出面了。"

信息技术革命，特别是个人电脑、因特网和万维网，都是在发送邮件和文件的一般协议和语言标准出现之后才开始飞跃发展的，先有比特和字节然后才可以"自由飞翔"。能源"因特网"也需要同样的东西来实现飞跃式发展。一旦建立起一个基础性的平台，消费者就可以编写能效规划，就像他们现在编写软件程序一样，然后与全世界一同分享。"那么将来我们就需要一些'合作创新'，"考利（Joel Cawley）说，他是 IBM 的顶尖策划师，"政府的职责应该是组织和管理好试点项目，让不同的参与方加入其中，并让他们进行对各自来说风险最小、投资最有保障并有大量稳定回报的尝试。"

美国前副总统戈尔发现非洲有一句谚语，用来描述当前清洁能源所面临的挑战再合适不过了："如果你想跑得更快，那就自己跑。如果你想跑得更远，那就一起跑。"

让我们把"绿色"这个词抹去

所有的价格信号和规制改变的目的只有一个，那就是要环保行动走得更远。它们的目的不仅是要建立能源互联网，还要帮助电厂从单纯的只能销售那种 5 美元"吃到撑"的电力自助餐模式中解放出来，要帮助电厂全方位优化它们的能源网络——从建设智能输电网络，到让最便宜的洁净电流能输往更多的家庭、商户、电动车辆，抑或是再次输回输电网络，目的就是让能效提升得越来越高，而同时方法也越来越多。我们如何知道我们的工作是对还是错？当我们醒来环顾四周，发现了三个新事物时，我们马上就会意识到，我们已经创造了一个清洁能源系统。

第一，我们已经为电厂创建了足够的激励体系，以及足够多的竞争。大型发电企业最终将会意识到它们要么变革，要么死亡。在信息革命中，这场革命就建立在比特、字节和迅猛的新科技之上，企业不但要学会掌握科技革命内在的力量，还必须学会如何让自己的生意超越对手，不然的话不知道哪一天就会被淘汰了。在丛林里你要么是狮子，要么是瞪羚，狮子和瞪羚各自只知道一件事：狮子知道自己如果不能追上跑得最慢的那头瞪羚，它就会饿死；瞪羚知道自己必须跑得比最快的狮子还快，否则就会被吃掉。所以每天当太阳升起之时，不管是狮子还是瞪羚，最好赶紧做好准备。但是这种心理活动在传统的能源行业是永远也不会出现的，除非政府强制制定价格和规则去重塑能源市场，强迫发电厂和其他的主要参与者认识到要么创新，要么死亡。

"杀死你的子弹永远不会在你的眉心取走你的性命。"莱克（Jeff Wacker）说，他是 EDS 的未来学家。"它只会射中你的太阳穴。你永远也看不见它过来的那一瞬间，因为你看错了方向。"传统能源企业永远也不用担心子弹会出其不意地飞来。当你看见他们中的几个被射中太阳穴，躺在路边，你就知道我们终于为电力市场创造了一个要么改变要么死亡的世界，只是有些人还是死性不改。

第二，月底你拿到电费单时就会知道我们做的是对的，并且应该注意到虽然 1 千瓦时电的价格实际上涨了——这是为了支付智能输电网络的费用，以及对电厂提供清洁能源的激励支出——但是你的总支出或许没有变化，还有可能减少了。这就是最好的证明：能效确实已经进入了您的家庭，并且生活已经得到了系统的优化，您的用电量和总电费都降低了。

那看起来到底是什么样子呢？我可以告诉你，但是你必须得去日本才能明白。来看一下东京的法克勒（Martin Fackler）发表在《纽约时报》上的这篇报道吧（2007 年 1 月 2 日）：

> 在很多国家，高油价已经让人们不堪重负，他们开始担心未来经济是否会下滑。但是在日本，建筑师木村仁信（Kiminobu Kimura）却说他从来没有感觉到紧张。事实上，他每月的能源支出比一年前还要低……高能效设备散落在他狭小的家里。电冰箱可以提醒人们关门，洗碗机紧紧地嵌入厨房的灶台中。在有些家庭，加装传感器的电暖器可以只对人输出热能；还有"电能导航器"来跟踪家庭用电情况。48 岁的木村先生说，他的四口之家还有很多节约能源的小窍门，比如用热水器里的热水洗衣服，骑自行车去买

杂物……日本是能效最高的发达国家之一，大多数专家都认为日本已经做好准备，在全球高油价时代它将比美国更加繁荣……日本的人口和经济规模都是美国的 40%，但是根据位于巴黎的国际能源署的数据，在 2004 年它消耗的能源仅相当于美国的 1/4。

日本对环境保护的重视源于对本国能源匮乏的担心，日本大多数能源都要从政局不稳定的中东进口，20 世纪 70 年代的石油冲击让日本人开始醒悟。政府调控发挥了很大作用，日本政府对国内电力和汽油的定价远高于世界平均水平，这就迫使日本家庭和企业节省能源。税收和价格控制使得日本的汽油价格比美国高 1 倍。据专家称，政府用这些税收收入帮助日本发展了如太阳能以及最新的家用燃料电池等技术，让日本走在了可再生能源领域的前沿。高价格还增加了日本国内对环保节能产品的需求。这也促进了像低能耗洗衣机、电视机以及低油耗汽车和混合动力交通工具等新技术的开发。日本的工厂也学会了该如何节能，并成为世界上最节能的工厂。像三菱重工这样的企业现在已经开始享受它的高效电涡轮机、炼钢鼓风炉以及其他工业设备从海外带来的收益，这些设备的销量在美国更是节节攀升。日本环境省预测，到 2020 年，日本的能源环保工业将在出口的带动下成长为拥有 79 亿美元的大产业，是 2000 年的 10 倍。

这篇文章还写道，日本已将节能设备的开发项目列入其"领跑者计划"（Top Runner program，该计划旨在开发全球最高能效的电器——译者注），

该计划制定了降低能源消耗目标。达到目标要求的产品将被贴上绿色标志，而不符合标准的产品则被贴上橘红色标志。日本贸易和工业省认为消费者会跟随这些标志的引导，这样就可以强迫生产者提高自己的能效标准。当前日本的空调平均耗能只有 1997 年的 2/3，冰箱则节能 23%。而且这些数字还在增加。根据东京居住环

境能源研究所（Jyukankyo）的最新统计，2001 年日本家庭平均耗电量 4 177 千瓦时。而根据美国能源部的数字，2001 年美国家庭的平均耗电量是这一数字的 2 倍多，高达 10 655 千瓦时。

我们最终取得胜利的最重要的标志就是"绿色"这个词很愉快地消失了，不再有绿色建筑、绿色汽车、绿色家庭、绿色设备、绿色窗户甚至是绿色能源。所有这些东西都已经变成标准，因为在一个由价格信号、法律法规和已经付诸实践的标准组成的环保系统里，这样的标准将成为必然。因此，任何非绿色项目，在设计初期就达不到能效和清洁能源方面的最高标准，都是不合法的，也得不到资金。任何一辆新车，一间新办公室，一栋新房都将是绿色的。绿色将成为标准，将成为新的一般标准。任何非绿色的东西都将不复存在，也不可能存在。

"'绿色'这个词将会像当年'民权'的演变那样。"爱德华兹（Davis Edwards）说，他是优点风险投资（Vantage Point Venture）公司的能源专家。民权运动最终非常成功，所以现在除了少数例外，早已没有人再把"民权"挂在嘴边讨论了。谈到民权运动时，我们都会觉得那是过去的事情，因为今天，人们再也不会因为他们的肤色受到歧视，这已经是社会的规范。我们今天在报纸上看见的所谓民权事件只是极少数个例。歧视现在是新闻，不是常态。当低能效、碳超标以及污染燃料成为新闻而不是常规时——那时这些事件的中心人物就会被人鄙视，就像今天人们鄙视在机场里吸烟的人一样——绿色运动也就取得了胜利。

所以，有一天你醒来，会发现能源企业正在抢着提高你的能效，就像电话公司今天抢着为你提供长距离商业服务一样；到那时，你去停车场停车，停车场却会因为你停车而付给你钱，因为他们想把车顶上的太阳能电池板卖给你，而从你卖电给电网的收入中抽成；到那时，你的电费费率可能会更高，但是电费却会减少；到那时，绿色会成为标准，再也没有别的选择：到那时，你就会知道我们现在正在进行的是一场绿色革命，而不仅是一场绿色派对。

第十三章

100 万个诺亚，100 万艘方舟

大自然犹如一个无限大的球体，它的中心无处不在，但其边缘却无迹可寻。

——布莱兹·帕斯卡（Blaise Pascal），法国数学家和哲学家

2007 年 12 月，联合国在巴厘岛（Bali）召开气候变化大会。我决定去看看，一来去听听我们应该采取什么措施来应对全球气候变暖，二来去收集些有关印度尼西亚环境问题的写作素材，尤其想考察一下那里的雨林被破坏的情况。我当时在波斯湾，要从阿拉伯联合酋长国的首都阿布扎比（Abu Dhabi）转机到巴厘岛。我午夜 2∶30 分抵达阿布扎比的机场，那里还是人来人往。我转乘的是阿联酋联合航空公司的航班，当我正要登机时，门卫让我稍等片刻，因为我们这批乘客最后才能上飞机。我挑了个靠窗的位置坐下，看见窗外大约有 200 个年轻的印度尼西亚妇女正在登机。她们都不过 5 英尺高，每个人都拿着行李囊背着包，里面装满了衣裤、鞋和电子产品。显然她们已经离家很长时间了，这是她们返家的旅程，所有人口袋和背包里都塞满了礼物和"现成的东西"。

　　"这些女孩是干什么的？"我问坐在旁边的一个衣着考究的印度商人。他说："她们都是佣人。"我们于是攀谈起来。他是一个管理顾问，在波斯湾为那里的政府出谋划策，告诉他们该如何提高生产力。我们聊全球化给这一地区造成的影响，对比印度和印度尼西亚，最后，他的目光又落在了窗外那队正在登机的印度尼西亚女佣身上。

　　他开玩笑地说："印度尼西亚出口的都是低端劳动力，没什么技术含量。"他认为印度尼西亚应该做的是向民众提供更好的教育，让更多的人能在国内找到体面的工作，而不用到国外做手工活儿。

　　这次谈话给我留下了很深的印象，我把它写入了我的另一本有关全球化的书里。当我抵达雅加达后，我立刻意识到这些女佣与印度尼西亚的树木有很多相似点——出口低端劳动和出口原木在本质上都反映了同样的问题。

　　我是在与苏厄布（Barnabas Suebu）省长的谈话中明白这个道理的。他管理着印度尼西亚的巴布亚省（Papua），这是一个被森林覆盖的地方。我们谈到树木，谈到女佣。他告诉我巴布亚省低学历低收入的人口很多，他们常砍伐巴布亚热带雨林里的树木，出售给当地的收购商换取几百美元，收购商又把这些木材卖给中国或越南赚几百美元差价，中国或越南的制造商把这些木材制作成家具后可以卖到上千美元，而东京、洛杉矶或伦敦的家具商店又可从中获得几千美元的利润。除非印度尼西亚人能够接受教育并把所学的知识和附加值高的技术运用于他们的工作——这样他们用1棵树就能生产价值10 000美元的产品，而不是以每棵100美元的价格出售上百棵树——否则印度尼西亚热带雨林的非法砍伐活动还会继续下去，无论派多少警察都没有用。苏厄布也说："我们得确保我们能从每棵砍倒的树上获得更多价值。"

　　树木、女佣、教育、治理以及经济发展这些问题都是相互影响的。这也是本章想告诉读者的：我们不但需要能够制造清洁能源的体系——依靠丰富、清洁、可靠和廉价的能源来实现增长——我们还需要一个全球战略，保护我们的森林、海洋、河流和生物物种遭到灭绝的热点地区，我们的增长不能以牺牲自然界为代价。环保战略所包含的各项措施必须是合法的，必须有资金支持，还必须辅以教育项目。我们不能背离这些原则，不能奢望一蹴而就，尤其是在像印度尼西亚这样的地方。节能和环保相辅相成——如果我们想在一个炎热、平坦、拥挤的世界里生存，两者都是不可或缺的。我们也得同样关注印度尼西亚的环境恶化——不仅仅因为这个国家人口众多（现有2.37亿人，而且这一数字还在增长）。巴西以种类繁多的海洋生物著称，在生物多样性方面位居世界第一。而紧随其后的就是印度尼西亚，其绚丽多姿的陆地生物令人惊叹。尽管印度尼西亚只占世界陆地面积的1.3%，但却拥有世界上10%的热带雨林、20%的动植物群、17%的鸟类和超过25%的鱼类。仅在婆罗洲10公顷的岛屿上就有着比整个北美洲还多的树种，很难想象这方土地还孕育着多少植物、昆虫以及世界其他地方没有的动物。事实上，在婆罗洲小小的地盘上——还不足地球陆地面积的1%——就栖息着世界上6%的鸟类、哺乳动物和有花植物。整个加勒比海地区的海洋物种只有印度尼西亚的1/10。印度尼西亚位于印度洋、南海和太平洋的汇流之处，并同时受到这3个广阔海域的滋养。

但印度尼西亚的很多生物却濒临灭绝。我抵达雅加达没多久，就从我的朋友纳卡苏马（Alfred Nakatsuma）那里得知印度尼西亚森林砍伐的速度已列入吉尼斯世界纪录。他在印度尼西亚负责联合国国际开发署的一个生物多样性保护项目。印度尼西亚现在每年都有相当于马里兰州那么大面积的热带雨林被砍伐，其中大多数砍伐活动是非法的，这使得印度尼西亚继美国和中国之后成为世界上第三大温室气体排放国，巴西则位于第四。我们通常总把气候变化归结为纯粹的能源问题——我们如何才能减少燃油车的数量以及碳的排放量？但在印度尼西亚，气候变化却是森林砍伐问题。我们认为气候变化是因为汽车太多，印度尼西亚人则认为气候变化是因树太少。印度尼西亚二氧化碳排放量的70%都是由于森林砍伐造成的。自然保护国际告诉我们，印度尼西亚的雨林现在正以每小时300个足球场的面积消失。对国家森林的非法砍伐使得印度尼西亚政府每年都要遭受30亿美元的收入损失，但即便是合法砍伐也使得印度尼西亚的森林正在快速消失，因为当地政府为了推动经济增长不得不出口木材及相关产品。

不幸的是，这场灾难不只发生在陆地上。印度尼西亚群岛的17 000座岛屿是地球上 14% 的珊瑚礁的家园，在那里生活着 2 000 多种珊瑚礁鱼类。"珊瑚也是人。"海洋生物学家埃德曼（Mark Erdmann）开玩笑地说，他同时也是自然保护国际在印度尼西亚的高级顾问。他说，我们常常忘记"珊瑚礁是动物和植物群落，它们给海洋生物提供庇护场所，形成海床并为生物供给养料，就像森林里的树木——没有森林就没有豹子和猩猩；没有珊瑚礁就没有鱼类"。但经济的过快发展和没有节制的海洋捕捞已经毁坏了印度尼西亚的许多珊瑚礁，而这里本是许多鱼类和其他珊瑚动物赖以生存的地方。一个驻雅加达负责生物多样性事务的西方外交官告诉我，他曾经从印度尼西亚一家从事捕捞业的公司里得知，2000 年该公司从印度尼西亚周边海域捕获的海鱼中有 8% 都是鱼苗，到 2004 年这一数字已上升到 34%。这位外交官还说："当捕获的海鱼中有 1/3 都是幼鱼时，那离灭绝也就不远了。"

想象一下，一个没有森林的世界会是什么样子，一个没有珊瑚礁的世界会是什么样子，一个只有在雨季才有河流的世界会是什么样子。越来越多的地方已经变成了这个样子，就连我们在有生之年也可能目睹这一切的发生——除非我们现在就动手建造一个环境和自然资源保护体系，而且像我们将试着建造的制造清洁能源的体系一样巧妙、全面、有效。

诚然，不乏有人提出许多应急措施以阻止毁林现象的蔓延，但在印度尼西亚这样的国家，计划的实施效果总是不尽如人意。在巴厘岛出席气候变化大会期间，我在《雅加达邮报》（*The Jakarta Post*，2007 年 12 月 11 日）上看到了一篇文章，讲的就是环保方面事与愿违的事情。文章的作者阿迪维波沃（Andrio Adiwibowo）是印度尼西亚大学环境管理系的讲师，他为如何保护雅加达海岸的红树林出了个好主意：

> 虽然红树林区通常都被视作荒地，即使在许多生物学家看来也同样如此，但上个月下旬发生在雅加达海岸的海潮却让我明白了一个道理——如果我们不尊重这些耐海水的树群，那么我们的家园就会变成废土。大约 14 年前，隶属印度尼西亚大学数学和自然科学学院的生物系曾派出过一个生态小组，评估雅加达沿海地区的环境

状况并测算这些地区发生海潮的可能性。该小组给出的建议中第一条就是要保护红树林，让红树林带作为核心带，其次是要发展缓冲带。根据林业法规和环保法，这一缓冲带植被的 60% 应由红树林原生植物构成，其余的则种植可供缓冲带周边居民利用的植物……如果该计划能够得到实施，那么近年来频发的洪涝灾害就能得到控制。遗憾的是，这一计划最终还是被束之高阁，别说建立缓冲带了，就连核心带也被人类的发展侵占，厚厚的混凝土覆盖了原本生长着红树林的土地。

遗憾的是，这一计划最终还是被束之高阁。每当我们要保护生物、珊瑚礁、鱼类、红树林和热带雨林时，这一幕总是一遍又一遍上演。苏厄布省长对此心知肚明，他曾告诉我他的座右铭是"大处着眼，小处着手，立即行动"。但真能做到"立即行动"吗？既然我们都知道在这样一个炎热、平坦、拥挤的世界里，我们的生物群正面临着比以往任何时期都严峻的危机，但一个真正能起作用的全方位战略又在哪里？

简单地说："我们需要 100 万个诺亚和 100 万艘方舟。"

当我们作为一个物种出现在地球上以来，我们曾经奢望地球的生物资源是取之不尽、用之不竭的。但自从 1992 年里约热内卢地球峰会召开以来，人们越来越担忧气候变化、资源消耗模式以及人口的急剧膨胀，这一切都威胁着所有物种赖以存活的生命体系，当然，也包括我们自己。因此，我们必须重新定义我们与自然界的关系。

就像我在前面的章节里反复重申的那样，能源消耗、经济增长、物种灭绝、毁林、石油霸权和全球变暖这些因素都是相互影响的。经济高速发展和人口膨胀正以前所未有的速度摧毁着森林和其他生态系统。森林和物种丰富地带的消失使得大气中的碳含量增加，这又加剧了气候变化。此外，森林以及珊瑚礁之类的自然环境的消失也让我们人类更加不堪一击，因为森林里的树木可以吸收干净的雨水，并把它们储存在地表下的根部和含水层里，之后再通过蒸腾作用控制江河和溪流的水量；因为珊瑚礁和红树林可以缓解热带风暴给沿海地区造成的冲击。换句话说，能源气候年代越是发展，我们就越需要大自然的保护——森林可以抵挡水土流失，并为濒危生物提供栖身之所；健康的珊瑚礁可以保护海岸周边土地，不致因海水冲刷而沼泽化，并让大量鱼群生息繁衍，这又为近海地区的人们提供了大量食物。

虽说制造充足、清洁、可靠、廉价的能源可以减轻行将灭亡的生态体系面临的压力，但这还远远不够。我们还需要一个全面的战略来激励人们大规模保护环境——确保植物、动物和人类有足够的资源来繁衍种族。居住在自然资源富饶地区的人们应当首先扛起这一重任，推动战略实施，并把这一行动维持下去。一个生机勃勃的生态系统需要正确的政策、正确的投资和正确的行动来共同维护。

每一个需要保护的生态系统都千差万别，因国家和地理位置的不同而需要采取不同的拯救措施。每一个生态系统就是1艘"方舟"。诺亚在他的年代只用1艘方舟就可以拯救地球万物，但今天的我们却需要100万艘方舟才能拯救芸芸生灵，而且每艘方舟都得备有6样东西：①一个为生态环境着想的国家政府。国家应该把物种资源丰富的地域列入保护区，并重新规划经济开发区，小心保护濒危物种、保持水源质量和其他生态资源。②向物种资源丰富地带的社区提供发展经济的机会，使那里的人们不会以损害生态环境为代价换取发展。③尊重大自然，帮助当地居民提高生活水平的私人投资者。他们可以是旅店老板、能源或采矿公司、农业综合企业或是旅行社，这些投资者要愿意保护生态系统不受打扰，要能够吸引全球投资来此开发有经济环境效益的项目。④一个有环保意识、清廉高效的地方政府，不因竞标者的高价而出卖自然保护区，不为伐木采矿的巨额利润而动心。⑤经验丰富的当地专家或国际专业人士。他们懂得如何正确评估生物多样性和土地开发项目，能够准确判断哪些地区应该受到保护、哪些地区可以适当开发。⑥向尽可能多的人普及初等教育和中等教育，这样，拥有知识、技术的年轻人就可以不再掠夺身边的自然界。

虽然每艘方舟的装备都得根据特定的环境量身定做，但每一艘方舟上的政府、公司、非政府组织（NGO）和当地居民都必须牢记：保护当地的生态系统不受侵犯才是他们的立足之本。他们必须要加大对保护区和生物多样性的投资，如果任何一方消极怠工，成功的概率都将十分渺茫。

但不管怎样，每艘方舟上都必须有一个诺亚，一个让这个联盟、让这个生态系统群策群力的诺亚，一个让所有人都明白自己与这个系统休戚相关的诺亚。诺亚的人选可以是当地的政府官员、环境保护人士、商业领袖或非政府组织的领导人，他们应该有不同的特点、作风和性格——因为每艘方舟上的环境问题和经济利益都各不相同，需要不同的诺亚来解决和协调。这就是为什么我们需要 100 万个诺亚和 100 万艘方舟才能保护我们的大自然，尤其是在这样一个炎热、平坦、拥挤的时代里。

联合国和世界银行现在还在苦思冥想，发达国家应该用什么方式资助发展中国家才能让他们停止砍伐热带雨林。许多人希望这一议程能够纳入后京都议定书，与其他措施一同应对气候变化。在我看来，这一倡议的出发点虽好，但如果脱离了各艘方舟，再好的想法也不过是镜花水月。可能有人对此不以为然，那是他们还不了解面前这个纷繁芜杂的生态系统。如果说在写这本书的过程中让我明白了什么道理的话，那就是：所有的环境保护工作都极具地域色彩。

虽然全球性的战略部署和资金援助是必要的，但这本身并不能解决问题。你需要把有共同利益的人们联合在一起，只有他们才有动力去保护一片特定的自然资源区或原始森林。我们常常在制定条文条款上耗费大量时间和精力，殊不知发展中国家正需要我们的帮助去维护他们的生态系统。用于拯救生命的每一分钱才是最具价值的，才最能彰显诺亚的品质和方舟的力量。

有人说要解决我们的能源问题只需要一个爱迪生就够了。一个天才发明家可以奇迹般地创造出丰富、洁净、可靠、廉价的能源。也许是吧，但要解决我们的生态问题却需要 100 万个诺亚和 100 万艘方舟。

那么，这样的方舟应该是什么样子？我在 2008 年 5 月就有幸参观了一"艘"，那是在印度尼西亚北苏门答腊省的一个偏远村庄里召开的一个会议。

这座村庄叫做埃克纳巴拉（Aek Nabara），毗邻巴东打鲁（Batang Toru）热带雨林。这片雨林占地 375 000 英亩，是许多树种和野生动物的栖息地，但雅加达政府却把大片林地卖给了前来竞标的伐木公司。那个会议是在村中学校一间残破不堪的教室里举行的。村里的居民对政府的举动忧心忡忡，因为自他们有记忆以来，森林就是他们的信仰和生活来源。这些村民都没读过大学，却都知道森林对于自己的意义，但不知该怎样保护自己的权利。我随同自然保护国际派出的小组和美国驻印度尼西亚大使休姆（Cameron R. Hume）到达村子那天，村里居民空巷而出，向我们讲述他们的遭遇。男人和少年、用蜡染布背裹孩子的女人、老人和孩童，所有的人都聚集在小村广场上，俨然一个临时市政大会。

　　然而，只有成年男子才能坐在教室里参加由 4 个村首领主持的会议。这 4 个首领中有 3 个都戴着传统的菲斯帽——就是印尼前总统苏哈托常戴的那种帽子，坐在这 3 个人旁边的则是一个留着胡子的年轻人，戴着澳大利亚宽边呢帽。但最让人难忘的还不是他的帽子，而是他肩膀上那只有着红毛的猩猩，他当时正用奶瓶喂它。在市政大会的 VIP 坐席上很少能看到这一幕……

　　我立刻意识到，这只 1 周前出现在小村附近的失去双亲的猩猩幼仔正是解决问题的关键。

　　这是因为在巴东打鲁地区担当诺亚的人是自然保护国际印度尼西亚项目的主任苏里亚特纳（Jatna Supriatna）博士，他 55 岁了，戴着眼镜，是印度尼西亚大学的生物人类学教授。苏里亚特纳的一个研究方向就是这种濒危猩猩。它们是一种类人猿，现今只栖息在印度尼西亚苏门答腊群岛和婆罗洲的热带雨林里，以聪明、红毛和长长的摆臂而著称。猩猩是地球上体型最大的树居哺乳动物，它们长长的手臂很是灵活，它们就像我们熟知的泰山那样，依靠有力的手臂和两腿在丛林里从一棵树荡到另一棵树上。我从动物学方面的书里得知，英语中"猩猩"（orangutan）一词原本来自印度尼西亚语和马来西亚语的人（orang）和森林（hutan），意思就是"森林里的人"。100 年前，印度尼西亚和马来西亚的原始森林里生活着超过 30 万只猩猩，而今天剩下的数量还不到 10％，大多都在过去 15 年里惨遭杀害。

2004 年，苏里亚特纳教授建议他的一个学生调查北苏门答腊省南部地区是否还有猩猩活动，而且就把这一题目定为硕士论文。据说有人在临近埃克纳巴拉的巴东打鲁热带雨林里曾看到过 1 只猩猩，但这一消息一直没得到证实。因为这片森林同样也是苏门答腊虎和巨蟒的栖息地，所以苏门答腊猩猩从不到地面上活动，使得它们很难被发现。

苏里亚特纳教授告诉我，他的这个学生在巴东打鲁待了 6 个月，最后证实只有 12 只猩猩生活在那片森林里。"我于是在想：'我们要怎样才能保护这些动物？'现存的苏门答腊猩猩只有四五千只了。"猩猩是让森林保持健康的重要因素，它们每天都要吃掉大量白蚁和水果，桄榔是它们的最爱，它们把植物的种子带到森林各处的地面上，保持着森林的地表覆盖率。无独有偶，美国佛蒙特州的参议员李希（Patrick Leahy）也在敦促美国国际开发署（United States Agency for International Development，USAID）提高对印度尼西亚濒危猩猩的特别援助预算。USAID 向自然保护国际划拨了 100 万美元资金，用于聘请专家调查巴东打鲁地区现存猩猩的具体数量并制定拯救方案。专家小组于 2005 年开始进行调查。

"我们最终找到了 350～400 只，单在巴东打鲁一个地区来说已经不少了，"苏里亚特纳说，"我们还花了一些资金去丛林边缘的人类社群中进行调查。我们把那里的人们带进丛林，告诉他们猩猩是如何在他们身边生活的。他们很惊讶：'哇哦，我们甚至都不知道它们的存在。'他们曾听祖辈们提起过这些猩猩，但他们自己却从未见过它们。"

苏里亚特纳紧接着就开始调查村民采伐森林的情况，并制作了经济评估图。他想让人们明白如果森林完好无损，那么他们也能从中获利——人们可以在森林里或边缘地带种植可可豆、丁香、肉桂和橡胶等经济作物；此外，出售地热能也十分有利可图，森林地区的山体保留了过去火山运动释放的地热，这也是小镇的巨大财富来源。

苏里亚特纳说："我们认为没有森林就没有猩猩。"保护森林的唯一途径就是让那里的人们明白森林究竟给他们带来了多少好处。而森林对于我们的意义则更是不言而喻。

是这些参天大树在支撑着我们所有人类：整个赤道就是一条宽阔的热带森林带，沿地表向南北方向延伸。这条森林带在常年雨水丰沛的地区成为雨林，在特定季节才有大量降雨的地区成为季节性湿润林，在较为干旱的地区则为疏林。林赛（Rebecca Lindsey）在美国宇航局（NASA）下属的"地球瞭望台"（Earth Observatory）网站上发布了一份关于热带森林破坏情况的报告（2007年5月30日），她在报告中说："虽然热带森林只有地球干燥陆地面积的7%，但这里却栖息着地球上近一半的物种。热带森林同时还是数百万土著居民的家，他们靠农耕、狩猎和采集过活，有时也会采摘像橡胶和坚果之类的森林物产。"

虽然海洋依旧是地球最大的"肺"，不断吸纳吞吐二氧化碳，但热带森林在碳循环的过程中也发挥着不可或缺的作用，是全球变暖的缓冲器。自然界里的碳元素目前以二氧化碳的形式大量存在于地球大气中，虽然比例很小，但却是植物、动物和人类生活必不可少的物质。植物要有阳光照射才能存活、生长，它们通过光合作用把二氧化碳转化成碳水化合物，并同时释放氧气。

光合作用在新生森林里最为集中，因为这些森林里的树木都还处于生长期。树木和其他植物把结合在一起的碳原子转化成糖类和生长所需的其他分子。安全气候网站 Safeclimate. net. 解释："植物通过呼吸作用把这些糖类转化成能量，再把碳原子以二氧化碳的形式释放回大气中。"所以，一片健康的热带森林既吸收二氧化碳又制造二氧化碳。但植物吸收的大多数碳都被固定在植物体内，只有在遇到砍伐、火灾等情况，植物无法存续时才会把碳元素释放出来。所以森林的生长年代越久远，其积累的碳元素也就越多，即便进入老年期的森林也还在不断吸收二氧化碳，因此，我们如果想应对气候变化就得大力保护森林。据 NASA 估测，仅亚马孙森林吸收的碳就相当于人类在10年里排放的全部温室气体中含有的碳，甚至还有过之而无不及。

当森林被人类夷为平地或付之一炬，原本储存在树木体内的碳就回到大气中，加剧了温室效应和全球变暖……在一些像印度尼西亚这样的地方，低地沼泽森林里的腐化有机物（即泥炭）让森林土层十分肥沃。当旱季持续时间很长……森林和泥炭就很容易起火，尤其在人类大肆砍伐和意外失火的情况下，森林火灾频有发生。这样，大量二氧化碳和其他温室气体就进入大气。

巴东打鲁森林的生物多样性对村民、猩猩和气候都至关重要，为了保护这片森林，苏里亚特纳教授组织了几个工作小组，把森林里和周边地带的所有相关人员都调动了起来。他不辞辛劳地游说当地的采矿公司、小村居民、竞标成功的伐木者和打着地热主意的能源投资商。

与苏里亚特纳会面的那个能源投资商叫巴尼戈罗（Arifin Panigoro），是印度尼西亚的富翁，他成立了一个专门从事石油和天然气开采的公司——Medco 能源国际公司（Medco Energi Internasional），很明显，这家公司不怎么"环保"。2006 年他从印尼政府手上得到了巴东打鲁森林中部地区地热的开采权。

当苏里亚特纳去找巴尼戈罗时他非常警惕。巴尼戈罗事后告诉我，"我从来就没听说过有自然保护国际这样的一个组织，我觉得可能和绿色和平组织（Greenpeace）差不多。我很纳闷：'这个家伙是谁?'"经过几次谈话，苏里亚特纳向巴尼戈罗解释森林的种种好处，让他知道他也能像当地居民一样从保护森林中获益。而巴尼戈罗也需要森林保持水位——地热井周围的河床不能降得太低，否则滚烫的岩石就没法产生蒸汽。巴尼戈罗在遇到苏里亚特纳时或许还不是环保主义者，但他却是一个机敏、爱国的商人，他知道印尼的自然资源正被大量消耗。"20 年前并不存在这些问题，"他对我说，"我们那时拥有大片热带森林，人们不停地伐木，认为木材是无穷无尽的，但事实并非如此。"

巴尼戈罗加入了自然保护国际印度尼西亚部门的咨询委员会，自己出资从木材公司手中购买对巴东打鲁森林的采伐权，把买到的权利交还给保护区，让森林摆脱被夷平的厄运。这样，巴东打鲁森林地区除了少量的复合农林业和他自己的地热项目，其余的几乎原封未动。就在写这本书的时候，巴尼戈罗还在进行谈判——购买采伐权大概要花掉 200 万美元——但印尼伐木公司似乎对这笔交易很感兴趣，甚至愿意低价出售，因为这片森林恰好位于陡峭的山坡上，砍伐和搬运作业都非常困难。

巴尼戈罗计划一旦控制了森林的采伐权就上地热项目。他希望能生产330 兆瓦。他还寻求与当地居民合作适当开发林地农业甚至生态旅游。地热能主要是供森林附近的村庄使用，苏里亚特纳的团队牵线帮巴尼戈罗与附近的村民达成协议，地热厂开始运行后，村民将用地热能供给当地学校和基础设施。与此同时，中国最大的轮胎制造商佳通轮胎（GITI Tire，总部位于上海）也正在寻找降低碳排量的解决方法。该公司一位姓谭的负责人（Enki Tan，他也是自然保护国际的董事）告诉我，佳通公司计划在这片森林周边地带种植橡胶树，形成可持续的混合林农业缓冲带，既可以保护森林、生产轮胎橡胶，又可以提高小镇居民的生活水平。佳通公司计划以"环保橡胶"的形象在广告中亮相。

苏里亚特纳的团队还与当地村民一起重新启用了他们传统的口传律法（Adat），这套法律以前在许多小社群里代代相传，对于保护森林、河流和整个自然界都有很大用处。苏里亚特纳组建了一支由 25 个男子组成的"猩猩巡护队"，对他们进行培训并每月发放少量薪金，让他们保护这些动物，防止偷猎者袭击。他说："人们所做的一切让祖辈们的价值观复活了。尽管新的一代人依然生活在丛林之中，但这样的价值观却早已遗失了。"

那个戴着宽边呢帽、给被遗弃的猩猩幼仔喂奶的年轻人就穿着猩猩巡护队的队服。当村民们向美国大使讲述了森林的遭遇后，他们似乎对自己建造的这"艘""方舟"寄予了很大希望，但他们也知道未来的形势不容乐观。他们自豪地向我们展示了他们在雨林里收获的作物：肉桂、丁香和桃榔等，装了满满几大袋子。一个年长的村民说："自然保护国际让我们知道了该如何管理森林，什么地方适合发展混合农林业，什么地方不能这样做。我们很难与外界接触，也不知道怎样才能改善生活。"

苏里亚特纳并不是一开始就对村民们进行说教，告诉他们为什么要拯救猩猩以及该怎样做。这对于连自己的温饱都没解决的村民来说起不了什么作用。他以行动代替说教，同村民们一起努力为改善生活而劳碌，让村民们看到身边的森林是他们的共同财富，保护森林能给他们带来巨大利益。在这一过程中，保护猩猩也就自然而然水到渠成了。

他说："我们通常是从调查当地的社会结构开始的，试图去了解当地社群和他们的文化、社会和经济状况，以及他们在从事哪些商业活动——去关注这些商业活动能给他们带来什么好处，而不是只关心猩猩。"如果只有猩猩能从中受益，人类社群却不能，"我们就失去了保护整个自然界的基础"。

最近，苏里亚特纳的学术界同道都问他："你是打算做一名政治生态学者吗？"他说："他们都很担心我就此远离严肃的生物学研究。但我相信，生物保护工作不仅仅只是要保护老虎，观察它们的活动、食物和天敌，这项工作肯定得与人打交道。是我们扰乱了自然秩序。你得掌握生物学知识，但光有知识是不够的，你不能奢望一切都会自己好起来。"

许多政府官员仅看看地图就划出自然保护区，完全不了解实际情况，而且他们还觉得保护区这样的"方舟"会像蔬菜那样自我生长。苏里亚特纳说，这是绝对不可能的。没有人就没有保护区。

从 2003 年开始，苏里亚特纳在临近的巴东迦底斯（Batang Gadis）热带雨林地区建造了另一"艘""方舟"。2004 年，他和他的团队在那里建成了一片占地 270 000 英亩的国家公园。2004 年恰好是印度尼西亚前总统苏加诺（Megawati Sukarnoputri）下台的那一年。苏里亚特纳计划利用当地伊斯兰学校 Mustaphawiya Madrassah 的影响。有 7 500 名学生在这所学校就读。他开始与学校的最高精神领袖阿訇接触，向他解释如果位于巴东迦底斯森林上游的金矿如期开工，那么流经这所学校的河水就会被矿渣污染；如果对森林的砍伐也开始动工，那么河流就会被淤泥堵塞。那个矿井已经获得了采矿权，可以直接在河流的汇水区淘金，苏里亚特纳和他的团队希望能让金矿移到别的地方去，但他们需要在当地找到联盟者。他于是想到了阿訇，他要让阿訇知道他的学生每天 5 次祷告前都要沐浴的河水将变得很脏、很脏。

苏里亚特纳说："只告诉他们森林的好处是远远不够的。我告诉阿訇，如果河水被污染，你们就再也不能在河中进行洗礼了。"阿訇起初不相信，他对我说，"这只不过是你自己的预测……[这条河]不会有污染的。我们都在这里50年了。"我于是问他："你知道上游有个矿井开工了吗？"他回答说，"那矿井离我们远着呐。"我说，"跟我来，我带你去看看那个矿井。"我和我的同事带他到了那个矿井，他自己看到发生了什么。他回来后，立刻就去找"布帕提"（bupati，地区首领），要求他保护森林。苏里亚特纳接着说："你如果能说服阿訇，那么阿訇就会教育所有的孩子，这些孩子又会告诉他们的父母。"

这一地区的"布帕提"多雷（Amru Daulay）还是第一次遇到这样自下而上的环保运动。苏里亚特纳回忆："他目睹这场运动，感叹说：'你们的力量真是太强大了。'"苏里亚特纳继续动员他，这次他提出了一个更大的计划——把巴东迦底斯变成国家公园，保护它不受任何人的破坏。"多雷问我：'我们有能力把它变成国家公园吗？我们又拿什么去赔偿那些伐木者和采矿者的损失？'"苏里亚特纳告诉他，河水正灌溉着100 000英亩稻田，如果水源因伐木或采矿受到污染，那么所有的稻田都跟着遭殃。

凑巧的是，当时印度尼西亚政府正从中央集权转型为地方分权，将雅加达中央政府的权力逐步向周边地区下放。那个起初由雅加达政府任命掌管马迪纳（Madina）地区的"布帕提"马上就要面对首次竞选的考验。苏里亚特纳对他说："你可以成为一个英雄。"多雷算了一笔政治账，他意识到如果写信建议林业部把巴东迦底斯划为国家公园，可能会为他在真正的全民选举中赢得加分。于是他的确这样做了。

当然，在国家公园成立的过程中，还有许多类似自然保护国际、伊斯兰领袖和印度尼西亚环境保护主义者等群体和个人也在不懈地贡献力量。这样一个宏大的工程不是一个地方官员仅凭一封信就能做到的。国家公园最终还是建立了，多雷也因规划自然保护区和迁移矿井远离汇水区而赢得了选举。

可惜的是，事情并不总这样。印度尼西亚的民主进程和责权下放对环境的影响可谓喜忧参半。在一些地区，省政府甚至地区政府都有很强的环保意识，巴布亚省省长苏厄布就是他们的代表；但在其他一些地区，新当选的政府官员却滥用手中的权力，大肆从自然资源开采许可中渔利，给以前的非法采掘者披上了合法的外衣，由于没有了雅加达中央政府的监管，这些地方官甚至变本加厉。

苏里亚特纳对我说，他在巴东打鲁地区和巴东迦底斯地区建立的各种联盟就像"有很多层的三明治。三明治里面有奶酪、番茄、肉、土豆；我们的联盟中也包括了政府、社团、专家、私人部门。不同的群体关心的利益是不一样的……当你面对的是政府官员，你就得谈经济；当你面对的是社团居民，你就得谈福利；当你面对的是商业人士，你就得谈他们的未来收益；当你面对的是非政府组织，你就得谈环境"。不同的地区、族群需要不同的诺亚和不同的"方舟"。除此以外，我们没有任何通向成功的捷径。

但是，如果没有受过良好教育的人们，生态系统也不可能长期存续。两者相辅相成。埃克纳巴拉村一些年长的村民向我们吹嘘，说他们有一个图书馆。我于是去参观了一下，其实只是一些落满灰尘的书和杂志堆在一张桌子上。眼前的场景让我难过。我最终得出结论，要拯救森林就得创造知识含量高的工作。因为要拯救森林，就得首先拯救以森林为生的人们，而在今天，唯一的途径就是教育。人们通过教育获得生存的本领或技术，这样他们就可以不再依靠掠夺森林维持生计了。我们的底线是，让他们不再破坏热带森林。我们的期望是，他们能积极保护它们，因为森林对于旅游、制药和农业都有重大意义。

不幸的是，尽管印度尼西亚是这个世界上我最喜爱的一个国家，尽管它有着令人敬佩的国民和鬼斧神工的景观，但是它从不重视教育，可能是因为这个国家有着太多的自然资源可供开采。印尼有 2.37 亿人口，却只有 6 000人有博士学位，比例低得让人瞠目。今天，印尼政府用于补贴汽油和食用油的开支占国家预算的 30％，而用在教育上的开支只占国家预算的 6％；这并非明智之举。

所以，如果在未来 10 年里你有机会去印度尼西亚，看见满飞机的年轻姑娘都是要前往国外当女佣的，那么你也可以肯定印度尼西亚的树木也正被运送出国。

虽然每一艘"方舟"都是由不同地区自己建造的，反映着当地的投资者、参与者以及当地人民的利益，但我必须强调，我们决不能小觑全球资金的力量。全球化经济发展到今天，油棕榈种植园、豆田和原木带来的巨大金钱诱惑足以让人们推倒成片的森林。如果你去对比一下村民或伐木公司从一棵倒下的树上获得的收益和他们保护这棵树能得到的好处，你就知道森林为什么在迅速消失了。如果你再进一步调查一下一个大型伐木公司能从一大片倒下的森林上获得什么，结果会更让你震惊。这就是为什么各"艘""方舟"无法单独存在，各位诺亚也无法单独作战的原因：各地的资源不足以创造其他收入来源，也不足以提供额外资金去开发森林。自然保护国际的气候专家、水文专家和生态专家托顿（Michael Totten）告诉我，当今世界上90％的赤贫人口都直接从森林索取食物、燃料、住所、淡水和纤维，他们中的大多数住在农村地区。而且许多人还是土著居民，如果森林消失了，这些族群的文化也会随之消失。在这种情况下，我们无疑需要一个国际体系来支持这些由当地社团建造的"方舟"，可以通过像美国国际开发署（USAID）之类机构的传统外国援助项目，也可以通过其他机制有效提供资源和技术，并通过政治手段向相关群体施压，让更多"方舟"来拯救我们的星球。

这不是施舍。这是国家安全的体现，我在 USAID 工作的朋友纳卡苏马曾说：

> 许多冲突就是因为大肆破坏自然资源导致的，这些资源对于生活在自然生态环境中的人们来说是他们的生命之源。USAID 最近的一份研究报告显示，印度尼西亚森林被大范围破坏的地区，方圆6千米内的部族冲突中有 40％都是因争夺自然资源而引起的。争夺水源的冲突也愈演愈烈，在这些冲突背后，反映出的现象是对土壤蓄水层的破坏、上游地区无节制的林业开采和工业－生活废水污染。这样看来，如果能把环境问题治理好，那么各个国家以及国家之间面临的冲突问题和安全隐患也会随之不治而愈。

因此，像 REDD 这种提案是相当重要的，它试图为热带森林的环境服务功能定价，以跟热带森林在商品市场上的价格竞争。REDD 是"降低因毁林和森林衰退而释放的碳量"（Reduced Emissions from Deforestation and Forest Degradation）的简称，环境保护主义者希望联合国能把这一概念吸纳进后京都议定书。REDD 建议富裕的发达国家向贫困的发展中国家提供帮助，以免他们迫于生计而毁坏森林；作为回报，发达国家可以从发展中国家获得碳排量限额，用来应对气候条约对其施加的减排要求。计算不同国家的碳排放限额十分困难，但更困难的还在后面，那就是如何才能保证当一个国家的中央银行向另一个国家提供资金后，拿到资金的国家不会继续砍伐森林。你得追踪每 1 分钱的去向，从最初的捐赠者到最后的诺亚；你得确保这笔钱不仅仅只显示在政府账面上，而是实实在在地建造了一"艘"可靠的"方舟"。否则，我们到最后只剩下许多四处漏水的"方舟"，森林还在倒下，二氧化碳依旧增加。

所有的环保行动都是各地自己的事情，但所有这些地方却越来越紧密地联系在一起。今天你用来炸薯条的棕榈油可能来自印度尼西亚被砍伐的森林，这加剧了全球气候变化，让你的后花园干旱缺水。毁林已经关系到每一个人，保护森林也是所有人的利益所在。

"这个星球的长期健康状况取决于生态系统的健康状况，"普里克特说，"仅凭干净的能源和减少二氧化碳排放是不能保障我们的未来安全的。我们还需要健康的森林、清澈的河流和肥沃的土壤，而且越多越好。我们得为它们着想，对它们进行投资。"

在污染燃料体系（Dirty Fuels System）下，人们简单地认为经济增长是在生态环境和财富间的一种取舍，猩猩等生物的灭绝就是这种取舍行为的副产品，也就是经济学者们常说的"外部效应"。而在干净能源体系（Clean Energy System）下，我们明白了健康的生态系统和健康的经济环境是相辅相成的。没有足够的资源，增长也难以为继。普里克特说："猩猩的存在不仅是一个好现象，它们还说明你设计的模型成功了。"

　　有些时候我们需要超越这些世俗的想法，回归到万物最本质、最深刻的原点去：绿色本身就是值得我们珍惜爱护的，不是为了让我们银行账户里的钱更多，而是为了让我们的生命更加多彩，而且要让它永远绚丽。总而言之，这就是所谓"环境保护伦理"。"环境保护伦理"的精神是：虽然保护自然界的行为价值无法被量化，但也不容被忽视，因为自然界为所有生物打造了一方纯美、非凡、欢乐、神奇的天地。

　　清洁的能源是必要的，极大地提高能源利用率也是必要的。但是我们不能只在经济层面上将保护大自然与前两者相提并论（虽然当你把大自然所提供的、尚未以市场价格来计算的所有服务加在一起时，的确可以）。大自然应该被视为一种不同且凌驾于一切经济、现实事物的价值，受人珍重、敬畏与保护。随着经济发展愈来愈洁净，孩子们未来所能享受的能源效率也就愈来愈高；如果我们不向下一代灌输绿色的价值观，愈来愈好的经济效率。加上愈来愈高的能源效率，将会联手强暴我们的自然世界。到那时候，没有任何一堵坚硬的墙体能阻止这一切，因为人们不会去保护他们既不尊重也不敬畏的事物。

　　正是因为这样，我强烈支持"让孩子出门走走"（No Child Left Indoors）之类的活动，这是由美国生态学会（Ecological Society of America）倡导的，这个组织云集了美国顶尖的生态学家。"让孩子出门走走"活动周是每年一度的"地球周"的一部分，就是为了要唤醒学龄儿童和他们家长对身边自然界的意识，让这些孩子和他们家人学会该如何打理他们更大的"家"——地球。ESA 的网站 esa. org 指出，由于孩子们现在都待在家里看电视或玩电脑游戏，"过去 10 年里，国家公园和州立公园的参观人次减少了25％。"网站还有文章说："最近的科学调查发现，孩子们大都知道宠物小精灵，却很少有人认识橡树和水獭。美国的自然科学教育，尤其是生态科学教育和地球科学教育，已经落后于其他国家了。生物学、健康学和经济学都有数据显示，常接触大自然的孩子在学校的表现会更好、能拿到更高的

SAT❶ 分数，很少有不良行为和注意力不集中等状况。"

你只需要看看在花园里和河岸上玩泥巴的孩子，就会明白大自然带给了我们怎样的享受和乐趣，它值得我们尊重。但在这样一个摩登时代里，我们的这种天性却随着年龄的增长而被掩埋。圣雄甘地（Mahatma Gandhi）在看到这一幕时就曾说过："忘记如何挖土、如何照料土壤，往往是忘记我们自己。"如果我们想让人们拿出自己的钱财、选票，甚至呼吁其他人也像自己一样去保护大自然，我们就得重新唤起甘地的这种精神。就像我那总爱四处探险的搭档普里克特时常对我说的那样："如果要拯救什么，就得首先用眼睛去看。"如果你曾在苏门答腊看到一片热带雨林被绿油油的稻田和牵牛花困绕，粉色的花朵牵拉缠住灌木的枝丫，你就会自然而然地想施以援手。如果你曾在肯尼亚的马赛马拉（Masai Mara）目睹壮丽的日出，黎明时分起身刮胡子从镜子里看见成队长颈鹿从帐篷旁边走过，你就会自然而然想挽留这一切。如果你曾在秘鲁的亚马孙雨林中跋涉，小心给野猪让道，把早饭喂给落在肩膀上的金刚鹦鹉，你就会自然而然地想拯救它们。

有一次我去参加环保先驱洛文斯（Amory Lovins）的研讨会，会上有人问他："您觉得眼下环境工作者所能做的最重要的事情是什么？"他只回答了 4 个字："关注环境。"因为只有当你亲眼目睹后你才会有所行动。2006年我和家人去了一趟秘鲁热带雨林，我们请了位名叫吉尔伯特（Gilbert）的当地导游，我至今对他记忆犹新。他没有电话，没有望远镜，没有 iPod，没有收音机，但他却总能把我们带到想去的地方。他一点儿也不像现代社会的人，总是"一心多用"，常常同时做好几件事。他正好相反，只关注发生在他身边的事情。他可以分辨出每一种啾唧声、口哨声、吼叫声和雨林里树枝断裂的声音，他还不时让我们停下来，告诉我们那是什么鸟、昆虫或动物。他的视力也很惊人，从不会错过一张蛛网、一只蝴蝶、一只犀鸟或一队蚂蚁。他彻底与网络隔绝，但却完全融入了他周围那不可思议的生命之网。

我总觉得我们可以从身边的自然界里学到很多。总有一天，再多的投

---

❶ SAT（Scholastic Assessment Tests），是进入美国大学的重要考试。

资、再清洁的能源、再高的能效也无法拯救我们的大自然，除非我们现在就开始关注它——我们要关注大自然免费送给我们的所有东西：清新的空气、明澈的水源、摄人心魄的风光、供我们滑雪的高山、供我们垂钓的河流、供我们出航的海洋以及诗人吟咏的日出和画家泼墨的风景。如果我们在白天看不到绿色，那么就算能够用风力发电照亮黑夜，又有什么用呢？我们无法出售自己在自然界的股份，并不意味着我们手上的东西没有价值。

　　如果我们丧失了保护环境这条道德底线，我们就会失去那些弥足珍贵的无价之宝。

第十四章

让绿色主义赶走恐怖主义
（买一赠四）

当我们从伊拉克撤军时，人类将见证一次历史上最大规模的空调搬运。

——丹·诺兰（Dan Nolan），美国军方能源顾问

以前会有谁听说过"绿鹰"这个词吗？它指的是一群干练的海军或陆军军官，他们会像那些倡导穿凉鞋、骑单车、吃乳酪的伯克利嬉皮士一样提倡使用太阳能呢。尽管现在"绿鹰"派只是在能源气候年代出现的新生力量，但它已经认识到，绿色不仅仅是生产清洁能源、提高能源效率、保护自然资源的战略，它也是一个能让我们在许多领域获得胜利的战略。在未来几年里，人们会发现他们可以"绿赢"（outgreen）那些来自市场、战场和设计室的竞争，甚至赢得反贫斗争的胜利。用不了多久，"绿赢"便会出现在英语词典里，位置应该在"outflank"和"outmaneuver"之间。

在我得知美军中"绿鹰"的行动后便意识到，"绿赢"可能是一种军事战略。"绿鹰"这个由志同道合的军官组成的非正式组织成立于2006年，当

时身处伊拉克安巴尔省的海军上将兹尔默（Richard C Zilmer）向五角大楼反映，需要一些可以替代燃油的能源向叙利亚边境的前哨基地提供动力。而对海军陆战队来说，在该地区最危险的任务就是驱车满载装有 10 加仑柴油的油桶到美军的观察前哨为发电机加油。这些发电机为观察前哨里的空调、收音机和其他设备提供电源。在这些偏远地区，要么没有电网，要么就是有电网也无法正常运行。燃料运输车队成了伊拉克激进分子炸弹袭击的最佳目标。为了解决这个问题，五角大楼已与落基山研究所的洛文斯（Amory Lovins）合作，设计了许多可操作的能源方案。洛文斯说，能源需求使美国军方更加迫切地寻找"甩掉尾巴"的出路，即通过寻找可再生和分散的能源缩短能源供应链。

诺兰（Dan Nuolan）在伊拉克负责一个能源保障特遣队，该部队隶属美国陆军快速装备部队，他们接到了兹尔默将军的请求。他说："我们开始研究他的报告。他的士兵在运输燃料和水的途中总是遭到袭击，所以甩掉尾巴就意味着必须尽可能用可再生能源和节能措施来满足边远工作站点的能源需求，而且这种新能源在站点便可产生，不用再兴师动众地从远方运来。"

美国军方首次发起了我称之为"绿赢基地组织（outgreening al-Qaeda）"的运动。这一运动试图寻找一种绿色的策略，削弱"基地"组织作为一个分散的、低能耗的游击队对抗集中的、高能耗正规军的优势。

让人难以置信的是，在伊拉克，运输能源的卡车的速度竟赶不上离散式太阳能的发电速度。在巴拉德（Balad，位于伊拉克的巴格达以北 50 英里）的美军重要基地，我遇到了 2 名美军士兵。2 人的任务都是为伊拉克北部作战区的前哨供应 DF2 柴油，以保证前哨发电机的正常运转。我到巴拉德的那天是 2007 年 8 月 25 日，当天气温高达 121 华氏度（约为 49.4 摄氏度——译者注），在这样的高温下，沙漠帐篷内的空调无疑会消耗更多的能量，即使在气候适宜的情况下，战争也会消耗巨大的能源。过去，很少有人会在设计战争装备时考虑节能性。

在美军进入伊拉克前，唯一是绿色的东西就是军士长维沃达（Mike Wevodau）与戴维（Stacey Davis）的制服。但是在执行了几个月的燃料和食品押送以及"清扫道路"（在运送队通过之前扫除道路上的简易爆炸装置）工作之后，两人都开始倡导各种形式的分散能源，以减少运送燃料的卡车数量。

伊拉克的电力系统不堪一击。军士长戴维说道："我们根本不能依赖伊拉克的电网。事故都是由这些发电设备引起的，离开发电机你走不了100英尺，而且在燃料用完之前，他们一直是处于超负荷状态。"军士长维沃达告诉我说："如果军队有太阳能或风能，就会减少运输能源的士兵，而护卫能源运输车队是我们目前最危险的任务，最重要的是让士兵远离了道路上的危险。为什么在这儿不用太阳能和风力（涡轮机）？每当我在宾夕法尼亚的高速公路上行驶时，都能看到这些装置，为什么在这儿就没有呢？"

兹尔默上将提出此问题不久，五角大楼就认识到，要想彻底解决路边炸弹问题，最有效的方法并非增派士兵，而是要军队减少能耗。国防部能源顾问威尔斯（Lindun Wellsii）说："如果有一门双口径155毫米、足以掀翻一辆艾布拉姆斯坦克的迫击炮埋伏在路边，即使你武装得再安全也会有很大的风险。我们希望有一场零伤亡的战争，而且60吨重的车辆也不适合空中吊运。因此唯一的答案就是采用更多的分散能源。对抗临时爆炸装置最有效的方式就是避开它们。"

采用新能源会减少士兵的危险，并且不像使用柴油机那样需要很多设备，在"基地"组织网站上那些炸毁美军车辆的视频也会减少。军队的能源成本会降低，省下的钱可以用来购买对战争更有用的设备。"能源独立并非一个经济问题，"诺兰说，这位退役的海军上校曾和他的部下负责设计在伊拉克战场上的节能方案，"这也并非一个资源问题，它是国家安全问题，并是我们的职责所在。"

"我们在伊拉克的所为已让美国深陷其中，"诺兰说，"美国政府不想给当地人民留下坏印象，所以我们尽量去建造一些临时性设施，让伊拉克和全世界人民认识到我们并非永久占领。可这又意味着我们的驻军需要更多的帐篷。为了确保办公帐篷内士兵可以入睡、电子设备可以正常运转，我们必须在这些临时性帐篷里安装空调。在许多地方我们可以依赖伊拉克当地电网。

但如果依赖当地电力输送，会使我们更加易受攻击。只要有人切断一根电线，整个军队就陷入黑暗之中，所以在通常情况下我们用自带的发电机供电，但这又带来了新的问题：供发电机发电的柴油通常要用卡车从科威特运来，有时甚至从土耳其和约旦运来。"

诺兰和他的团队在第一次访问伊拉克前方作战基地时便指出了这一弊病。他说："我们的调查发现，即使是一个小型的作战基地，每天都需要10 000加仑的柴油，这还仅是一个小型基地。其中有9 000加仑用于发电机的正常运行，其余供零散使用。95％的发电量用于装有空调的帐篷。"

在分析了所有战地数据后，诺兰和他的团队问道：能让我们的军力不被削弱的关键环节是什么呢？诺兰说："如果告诉一个指挥官，'我要给你太阳能电池板和风车'，他不会很激动；但如果告诉他，'我有一个能源系统，用可再生能源代替传统能源，能增加作战的灵活性'，我想这种说法会让他更容易接受些。"

在诺兰推进他们项目的同时，国防部国防科学委员会在2008年2月公布了一份名为《增加火力，减少燃油》的报告。该报告指出，运送大量燃料以供作战需要，会造成庞大运输车队暴露目标，极易受到伊拉克反叛力量的攻击，而保卫工作又束手无策，并且这种方式的运输成本要高于在偏远的加油站点加油的成本。国防科技委员会在2001年首次认识到了这一问题，并引入了"燃料完全负担成本"这一概念。正如前空军军官莫尔豪斯（Tom Morehous）和另一位在五角大楼工作的非正式绿鹰派成员解释的那样，美国军方还没有在以完全燃料成本为基础的装备系统上达成一致。所谓完全燃料成本是：燃料的商品价格＋运输给最终使用者所需的成本＋沿途保卫燃料的成本＋运输燃料的伤亡成本。"当军方按这种方法计算时发现，在伊拉克的驻军中心运输1加仑燃料的完全燃料成本至少是20美元，而一些陆军地面作战的任务成本可能上升到几百美元每加仑，"莫尔豪斯解释道，"空中加油机运输的燃料成本为42美元每加仑，这引起了人们的注意。"

诺兰与他的团队所做的第一项倡议是提高能源效率。他们与供应商合作开发了一项帐篷外墙隔热技术。"我们在帐篷的外面涂上商用泡沫隔热材料，使帐篷与空气隔绝，这可以降低 40%～75% 的空调使用量，"他还解释说，"在前线，必须节约能源，才不会出现能源短缺，而在后方必须生产足够（可再生能源）的数量，以满足前方的需求。如果一个军事基地每天需要 2 兆瓦的电力，而仅依靠太阳能、风能和其他替代品是不可能的，但如果通过提高能效来节约能源，把需求降到 500 千瓦每天，这时用替代能源完全就可以应付了。"

现在军方非常看好这种做法，并准备购买充足的泡沫隔热材料，在伊拉克大规模搭建帐篷和筹建小聚居区。这其实很划算，它起码使空调使用量下降了 40%～75%，同时意味着能源成本的大幅度减少。这也是诺兰和他的团队所要达到的目标。这种方法用泡沫隔热材料将这种有巨大圆顶的临时帐篷与外界隔绝，内部用薄薄的混凝土粉刷，这种帐篷可以同时容纳 40 名士兵（是一般帐篷容量的 4 倍），其混凝土结构还具有更强的防弹功能。诺兰介绍说："这种帐篷里安装了 2 个自动风力涡轮机和 2 个太阳跟踪型太阳能电池板，外加 1 个紧急备用丙烷发电机组，不但可以为空调提供电能，而且剩余的电力还可以输送给附近的农村。"美国军方正在完善这一系统，将来可以广泛应用于伊拉克和阿富汗。

这就是你通过"绿赢"方式来解决问题时所能享受到的一切——买一赠四。像诺兰这样，你通过减少能源的道路运输而避免了伤亡，也降低了燃料成本而节省了资金，并且还有可能将剩余的能量输送到当地清真寺的伊玛目（Imam）那里，相信这一地区的人们有一天会赠送给我们一束鲜花，而不是投掷一颗手榴弹。

在诺兰看来，还有另一个好处：战士们看到这种可行的能源方案在美军驻伊拉克的军事基地发挥作用，当他们回到美国后，会要求他们的社区或工厂采取相同的节能方案。正如在军队废止种族隔离后，国家才真正取消了种族隔离。如果军队能够采取绿色战略，国家才会真正实行该战略。正像以前军队首先让白人和黑人一起工作一样，军队可以作为一个实验室，让人们了解如何共同实行绿色战略。他说："绿色战略正在改变整个美国的文化。如果我们在伊拉克做到了这一点，那么回国的士兵可能会说'为什么不在国内这么做呢？'"

老将诺兰肩膀宽阔，看起来比巴顿（Patton）将军还魁梧。他说："在设计绿色战略时必须慎之再慎，因为它与过去的那些战略有着很大不同，而且须改变过去的看法。我们必须转换视角，因为具有重大的战略意义！"我不禁问他："在军队里是否有人说'噢，天呐，可怜的诺兰已经变绿了'——他会变得娘娘腔吗？"诺兰大笑着回答说："我还好。"

我相信我们正走在时代的前沿，"绿赢"战略将让我们在众多领域获得竞争优势。"绿赢"这一术语是我的朋友玛利亚（Maria）和塞德曼（Dov Seidman）一次共进早餐时创造出来的。塞德曼是 LRN 公司的创始人和首席执行官，他帮助许多公司创建企业文化。他还是《成功的尺度》［*How: Why How We Do Anything Means Everything…in Business (and in Life)*］一书的作者。这本书主要说的是，在今天这个完全互联的世界里，如何进行自我管理。由于人与人之间更加透明，联系也更加紧密，因此越来越多的人更深刻地认识到，自身的所作所为和公司企业的经营运作会影响到他人。网络能将这些认知传送给更多的人，通常也不会对其内容进行编辑和过滤，网民们尝到的是他人原汁原味的认知盛宴。其中，诸如怎样生活，怎样经营，甚至怎样致歉（或回绝），在网络上应有尽有。

今天，无论你生产什么产品，提供什么服务，都能被快速简单地复制，并销售给每一个地方的任何一个人。但是正如塞德曼所说，"如何"经营，"如何"信守承诺，"如何"与消费者、同事、供应商以及公司所在社区的人们和谐相处，这些事情单靠复制他人的模式是学不会的。他解释道："人类行为存在巨大差异，但在广泛差异存在的同时也有机遇存在。人类行为的方式多种多样，全球范围内千差万别，而正是这些多样性为我们提供了宝贵的机遇——赢得竞争的机遇。"但如何赢得竞争呢？大卫说："在密歇根州，有家医院让做出错误诊断的医生到病人或其家属家里登门致歉，此举大幅降低了医疗事故索赔。这就是'如何'。"

你还可以用"绿赢"策略来赢得竞争，战胜你的对手。在一个不炎热、不平坦、不拥挤而且资源似乎无限丰富的世界里，人们会通过过度生产或过度消耗来赢得竞争。一个拥有大面积农业用地的国家会通过扩大种植面积赢得竞争，一个拥有大片森林资源的国家会通过大面积砍伐赢得竞争，一个拥有丰富矿藏的国家会通过加深钻探赢得竞争，一个拥有丰富石油资源的国家会通过增大输出赢得竞争，一个有丰富原材料的国家会通过提高销量赢得竞争。

他又补充道："这就是词典中充斥着像'过度消耗'和'过度生产'这样的词的原因。"特别是当自己拥有丰富资源、大量资本和劳动力而对手却没有的时候，急功近利的行为便更为盛行。在奥斯卡影片《未血绸缪》（*There Will Be Blood*）❶ 中，贪婪的石油大亨普莱恩维尤（Daniel Plainview）在天真的传教士萨恩德（Eli Sunday）面前进行狡辩。萨恩德想与普莱恩维尤商量签订石油钻探的租约。但普莱恩维尤根本不想和萨恩德签什么租约，因为他已经在开采传教士名下土地的石油了。普莱恩维尤只需从他的土地下面打一眼斜井，便可以伸到传教士的土地下面，侵吞他的石油资源。

> 普莱恩维尤：那块土地已经被侵占了，而你却束手无策。它已经不是你的了。它已经归别人了。你失去它了。
>
> 萨恩德：如果你愿意签署这份租约，普莱恩维尤……
>
> 普莱恩维尤：胡扯！胡扯，萨恩德，你这家伙，去死吧！……噢……抱歉……你看……如果你有一杯奶昔，我有一杯奶昔，我还有一根吸管，噢，这儿呢，一根吸管，你明白吗？……看到了吗？然后，我的吸管穿穿穿穿过房间，去喝你的奶昔，我在喝你的奶昔！（吞咽声）我要把它们都喝光。

当今的世界越来越受到资源的约束，喝别人奶昔不再那么容易，这也是

---

❶　影片《未血绸缪》（*There Will Be Blood*）描述了石油大亨普莱恩维尤（Daniel Plainview）在 19 世纪末 20 世纪初美国南部石油潮中一步步发迹的人生征途。——译者注

"绿赢"变得越来越重要的原因所在。在这个全球变暖、能源枯竭、人口爆炸的世界里，市场、社会、人类社团和大自然都会让你为自己的所作所为向这颗星球支付成本——为你所拥有的一切、所制造的一切、所运输的一切以及你的生活方式买单。那种仅依赖于过度开采、过度钻探、过度消费、过度发掘自身资源或全球共有资源而无需为外部效应付 1 分钱的策略，已经无法再取得长久的竞争优势。

此外，来自社会、市场和自然的压力日益增加，能源和自然资源的真实成本也正在逐步增加，并且其恶化的迹象也已通过碳税、燃油税、法规和公众舆论以及细微的气候变化表现出来。但这也就意味着那些最环保、最清洁和最高效的制造商、组织、产品、国家、研究机构、社区和家庭才最能生存下来，并且活得最久。

"绿赢"需要一个完全不同的心态，它并非更多地去索取、制造或开采，并非去挖掘或钻探更深的地层，而是需要人们去发掘自身、本企业、本社区更大的潜力；我们需要创造一个不同的环境，即协作的环境。在协作的环境中，个人、公司和社区都会不停思考如何创造更多的增长，如何具有更强的流动性，如何拥有更多的疵护，如何让生活变得更方便、更安全、更舒适，而这些均来自创新——使用最清洁的能源和最少的资源。

当你开始转向发掘自身或本公司、本社区的潜能时，当你开始寻找可为未来提供能量的可持续发展的道路时，各种美好的事情便会悄然而至。正像在美国军队中发生的那样。你的能源开支减少了，创新力提高了，你在智能材料、智能设计和智能软件的帮助下生产出更为环保的产品，研发出更适应全球需要的出口商品，获得更清洁的空气和水，而且你不需要为这些东西的成本担心。

太阳能和风能设备可能在今天安装起来相当昂贵，但是，太阳能和风能这种能源的价格却是不变的，它们永远免费。化石燃料设备今天安装起来可能比较便宜，但是像煤炭、石油、天然气这些燃料的价格一直在不断波动，并且以后还会有这样那样的燃油税，这也将使得燃料价格稳步上升，燃料价格上升的势头在美国尤为明显。

"不确定性会增加成本。"就职于优点风险投资公司（VantgePoint Venture Partner）的爱德华兹（David Edwards）说。化石燃料现今正面临着不确定的加价（价格有上升趋势），而可再生资源的价格走势却越来越稳定（价格有下降趋势）。爱德华兹说：

"多年来，发达国家的繁荣多半依赖于化石燃料、农产品、土地和水等资源，他们最大限度地使用这些资源就像它们是免费的一样。今天，随着发展中国家日益发展，我们才发现长期以来我们所依赖的资源不仅有限，而且也并非是零成本。"因此，随着需求和成本的增加，一个依赖化石燃料的经济体，一定会遇到能源成本的持续飙升。现在已不是 20 世纪 70 年代，那时地缘政治"引起石油短缺，而现在加剧石油短缺的是地质和人口因素，但如果你所在的经济体依赖的是清洁能源技术，那情况就不同了。"爱德华兹说："如果现在你安装一个风力发电机或太阳能电池板或地热设备，可以设想在未来 10 年或 20 年内，生产能源的成本会是多少。我们也清楚地知道那些可再生能源技术每年的变化趋势，这会逐步降低我们安装新的太阳能电池板或风力发电机的成本。"

爱德华兹说："那些完全依赖化石燃料的经济体的风险更大，从长远来看，最环保的也是最经济的。"这也是为什么"更绿一筹"将是一种竞争优势。这也是为什么美国会在全球竞争空前激烈的时刻选择建立一个清洁能源体系的原因。爱德华兹说："清洁能源将是最廉价的能源。我们应该赶在别国之前迅速建立这种最廉价的能源体系，如果能在这场竞争中获胜，我们将具有比那些背负着化石能源高成本的国家具有更大的竞争优势。"我们也会在能源密集型的制造业中拥有巨大优势，并且成为国际投资的理想之地，因为投资者可以利用我们的优势能源设施。

此外，你越是能通过"绿赢"的方式赢得竞争，就越会有更多的人想进入你的公司工作——因为绿色作为一种价值观将会被越来越多的人接受和看重，尤其是年轻人。此外，在"绿赢"的环境下也会有更多的人想和你结交。那些最环保节能的企业、国家、机构和城市也就将会吸引最有才华的人。

　　"当你把注意力转移到'绿赢'上时，你就不会再考虑要在能源积累量上胜过别人，而是开始思考新的制胜途径。"塞德曼（Dov Seidman）说。

　　这也是我为什么会对一些公司或机构谈论如何成为"碳中和者"❶ 感兴趣。这很可笑，在这个又热、又平、又挤的世界中，当人们可以从"碳优势"中获得很多利益时，为什么有些人只想做"碳中和者"呢？你的公司是否正在努力成为"信息中和者"？你的公司是否有一半员工使用计算机，而一半员工使用纸、铅笔和算盘呢？

　　我是从太阳微系统公司（Sun Microsystems）负责环保工作的副总裁道格拉斯（David Douglas）那里得知这些事的，他在商业周刊网站（Businessweek. com）（2008 年 1 月 2 日）上的一篇文章中提到这一问题，他说"碳中和模糊了焦点。为什么要付钱给那些种树的人以弥补你排碳过多？公司支持他人的善举是好事，但是，现在最为关键的是公司应该出台其自身的可持续规划，并为此进行投资"。在环保策略上致力于碳中和的企业，通常是这里做一些效率计划，那里买一些绿色能源，抵消他们所做的其他事。

　　"这样做不好吗？"道格拉斯说，"当然不是，他们提高能源效率对自己和大气都有利，他们购买绿色能源就增加了在环保能源上的投资，如果他们购买高品质产品，也能进一步减少温室气体。这非常好，并且我们也在这样做，但我相信这并不能达到我们想要的目的。我们需要各个公司把气候变化看做是一次机遇而不是一个威胁，并且热情地去拥抱这样一次伟大的机遇。我们要让各个公司走出碳中和、走进碳优势。"

　　寻求碳优势是"绿赢"的一个战略。

　　"为你所在公司构建碳优势有两种途径，"道格拉斯说，"首先，你可以提高效率和减少资源使用，这将为你的业务和产品带来巨大的成本优势。其

---

　　❶　碳中和指的是尽量减少二氧化碳排放量，并通过植树等方式吸收二氧化碳，以抵消排放量。

次，你可以利用在绿色产品和服务上的创新使你的商品与众不同，并由此获得竞争优势……许多公司都生产了大量环保产品，像丰田汽车公司和地毯制造商 Interface，这些环保产品大大增加了他们的市场份额并提高了他们的经营业绩。但更重要的是，越来越多的证据表明，我们正在进入一个新的、良性的商业周期：企业寻求可持续发展战略，研发可持续的商品和服务，这些产品又为可持续性的公司提供了更多的机会。因此，消费者对那些可以提高他们自身可持续性的产品和服务的需求日益增加，这就让公司有机会扩大其市场份额，同时还降低了他们对环境的影响。"

"如果丰田公司仅仅只致力于碳中和，那么他们绝不会造出普锐斯。"道格拉斯补充道。那些追求碳中和的人们其实并没有深入思考如何才能提高能效以获得竞争优势。

我对人们所运用的种种"绿赢"的方式感触颇深，让我告诉你们几个真实的故事，先从纽约市说起。

城市间的竞争在全球化时代愈演愈烈，它们竞相吸引人才、企业，积极创造收入和税收。他们为争夺游客而战，为争夺公司总部驻地和投资而战，为防止人才流失而战。2005 年，纽约市议员雅斯克（David Yassky）与他的一位支持者、技术型企业家黑德瑞（Jack Hidary）促膝长谈，这次谈话的内容主要是如何让纽约市更加适合居住，如何通过降低纽约出租车排放的有毒尾气而在城市间的竞争中获胜。

他们咨询出租车和小型客车协会，试图用油耗标准更低、排量更小的混合动力车更换每加仑只能行驶 10 英里的高油耗福特皇冠维多利亚黄标车。这听起来的确是个好主意，但事实上它是违法的，因为法律规定了一辆出租车的大小。这一规定是为了迎合维多利亚皇冠（Crow Vics）及其制造商福特公司（Ford）。

黑德瑞回忆说："他们起初告诉我时，我说'你是在开玩笑吧？非法的?'"随后，他马上筹备成立了一个名为"智能交通"（Smart Transportation）的非营利性组织以帮助雅斯克说服议会的其他人来修改这一法律，并将混合动力出租车合法化。为了获得广泛的支持，他们不仅仅强调污染，在纽约市美国肺协会（American Lung Association）主席韦特（Louise Vetter）的帮助下，他们还大力宣传空气污染对纽约儿童健康的影响。

"纽约市是全美空气污染最严重的城市（之一），"韦特女士解释道，"纽约人呼吸着受到污染的空气，空气里有大量悬浮颗粒。这些有害气体大部分来自汽车尾气。纽约也是美国哮喘病发病率最高的城市，高臭氧浓度对健康不利，特别是对那些长期参加户外活动的孩子们来说更是如此。因此，实现出租车由'黄'到'绿'的转变也是给纽约市孩子们的最好礼物。"

出租车协会负责人杜斯（Matt Daus）最初还犹豫不决。他是那种典型的传统领导人——温和但还没意识到绿色更有优势，一旦他了解到混合动力车对健康和其他方面的好处，便义无反顾地加入到雅斯克和黑德瑞的行列中。最后这项议案于 2005 年 6 月 30 日在议会中以 50 票赞成、0 票反对的结果获得通过。今天，在纽约市 13 000 辆出租车中大约有 1 000 辆是混合动力车——大部分是福特车，但也有丰田汉兰达（Toyota Highlanders）、普锐斯及其他车型。

2007 年 5 月 22 日，纽约市长布隆伯格（Michael Blonmberg），一个在美国最具有责任心的市长，决定进一步推动这一提案。他提出了一个新法案，要求在 5 年内把所有出租车都换成混合动力车或者能达到每加仑至少 30 英里以上标准的低排量车。出租车协会最终也同意了这一提案。

"当涉及健康、安全和环境问题时，政府必须出面来制定标准，"这位市长说，"人们需要的是能为社会长期利益制定并推行新标准的领导者。当市民看到进步后，他们就会开始行动。"从而又促使领导者们寻求更高的标准。

我在 2007 年的夏天采访了弗里德曼（Evgeny Friedman），纽约市一个顶尖车队的负责人，我问他对混合动力车的看法，他说："绝对难以置信！开始我们有 18 辆，现在已经有 200 多辆了……只要我们把混合动力车摆出来，就有人来洽谈业务。驾驶员需要它们，公众也需要它们。混合动力车非常经济，按现在油价（大约 1 加仑 3 美元）计算，驾驶员每天可以节省 30 美元。皇冠维多利亚车 1 加仑燃料只能跑 7~10 英里，这还不包括其他费用。如果是混合动力车，1 加仑燃油可行驶 25～30 英里的路程。而转换成混合动力车的成本并不高。"

绿色的士行动开始之后，黑德瑞、布隆伯格和他的可持续性战略首席顾问爱格瓦拉（Rohit Aggarwala）又把注意力集中到另一个更为严重的问题上：还有 12 000 辆林肯城市轿车和其他型号的黑色豪华轿车，它们仍是一个巨大的污染源。尤其是当它们开着发动机停在曼哈顿最大的律师事务所和投资银行的门口，等待走出会议室的顾客时，由此造成的污染问题更难解决。因为这与的士不同，没有法律对豪华车作出规定。只要你愿意你就可以让你的黑色"大渔船"开到路上。黑德瑞拍下了停在纽约市主要律师事务所和投资银行外成排的黑色城市轿车，并发起了一次行动。

黑德瑞说："我当时给每个机构的主席都写了一封信，将这张图片附在信后，指出停在他们办公楼门前的这些城市轿车的污染问题。1 辆处于怠速运转的轿车所产生的污染是 1 辆以每小时 30 英里速度行驶的同类车的 20 倍，也就是说空转的轿车产生的污染远大于处在行驶中的汽车。"而且怠速中的汽车也会产生大量的热量，让车内空调常常处于超负荷状态，虽然这样为客户提供了一个舒适的车内环境，但却"产生了大量的污染，那些大企业和律师事务所对于这种污染难辞其咎"。

黑德瑞表示，这些公司的负责人能够迅速回复并站在他这一边令他十分吃惊，"他们不仅想积极尝试做些什么，而且还想让这成为自己的亮点"。

什么意思呢？

"他们把绿色节能看做是吸引和挽留年轻人才的一种方式。"黑德瑞解释道。律师和银行里的年轻新星们更希望自己的周围是混合动力车而不是城市轿车！"绿色已成为竞争中除美元和薪金或餐厅的可口饭菜之外的另一重要因素。绿色在他们眼里是让他们变得与众不同的东西。"我所在的律师事务所比你们的更环保！

很多银行和律师事务所都打电话给他们的豪华轿车出租公司询问这些公司打算什么时候引进混合动力车。豪华轿车出租公司很快也察觉到这一势头，他们要求市政通过新的立法营造公平的竞争环境。布隆伯格很快就做出了反应。他在 2008 年 2 月 28 日宣布，从 2009 年开始所有的"黑色"轿车一律要达到环保节能标准，所有车辆必须达到 25 英里每加仑以及到 2010 年达到 30 英里每加仑的排放量与里程标准，而混合动力车却不受此限制。

在这个规定发布的当天上午，《基督教科学箴言报》（*The Christian Science Monitor*）是这样写的：永别了，城市轿车（15 英里每加仑）；你好，丰田混合动力（34 英里每加仑）。黑德瑞说，"尽管混合动力车成本比传统的城市轿车高出 7 000～10 000 美元，但是车主每年都可以从燃料费上节省 5 000 美元，这大概是他们当前花销的一半（在汽油上升到 1 加仑 4 美元之前）。美洲德意志银行（Deutsche Bank Americas）、美林证券（Merrill Lynch）与雷曼兄弟公司（Lehman Brothers）联手资助那些几乎是在独立运营的城市轿车司机，帮助他们购买新的混合动力车。可见，该法案在某种程度上也推动了技术创新。2008 年 2 月 20 日，纽约市政府宣布，它将与汽车制造公司一同推出"未来汽车"的能效标准。

不要因为出租车或豪华轿车的司机是外国人就认为他或她"不想为他们的孩子营造一个可持续的生活环境"，黑德瑞说，"你觉得他们为什么会首先选择移居到这里？那是因为他们的家庭在这儿可以享有更高质量的生活条件。去问问纽约市的出租车司机吧！他们已迫不及待地想更换一辆混合动力车了。"

当大苹果❶变成绿苹果的时候，当纽约试图通过改善它的出租车行业实现比芝加哥、北京或底特律更绿一筹的时候，好事就会接踵而至：每年会有超过 45 000 000 游客来参观纽约市，他们至少要坐一次混合动力车，他们回到自己的城市后不禁要问："为什么我们不用混合动力出租车？"

买一——环保节能的出租车或豪华轿车带来的清新空气——赠四：心情舒畅的司机，城市的美好形象，在路上行驶的小型汽车和围绕混合动力进行的更多创新。

---

❶ 大苹果是纽约的别称。——译者注

要拥抱树木，更要拥抱股东

太阳微系统公司（Sun Microsystems）负责环保的副总裁道格拉斯的确已经在生活中做到了更绿一筹。他第一个告诉人们，最好的绿色观念往往来自于行动。"一天，我收到一封来自我们文件组职员的电子邮件，"他说，"她告诉我她想出了一个办法，可以减少我们出售的产品所附带的纸张。我们以前是每一台服务器都附带一套完整的说明手册，上面详细记录着我们所提供的各种服务。如果一家公司订购 10 台服务器，就会得到 10 本说明手册。而我们的一些大型客户可能会订购数百台服务器，他们会得到几百本说明手册！后来我们设了一个单独的手册选择项，用户可以根据自己的情况进行选择。这样一来我们就减少了 60％的纸张消耗，也节省了几十万美元……同样，我们最近决定不再把我们的年度股东报告打印出来，而是放在网上。我们又节省了 9 900 万张纸，以前这些纸大都在用完之后就被扔掉了，这大约相当于 12 000 棵树、900 万加仑水，约 60 万美元！"

令人惊奇的是，当我们开始注意能源和资源生产力时，我们的行为就会发生改变。林恩（Marcy Lynn）是太阳公司企业社会责任的项目经理，她在位于加利福尼亚州圣克拉拉（Santa Clara）的公司总部工作。一次，她对我说了这样一件事："我们的团队当时正在做一个试点项目，我们想调查一下员工在工作中要用多少能源，于是有一段时期我们让大部分员工都在家里工作。我仍然每天都在办公室里。作为试点的一部分，他们会把分机线寄给我们，我们把这些线接在一个被叫做'节约 1 瓦（Kill A Watt）'的显示器上，它可以监控人们是如何用电的。我把延长线插在办公室里除电灯以外的所有电器上，再把线的末端插在'节约 1 瓦'上，然后把它固定在墙上。我们每天都会收到这一装置发来的一封邮件，让我们报告在'节约 1 瓦'上显示的起始数据和终了数据以及两者之间的小时数。这非常有趣。我们用的是太阳能，并且很少用电脑，因此我们每天消耗的能量极少。"

"但问题是，我们的办公室实在太冷了，因为它紧挨着服务器机房，机房里的空调制冷系统一直开着。记得有一天我打开了空间加热器，太令人吃惊了（加热器正在消耗大量能量），我必须报送这一数据。因为我想知道项目的结果，所以必须得这样做。当时我非常尴尬，唯一能做的就是不开加热器坐着——直到手指麻木！我不想让那位'女士'知道（我用了多少电），因为我是环保分子。后来，我在办公室里准备了一条毯子！"

林恩准备了一条新毯子，因为这是她唯一的选择，但太阳公司却因此采用了新系统，因为发生在林恩身上的事情也更大范围地发生在该公司的消费者身上：为所有的服务器安装空调实在是太昂贵了，因此太阳公司知道应通过节能来拯救自己——并不仅仅是几条毯子。如果太阳公司不能比其他公司更绿一筹——通过更少的能源提供更强大的运算能力，那么它早晚会被淘汰。

一些背景资料：尽管万维网与互联网似乎遁于无形，事实上它们存在于网络互连数据中心，也就是服务器里。这些数据中心通常有数以千计的计算机服务器。它们堆放在架子上，一台挨着一台，负责存储、传输数据和互联网上的网页。太阳公司就制造这种服务器，并且该业务占其业务总量的很大一部分。数据中心的所有服务器统称为"云"，现今，你在电脑上进行的许多操作都不是发生在你桌面上的那个小硬盘驱动器里，而事实上是发生在这种网络云中。

你每次用手机发短信或打电话也需要经过服务器处理并经由服务器传输，结算信息的存储和发送也经由服务器。如果你在网上支付电话账单，这也需要服务器来处理。每次在 Google 上检索或通过雅虎网发送邮件，或使用微软的网上在线直播软件，或在 AOL（美国在线服务公司）存储文件，或添加你的网络首页，或将视频上传到 You Tub 网上，或从亚马逊网站上购书，或添加维基网页，或运用 Linux（一种免费使用的 UNIX 操作系统，运行于一般的个人电脑上）操作系统，事实上并非你的家庭电脑或个人数字助理（PDA）在进行这些处理和操作，而是通过它们将信息传送到数据中心所在的网络云中，并在那里完成这些操作。一篇来自美国技术 CEO 委员会名为"智能绿荫"（A Smarter Shade of Green）（2008 年 2 月）的报告指出，现今"一台服务器在使用期限中消耗的能量和为其降温所花的费用高于此台服务器的重置成本——信息技术设施正在消耗制冷能量和电力"。目前，6 000～7 000兆瓦核电站24小时连轴运转才能维持美国所有的服务器，并且所耗能源每年还在不断上升。

对于太阳公司乃至整个计算机行业来说，新一轮的危机出现了。道格拉斯说，从2006年起就不断有纽约和伦敦商业区的客户向太阳公司投诉："数据中心的服务器降温所需的电力太多了，我们不想从你这儿购买新的服务器了，除非你有办法解决这一问题。"在东京，服务器3年里耗用的电费和制冷费用就超过了5 000美元，这是一台标准工业服务器的价格。

"除非能制造出更节能的服务器，否则我们的销量就会受影响。"道格拉斯说。客户需要越来越强大的计算能力来运行那些新的应用程序，因此越来越多的人开始从事网络中心的工作。太阳公司认为要用更少的电力驱动更多的脑力。

道格拉斯说："在一个受煤炭和能源约束的世界中，太阳公司需要比自己的过去以及竞争对手更绿一筹。公司也明白，如果不能成为最节能的公司，就无法在商界立足。但如果我们制造出了比竞争对手更节能的服务器，那我们就能在市场上站稳脚跟。"

因此，太阳公司从2002年就开始研发一种代号为"尼亚加拉"（Niagara）的新型处理芯片。太阳公司押在"尼亚加拉"上的赌注是：他们认为，对目前许多应用程序来说，最重要的是一次完成多重任务的能力，而不是个别任务可以达到保时捷般的快速。这一构想摒弃了传统意义上只注意峰值速度的看法，即让芯片每次都非常快速地完成一项到两项任务。根据太阳公司的调查，即使达到了保时捷所谓的最高时速260英里/时，但如果任务是将60个人从一个地方转移到另一个地方，那么还是巴士又快又节能。"尼亚加拉"处理芯片允许太阳公司的服务器一次处理多个易趣（eBay）网购出价。道格拉斯说："我们制造的服务器与那些纯粹是为了构建峰值速度的服务器相比，可以用更少的能量完成更多的任务。"

目前，该公司的"尼亚加拉"配置服务线成了该公司业务增长最快的一部分，在短短的 2 年内就从 0 增长到了 10 亿美元，太阳公司又将该原则应用到它所有电脑配件的处理上。在该行业的其他企业处于衰退时，该项目让股东们对太阳公司的经营状况颇为满意。太阳公司指出，一旦政府对煤炭征税，就将促使更多客户转向这种芯片处理技术，太阳公司不但帮助客户提高他们的计算能力，而且也帮他们提高形象，因为越来越多的太阳公司的客户又告诉他们自己的客户：他们是环保节能的。当然，这种宣传也是建立在太阳公司之上的。

道格拉斯说："大部分的企业责任是防卫性的，例如'不要被抓到在缅甸雇佣童工'，其实公司承担的责任越多，收入就会越高。"情况不再是这样了。目前整个能源领域的竞争异常激烈。他说："我们正在努力缩减成本，出售更多的节能产品，改善机构管理并提高我们的能效。这也意味着我们应挑战共同承担的社会责任。当然这一过程肯定非常有趣。"

无论是企业还是国家，它的领导人都应是一个能源方面的领袖，要统筹考虑所有成本和收益，只有这样才能以绿色优势赢得竞争。为什么呢？因为世界上的大多数企业都与美军一样，在做能源决策时从不考虑其总成本。公司里设计产品的人、购买产品的人、使用产品的人和为这些产品所消耗的电力与能源买单的人，往往是不同的。因此负责采购设备的副总裁购买了低成本的设备，这让他的预算看起来很节约；但是负责能源费用的财务副总裁的看法却与他截然相反，因为低成本的设备往往是高能耗的。当电力价格上涨时，尤其是当涨到新的高位时，这种廉价机器在其使用寿命中所花费的成本就会超过节能高效机器的重置成本。也正因为很少有人能通盘考虑能源决策的成本和收益，所以导致了大量的金钱和资源不断流失和浪费。

"如果你仅从个人的角度来评判绿色，那你可能看到的是不断增加的成本，"EDS 的未来主义者瓦克（Jeff Wacker）解释道，"你可能看不到均衡，也看不到其他成本的减少，因为有些事情并不发生在你的身上。"因此，我们需要这样的领导者，他会说，让我们带头使用比较昂贵但是低热量、低能耗的照明系统吧！因为那样可以减少我们所需空调的数量。瓦克说："如果你用系统性的观点来看待这个问题的话，你知道你所见到的这一绿色系统能节省多少能量吗？如果你动手算算，马上就会意识到整个系统潜在的巨大利益。"

我猜想，这就是为什么在能源气候年代，如果你不能像一个首席能源官那样来运营你的公司、国家，那你绝不会是一位有效率的领导者，也绝不会优化你的资产。如果你的思想仅限于自身，那么你会买一单位而得不到一单位；但如果你的思想延伸到了整个体系，你就能享受买一送四甚至送五的优惠——这就是获得竞争优势的途径。

"关于绿化节能，"道格拉斯说，"我不记得是谁说过这话，但无疑他们是对的：'节能就像远处有一座金山，我们终于决定要让我们的职员过去捡拾金子了。'"

对我来说，"绿色"这个词虽不是什么商业战略或地缘政治战略，但却同它们一样重要。本书用了很长篇幅来讲述如何重振美利坚合众国的自信和道德权威，以及如何推动它成为一个关心绿色议程的社会。因此，"绿赢"不仅要成为击败对手公司、敌方军队、相邻竞争城市的一种战略，而且也是消除贫困的一种秘密"武器"。绿色战略不仅会提升中上层民众的经济水平，而且对于处在经济等级下层的人们的贡献也是巨大的。可以说，如果美国民众不把"绿赢"看做是一种提高他们生活水平的战略，那么他们就不会有追求成功的动力，也没有希望获得成功。

这不是危言耸听，也不是夸大其词。问问琼斯（Van Jones）吧，他善于接受挑战。我在中国大连的一次会议上遇到过他。当时我从手扶电梯上向上走，他向下走，在看到我后，就马上伸出手做自我介绍。琼斯是个异类，是奥克兰（Okland）当地的黑人社会活动家，他像环保主义者一样热衷于绿色。他极为风趣并激情四射，在他谈论黑色和绿色时也同样如此。

"做个这样的实验，"他告诉我，"去西奥克兰、沃茨（Watts）或纽瓦克（Newark）敲某人的大门，告诉他们'我们真正遇到大麻烦了'。他们会问，'怎么了？怎么了？'，'真的，我们遇到了大麻烦。''到底怎么了？怎么了？''真的，我们必须拯救北极熊！你也许无法活着离开这个社区，但我们必须去救北极熊！'"

琼斯摇了摇头。如果你是在同一位失业者谈论这个问题，而且在他所居住的地方，被马路枪手射杀的危险更甚于冰川融化，那么你的话就毫无作用。同理，如果不把美国的下层民众带入到绿色环保节能运动中来，那么绿色运动的巨大潜力会被埋没。"我们需要另辟蹊径来动员落后地区的人们。营造绿色氛围的先驱者已经找到了一条通往成功的道路，现在他们想让所有的人都沿着这条路前进。但这不现实。如果想组织一场更大规模的环保运动，我们就需要更多的切入点。"

琼斯在一次谈话中告诉我：最大的问题是"如何通过绿色经济向落后的社区送去就业岗位、财富和健康？如何把急需找工作的人和急需工作人员的空缺职位联系起来？你是否能实实在在地同时消除污染和贫穷？"

我们真的能用绿色同时战胜贫困和污染吗？琼斯极其坚定地认为：我们能。他正试图在美国最贫困的地区证实他的想法。这位 39 岁的耶鲁法学院（Yale Law School）毕业生满怀激情地创立了许多组织，其中就有专为人权而设的艾拉贝克中心（Oakland Ella Baker Center），该机构帮助青少年走出生活的阴影，并找到合适的职位。他在 2008 年又转而创建了"绿色天地"（Green for All），一个致力于构建兼容性绿色经济的民间组织，其重点是向潦倒的年轻人提供"绿领（green-collar）"工作。

炎热、平坦和拥挤的趋势越来越明显，从而也使得更多的国家和地方政府需要构建更为节能的建筑物。全美国使用太阳能电池板的居民会越来越多，使用隔热材料和其他能增加房屋越冬御寒性能的材料来做房屋翻新的居民也会越来越多。再者，这是一些不能外包的工作。

"你不能把你想加固的建筑物装上船运往中国，修整完之后再运回来，"琼斯说，"我们必须把人力放在翻新数以百万计的建筑物、安装太阳能电池板、建设风力发电厂这些工作上来，这些'绿领'工作是让那些没受过高等教育的人摆脱贫困的一条出路。"让我们来告诉那些心怀不满的年轻人，"如果你肯把手中的枪换成铆钉枪，你就会挣很多的钱"。请记住，"大部分非洲裔美国人社区的经济都比较滞后，蓝领工人和低端制造业工作越来越少，工作岗位对技能的要求越来越高。因此，整个年青一代的非洲裔美国人都面临着经济困境"。"绿领"翻新工作能为他们中的一部分人提供就业机会。

为此，琼斯创建了奥克兰阿波罗联盟（Oakland Apollo Alliance），该联盟是一个由工会、环保组织和社区团体组成的联合组织。该联盟在 2007 年得到了政府 25 万美元的资助，并创立了奥克兰绿色工作团体（Oakland Green Jobs Corps），用于培训奥克兰的年轻人安装太阳能电池板和翻新建筑物，这就是绿色天地运动的开始。在其他环保主义者，比如来自可持续南布朗克斯德（Sustainable South Bronx）的卡特（Magora Carter）等的支持下，琼斯曾说服国会通过了 2007 年绿色工作法案，并每年从联邦政府手中拿出 1.25 亿美元实施一个"能源效率和可再生能源工人培训计划（Energy Efficiency and Renewable Energy Worker Training Program）"，为环保产业培训工人（不过美国国会至今仍未拨出此项资金）。

"职业培训的问题在于机构滥发证书，"琼斯说，"但是，更普遍的问题是，人们经过学校或某个组织机构的培训获得了结业证书，但另一方面却没有合适的工作岗位。"而绿色工作项目的优势在于，随着建筑法案的修改和绿色技术在房屋翻新方面的应用，绿领职业可以吸纳任何经过培训的工人。如果这一倡议能得到实施，那它也会像其他形式的绿色计划一样，享受买一赠四的待遇。

出台越来越多的税收激励政策鼓励人们用太阳能技术翻新住房，把他们的住房变得越来越高效节能，贫困者就更愿意待在他们的家里，他们的社区也会变得更安全。琼斯继续说道：

"有些居民虽然拥有自己的住房，但经济状况却非常脆弱，这些人一般年龄偏大，靠固定收入生活。能源价格的上涨会对他们造成很大影响。"如果政府能够制订一个计划，"派专业人员到住户家中检查是否存在能源浪费，并给他们安装隔热设备、住家耐气候装置（weatherization）和太阳能电池板，这样我们在为贫困青年提供大量就业机会的同时还使低收入人群节约了能源成本，并使经济脆弱的人群的住房增值。随着燃料价格不断飙升，对许多生活在社会底层的人群来说，绿化他们的住房是保住他们居所的唯一方法。这些房主也会因此成为社区中最稳定的住户"。

"如果能确保家庭支付得起能源费用并且他们的子女可以找到工作，那么这个社区就会很稳定，"琼斯说，"既可以呼吸清新的空气，还同时解决了社会和生态环境问题。也让老奶奶和北极熊都能待在自己的家里不必迁移。"

绿色产业是一个朝阳产业。琼斯说："如果我们能把这些年轻人安置在朝阳产业当中，虽然今天他们可能只是安装工人，但 5 年后就可能成为本行业某一部门的主管，10 年后可能会成为一个企业的创始人。这个门槛很低，但却通往天堂。"他补充道："如果先在贫民区实施绿色产业计划，花 7 000 美元来培训小混混，教他生存技能，这远比花 50 万美元把他囚禁在监狱里好得多。节省 1 瓦就能挽救 1 个生命，这已成为永恒不变的真理。在绿色经济体中，不要计算花费了多少，而要计算节省了多少。"

在该计划实施的过程中，有一件事一直激励着他，琼斯说。2006 年，加利福尼亚州的一家大型石油公司在一家私营报纸上做广告，谎称汽油价格会暴涨，希望以此来获得选票以反对 87 号草案。该草案计划向加利福尼亚州的石油开采公司征税，并把这部分税款用于可替代能源研发项目。"污染者会迫使更多的穷人涌入他们的阵营，"琼斯说，"我不想再次看到全国有色人种促进会（NAACP）又站在与环保对立的一边。"

不足为奇，一些污染严重的工厂、发电厂和有毒废弃物回收站大都位于贫困地区，那儿的人们根本没有能力来抗议这些污染项目并保护自己。

我最感兴趣的是，琼斯所说的一些论点恰巧也触到了本书的主旨：在过去，一个人越是绿色，他就越远离美国普通大众。绿色被视作是精英阶层才能享有的东西：瑜伽垫、勃肯凉鞋、❶ 豆腐和与众不同的环保生活方式。但是如果按琼斯的方式来重新定义绿色，那么绿色就会更贴近普通人的生活。

琼斯说："在真正的绿色经济里是没有可以抛弃的东西的——没有可以抛弃的物种，没有可以抛弃的住地，也没有可以抛弃的孩子……如果这项计划真能起作用，我还没有见过哪个白人对此持反对意见。绿色事业让我们再

---

❶ 勃肯凉鞋（Birkenstock），一个世界知名的德国凉鞋品牌。——译者注

度并肩作战，共同的希望鼓舞着每一个人。"

琼斯说，有个美国人曾经说"我有一个梦想"，那是一个关于人类的梦想。"而我们的这个梦想是关于整个人类和这颗星球的梦想，我们要把它们连在一起，因为这其中的精神力量最终会让我们的梦想成真"。

出于以上所有这些原因，我希望"绿赢"这个词在不久的将来会出现在每一种语言里，即便它今天还没有成形。它并不是零和博弈。我在某些领域可以"绿赢"你的公司、国家和社区，而在另一个领域你也可以比我更绿一

筹。今天我可以"绿赢"你，而明天你可以"绿赢"我，而我们双方的境况都变好了。无论是谁，只要做到"绿赢"并保持"绿赢"都会过得更好、更长久，因为那些最优秀的员工都会自豪地说："这就是我想为之工作的公

司。"最优秀的学生会说："这就是我想就读的学校。"最国际化的公民会说："这就是我想跟随的国家。"

　　印度和中国的廉价的劳动力可能会抢走美国的一些工作岗位，但这只是暂时的优势。但如果这些国家能持续"绿赢"美国，那它们便获得了永久的优势。在能源气候年代里，如果我们不能在建构、规划、生产、部署和鼓励使用清洁能源上领先于其他国家，那我们就没有资格引领世界。

第四部分

第四部分

中　国

第十五章

红色中国能变绿吗

1990 年开始我经常前往中国采访，现在回头想来，最令我难忘的是：每去一次，都感到中国人民的言论更加自由，然而空气污染却越来越严重。

的确，现在你可以在中国开诚布公地与官员和记者交谈，但是空气质量却不尽如人意。2006 年 11 月我访问上海，当走出酒店房间准备外出采访时，发现空中浓烟滚滚，老实说，我当时闪过的念头就是酒店着火了，而事实上却是当地农民收割完作物之后在地里焚烧秸秆。这些年来，每当与中国的官员和商界精英谈及污染问题时他们都会说：当中国发展起来富裕到足以治理污染时自然会去治理。我想说的是，现在我们正在进入"能源气候年代"，中国只有对污染进行治理才能够富裕起来。除非红色中国变成绿色，否则共产党的领导层将无法兑现提高全中国人民生活质量的承诺。

　　中国不能再走西方走过的那条"先污染，后治理"的老路了。我知道很多中国人会觉得这很不公平，这就是为什么"全球变暖"在很多中国人看来不过是西方炮制出来的阻碍中国经济发展的"阴谋"。的确，在中国工业巨龙开始"吞云吐雾"之前，西方工业化国家已经肆无忌惮地把巨量二氧化碳排入大气层中，在此之后又把国内污染最重、耗能最高的制造业转移到中国，就这方面来说，这个要求的确是不公平的。可是，大自然母亲是不管这些的。它知道的只是硬邦邦的科学和冷冰冰的数学：如果中国坚持走"先污染，后治理"的道路，那么其前所未有的发展速度和规模换来的将是环境大崩溃。

　　这一切尽在数字中：中国拥有全球 1/5 的人口；现在碳排放量居全球榜首，仅次于美国；中国也是全球第二大石油进口国；据伦敦的《时代周刊》报道（2008 年 1 月 28 日），中国现在是全球镍、铜、铝、钢、煤、铁矿石的最大进口国，木材毫无疑问也是榜上有名。毫不夸张地说：中国打个喷嚏，地球都会感冒。如果中国能成功实现向资源节约型、环境友好型经济平稳过渡，那我们这颗星球就有机会大幅缓解气候变化、减缓资源枯竭速度、削弱石油霸权主义以及保护生物的多样性。但是，如果中国没能实现转型，中国的消耗及排放将摧毁其他任何人为拯救地球而做出的一切努力，而且"能源气候年代"的走向也将无法控制。所以，在我看来，这本书就是在讨论两个问题：一个是"美国能真正引领一场严格意义上的绿色革命吗？"另一个是"中国真的会效仿吗？"书中的其他内容不过是评注而已。

　　关于中国经济如何发展，邓小平曾经用当地方言说出了那条至理名言："不管白猫黑猫，能抓老鼠的就是好猫！"这一"猫论"说的就是只要聚精会神搞建设、一心一意谋发展就可以了。但客观情况不允许再这样了。现在，如果这"猫"不是绿色的，那么无论是"猫"自己、老鼠或是世界上的其他人，都不可能再享受发展。

　　污染问题近年来日益严峻，如果中国领导层再不采取行动，不但将深陷其中，而且对未来的发展趋势也将更加不利。中国国家环境保护总局副局长潘岳在《明镜周刊》的一次采访中（2005 年 3 月 7 日）坦率地谈到：

环境恶化有其内在原因：原材料短缺、耕地面积缩减、人口不断增加。目前中国有 13 亿人口，这一数字是 50 年前的 2 倍，到 2020 年，这一数字将达到 15 亿。而在城市扩张的同时，沙漠也在不断蔓延，可居住区域以及耕地面积在过去的 50 年里缩小了将近 1/2……环境再也不能承受如此重负。中国有 1/3 的地区经历过酸雨、七大河流中有一半被严重污染，1/4 的中国居民没有清洁的饮用水、1/3 的城市人不得不呼吸污浊的空气，经过环保处理的城市垃圾还不到垃圾总量的 20%，最后，全球污染最严重的 10 个城市有 5 个都在中国……

空气污染和水污染造成的经济损失占到国民生产总值的 8%～15%，而人们为此付出的健康代价更是无法估算。仅在北京一个城市，70%～80% 的致命癌症病因都与环境有关。肺癌已经成了头号杀手。

除了环境恶化的总体趋势，近几年大幅增加的能源消耗也让中国的领导层感到震惊。劳伦斯·伯克利国家实验室（Lawrence Berkeley National Laboratory）中国环境专家小组的一位成员对我说，中国的国内生产总值在 1980～2000 年间翻了两番，但其能源消耗量只增加 1 倍，这反映了中国能源资源的有效利用和政府的严格管制。

中国加入世界贸易组织后使得该国的外商投资大幅增加，尤其是制造业，这极大地推动了中国的出口。但在这个过程中，中国的能源效率却降低了，并引起领导层的警觉。随着中国在全国范围内大规模、高耗能地建设其基础设施，同时承接了西方转移来的高污染产业，以及中国人民开始在配有空调、电视和计算机的大房子里享受舒适的生活，中国 2001～2005 年间的能耗率超过了其 GDP 的增长率——2005 年能耗增长速度甚至比 GDP 增长率高出 40%。

在刚刚过去的两年里，像世界其他许多国家一样，中国领导人已经认识到气候变化不仅是事实，而且快过任何人的预期，并以潜藏灾难的方式在改变中国本土的气候。"2007 年中国全年的平均气温达到 10.3 摄氏度（50.5 华氏度），这使得 2007 年成为自 1951 年全国气候观测网络建立以来最暖的一年，"《北京周报》（*Beijing Review*）报道说（2008 年 1 月 4 日），"这一创纪录的高温标志着全国平均气温已经连续 11 年高于正常年份，也大幅高于 2006 年所创下的第二高的 9.9 摄氏度（50 华氏度）。"

2006 年 12 月，中国政府第一次发布了关于气候变化的官方报告。报告指出，中国西北地区的冰川自 20 世纪 50 年代以来减少了 21％，并且中国所有的主要河流在过去 50 年里都不同程度地在缩小。"全球气候变化已经制约了国家进一步发展。"科学技术部（撰写此报告的 12 个政府部门之一）这样写道。

科学技术部全球环境办公室副主任吕学都接受新华通讯社（2007 年 10 月 4 日）采访时表示："近些年来气候变化已开始对中国产生破坏性影响，我们不应该等到事情无法挽回时再采取行动。"中国政府在《中国应对气候变化国家方案》❶ 中承诺调整经济结构、推广清洁能源技术以及提高能源效率。中国是世界上最大的煤炭生产国和消费国，其国内巨大能源需求的 80％要靠煤电满足。而且，中国的煤电供给每两周就要增加大约 10 亿瓦。

吕学都对新华社记者说，如果不采取有效措施应对气候变化，那么中国的主要农作物产量（包括小麦、稻米、玉米）到 21 世纪下半期最高可下降 37％。他说："气候变暖还可能使江河径流量减少，旱涝灾害出现频率增加。2010～2030 年，我国西部地区每年缺水量将达到 200 亿立方米。"新华社报道指出，气候变化还会严重威胁生态脆弱的地区，如青藏高原，这一地区是中国各大流系的发源地。河流径流量减少不仅会减少农民收成，而且也将显著削弱水电站发电能力，而这又将促使中国比现在更加依赖煤电。

但对中国领导层来说，认识到问题以及认识到问题紧迫性只是战役的一

---

❶　《中国应对气候变化国家方案》2007 年 6 月 4 日由国务院首次发布。——译者注

半。能否得到从城市到省到中央的政府，以及从公共部门到私人部门的整个系统的响应又是另一回事。

2007年9月，我在一个晴朗温暖的秋季里访问了北京。每次我到一位中国官员办公室去采访他时，我总会松开领带并且大声嚷道："嘿，是这里稍微暖了点，还是只是我觉得？"

有人告诉我的确是变暖了，不是我个人的问题。2007年6月，中国国务院下发文件，要求所有政府机关、事业单位、公司以及公共建筑里的私人业主夏季室内空调温度不得低于26摄氏度（79华氏度）。也只有中国才有可能采取这种方式。中国夏季的电力1/3都用于空调。你在他们的公共办公室里能明显感觉到室内外温差。

几天后，当我读中国英文版报纸时看到了一则来自《上海日报》的报道。报道称，市政府已派出调查小组检查政府发布的关于空调温度控制标准的执行情况，他们发现："通过当地能源部门了解到，市里有1/2以上的公共建筑没有严格执行室内空调温度设置在26摄氏度的节能标准。"

这是一条来自中国的又好又坏又有趣的消息。好消息是，政府已决定加强对公共建筑里的空调设备的控制。这表明了政府开始严肃对待此事。坏消息是，在北京以外的省份和城市里，甚至就在北京市里，地方官员并不理会国务院的环保法令。就像中国的一句老话："天高皇帝远。"

但有趣的是，有人授意《上海日报》（中国的官方报纸）披露那些无视空调节能标准的城市建筑和政府机关。这在5年前是不可能发生的事情。（而且真正有趣的是也许并没有人授意《上海日报》发布这篇报道。相反，可能是富有开拓精神的新闻工作者自己外出采访撰写了这篇报道。

对于中国领导层来说，这是一盏悬挂在头上的警示灯。领导层意识到：如果不解决环境、能源与气候问题，一旦经济增长放缓，污染的空气就会破坏社会稳定。因此，寻找一条绿色增长之路已成为当务之急，而不仅仅只是一种选择。这是关乎生死存亡的战略问题。从这个意义上说，中国的领导层也像世界上其他许多政府一样正在"能源气候年代"里将其合法性的基础，从保卫既有的中国疆域，转移到提供更高质量生活、保护国家免遭环境恶化、能源和气候崩溃之灾。

所以，我们在"十一五规划"（2006～2010 年）中看到中国政府采取了三方面措施。一方面，自上出台了涵盖面更广的环保法规。另一方面，让下面有能力推动更多的改变：陆续赋予公民和媒体更大权力去揭露环境污染问题，以及向继续从旧的、廉价的煤系统中渔利的地方官员和工厂施加压力。第三方面，中国领导层鼓励国有部门和民营部门挖掘高效清洁能源蕴涵的巨大经济机会，并告诉他们："绿色光荣。"

中国"十一五规划"包含着一个降低能源消耗的目标，即到 2010 年单位国内生产总值能耗比 2005 年❶降低 20％左右。据估计，这将减少约 1.5 亿吨二氧化碳的排放。这一目标是欧盟在《京都议定书》中雄心勃勃的承诺量的 5 倍。负责监督能源计划的中国国家发展和改革委员会已在各省和工业部门中分配了减排目标。并且，这次领导层明确表示，这些目标的完成情况将与每一位政府官员的人事考核挂钩。把提高能源效率和实现环境治理目标具体落实到个人负责，领导层亮出了利器。不过，2006 年和 2007 年中国都未能实现每年把能耗降低 4％的目标。除非我看到一个身居要职的政府官员或者企业经理实现了 GDP 目标却因未能完成绿色目标任务而被解职，否则我对此依然持怀疑态度。但至少在文件上，中国的态度比其他任何时候都要强硬。

不幸的是，中国的领导人现在所面临的挑战也更为严峻。城市化的绝对规模和范围是惊人的：到 2020 年，城镇人口预计将从 42％增加到 60％，也就是将有数千万计的新增城镇居民和数百个新的卫星城市。中国可持续能源项目高级副总裁江林（音）在 2008 年 5 月的报告中指出："伴随着城市人口的增长，对用于修建新建筑、新道路、新发电厂以及新工厂的能源密集型材料的需求也会急剧增长。"他又补充道，这是"人类历史上规模最大的移民"。

为了给予相关政府部门更多力量，2008 年 3 月中国提高了环境保护部

---

❶ 2005 年为中国执行第 10 个五年计划的最后一年。

的地位❶，使其成为正式的内阁部门，拥有更多的工作人员和更充足的财政预算。

"在刚刚过去的两年里，中国已经采取了几项世界级的政策，而且他们正在采取更多的应对措施。在某些领域，他们甚至已经走在了美国的前面。"管理协助计划（Regulatory Assistance Project）的董事及创始人之一默斯克卫茨（David Moskovitz）说。管理协助计划是一个研究包括中国在内的许多国家环境保护问题的美国非营利性研究团体。

2006 年 1 月 1 日，中国正式施行国家可再生能源法。美国 2007 年的类似立法却没有得到通过。中国可再生能源法要求中国各省级政府要为本地大力开发和充分利用可再生能源。中国的目标是到 2020 年使可再生能源（尤其是风能、水能、生物质能）占能源总量的比重从目前的 7％增加到 16％。中国还采用了世界先进的汽车油耗标准。

默斯克卫茨指出，中国于 2007 年 10 月还颁布了一项约束发电厂生产行为的新规定。规定要求发电厂在条件允许的情况下必须首先使用最清洁的能源—— 天然气、太阳能或者风能，而不是一开始就燃烧煤之类的最便宜的燃料。"这项规定增加了市场对清洁能源的需求，并且对排放量产生了立竿见影的影响。"默斯克卫茨这样说道，"如果我们（在美国）也采用这种措施，那么情况就会有很大好转。"中国在努力清理高污染、高能耗产业的同时还制定了差别定价制度，国家电力公司目前对效率较低的行业收取较高的电费，对那些更有效率的行业则收取较低的电费。这样一方面鼓励了那些最有效率的生产者扩大生产，另一方面又迫使效率较低行业要么提高效率要么停产。

"因此，最有效率的钢厂在两个方面都是赢家——能耗较低以及能源成本较低。同理，效率最低的厂家至少在两方面遭受损失——高能耗和高能源成本，这样其生产成本因此也更高。"默斯克卫茨说，"但我们却无法让我们的电力公司做到这一点，甚至连考虑的余地都没有。"中国目前正在关闭其

---

❶ 2008 年 3 月，环境保护总局升格为环境保护部，为国务院的组成部门。——译者注

效率最低的小型发电厂，按照此计划，到 2010 年将关闭共约 5 亿瓦产能（占中国发电总产能的 8％）。最重要的是，中国自 2006 年起就着手起草国家能源法，这将为整个国家提供一个长远的战略，而且领导层不断征询专家的意见，以使该战略更具科学性、更贴近实际而不仅仅是由国家颁布。这一点就强于美国，美国的每一个能源法案都是各个游说团体的利益总和，没什么长远的战略价值。

事实胜于雄辩。中国能耗的年增长率约 15％，而美国仅有 1％或 2％，因此中国的环境状况比美国差得多。"他们是低效率，"默斯克卫茨说，"但他们正迅速变得有效率，因为随着很多新发电站出现，他们的平均效率水平在不断提高。"

中国领导层越是大力推动绿色增长，这个目标的公信力就会越高。因此，有人在想中国领导层是否可以不再向民间社会授权而完全赋予作为绿色监督者的各种权力，这样可以促使新的环境保护规定在高层得以通过，并真正得到贯彻落实。中国公众是领导层对付国有部门和民营部门里的那些污染 GDP 主义者的盟友。我也在密切跟踪这一事态的发展。

绿色运动已经作为民主社会里的"草根运动"如火如荼地展开了。它们自下而上，通常是当一个社会达到一定的经济增长水平以及出现了一个人数众多而且关心环境问题的中产阶层后应运而生。包括中国和美国在内的许多国家都有很好的环境法律文本，但如果没有民间社会团体去监督执行情况以及起诉试图绕过法律或违法的地方政府或公司，这些法律总是非常脆弱的。

2007 年 9 月，我从中国回来后参加了塞拉俱乐部在美国旧金山召开的年会，在那里我得到了更多有关这一话题的信息。年会准备授予我一个新闻奖，那是那天晚上塞拉俱乐部颁发的十几个奖中的一个。在颁奖仪式上，我满脑子都是中国。那天晚上几乎每一个奖项都颁给了地方公民或塞拉俱乐部的小型分会以及民意代表，他们靠自己的力量通过美国法庭或监管机构揭露、制止了许多令人震惊的环境破坏行为。

我看着这些活跃分子上台接受他们的获奖证书，深深地感叹，他们多么的普通啊。他们只是普通公民。他们真切地关心环境问题以及捍卫其言论自由、集会自由以及请愿的权利，他们同庞大的公司或地方政府较量并取得了胜利！

下面就是其中的部分代表。加州第一国会选区的代表国会议员汤普森（Mike Thompson）获得了塞拉俱乐部的埃德加·韦伯恩奖，他在2006年积极游说国会通过国家立法，使北加州431平方英里的旷野得到保护。特别成就奖颁给了塞拉俱乐部伊利诺伊州的负责人，他发起了全州运动以通过新的关于汞污染的条例。沃尔特·A·斯塔尔奖授予南卡罗来纳州沃尔哈拉的斯奈德（Ted Snyder），他用了长达35年的时间反对国会通过在大烟山国家公园（Smoky Mountains National Park）里修建一条37英里公路的方案，因为此路将切断东部山区最大的无路地带。威廉·O·道格拉斯奖颁给了明尼阿波利斯的邓肯（Richard Duncan），他在塞拉俱乐部保护边界水域的诉讼案中妥善处理了关键条文。

在此书将要完成的时候，我收集了一些有关中国环境的报道，这些报道向我们展示了那里正在发生的变化：

> 中国两条主要河流沿岸的排污企业在过去10年里从未对污水进行处理，致使大部分河水不能接触，当然更不能饮用。国家媒体周一报道称这已危及1/6人口的饮用水安全。国家立法者接到报告，报告称位于中国中部和东部地区的淮河及其支流沿岸的检查站有1/2上报其污染程度已达"五级"或更糟（毒素的最高含量），也就是说当地河水已不适宜人类接触而且甚至也不适合用于灌溉。全国人民代表大会环境与资源保护委员会主任委员毛如柏在周日发布一份报告中说，虽然多年的整治以及废物处理在一定程度上控制了工厂对淮河流域和辽河流域造成的污染，但工业污染依然严重。《中国日报》报道，河流已对"全国13亿人口中的1/6人群的用水安全构成威胁"［路透社，2007年8月27日］。
>
> 中国要求各省级政府在今年内将5000万只传统的白炽灯更换

为高效照明的节能灯，财政将对此进行补贴。这是财政部和国家发展和改革委员会在今年 1 月份发起的一项节能运动中的一个项目，希望在未来 5 年推广 1.5 亿只高效照明节能灯。几个省份需要完成 200 万—300 万只灯泡的更换任务，其中北京要完成 200 万只灯泡更换。中国现今至少生产了世界 80% 的高效照明灯泡，比 2006 年的 24 亿只和 1997 年可怜的 2 亿只有了长足进步。如果中国所有白炽灯都被节能灯取代，那么每年将可节省 600 亿千瓦时的电力，相当于每年减少 2200 万吨标准煤的燃烧，也就意味着会减排 600 万吨二氧化碳［新华通讯社，2008 年 5 月 14 日］。

在过去 15 年中，已有超过 8 万名记者参加了"中华环保世纪行"活动，这是中国一个最大的全国性的环保活动。自 1993 年以来，新闻工作者已发稿 20 余万篇，以提高公众的能源和环境认识。他们的报道不仅有助于整顿中国的高污染采矿业，而且还推动调查工作以保护黄河和长江。活动的主题每年都有不同的侧重点，2007 年侧重于减少能耗以及污染排放。"北京的一项民意调查结果显示，60.7% 的受访者关心食品安全，66.9% 的受访者认为中国环境问题非常严重。然而，尽管对污染问题的关注度有所提高，但仍有 49.7% 的人认为他们在环境保护中没起到什么作用。"［新华通讯社，2008 年 1 月 8 日］

现在，一个新的因素已经出现了：清洁技术产业在中国方兴未艾，推动绿色法律法规的出台和贯彻落实正是该产业的利益所在。在绿色法律法规的保障下，它可以在全国范围内增加销量、养精蓄锐、利用中国巨大的国内市场削减成本，然后利用杠杆效应在全球范围内增长。中国领导层正在积极推动清洁技术的推广，这样做可以让国内生产总值和绿色国内生产总值相互兼容。当中国为其污染问题寻求技术解决方案时，它也在努力创造一个出口产业。

只需要与一个市长坐下来聊聊天，你就能了解中国在清洁技术的推广上下了多大工夫。长期担任大连市市长的夏德仁先生就是这样一个不错的交谈者。那座拥有 600 万人口的沿海城市里有很多公园，夏市长在尽心尽力维护现有公园的同时还在不断修建新的公园。他的这些努力为他赢得了广泛赞誉。大连也是我最喜爱的城市。作为国家软件中心，夏市长清楚它必须吸引知识型人才，而这些人群流动性极高而且很喜欢适合居住的城市。

2007 年 9 月我采访了夏市长，他对我说的第一件事就是："我们面临的最大的挑战就是如何在经济增长与能源需求以及环境保护之间取得平衡……我们越来越意识到中国和全世界的资源是有限的。比如大连就面临淡水紧张的困境，所以我们要发展节水产业。第二，大连缺煤，这意味着我们还得大力发展节能产业……如果我们要在环境、能源以及增长之间达到平衡，我们就必须发展资源节约、环境友好产业，像软件……目前中国正在推广循环经济理念即重复利用一切。然而，我们知道我们无法在短时间内就把这一理念付诸实践，所以我们必须一步一步地去做。但无论如何我们都得向前迈进而且从现在开始。在环保和能耗上我们颁布了严格的政策规定。举例来说，我们这里没有钢铁厂，因为它污染空气而且消耗大量能源。我们已经把 100 多个工厂迁往工业园区，在那里集中治理污染。去年，我们关闭了 31 家污染超标的大型水泥厂，并且我们今年计划关闭 19 个小水泥厂……我们最先关注的是每单位国内生产总值的能耗比，其次就是减少污染和浪费。"

然后他又说，大连规模宏大的新会展中心采用了尖端清洁热泵技术。这种技术能从海水中收集热能，然后用这些热能来为整个建筑供暖或提供冷气，这是一种完全可再生的方式。"我们可以节省 30％的能源成本。"他自豪地说。

当我询问市长先生这些日子他是如何安排时间的，他回答说："在经济工作方面，我 1/4～1/3 的时间都用来减少能耗和温室气体排放。我想把大连建设成节能城市……我们在设定环境标准时是向发达国家看齐的。我们把我们的汽车尾气排放标准定在欧洲水平线上，我们的空气质量能与欧洲国家相媲美。"

他补充道，大连刚刚通过竞标赢得了筹建中国顶级能源研究实验室的机会。自 2000 年以来我曾数次采访夏市长，但从未与他像这样畅谈过。

我也从未做过像采访施正荣那样的访谈——他的财富在福布斯杂志上名列中国第七。我 2006 年采访他时他身家已有 22 亿美元。猜猜他是做什么的。房地产？不对。开银行？不对。开商场？不对。搞建筑？不对。他是中国最大的晶体硅太阳能电池制造商，电池能把太阳光转化为电能。

没错，现在中国有一个大富豪是绿色企业家！而这应该只发生在美国啊。施正荣认为，清洁电力将会成为 21 世纪很有发展前景的产业，并且他要让中国和他的公司——尚德电力控股有限公司——成为业界领袖。施正荣年仅 45 岁，雄心勃勃。他告诉我，他会像中国以前做帆布鞋那样做大太阳能产业：降低成本，让数百万人能买得起太阳能光伏板。

1992 年施正荣在澳大利亚获得工程博士学位归国，在临近上海的无锡市成立了尚德电力控股有限公司。《华尔街日报》的评论是：尚德结合了"世界一流的技术和世界二流的价格"——该公司已经成为世界四大顶尖太阳能制造商之一，其他三家分别是日本夏普、日本京瓷和英格兰 BP。施正荣告诉我，他的成功在于雇用中国低成本劳动力——并非高科技仪器——制造太阳能模板和处理晶体硅，而且几个省级政府还向他提供了补贴，希望他把尚德公司建在他们的地盘上。他说，目前尚德公司大约 90% 的业务都在国外。但随着他一步步降低太阳能电池价格，中国市场也在被拓宽。施正荣希望价格和市场规模的组合优势能让他进一步扩大生产规模并降低太阳能电池价格，真正以成本优势击败全球竞争者。

"如果我们在中国有市场，我们就有信心成为价格主导者。"他如是说。由于尚德公司的成功，"虽然我们目前在中国还没有市场，但现在却有很多（中国）商家在向这个行业转移，"他说，"现在很多政府人士都认为'这是一个产业'！"

太阳能并不是唯一的可再生能源。中国的风能产业也正在经历高速增

长：中国风力发电产能从 2005 年到 2007 年间增长了近 100％。中国在 2007 年底就实现了 5000 兆瓦/年风力发电的目标，该目标原计划是到 2010 年实现。按照这个速度，中国不出 5 年将成为世界上主要的风力发电生产国和制造国。

美国联邦能源管理委员会的成员威灵霍夫（Jon Wellinghoff）2008 年 4 月从中国回来后给我发了一封邮件："我这趟中国之行里有件很有趣的事情。在不到 10 年的时间里，他们（中国）已经把所有的自行车和摩托车都换成了电动自行车。目前中国有 4000 万辆电动自行车。我都懵了！而且他们晚上都会把车上的小电池提到楼上充电，早上又拿下来重新安回到他们的电动自行车上，然后骑车出行。中国的交通很有可能实现电动化，而且他们正在这样做。就算这种电动化仍然是以煤电为基础，这也能减少二氧化碳排放并大幅改善城市污染状况。事实上，我在北京待的那两天都是蓝天白云，碧空万里。"

当谈到清洁能源技术时，能源顾问沃森曾说："中国刚刚开始从复制转向发明，他们上次全力投入发明创造时给我们带来了纸、指南针和火药。"

综合我在上面所说的这一切，中国变绿的故事正在一步一步发展，我们拭目以待。这个故事由许多正面的东西和负面的东西交织而成，但却满是希望，满是环境的启示，我不想去预测故事的结局。我会密切跟踪所有指标，我认为决定红色中国能否变绿的一个关键因素是中国人如何应对城市化带来的挑战。正如我在上面提到的那样，中国未来 20 年预计将兴建数百座新城市和小城镇，将把 3 亿多人从农村迁移到城市地区新建的住宅和办公楼里，同时还要为不愿进城而想留在乡村的 2.5 亿人兴建家园。这种建设规模是世界前所未有的，而且在很大程度上将决定中国的未来。如果中国领导层采用高能耗模式——"美国方式"——大兴土木，那么一个巨大的恐龙便会横空出世，在未来几十年将煤炭、石油和天然气全都耗尽。它将最终把中国吃穷。请牢记，在国家耗费的能源中建筑业约占 40%，而且一旦它们开始消耗能源和水，那么没有三四十年的时间它们是不会停下来的。如果中国决定抛弃美国过时的做法，跃过我们的这一阶段，直接过渡到"零耗能"建筑，那么他们就有可能绕过最严重的危机。所谓的"零耗能"是指采用无源照明、太阳能外墙或者风力涡轮机白天生产供自己使用的电能，晚上才靠电网供电的模式。今天的中国领导人必须像他们的前辈对待计划生育政策那样严肃认真地实行"零耗能"政策，正如计划生育政策挽救中国于人口灾难那样，"零耗能"建筑可能挽救中国以及整个世界于能源和环境灾难。

总之，中国正在有目的地除旧革新，那么我们就应该竭力保证"新中国"有一张绿色面孔。但这并不是十拿九稳的事情，所以美国要在这个时候发挥关键作用。我们可以提示中国路在何方，但我们得先探探路。领导者不能说"跟你走",而是要说"跟我来"。我们自己也是大量向大气层排放二氧化碳、导致地球慢慢升温的一分子。我们有义务用自己的资源为世界树立一个创造清洁能源体系的榜样。当今美国可以为自己、为中国以及为世界做的最大的一件事就是树立起这样一个榜样:成为一个最"绿"、能源效率最高和最具活力的国家。这样,它也因此会日益繁荣和安全,因不断创新而备受敬重。

更进一步说,当今美国可以为自己、为中国以及为世界做的最大的一件事就是向所有的人表明"要比中国更绿一筹"。让中国人知道,我们要在未来伟大的全球工业——清洁电力中战胜他们。就像当年我们和前苏联进行太空竞赛一样,比试谁能最先实现登月计划。这种竞争大大推动了我们自己社会的进步,从教育到基础设施无不如此。现在,我们、欧盟以及中国需要进行一场类似的竞赛——维持人类在地球上生存的竞赛。冷战时期有赢家和输家,但在这场地球竞赛中要么大家共赢,要么大家全输。因为中国这辆高速巴士一旦爆炸,无论在经济上还是环境上,对地球人而言都将是一场灭顶之灾。

如果美国能果断地选择建立清洁能源体系并且提高技术不断推进这一系统向前发展,那么中国将别无选择,也只能果断地朝同一方向迈进。否则,这不仅意味着 13 亿中国人将继续呼吸浑浊的空气,而且这也意味着中国将在未来伟大的全球工业中落伍。但是,己所不欲,勿施于人;己之所欲,先施于人。只有我们(美国)自己开始做了这些艰辛的工作,我们才有资格建议中国该如何绿化他们的社会(我们已经饱食完大自然的"山珍海味"只留下"残羹冷炙"给中国人,而我们却指责他们贪吃,这在他们看来一定非常厚颜无耻)。默斯克卫茨说:"当我们每提出一项倡议时,中国人常常会向我们提出这样一个棘手问题:'如果真是那么好,为什么你们自己不做呢?'这很难回答而且有点尴尬。我们只能引用美国的一些州、城市或公司的例子,但却不能提及美国联邦政府。我们不能拿美国整个国家来说事。"

如果美国能领导清洁能源变革,而且中国认为有必要跟进,那就能促使中国领导层赋予公民和媒体更多权力，让他们声讨破坏环境的行为，监督地方政府和企业。因此，我们美国把中国带入绿色通道的速度越快，我们就能越早拥有一个干净的世界，而且这还能加强中国的法治和公民社会的力量。

第五部分

美　国

第十六章

做一天中国（仅仅是一天）

　　总统候选人乔治·布什（George W. Bush）今日声明，如果能够当选总统，他将完全凭借其个人魅力，通过与石油产出国建立良好的政治关系来增加原油供给并降低汽油价格。"我会同我们在欧佩克组织中的伙伴合作，使他们放开对石油产量的限制以增加原油的供给——利用今后管理当局在科威特和沙特阿拉伯获得的资本，说服他们放开产油量的限制。"这些评论隐晦地批评了克林顿政府，因为其未能很好地利用美国在 1991 年海湾战争中与科威特和沙特阿拉伯建立起的友好关系这一优势。同时评论还暗示，作为组建联盟将伊拉克人驱逐出科威特的总统之子，他能够在个人层面上与两国建立起紧密的联系，并说服他们给予美国回报。

　　　　　　——《纽约时报》（*The New York Times*），2000 年 6 月 28 日。当天原油价格为每桶 28 美元。

　　2007 年 1 月，作为本书调研的一部分，我对通用电气公司（General Electric）董事长兼首席执行官伊梅尔特（Jeffrey Immelt）进行了采访，他负责将通用电气的生产线导向清洁能源技术，并使用"绿色创想（Ecomagination）"作为品牌名称。伊梅尔特和我谈论了能源产生的不同形式，并顺便聊起了政府怎样实施管理、激励、税收和基础设施建设以形成一套理想的机制来刺激市场、引进清洁能源和提高能源效率。答案似乎再明显不过，以至于最后伊梅尔特激愤地叹道：为什么美国就没有一个实施合理政策来规范能源市场的政府呢？"

　　"当今的能源产业没有上帝之手，"伊梅尔特说，"如果你问起业内机构和大制造商他们最喜欢什么，那一定是总统站出来说：'到 2025 年我们要产出多少吨煤、多少天然气、多少风能、多少太阳能、多少核能，没有什么可以阻拦。'也许一开始会有许多抱怨和哭诉，接着，整个能源产业内的人士都会站出来说：'感谢您，总统先生，那么就让我们着手去做吧。'然后大家就都投入工作了。"

为什么上级下达一个明确的指令会造成这么大的差别？伊梅尔特说，因为一旦商业组织得到了碳市场上明确、持久、长期的价格信号，清楚了解风能、太阳能等清洁能源在国内市场上的发展方向，以及国家将实施的一系列鼓励公用公司去帮助消费者节约能源的制度和激励政策，市场商机便会清楚浮现。作为投资者，归根结底，我们就是想要这样一个持久明确的政策，以便下大赌注。到那个时候，美国拥有的资产——大学、国家图书馆、发明家、冒险家、风险投资者、自由市场以及像通用电气（GE）和杜邦(DuPont)这样的跨国公司，所有这些能够进行研究并懂得怎样将发明创新商业化的人们——都会上满发条，全力投入新兴的可再生能源产业，整个清洁能源系统建设就会起步。

那天晚上，我一直思索着我们的谈话，它们在脑海中不停地重复，最后脑中闪出一个古怪的想法：要是……要是美国能做一天中国有多好！——只是一天！仅仅一天！

据我所知，如果需要的话，中国领导人可以克服官僚主义的障碍，彻底变革价格水平、规章制度、标准、教育、基础设施，以维护国家长期战略发展的利益。而这些议题若换在西方国家讨论和执行，恐怕要花几年甚至几十年的时间。当你进行绿色能源改革这类影响深远的变革的时候，当你的竞争对手是根深蒂固、资金充足、防范周到的利益集团的时候，当你不得不劝说公众，使他们牺牲某些短期利益（比如更高的能源价格）去换取长期收益的时候，领导人的魄力这种资产就显得尤为重要。想让华盛顿的政府下达正确的命令，为能源革新创造出理想的市场条件，之后便不再干预，将其交给美国自然能源的资本系统去运作——那简直是在做梦。

有这么糟糕吗？中国？就短短的一天?.

看看这个：在 2007 年底的一个早晨，中国的店主们醒来后发现国务院已经宣布，从 2008 年 6 月 1 日开始，为了减少石油制品的使用，所有的超市、商场、店铺将禁止为顾客提供免费塑料袋。从此，商店将不得不向顾客收取塑料袋的费用。"商家必须清楚地标明塑料购物袋的价格，并禁止将此费用附加至产品价格内。"美联社（Associated Press）报道（2008 年 1 月 9 日）。中国还完全禁止了厚度小于 0.025 毫米的薄塑料袋的生产、销售和使用——这些措施将促使购物者改用可多次使用的购物篮和布袋。

砰！就像那样——13 亿人，从理论上讲，将停止使用薄塑料袋。这会节约上百万桶石油，避免成山的垃圾。美国从 1973 年就开始了将汽油去铅的进程，但直到 1995 年才基本实现了全国售出汽油的无铅处理。而中国决定于 1998 年开始实行无铅化，1999 年新标准已在北京地区试行，而到 2000 年整个国家全部实现了汽油无铅化。美国为制定汽车燃油经济性标准从 1975 年着手进行到 2007 年再次取得重大进展共花了 32 年的时间。同时，在 2003 年，中国开始将轿车、卡车的经济燃油标准提上议事日程，并把新的标准报经国务院待批。该标准在 2004 年获得批准并于 2005 年开始实行。现在，几乎所有新产出的轿车和卡车都必须达到新的标准。

在美国，只要政府制定了一项法律或颁布了一项规章制度，那就一定会贯彻下去——因为如果公司和地方政府不去执行的话，赛拉俱乐部（Sierra Club）或是自然资源国防委员会（Natural Resources Defense Council）领导的许多公共利益团体，将会用尽各种方法把违规者（甚至包括联邦政府）起诉至最高法院。那就是为什么我希望我们能做一天的中国——但仅仅是一天——在这一天里，制定所有正确的税收法律、各项规章，以及一切有利于建立清洁能源系统的标准——这对华盛顿的价值将远大于对北京的价值。因为一旦上级颁布命令，我们就克服了民主制度最差的部分（难以在和平时期做出重大决策），而第二天我们仍能够继续享受我们民主制度的优越性（我们文明社会的力量、政府规则及市场力量优势）。

要是我们可以做一天中国有多好……

做一天中国？这种想法是从何而来？我这个一生信仰自由民主的人，怎么会做起这样的白日梦？想像美国若能变成一天中国而得到的利益？

它来自于令我极度失望的经历。3 年里，我从这个国家的一端来到另一端，几乎见识到了所有生产能源的方式，遇到过各类怪异的、原始的、新奇的能源创新者、企业家和风险投资家——从汽车修理工到最高科研机构的主管，确切地感受到我们已做好了绿色环保进程的准备，并拥有了绿色行动（Code Green）能源革新的一切资源，但是我们的政府却没有造就能促使其发展壮大的市场条件。

让我来举个例子。2007 年 12 月的一天，我去麻省理工学院（MIT）参加一个关于开放大学项目（Open-university program）的研讨会。刚到达那里，就有两个不同的能源方面的学生社团劝说我放弃参加那个开放大学项目，并邀请我去他们那儿。其中一个名为车辆设计峰会（Vehicle Design Summit）的社团让我十分震惊。那是由麻省理工学院学生管理的一个国际学生组织，聚集了包括来自印度和中国的 25 个学生团队，实行资源共享并积极合作，设计和组建插电式混合动力汽车（Plug-in electric hybrid），其中每个团队负责设计一部分。我觉得，若把这件事写进学报一定很酷——这些孩子们居然在组建超效能汽车！他们想要证明，他们可以发明这样的汽车，在人的一生中减少 95％ 的能源消耗和有毒污染物排放，并使每加仑汽油提供与行驶 200 英里等热值的能量。是的：200 英里每加仑，那是汽车界的Linux 系统！他们还有一个目标，他们的网站 vds. mit. edu 将其解释为"识别如比赛到月球这类活动的关键点，然后把精力、激情、重点和紧迫性放在带动全球性团队去建造清洁汽车上"。他们的口号？"我们一直等待着像我们这样的人出现。"

对这件偶然的事，我只能再次无奈地摇摇头：人类的能力和智慧全部都在这里，蓄势待发。是的，正如这些学生所说，他们凭借自己的力量可以行进得很远。但是，只要我们国家的能源政策仍然这样特别，不去配合，不够持久一致——那就无法发挥我们的天然优势，这些创想就永远不能形成规模。我们总体的能力总是小于部分之和。伊梅尔特说我们像一支球队，想尽办法赢得超级杯大赛却被锁在房间里，连球场也上不去。

当我在麻省理工学院这样的地方访问的时候，脑海中会浮现出一个航天飞机起飞的画面。看起来美国就是这样。我们仍然具有来自底层的、来自于这个理想主义且充满活力的社会的巨大推动力。航天飞机的助推火箭（现有的政府制度）正在漏油，可座舱里（华盛顿）的飞行员们却仍在为飞行计划争论不休。结果就是，我们达不到逃逸速度——到达临界点所需的力和方向。而只有达到了，才能在下一领域抓住机会，应对能源气候时代的挑战。

问题是什么？如果对能源产业有所了解的人都知道哪些政策是正确的，为什么我们不能去实施呢？

首先且最重要的问题源于原有的污染能源系统（Dirty Fuels System），它想要保护自己的地盘和在能源结构中的统治地位。最好的情况是，其中的管理者、雇员和支持污染能源系统的政客，只不过想尽力去保护自己的工作和团队，希望国家使用最廉价的能源实现最高的增长。而最坏的情况是，他们是企图维护其财源的贪婪的公司——即使他们明知道那些产品就像香烟有害社会一样在侵蚀着我们的地球。政府刚准备制定能源政策，他们就开始操纵游戏了。这样的例子太多了，他们用扭曲的事实，在各大报纸、电视上刊登误导性的广告，收买政治家——这一切活动的目的都是保留住污染能源系统。"能源工业园区"——汽车工厂、煤炭公司、某些落后的公用事业公司、石油和天然气公司——那里的钞票，已经危害到我们讲出关于生态环境事实的能力，并且还渐渐破坏了现今必须把能源网建设政策提上议事日程的能力。

他们在政策制定上累积起的影响就是：与其拥有全国性能源战略，不如由被能源专家卢夫特（Gal Luft）称作的"院外活动总合"取而代之。无论何种院外游说活动，胜者总是出资最多的一方。加州理工学院（Caltech）刘易斯（Nate Lewis）的另一种说法是，"我们没有能源政策，但有能源政治"。能源策略类似于性别政策、种族政策或是地区政策，乃是由特定的受益者主导攸关整体国民利益政策优先事项。因此，很难在这种环境中制定出一个连贯且对未来有利的长期战略。

刘易斯说，大选期间他喜欢问人们这样的问题："列举出五个政治最不稳定的州。人们总是说，'佛罗里达、俄亥俄、宾夕法尼亚、田纳西和西弗吉尼亚州。'然后我会说，'除了佛罗里达以外，我把其他的州重复一遍：俄亥俄、宾夕法尼亚、田纳西、西弗吉尼亚——它们有个什么共同点呢？煤，煤，煤……还是煤。'想一边说着煤的坏话，一边当选美国总统，那显然是不可能的，再加上艾奥瓦州和中西部地区以及生物燃料，很快你就完全不用再讨论可再生能源了。取而代之进行讨论的是一堆关于'清洁煤炭（clean coal）'的废话，以及对玉米乙醇❶燃料项目的资金支持，经费的比率之高实在不太合理。"

在 2008 年总统大选的热潮中，《华盛顿邮报》（Washington Post）（2008 年 1 月 18 日）称"在预选中，由煤炭产业公司及其盟友支援的一个组织花费了 3 500 万美元，为火力发电寻求公众支持，还为反对全球气候变暖立法草案的活动出资"。这个称为美国能源平衡署（Americans for Balanced Energy Choices）的组织，已经在艾奥瓦州、内华达州和南卡罗来纳州这三个初选的关键州的宣传栏、报刊、电视、广播上花费了 130 万美元。报道中提到他们所做的一则广告，广告上画着电线插入煤炭的漫画，图题则是"煤炭是协助确保重要能源安全的美国资源"和"提供生活用电的燃料"。

煤炭拉动了美国经济约两个世纪的增长。未来的几十年，至少在产生令人惊异的突破前，我们还是需要煤作燃料。我们仍要竭尽所能引进先进的临界值技术来净化燃煤过程，提高煤的燃烧率并减少污染排放。但是我们不能把"应做的"和"更好的"相混淆，就像不能把猪叫成兔子。在二氧化碳排放上，煤炭永远都不可能成为清洁能源。所以当替代品更具成本效益的时候，远离煤炭才是更好的选择。

《阿巴拉契亚的美国》（The United States of Appalachia：How Southern Mountaineers Brought Independence，Culture，and Enlightenment to America）一书的作者比格斯（Jeff Biggers）在《华盛顿邮报》（The Washington Post）上撰写了一篇文章，对上面那则关于煤炭的广告进行了驳斥：

---

❶ 艾奥瓦州是美国玉米产量最高的州。

清洁煤炭：没有比这更狡猾的修饰语了，也没有比这具危害性的了。正如民主党和共和党的总统候选人常常祈求的……这个口号攻击了制定持续性能源政策的进程……这就是他们扼杀这一产业的现实。无论"污染权交易（cap'n trade）"方案能否在遥远的将来得以实行，火力发电、露天及地下煤矿开采都是最具污染性和毁灭性的产能方式。煤炭不可能是清洁的。煤炭是致命的。

2006 年 11 月 7 日，加利福尼亚州对第 87 号提案投票，这个提案旨在制定一个金额为 40 亿美元的可替代性能源计划（Clean Alternative Energy Program），通过鼓励替代能源的使用、教育和培训来降低加州 25％的石油和天然气消耗。该计划将从加州范围内钻探出的每桶石油中提取部分费用——按其他州的标准收取——即加州的石油公司此前一直通过向政府施加集体压力而逃避的费用。第 87 号提案通过款项退还的政策，鼓励消费者购买应用混合技术、更环保、更便宜的车辆，促进太阳能、风能和其他可再生资源的技术推广。可是，石油公司联合起来故意发布误导性的广告，使选民认为，如果他们投票支持这一提案，则汽油价格将会大幅上涨。其实只要考虑到任何地方的汽油价格都是由全国甚至全世界的供求关系以及炼油量决定的，与当地开采石油的成本无关，你就会发现这一说法多么荒唐。那就是为什么即使第 87 号提案被否决，加州的汽油价格仍一直上涨：因为全球的石油都在涨价。石油公司及其盟友在反对第 87 号提案的广告和游说活动上总共花费了约 1 亿美元，几乎相当于克林顿在 1992 年竞选总统的经费。

但这些还很不够。没有其他例子比 2007 年的能源法案更能说明现有的能源政策是所有游说活动的结果了。该法案是 1975 年以来国会首次提高"国家汽车平均油耗标准"，因而备受关注。但该项法案的大多数报道都遗漏了这样一个事实，该项法案并没有延长对可再生能源相当重要的税收减免，而让它在 2008 年到期。这听起来就让人难以相信，我们在 2007 年通过的能源法案居然不包括投资于太阳能的税收减免和风能的生产税扣除。

众议院是支持课税扣除的，但由于民主党实行"量入为出（pay-as-you-go）"的预算规则，他们必须要为减免的税收寻求资金（上帝禁止美国因投资清洁能源这类事情而增加财政赤字或增加一点税收）。所以民主党提议采用一种平衡的办法从油气产业为该项政策筹资 170 亿美元。可即使这项筹集资金过程分为 10 年，每年仅从石油产业提取约 17 亿美元，总统和议员们也不愿让它发生。布什总统没有表现出一点儿领导人的气概，甚至没有召集白宫的人确定一个折中方案。

太阳能产品价格补贴会使业主或企业对在其居住地和商业建筑上安装太阳能系统得到 30％的价格优惠。对风能的生产税减免是为风力生产的每千瓦时电补贴 1.8 美分。这些税收减免政策十分重要，因为它可以保证即使油价再次回落——虽然现在油价处于价格高位，这也很可能发生——投资于风力资源和太阳能资源仍然是有利可图的。那就是引进新的能源技术并且使其规模化，使它们最终形成不依赖于补贴的较强竞争力的方式。可结果却是，以增强太阳能、风能、潮汐能、地热能和生物能等这类新能源产业竞争力为目的，能够激励能源创新及促进长期投资的生产税减免提案，没有被国会批准。

当新产业开始兴起的时候，国会和布什当局数钱的方式是一个可悲的笑话，就好像对风能、太阳能和生物能的投资要从他们孩子的储钱罐里掏钱；而当投资对象是传统的、资金雄厚的石油、煤、天然气产业——更不用说农业了——他们就像酩酊大醉的水手一样随手将钱扔出窗外。直到这本书在 2008 年 7 月付诸出版时，国会仍然没有通过对风能和太阳能的税收激励法案。它们一开始就被热中于促进核能和国内石油开采的参议院的共和党人否定了。

这些领域的投资者们会告诉你，短期的税收优惠对新兴产业可能是有害的，因为新兴产业正试图吸引不求近利的资本去实现生产中的系统、设备、服务、配送的规模化。这些需要长期巨额投资的重大工程，更需要长期稳定的税收结构——像石油天然气产业正在享受的税收政策那样，它们至今仍然会从几十年前制定的税收优惠政策中受益。

美国最大的风能开发商 Invenergy 的创始人之一波斯基（Michael Polsky）认为，风力资源的生产税减免法案未获得通过，它对任何公司的冲击都没有对 Invenergy 的大。"这简直是一场灾难，"波斯基说，"风力是个典型的资本密集型产业，可金融机构却没有准备去应对'国会风险'，他们对我说：'如果你们得不到生产税减免，我们就不借给你买涡轮机和搞工程建设的资金'。"

在过去的 50 年里，对化石燃料和核工业的补贴扩大到数百亿美元（从未到期）。卡托研究所❶（Cato Institute）出版的一份措辞严厉题为"受审判的石油补贴"（Oil Subsidies in the Dock）的报告里（2007 年 1 月 17 日），列举了许多仅向油气产业提供的税收优惠。包括对国内钻探的无形费用（主要是勘探、开发油气田的劳务及材料成本）提供优惠的税收待遇，对小型石油生产商提供的加速损耗津贴，对购买精炼液态燃料设备的优惠价格，天然气输送管道的加速折旧，干井相关费用的加速折旧和油气产权所有者的收益中被动损失的部分免利息税。不懂这些莫名其妙的用语，对吗？其实我也不懂。但我敢打赌，进行这些精巧设计的游说者们一定非常清楚——按钱数来算——它们对美孚（Exxon Mobil）和康菲公司（Conoco Phillips）有多大价值。

真是太令人伤感了，太阳能产业协会（Solar Energy Industries Association）主席瑞切（Rhone Resch）认为，美国已经到了这个地步，"国会的权力居然已被政治生活如此扭曲"，以至于华盛顿政府会在下一代伟大的全球产业即清洁能源产业前驻足。法维翰咨询公司（Navigant Consulting）的一项研究结果发现，如果风能和太阳能的减税政策在 2008 财政年度终止，它对 2009 年的影响将是减少几千个与新能源产业相关的工作机会，并减少数十亿美元的投资。最终，国会将把问题放在一块儿解决，但却不大可能颁布美国可再生资源产业要实现规模化和全球化所需的那一类长期减税政策。相比之下，日本政府的太阳能投资税抵免保证期限为 12 年，而德国是

---

❶ 卡托研究所成立了 1977 年，为非营利的公共政策研究基金会，总部于华盛顿。

20 年。

在 1997 年，美国是全世界太阳能技术的主导，太阳能产量占全球总数的 40%。"可去年我们的产量已低于 8%，其中绝大部分还是为海外市场生产的。"瑞切说。

2008 年 4 月，瑞切和我聊天时说，他刚刚与一位欧洲太阳能生产厂商谈话，那个厂商正准备将其太阳能电池板的生产外包到美国。他说，他们将在欧洲进行研发，让美国的蓝领工人来装配，廉价的美元可以节约公司的一半成本。

瑞切说："他告诉我，'你们就是新的印度。'这句话让我不寒而栗。"

破坏我们的能源政策的不是贪婪，而是领导人极度犹豫和疏忽的态度。在 2008 年度的国会财政预算过程中，共和党和民主党在筹资问题上争论不休，直接导致了参众两院拨款委员会（Appropriations committees）辛辛苦苦做出的财政预算分配决策在最后 1 分钟被否决，并支持了一个维持政府日常开支的总括性拨款方案。这些乏味的细节关系重大，事实上，这些细节讲述了一件重要的事情。

在大学和国家实验室，支持可再生能源研究的最大一笔资金来自于能源部科学办公室（Department of Energy's Office of Science），这些资金是由美国能源部（DOE）和陆军工程兵部队（Army Corps of Engineers）划拨的，通过能源与水源发展拨款账户（Energy and Water Development Appropriations Bill）按年提供。但是当国会为这样一个普通的、把所有工作揽在一起的总括性拨款账户投票时，能源部办公室的拨款增长额中本来应用于重要能源研发和革新的大部分款项，却转拨给了水利工程——几乎每个国会议员都可在其选区内执行，还可就此发布新闻稿。这些水利工程包括洪水控制、港口疏浚、大坝、征税等——从马克·吐温时代就一直占据预算的项目。所以原本支持新兴能源研究的资金就全被用来撒政治红包。这次瞎搞的是国会，而不是总统。

具体说来，国会 2008 年最终对美国陆军工程部队拨款 56 亿美元——比总统所要求的多出了 7 亿。而能源部的科学办公室——我们国家的物理科学、材料科学、高能物理、化学、生物、地理、天体物理、核聚变、粒子物理以及核物理中的转型进展最主要的资金提供者——最终以 40 亿美元的拨款宣告结束，比总统所要求的少了 4 亿左右。在通货膨胀时期之后，拨款就再也没有增加过。如今正值能源产业发展的负效应加剧——二氧化碳的排放、对石油和天然气的需求、气候变化、石油专制——可我们在新能源研究方面的拨款却仍不增加。但不用担心，各地方的港口都得到了良好的疏竣和挖掘——来自中国的大吨位油轮和集装箱货船将把更多的货物带到我们的港口。

4 亿美元会造成多大的差异呢？我问起阿里维索多（Paul Alivisatos），他是劳伦斯伯克利国家实验室（Lawrence Berkeley National Laboratory）的副所长和赫利俄斯项目（Helios Project）❶（该实验室的太阳能研究项目）的负责人之一。阿里维索多的团队一直致力于人工光合作用方面的研究并寻求潜在突破，这样人们就不需要用植物将太阳能转化为食物和燃料，他被认为是在最高实验室工作的美国顶尖纳米科学家之一。劳伦斯伯克利国家实验室用了 4 年的努力才为这一项目筹措到资金。项目一共申请了 1 500 万美元，而能源部却说只能提供 1 000 万美元，而那时国会整天游手好闲，最后只给了 500 万美元草草了事。凭良心说，没有人知道他们压缩了项目开支。这不过是我们的领导做事的风格——那就是，没有一个人从能源战略的高度看待此事。（国会，毫无疑问地只会为农业游说所动，它批给科学办公室 3 个生物能源研究中心的全部资金，其中有一个是劳伦斯伯克利国家实验室管理的，以寻找新的生物燃料——使用现有的设施且不会对农产品构成竞争的生物燃料——的名义申请的经费。）

虽然政治家在各类杂志中就能源问题发表各种观点，但如果你关注行动而不是语言，你一定会得出这样的结论，那就是美国完全没有进行能源研究的紧迫感。就像前苏联的人造卫星已经升空一样，美国再次面临彻底改造自

❶ 也叫做"太阳神"计划。

己的挑战，而这次的主题是能源，但我们却梦游着迈向未来，仍安安静静地期待着这只是一个很快就会醒来的噩梦，梦醒后会为汽车油箱装上 1 加仑的汽油然后开走，玻璃窗上还带着环保印戳和一系列带橄榄球标志。

我们再回到基础学科上来。政府的工作是对化学、材料科学、生物、物理、纳米技术等可能产生实质性突破的科学研究予以支持，它们会为解决能源问题开启新的道路，为能源产业铺设新的建筑基石，使研发人员更容易把它们整合到一起。然后风险投资家可以从中选出最有前途的创意并给予商业支持。但想找到一个像绿色 Google 那样真正的好点子，则需要成千上万名科学工作者进行不同项目的实验。

"那就是基础学科资金的用途，"加州理工学院的刘易斯说，"基础能源科学会问这样的问题：'我们如何通过新的方式用新材料制造出新产品？'我们试图在实验室建立的基础工程学的说法是：'这是个新的制造方式，这个东西可以做得出来。'"然后风险投资家会拿着钱进来看看这个项目能否以低成本进行规模开发。但这通常是不可能的。"但是想要成功就必须先做初期研究，"他说，"你需要为你的 100 个新创意去融资，哪怕你知道其中有 99 个会失败，但也许余下的那个就是下一个 Google，就像有些人问起曾两次获诺贝尔奖的鲍林（Linus Pauling），为什么他会有那么多的好创意的时候，他回答说：'因为我有一大堆创意。'"

人们不该误以为风险投资团体能够取代政府在基础学科研究上给予巨额投资。风险投资家的工作是挑选已经盛开的鲜花，判断它们是否可以被移植和大规模培育。但如果没有人把种子播下，他们也就无从选择了。

作为全国最成功的风险投资家之一，多尔（John Doerr）与具有传奇色彩的 KPCB（Kleiner Perkins Caufield & Byers）风险投资公司的合作伙伴一起，缔造了 Google、亚马逊（Amazon）、太阳电脑公司（Sun）和网景公司（Netscape）。他认为，风险资本投入绿色能源较少的原因就是，联邦能源部为可再生能源的研究所提供的资金不足。"只有极少数的例外，"多尔说，"谁都知道，风险投资家不愿为基础科研提供资金——虽然我在 KP（Kleiner Perkins）公司时在特殊情况下偶尔也会那样做。因为缺点是，这一领域值得投资的项目耗费巨大。与以往相比，我们现在更加注重在世界各地的研究所寻找机会，以发展我们自己的知识网络。"

即使政府在基础学科研究中多投入十几亿额外投资都有可能会产生巨大的不同。"投入这一领域的资金只是所需的一部分，"阿里维索多说，"这些日子，如果你能见到化学、物理、生物专业的研究生，若你告诉他们想让他们参与关于太阳能的项目，他们会眼睛一亮。这都是他们真心想去研究的领域。想要研究这类问题的学生成百上千，但是我们找不到支持他们研究所需的基金。"

可关于科学家总是想要更多的资金，总是抱怨政府的扶持力度不够这一说法又作何解释呢？

"这种说法的确有其真实性，有时难以区分优先顺序——我们是一个企业家集合体，"阿里维索多说，"但是让我们回想一下最近的预算周期里都发生了什么：2008 年财政预算中，700 多个关于太阳能研究的提案都被否决了。能源部刚发出关于提案的号召，反响就非常强烈，全国的科学家都对这些研究方案表示回应，但是资金却仍然没有到位。能源部真的已经尽力了。他们原以为能够为太阳能研究的基础领域筹资 3 500 万美元。我们只拿到了500 万美元的项目经费，就这样，我们还是少数几个拿到资金的。"想想一些潜在的问题——有多少科学家、多少研究生渴望研究这类课题，但他们基本上都被迫退出了。几千名想要研究能源问题的科学家现在根本不能把研究进行下去。

数目很重要，因为我们要比过去更具战略性的思考能源改革。经营劳伦斯伯克利国家实验室的诺贝尔奖获得者朱棣文（Steve Chu）解释说。朱棣文对实验室的能源研究进行了改组，打破了原有物理、生物、材料科学、化学及纳米技术等学科之间的传统界限，将各领域的专家整合并组成合作团队，使专家们取长补短。他的观点是，实质性突破会在学科间的交流中产生，所以需要许多人在不同的学科背景下进行同一项目研究。

"我们需要更广泛地支持能源研究团队，但是我们也需要注意某些拥有关键群体的大规模研发中心，在那里有许多科学家在研究不同的项目，你会发现合作的可能性，"朱棣文说，"当我还是个年轻的科学家的时候就加入了贝尔实验室（Bell Labs），那是一次改变命运的经历。你走进一座全是世界顶级科学家的大楼里——整个团队都为了同一个目标而工作着。许多的创新研究来自于我们的大学，我们需要一些空间与智慧大师们在同一屋檐下研究能源问题……这个问题并不容易解决。我们至今仍没有找到答案。"

朱棣文告诉我："让我真正觉得乐观的就是当我同学生们聚会，或是与各地的学生聊天的时候。他们都想要研究这个问题。他们看到了能源问题已经成为全国甚至全世界的危机，所以想要和我们一起去解决。令人沮丧的是，基础能源领域的研究资金依然少得可怜，我们的学生已经整装待发，但是招募站却仍大门紧闭。"

加州大学（University of California）伯克利（Berkeley）分校的能源政策专家卡曼（Daniel M. Kammen）说，如果把所有用于能源研究的联邦资金全加起来——包括对石油、天然气、煤炭及太阳能等——政府投资总共有30 亿美元，私人部门和风险投资基金约有 50 亿美元。"它约等于对伊拉克战争中 9 天的花费"。能源产业年产值有 1 万亿美元之多，意思就是说对研发活动的 80 亿美元再投资只构成其总收入的 0.8％。

自从 20 世纪 70 年代第一次石油危机以来，即使是投入能源研发的微不足道的 0.8％也像云霄飞车一样忽上忽下。卡曼补充说，石油危机严重地危害到全世界的能源研发。"根本没有那样的科研人员，可以在资金时多时少的情况下建成实验室并聘请最好的研究生。与生物技术或信息技术相比，在能源方面进行研究的优秀学生都是默默无闻的，在生物技术和信息技术领域中，学生们知道可获得足够的资金足以完成他们的项目，而且以后他们也一定能找到好的工作。"

同医疗保健支出比较，卡曼说，美国的保健预算开支经历了一个有计划的扩张过程，1982～1990 年国家卫生研究所（National Institutes of Health）的预算增加了 1 倍。一直以来，国家卫生研究所的预算都处于较高水平，所以它能够维持，从没有出现过医疗保健的危机。"当联邦预算对医保领域的投资增加时，私人部门的研发投资也增加了 14～15 倍，"卡曼说，

"它改变了整个行业前景，商业看到了它们的重要性并给予投资，所以现在可以吹嘘我们的生物技术改革有多么成功。可我们却还没有将那个战略应用于能源领域。"

由于"通用电气"经营着庞大的卫生保健设备业务，伊梅尔特估计在过去的 20 年中，政府在卫生保健上的研发投资要比能源产业多 500 亿美元左右。

从历史的角度来看待这个问题，在 2003 年，核能研发约占了所有能源研发资金的 56％，而且它还从 1948 年起就开始获得能源部的资金支持。化石燃料——如煤、石油、天然气——得到了总数的 24％，可再生能源占 11％，能源的使用效率占 9％，这些数字来源于国会 2005 年 5 月 25 日出版的名为"可再生能源"的研究报告。

当你将我们在医疗保健上大量投资与用于能源领域的极少投资放在一起比较，克林顿政府时期在能源部工作的一个高级官员罗姆（Joseph Romm）说，仅存的一线希望就是，"至少人类能够活得足够长久去看看我们把事情搅得有多糟糕"。

诚然，当我们的领导人在能源方面做出了一项重大决策，把联邦科研预算基金从 1977 年的 25 亿美元增加到 1980 年的 60 亿美元，一些并不是十分重要的项目却获得了资金。卡曼说："你不是总能赌赢的，但还是会取得一些惊人的成就。太阳能科学和技术都依靠那些资金曲折地前进着。现在产业内利用的许多太阳能技术都是那时候兴起的。"但是我们并不那么坚定，即使许多创新理念被美国公司所采纳，由于缺乏国内市场支持，最终还是会被日本或欧洲的太阳能公司收购。所以实际上美国的纳税人最终是为其他国家的科研提供资金。

怎么会这样呢？"自 1945 年以来，为了增加工作机会，我们的经济不得不每 10 年或 15 年就进行一次再投资，"卡曼说，"大量的新工作机会是来自一波一波的 IT 产业或生物技术革新。下一次技术的繁荣就将是清洁能源，但还未被我们的宏观政策分析家清楚地认识到。只有革新才能实现较高的经济增长。如果你还没有建立新的清洁能源技术用于出口，你就会输在下一轮的世界经济高速增长中——无论怎么说，目前印度、中国和印度尼西亚这些国家，都在建造新的发电厂。"我们需要向他们出售下一代的技术，例如太阳能、风能、太阳热能、地热能和其他尖端的技术，我们在这些方面的设计和建造上都具有占优势的技术。

但是对于机会，我们还不能应付自如。我们不可能仅仅用少于总收入1％的科研经费来完成需用 10 000 亿美元资金的能源产业的更新换代。而这些在其他产业的平均值都是 8％～10％。

既然如此，只好船到桥头自然直了……

假如你不相信这些态度会导致严重的后果，那让我给你讲一个关于美国最大的太阳能公司第一太阳能公司（First Solar）的故事。注意这个故事会让人想哭。

第一太阳能公司开创于俄亥俄州的托莱多（Toledo）。与其他用硅板做太阳能电池的公司不同，第一太阳能公司将一层碲化镉薄膜（一种用镉和碲制成的半导体）涂在玻璃上以产生电能。这些碲化镉太阳能电池现在也没有硅板太阳能电池生产效率高，但是它们的成本更低一些，而且可在各种不同的气候及光照条件下工作，同时它们很容易与建筑物外观相融合。公司的CEO 阿赫恩（Mike Ahearn）讲起了这件事：

"我们从 1992 年开始，"阿赫恩说，"当时，一小组科学家和工程师聚集在一起，研究出了一种技术，可以将具有半导体性质的薄膜沉淀在玻璃上，就像平板电视屏幕，然后将这些沉淀过的玻璃做成太阳能板，就能吸收太阳能转化为电能。他们的梦想是大幅度地降低太阳能发电的成本，直到可以将其应用于日常的工业用电，并为地球上无电可用或只有很少的电可用的几百万居民供电。整整 12 年，我的同伴们努力将潜在的技术开发出来，并将其转变成普通的生产过程，其间忍受了屡次技术上的失败、资金危机、雇工间的摩擦，还遇到许许多多其他方面的问题。当我们有时因为缺乏资金就将要终止研究的时候，拥有沃尔顿家族（Walton Wal-Mart）财产的沃尔顿（John Walton），第一太阳能的投资者之一，陪着我们度过一些非常艰难的时期，我们才能顺利继续下去。直到 2004 年末，总投资超过 1.5 亿美元之后，第一太阳能公司的生产线才终于开始运营。

这条生产线，使用了许多第一太阳能公司自行研发设计的机器，可以造出具有很高容量的太阳能电池，也很容易在世界的其他地方制造——在太阳能产业中做到这些并不容易。"

"在第一条生产线完工后的 3 年中，我们的年产量翻了 8 倍，变成了全球最大的太阳能模件生产商。"阿赫恩说，"到 2007 年度我们的年收入已经由 600 万美元增长到超过 5 亿美元，而且我们把生产太阳能模件的成本由 2004 年的每瓦 3 美元降至 2007 年的每瓦 1.12 美元，它让我们开阔了眼界，而且向人们展示了结合半导体技术和规模生产为一体的力量。在 2007 年 11 月，我们成为一家上市公司，现在公司的价值约为 200 亿美元。当我和一个朋友聊起这段历史，他评论道：'这只会发生在美国。'我们的故事在最初看来的确有些像经典的美国梦。但事实上，从更大范围来讲，第一太阳能更像是德国式成功。"

怎么回事呢？"在 2003 年，"阿赫恩解释说，"我们开始了最初的生产，并开始寻求能够达到生产规模的销售市场机会，那样可以批量生产，我们就可以提高效率。在那时，日本已有世界上第一个太阳能激励计划，大约是在 1990 年开始，以居住系统为基础的。"那是一项由日本经济产业省协调的工作，这一计划使得夏普（Sharp）、京瓷（Kyocera）、三洋（Sanyo）和三菱（Mitsubishi）成为全球太阳能市场上的领导者。其中夏普占据着日本市场的最大部分。你可以看到他们是怎么得到供应链、产量和销售渠道，逐步建立起一个可以使其以较低成本进行太阳能生产的具有规模的高效率模式。日本市场要比世界上其他地区市场加总起来还大。

"所以说，如果我们想要扩展事业并降低成本，就需要'日本模式'，"阿赫恩说，"我们该去哪儿寻求赞助来进行规模生产呢？我们已经研究出了这项难以置信的技术，并已经开始准备投产了。我们的科学家和工程师也在对我说：'我们去哪儿寻找一个 2500 万瓦的市场呢？'那是我们的年产量目标。我只是一直告诉他们：'你们只需要解决技术问题，我们去卖这些产品。'但是我在到处调查后，也在问自己，'我们要把东西卖到哪儿去呢？'我们需要找到方法，用符合成本效益的方式把产品大量投入市场，才可以让价格降到我们认为有办法开发大型市场的程度，接近美国能源的平均零售价，每千瓦时8～10美分，那就意味着我们不得不把太阳能电池板以每瓦1～1.25美元出售。当时，也就是2003年，我们的生产成本还超过每瓦3美元，所以还有很长的路要走。我们真的很需要一个投放产品的地方。"

这个总部设在亚利桑那州，而主要的生产工厂都在俄亥俄州的美国公司，自然想要占据美国的太阳能市场。问题是——美国根本就没有太阳能市场，而且华盛顿或其他任何一个地方的人都没有兴趣去建立这样一个市场，甚至在太阳能产业中的工作机会都是属于制造业：你不开采，不挖掘，也不钻探——你只是穿着蓝领工作服的建筑员工。

"我们来到华盛顿并去了西南部的许多州，"阿赫恩说，"对几个公用事业公司说，'我们只是刚开始时会赔钱'，因为我们知道如果进行规模生产，成本就会降低。但我们还是没能找到买主。那时候公司有100名雇员……我和亚利桑那州和俄亥俄州的议员们谈起。他们全都反对由纳税人负担，因此没有多少兴趣。通过沃尔顿的支持，我们告诉这些议员，'我们来担风险，但是要告诉我们你会购买我们的电力'，我们得到了初步的认同，但是等到项目报到高层后，却无疾而终……"

"这个时候我们决定去德国发展。"

"在1990年，"阿赫恩解释道，"德国统一的那年，德国政府制订并通过了促进太阳能发电的优惠收购电价法。'优惠收购电价法'（Feed in）是一项需求激励的计划，它使德国成为世界上最大的太阳能生产商，如今这一计划已经被除美国以外的许多国家所效仿。它开始的时候很小，但是在2004年德国人自问：'我们怎样才能真正保证私人部门在技术及设备上的资金和实际投资呢？'他们决定直接面对最终使用者——家庭或公司——对他们说：'什么水平的优惠才会让你们加入其中来呢？'所以在2004年，他们改变了优惠的比率。他们告诉每位德国消费者：如果你为家庭、办公室、农田或垃圾填埋地购置了太阳能系统——当地的电力公司都必须连接你的电力系统，并依据你的太阳能系统输入电网的电量付款给你，价格由国家法律规定，有效期 20 年。20 年！真是个简单又明智的方法。"

每年——这种做法真是精明——新的太阳能工程在德国不断涌现，而这些都是由于税收比前一年低 5％所致的高效率。关于学习曲线的研究表明，当规模增加 2 倍时，价格通常会降低 20％左右，所以量的大小在此极为重要。产量越多，价格沿着学习曲线下降得就越快，达到可以在中国和印度进行规模生产的价格水平。

"在德国进行先期市场调研之后，我们发现优惠收购电价计划将会创造一个允许我们进行规模生产的市场。而且，我们发现他们的计划也创造了一个优秀技术人才中心，带来了许多崭露头角的创新者，"阿赫恩说，"所以我们最终与这些德国科学家及工程师确定了雇佣合作关系，他们的贡献是我们成功的关键。现在我们所使用的设备及生产线有一半购买于德国制造商，而东德的供应商也是我们最重要的商业合作伙伴。"

同时，再看看美国，"美国市场都是零碎的——你没法想象这里会产生商业规模，"阿赫恩说，"不仅德国在 2004 年创造了其巨额的需求量，而且西班牙、意大利、法国、希腊和葡萄牙都建立了非常类似的优惠收购电价市场，使得相关资本大量流入欧洲。与美国政府的激励计划时而停止时而启动所不同的是，德国的计划没有时间限制，对现有的太阳能工程的激励保证至少持续 20 年，所以在那儿就没有什么悬念。不像在美国那样，你永远都不知道补助金在什么时候会给予，也不知道它什么时候就取消了。我们最初的生产线是在俄亥俄，后来又在那儿新加了 2 条，然后，我们不得不建造下一个工厂。可我们该把它放在哪儿呢？我们决定把它建在东德——在奥德河畔的法兰克福市——540 个工作机会，报酬丰厚的工作机会。我知道如果未来的两年里在德国建厂，市场仍然还是在那儿。如果你在美国的一些地方建厂，那么市场就不能确定了。然后我们与德国客户合作并签订了长期的价格合同，这样我就能够渐渐收回对工厂的投资。你可以对全部的现金流做出计划……"

这都多亏了"优惠收购电价法"。由于德国的市场已经十分成熟，"从那里发展出来的太阳能分销商及系统整合者的网络，具有很强的技术实力，可以把我们的新产品有效地推向市场，"阿赫恩说，"我们建立了一个德国销售和市场基金，在美因兹构建了一个销售与技术相互支持的团队。直到今天它还是我们全球的市场与销售的基础。我们在德国的收入占总收入的一大半……事实上，我所提到的产量的 8 倍增长主要都是来自于我们在法兰克福的工厂。它是世界上最大的薄膜太阳能工厂，也代表着太阳能产业有史以来最大的一笔外国直接投资。

这个工厂本该建在俄亥俄，但是，"我们想与我们的商业合作伙伴保持近距离，我们也对德国政府表示，我们准备为这一地区提供的经济回报是为了感谢政治在创造市场上所做的投资，"阿赫恩说，"而且，东德是一个建厂的良好地点。这里拥有训练有素的员工、健全的基础设施、稳定的经济环境，以及良好的社会及政治环境。我们也可以从欧盟和德国政府那里获得财政上的补助……德国政府推了我们一把，我想我们也需要对他们给予回报。他们迈出了第一步并为我们理论的实施买了单，所以我们把自身建成了一家德国公司。"

阿赫恩告诉我，世界上——或世界的大部分地区——都注意到他们。"几乎全世界的每个国家都和我们联系并想让我们去建立新厂，但是直到现在，也没有接到来自美国的一个电话……"

在 2006～2008 年之间，第一太阳能公司的市场价值从 15 亿美元上升到 200 亿美元。你可能以为这会引起俄亥俄州立法者的注意。但根本就没有。当 2007 年能源法案上交讨论的时候，议题是要不要制定国际可替代能源的部长级标准，什么会真正壮大美国的太阳能市场，并将太阳能投资税减免扩大到 30％，俄亥俄州的共和党议员沃尔诺维茨，对两者都投反对票。多年以来，密歇根的法律制定者根本不敢投票反对一直在亏损中挣扎（并一直在解雇员工）的汽车公司。但是，当新的产业出现，真正能够创造工作机会，扩大收益，引进新技术的时候，来自太阳能充足地区的共和党议员们完全没有犹豫，就投票反对了对他们所在地公司至关重要的利益。

我问阿赫恩：这些议员会怎么说呢？"我一直听到的说法是，"他回答说，"对于可替代能源产业一直有很多人的支持，只不过在政治角力的过程中受到影响。也就是，因为缺乏领导，使这种不太重要的政治阻碍了整个新产业的启动。"

我懂政治，我并不幼稚。但是我也知道危机就是转机。就像我的朋友斯坦福大学经济学家罗默所说的"糟蹋危机实在太可惜了。"但是我们已经糟蹋得够多了。

这样还不够让人心痛吗？

风正在吹

即使具有最强烈的意愿，想把我们的污染能源系统改造成清洁能源系统也十分艰难。何况困难不仅仅在于科学技术。一旦我们取得了清洁能源技术上的突破，建造可以与智能电网整合的输电线也万分困难。只要问一问南加州爱迪生公司的人，这个公司里工厂的可替代电力比全世界任何一个公司都多。我问他们的领导团队，如果将一个风力发电厂加入他们的混合动力，大概是什么情形？听起来不错，不是吗？让我们加一些风能进去吧。就一个小风力发电厂，没问题。

但你可以待 11 年吗？

这就是整个故事：多亏了加州的可再生代能源命令，许多人开始在那里投资风力发电。唯一的问题就是这个拥有最强劲且持续不断的风力、可以设置风力涡轮机且打扰居民最少的地区，都离中心城市很远。由于南加州爱迪生公司想要大批地购买风力电能，所以它就必须花 20 亿美元建造一条长约275 英里的输电线，以连接洛杉矶和爱德华空军基地以北的塔哈查比隘口（Tahachapi Pass），因为该处设有很多风力发电场。第一个障碍就是输电计划，被称为"相互连接的研究过程"。这个过程包括探寻新线路的必要性，它应该采取怎样的路径，更重要的是，谁为它付钱。在南加州爱迪生公司的例子中，这个过程引发了一场关于新线路的争端。新线路有多大部分是为了输送风力电能，又有多少仅仅是为了改进电网的可靠性，谁应该为其中的各部分买单。每个人都从这个过程中得到了一部分好处——包括联邦能源管理委员会和加州独立系统经营者，一个为经营加州的高压电网批发收费的非营利公益组织。这个审查过程是公共的，所有的风能所有者都来到这里，带着地图，争论输电线应该通过何处和应付多少资金。

在几个月之久的争端后，加州爱迪生公司（Southern California Edison）分管输送和分销的副总裁里茨因格（Ron Litzinger）说："我们最后说，'看吧，如果公共政策能够确保我们的投资补贴，我们就把钱全付了。所以现在，大家可不可以把笔放下，我们继续下一个程序?'"真正好玩的部分这才开始。

"它花费了你两年的时间去通过那项进程的研究，"里茨因格说，"然后你需要一年的时间沿着你的铺设路线，对种植庄稼的部分或是可能危及生物物种的部分进行环境调查。然后你需要一年半或两年的时间与公共事业委员会打交道。他们重新确认了需求，对我们的环境评估发表意见，然后雇用其他的单位去做一项独立的环境报告。我们也必须通过一些联邦土地，这里也总有一个问题，因为你必须从专属的联邦土地机构得到一份单独的许可。州和联邦的法律在这一点上有着不同的规定，所以国家森林局的人会说，'我可不想让电线从我的森林中通过。'我们也必须解决这类问题……然后我们必须要拿出一份关于我们怎样在线路周围去改善受损的环境的环境修复计划。只有这些全都完成了，我们的计划才能继续执行下去。如果一切顺利的话，从你拿到这些许可到开始建造，线路的完工还需要 5 年时间。"

所有这些审查都是重要的——你不可能身为环保主义者还对他们嗤之以鼻——但是如果你不能找到办法精简这些手续而使实用的工程可以按期完工，你也不算是环保主义者。

建造工程只花了两年的时间——比得到各类许可所花的一半时间还要少。"我们在塔哈查比（Tehachapi）可以利用的电能约有 45 亿瓦，"里茨因格说，"我们这一工程在 2002 年启动，到今天 2008 年 2 月 25 日，我们手里也只有 1/3 的工程所需的许可。我们从 2008 年 1 月 3 日开始建造，希望到 2009 年，能够为洛杉矶盆地的居民传输约 70 亿瓦的电能。全部的申请批准过程及建造大约会在 2013 年结束并投入运营——一共会用 11 年的时间。"

用 11 年时间去连接一个风力发电场。而且我觉得这个时间不太可能缩短。中国每两星期新建成了一个新的大型火力发电厂，可以达到为我的家乡明尼阿波利斯所有的居民供电的规模。是的，你会说，建设一个污染的火力发电厂相对容易许多——这是对的。建成超高效的洁净能源电厂要困难许多。虽然现在中国是主要使用污染能源发电的。但是很快，他们也会以同样的高效率去建设风力发电厂、太阳能发电设施和核电工厂。你可以用房子打赌。虽然需要时间，但是最终，他们会超过我们。他们必须这样做，要不将来就没办法呼吸了。

但是美国呢？美国会加快步伐吗？美国不能做一天中国，而且美国不该有此需要，也不应有此希望。但你会发现美国能源政策是多么特殊化、不连贯且毫无系统性，以至于让你我的脑中会存有这样的幻想。如果我们不能想办法克服所有这些弱点，不能制定一个明智的能源战略蓝图，我们这一代人最好先快些有所准备，因为退休后的生活将困难重重，而且还要面对儿女们提出的一些不太客气的问题。

"我总是相信，"伊梅尔特说，"每代人在看他们上代人的时候，都会对前辈们做了或没有做的事情充满疑问。对于我们这一代来说，上一代的一个大问题就是'人们怎么会对黑人或女人有那么大的偏见呢？'我敢肯定，当我们的孩子 50 岁的时候，以他们的视角来看我们，他们一定会问我们：'你们到底在想什么呢？你们是世界上最富裕的国家，拥有着完全可以解决像全球气候变暖这类问题的尖端技术。为什么你们该去做对的事，动作却这么慢？'他们将会说，'天呐，你们到底在搞什么呢？'"

第十七章

是当一天的民主中国还是做香蕉共和国❶

那么作为世界上唯一的超级大国，在这几年中，我们为改变世界都做了些什么呢？事实上，这也是孩子们一直疑惑的问题，并且他们已经开始发问。2007 年 7 月，我参加了一个在科罗拉多州 (Colorado) 举行的绿色技术会议。此次会议由风险投资公司 KPC&B (Kleiner Perkins Caufield & Byers) 赞助，云集了一些世界顶尖的能源技术创新者和科学家。这是一次由气候和能源专家倡导的、屡屡涉及深层技术问

---

❶ 香蕉共和国，指一无所成、毫无建树的国家。

"Build absolutely nothing anywhere near anything." 作者虽然是民主体制的信徒，但是他幻想要美国像中国那样集权，哪怕是一天也好——那么美国将可以高效地解决一些问题，就会在新的、正确的规则下腾飞。而现在，美国只能依赖现有的民主体系，花很大力气，慢慢地、一块块地拼凑着来改变。而如果什么都不做，则真正变成了"香蕉共和国"。——译者注

题的令人鼓舞的讨论。在闭幕式上，主办方说想展示一段旧新闻的剪辑片段。

屏幕上出现了1992年在巴西里约热内卢（Rio de Janeiro，Brazil）举行的全球首脑会议，画面稍微有些模糊，一个来自加拿大的名叫铃木（Severn Suzuki）的12岁女孩正在首脑峰会的全体会议前演讲。摄像机偶尔会给来自世界各国的环境部长一些镜头，他们就像我们一样，都在全神贯注地聆听。当能源气候年代（Energy-Climate Era）即将降临到每一个人的身上之际，铃木所做的这个有关一场真正的绿色革命的战略意义和道德目的的发言是我所听过的最意味深长的演讲。下面是这个演讲的摘录：

> 大家好，我是铃木（Severn Suzuki）。今天我将代表儿童环保团体（Environmental Children's Organization）发言。我们是一群为了改变世界现状而努力的十二三岁的孩子：苏堤（Vanessa Suttie）、吉斯乐（Morgan Geisler）、奎格（Michelle Quigg）和我。我们自筹旅费来到这里，历经了5 000英里的旅程，只为了告诉你们这些大人们，你们必须改变你们的方式了。我今天来到这里，没有任何动机。我只是在为努力争取我的未来而奋斗。失去自己的未来，同输掉选举或是在股市惨跌可不能一概而论。我站在这里是代表所有未来的孩子们；我站在这里也为了世界上那些饱受饥饿之苦却无人关心的孩子们；我站在这里还为了那些不计其数的濒临灭绝的动物，因为他们在这个星球上无路可走。我现在害怕暴露在阳光下是因为臭氧空洞。就连呼吸都会感到害怕，因为空气中可能会有有毒的化学物质飘浮其中。过去，在我的家乡温哥华（Vancouver），我常常和父亲去钓鱼，直到几年前我们发现所有的鱼都患有癌症。而现在我们每天都会听到一些动植物正在濒临灭绝——将在这个星球上永远消失。在我一生中，我一直梦想能够看到茂密的丛林、热带雨林，里面有各种野生动物和许多飞舞的鸟儿和蝴蝶，可是，到了我们的下一代，是不是再也无法拥有这样的梦想？所有的

这一切就发生在我们的眼前，而我们就好像拥有充足的时间和所有的解决方案似的。我只是个孩子，我并不能把所有问题——解决，但是我想让你们认识到，即使是你们也无法解决！……你们不知道该如何让鲑鱼重回变成死水的河川吧？你们不知道该如何挽回那些已经灭绝的动物吧？你们也不知道该如何再造沙漠上那些曾经郁郁葱葱的树林吧？如果你们不知道如何解决这些问题，那就请别再继续破坏下去吧……

在学校，甚至是在幼儿园，你们就教导我们如何做人。你们教导我们不要互相争执，要以沟通的方式解决问题，尊敬他人，干净整洁，不要伤害其他生物，要懂得分享——不要贪婪。那么你们又为什么要去做那些你们教导我们不要去做的事情呢？请不要忘记你们为什么要来参加这次会议，你们在为谁做这些事情——是为了你们的孩子，也就是我们。各位正通过这样的会议决定我们将在什么样的世界里成长。父母总是安慰孩子"一切都会好的"，"这还不是世界末日"，或是"我们正在努力做好"。但我想，你们大人们已经没办法再用这种话来告诫孩子了。我们真的在你们的优先名单上吗？

我的父亲常说："看一个人要看他做的事，而不是他说的话。"可是我却为你们大人的所作所为在夜里哭泣。你们总是说爱我们，那么，请用行动来证明吧。谢谢。

每当我重新听到那篇演讲，都会感觉有点发冷——尤其是那句"看一个人要看他做的事，而不是他说的话"。铃木那优美、高尚而有力度的语言在启发着人们什么才是真正的绿色革命。这不是什么地球日音乐会，不是杂志上有关绿色问题特别专栏，也不是 205 种绿色生活的简单方法，更不是最新的互联网公司掀起的淘金热或销售热潮。这是一种关于生存的战略，是我们为了保护祖先留下的自然环境、面对诸多巨大挑战所要做出的反应。在前进的道路上，我们不知从何时起已经失去了大的方向。在太多的时候和太多的方面，"绿色"变成了一种标签，它让我们在无所作为的情况下也能感觉良好，在提高认识的同时却并没有带来实际行动上的改善。

人们经常会问："我想变得'绿色'，可是我怎样才能做出改变呢？"我的回答是两方面的。首先，重视这个问题并且亲力亲为，尽可能地过一种环境承担得起的生活。正所谓金无足赤，人无完人，我对此毫不怀疑。但是要确保自己的环境意识和行为始终与时俱进，永不停歇。这是非常必要的，但仅仅做到这些还是不够的。

不论你、你的孩子抑或是你的邻居做出什么样的承诺，作为一个社会群体，我们都需要通过法律、法规或条约使其制度化，从而将其转化为国家间或国际上的承诺。这就引出了我的另一个答案：改变你的领导要比更换你的灯泡重要得多。

领导者制定规章制度，而这些规章制度则转而规范市场和改变数百万人的行为和动机。他们为你的灯泡使用效率制定规则，不论你是否记得关灯；他们为你的汽车燃烧每加仑汽油应该跑的里程数制定规则，不论你买的是普瑞斯（Prius）还是悍马（Hummer）；他们为你的机构应该购买多少清洁能源而制定规则，不管它的首席执行官是进取型还是保守型；他们为你的空调使用功率制定规则，不管你是否能支付得起；他们为清洁能源的传输线路能否侵害到你的财产或以致因此打上 10 年的官司而制定规则；他们可以推动国会提出税收奖励措施以鼓励对风能、生物质能和太阳能的开发；他们可以规定不同的碳税税率以规范市场；他们规定总量管制与许可证交易（cap-and-trade）的上下限；他们制定法令，禁止使用塑料购物袋、降低速度限制、限制生物燃料的种植范围、通过决定是否对电费进行补偿性征收来达到鼓励消费者使用或是节省的目的。

但是作为一个社会群体，我们如何才能推举出能够制定正确法规的领导呢？他们从哪里来，我们又该怎样要求他们真正正确地行事呢？这些就是我在最后的总结章节里试图回答的关键问题。首先，绿色革命应该参照两个改革的先例：民权运动和美国的二战（World War II）动员。

绿色革命和民权运动很相似，它们都是关于个人美德而又不仅仅停留在个人美德上的。民权运动迫使美国白人用对待他们自己的同等方式，平等地对待美国黑人。但是，这并不意味着仅仅要求人们友好地对待一个新的非裔美国人邻居或是主动地向他们开放当地游泳俱乐部。最终，它意味着要以法律加以确认，这样才没人能够有权力去歧视他人。也正是通过法律才彻底地改变了成千上万人的行为和意识。

但是民权运动开始于市民中的激进主义分子——黑人运动者坐在白人专区的午餐台用餐；他们拒绝坐在公交车的后排，也拒绝给白人让座；还有那些蔑视种族主义的人踏进密西西比大学（昵称为 Ole Miss）和佐治亚大学的正门。作为榜样的他们，以自身的勇气激励着其他人。最终一场运动开始兴起，并在马丁·路德·金（Martin Luther King）的著名演讲"我有一个梦"（I have a dream）中达到了高潮。1963 年的 8 月 28 日，马丁·路德·金（Martin Luther King）在林肯纪念堂（Lincoln Memorial）的台阶上发表了这个著名的演讲，上百万人前来聆听，人群一直延伸到国家广场（National Mall）。激进的行为和精神的感召结合在一起影响了社会大众。慢慢地，国家逐渐意识到，是到了该做些事情的时候了——现状必须得到改变，因为人们已经不能容忍现状了。

最终，这些抗议和众多的反对者引起了地方、州和联邦立法者的关注。虽然早就意识到种族隔离制度的存在以及这个国家大多数人对它的反感，但是他们仍然认为改变要比保持现状麻烦得多。

然而当看到国家广场上那些声势浩大的要求改变现状的群众运动，以及发生在其他地方的抗议活动时，他们不得不改变了政治取向。尽管改变种族问题的相关法律是一件痛苦的差事，但这要比什么都不做的代价小得多。是的，这是大破大立的变革，也许会持续 20 年。但是现在没有人会说这样做对我们的国家不好。正如克里参议员（Senat．r J．hn F. Kerry）在《新闻周刊》（Newsweek）2008 年 4 月 28 日的一篇文章中写到："只有当群众运动壮大到华盛顿政府无法选择而只能听从时才能带来真正的改变……这是改变国家的唯一方法。"

这就是绿色革命接下来要采取的步骤。虽然绿色问题还没有被提上日程或是受到政客的广泛关注，在成为必然以前，绿色议题仍有很多的其他选择。

2008 年 4 月 20 日，我被邀请参加在国家广场举行的地球日（Earth Day）音乐集会并在会上发言。当接受邀请的时候，我在想，是否会有一个政治领袖像马丁·路德·金在 1963 年那样来领导这次集会呢？那是个雨天，当我被召上台、面对人群做 10 分钟的演讲时，我身后的摇滚乐队一直在调音。我想我应该阻止那些喝彩的人群，然后讲些实际的问题——诸如观众如何利用这类集会的影响力使太阳能和风能的税收抵免政策被写进法律，而这项政策在国会已经被搁置了将近 1 年。但是我马上意识到许多人正在专心地听演奏而不是听我的政治策略。

突然间，一个晴天霹雳迫使组织者不得不迅速地结束集会，我也就没来得及完成我的演讲。我先在雨中跋涉接着乘地铁回了家。有一些与会人员和我同在一个车厢，其中一个人走过来和我搭讪。他快 30 岁了，在美国国际开发署（USAID）的承包公司——多样发展公司（Development Alternatives Inc.）工作。"我喜欢你的演讲，"他先说道，"但很遗憾你没有说完。许多人只是在那听音乐。"是的，我很同意他的说法，也许那不是发表怎样游说国会这一类的严肃演讲的恰当场合吧。

这就触及了绿色运动和民权运动的核心差异。为了让民权运动得到广泛的关注并得到认真的考虑，运动领袖不得不召集上百万人在国家广场集会来争取享有平等的权利——并且，领导人还必须确保非暴力抗议而且做好坐牢的心理准备。

至少，如果希望绿色运动能够被认真考虑，我们同样需要上百万人在国家广场集会要求制定一个价格信号——包括碳税、污染权的管制与交易，以及国家颁布使用可再生能源的法令。

我们还要要求政府在全国范围内改变能源使用效率的规则。而这些新的规章制度和税收要与民权法案拥有同等的效力。这并不意味着需要有人因为要求对碳排放征税而不惜被捕，但绿色革命的倡导者们却需要通过要求政府惩罚那些阻碍绿色行动（Code Green）进程的人，以及奖励那些推动该进程的人，向公众们显示他们的主张是认真的。如果政客们看到这些，他们就会改变。他们不会再告诉我们说，碳税、汽油税以及污染总量管制与交易等解决环境问题的关键已经被别的议题所取代。

唉，不过，与发动人们集会要求征收碳税或是出台国家清洁能源法令相比，将上百万人聚集在国家广场上争取平等权利要容易得多，尤其是为了他们并未住在那里的地区和社区的人。因为前者需要每个州都要发展至少是最低限度的可再生能源，而这可能实际上只造福于他们的子孙。但是，除非让政客们相信公众愿意为清洁能源改革所带来的价格、制度变动成本买单，并且迫切要求去惩罚那些背道而驰的人或公司，否则他们就会继续认为保持现状要比与石油、天然气和煤炭公司以及代表这些公司利益的立法者产生冲突更容易。只要公众让政客们错以为自己只对这 205 种绿色生活的简单方法感兴趣，就不会有人主张其他较难的方法，尽管这些较难的方法可能会带来真正的改变。

那么我们如何改变它呢？首先，我们需要两个策略，一个是推动工业结构的改变，另一个动员普通的公众。对于工业，我们是在和华盛顿内部的老手打交道。他们熟悉国会的运作，深谙竞选经费的筹集并且懂得如何保护自己的利益。埃克森美孚（Exxon Mobil）、皮博迪能源（Peabody Energy）和通用汽车公司（General Motors）懂得建立网络社交群落（Facebook group）和在国会中组建同盟的区别。他们虽然并不在虚拟的社交网站中露面，但是也可以让那些对他们的发展道路影响巨大的立法者感到他们的存在。如果我们想使这些工业巨头参与到绿色政治中来，需要准备好站在他们以及制定规则的政府面前。因为这些人是不会自动参加所谓的地球日集会的。

令人欣慰的是，很多企业在绿色议题上已经有所行动，因为他们本身的观念发生了改变：更加环保（Outgreening）代表的是竞争机会，而不是企业的负担。这些公司现在已经数量众多，并且拥有了足够的分量。他们有能力在这个议题上推动政治的改变，并且使我们能够重写某些规则。

贝克尔（Dan Becker）认为，在美国，"你不得不运用与当初击败烟草公司相同的策略"。他曾是塞拉俱乐部（Sierra Club 又译山岳协会）在华盛顿的一名说客，现在是私人环境顾问。"你必须努力去改变法律；必须惩治坏蛋；必须向他们展示一个不同的赚钱途径。"提到那些对清洁能源不感兴趣的污染燃料公司，"我们要给他们一个巨大的教训并给他们冠以恶名——正在威胁子孙后代未来的公司，并把他们列入烟草公司之列……燃烧是气候恶化的根源，所以我们要减少燃烧。众所周知，吸烟有害健康，同时其他人也会因为被动地吸入二手烟而造成健康的损害。然而二手碳的危害更大，因为它伤害的是整个星球。（同时），我们必须向他们展示一个不同的未来——如果他们开始在真正的清洁能源上大力投资一样会赚很多钱的方法"。

当你将能源生产消费巨头们的兴趣引导到绿色行动上，他们的影响就会是巨大的。看看沃尔玛促销节能灯泡带来的影响吧。"去年，沃尔玛宣布了一个雄心勃勃的目标——要在一年内销售一亿个节能灯泡，"TreeHugger.com（2007 年 10 月 23 日）报道，"沃尔玛宣布他们现在已经完成了这一销售目标。他们估计这些节能灯产生的影响相当于道路上减少了 70 万辆轿车，或者其节省下来的能量可以供给 45 万个家庭。"现在，沃尔玛正在努力实现其在 2005 年设定的目标，即到 2008 年底，使其由 7200 辆牵引车组成的车队提高 25％或者更多的使用效率，这就相当于公路上减少了 6.8 万辆汽车，到 2015 年他们的目标则是提高 100％的效能。显然，每一个沃尔玛新店都是一个新的能阱（energy sink 又译能源吸收汇），但重要的是，在扩张没有停止的情况下，沃尔玛的这种增长要越绿越好，因为这不仅可以促进其自身的发展，还可以驱动清洁技术的进步。

贝克尔在这方面有个发人深省的亲身经验。2007 年，当众议院和参议院对是否应该提高并且提高多少美国销售汽车的油耗标准时，汽车公司间产生了分歧。一些公司做好了准备，至 2020 年前实行 35 英里/加仑的新能耗标准。但是底特律"三巨头"（Detroit Big Three）——通用（GM）、福特（Ford）和克莱斯勒（Chrysler）反对在能耗标准上的任何重大变动。但是当他们意识到这是大势所趋时，做出了一个不太情愿的妥协：勉强提出了至 2022 年前实行 32 英里/加仑的能耗标准。日产美国（Nissan USA 又译尼桑）知道自己可以很容易地达到更高的标准，所以属于主张实行 35 英里/加仑能耗标准的阵营。日产（Nissan）的美国制造工厂主要集中在南方各州，例如密西西比州（Mississippi）等。日产的代表告诉来自这些州的参议员，公司是多么希望他们能够投票给予支持——其中包括密西西比州的共和党重量级参议员洛特（Trent Lott）。

"我在国会为环境议题奔走很多年了，但是以前从没和洛特打过交道，"贝克尔说，"他在环境议题上的投票记录可能是国会中最糟糕的。但是密西西比州现在有了日产的工厂。我正在努力游说国会，期望这项艰难的能耗标准能够获得通过，而日产是我们的盟友。一天，参议院正在就这个问题进行辩论，我站在门口。洛特走了出来。我走上去自我介绍并且准备向他介绍我的案子。我穿的是那种很普通，很破旧的西装。他对我说：'丹，你们不是都拿到备忘录了吗？今天是你们胜利的日子。'说完他就继续走，走进电梯时，他说：'我支持你们。'然后电梯门关上，他走了。"

换言之，这个艰难的能耗标准之所以能够通过并不是逻辑的力量，而是由于游说集团间的均势。"塞拉俱乐部无法得到洛特的支持。日产不得不争取洛特和史蒂文斯（Ted Stevens，阿拉斯加的参议员，通常支持石油产业）。如果没有他们我们就永远不会成功，"贝克尔说，"他们（日产）争取到了工厂所在州的这些极其保守的参议员的支持……在密西西比有环保主义者，但是洛特知道他们不会投他的票。"

正是日产公司才推动洛特有了点绿色的意识——至少是一天——而帮助日产公司变绿的则是公司的广大消费者。这总是回到那句话——行胜于言。

今天，我们在推动真正的绿色革命时所遇到的巨大挑战是：多数受到气候变化影响的人恰恰不是"我们"。那些可能受到资源供需争夺、石油专制、气候变化、能源贫乏和生物多样性丧失影响最大的人们不会去投票——因为他们还没有出生呢。从历史上看，当贫穷国家或人们的利益由于某项政策或某种局势而受到严重的损害和影响，并且这些人的数量多到可以在民主体制中占有一定分量时，政治改革运动就会应运而生。

但是绿色问题，尤其是气候变化问题，"不会引发穷人和富人相互竞争"，约翰·霍普金斯大学教授曼德尔鲍姆说。它会使"'现在'和'将来'——现在的一代和其子孙后代相互竞争。问题就在于'未来'无法组织。工人组织起来是为了获得工人的权益。老人组织起来是为了获得医疗保健。但是'未来'该如何组织呢？它不能游说，也不能抗争。"

在我们目前的民主模式下，政策是利益集团相互冲突的产物。但是绿色利益集团尚未完全形成。也许当类似卡特里娜（Hurricane Katrinas）的飓风再多一点、袭击更多的城市时，"它会成为历史上最大的利益集团——但到了那时，恐怕一切都太晚了。"他补充道。

因此，这样的非常规状况需要我们这些地球管家伦理，就像父母为其子女所做的，高瞻远瞩，长远思考，使他们能享有一个较好的未来。当然，每个家庭为自己的后代考虑很简单，但是要做到为整个社会着想就难得多了，然而这就是我们所面临的挑战。

在很多方面，我们的父母都曾经面对这样的挑战，二战时期就形成了这样的对比——那一代人都被动员起来以战胜对我们生活的巨大威胁。日本偷袭珍珠港使所有的美国人承受屈辱，而每一个美国人也因此受到激励，努力上进。我们动用了所有的经济资源和国民努力来解决这个问题，直到我们取得了最终的胜利——因为我们很清楚我们的生活已经受到威胁，每个人都不得不做好牺牲的准备并参与其中。从"女子铆钉工"❶ 到在"胜利花园"❷辛勤耕作的祖父母，包括通用汽车公司（General Motors），也曾被罗斯福总统告知要生产坦克而不是汽车。

我们需要一个相似的动员来建立一个真正的清洁能源体制（Clean Energy System）——但此时我们要做的是使其可以避免类似珍珠港事件的发生，而不是当它发生后再被动地对其做出反应。

---

❶ "女子铆钉工"（Rosie the Rireter）一幅美国二战期间著名的宣传海报，意在鼓励二战期间丈夫被征召入伍而不得不从事苦力劳动的家庭主妇。——译者注

❷ 胜利花园，指战时美国民众为缓解食品短缺，纷纷在自家花园种植菜蔬。——译者注

这并不容易，毕竟我们也没有在希特勒权力膨胀的那一刻加入二战。这就是为什么我在整本书中都在努力强调，面对能源气候年代的挑战，不仅仅是面对一系列新的危险，它还会带来一系列新的机遇。二战不是真正的"机遇"，它纯粹是一种责任和义务。能源气候年代（The Energy-Climate Era）则是两者兼有：它既是一种责任，确保为所有物种提供一个稳定的星球；而对美国来说，又是一个获得新生的机会。

如果我们的父母是最伟大的一代，那么我们就必须是"新生代"（Regeneration），我是从戴尔公司（Dell, Inc.）的创始人戴尔（Michael Dell）那里第一次听到这个词的。戴尔向我解释说这是他们公司的首席营销官贾维斯（Mark Jarvis）创造的新词。"它指的是那些在运用可再生能源、循环利用资源以及自然环境可持续发展中拥有共同利益的所有人。"

能够定义"新生代"的并不是年龄阅历，而是观念——现在全球公认我们的世界正变得炎热、平坦和拥挤不堪。除非我们做到资源的循环利用，重新设计更加清洁、更有效率的发电站，否则我们的生活质量将会降低、生活面貌将被改变、生活方式将受到限制。此外，可以界定"新生代"的，我想还包括激情——革新自己的国家以及世界的激情。

美国的"新生代"。每一个学生、每一所学校、每一位老师以及每一片社区正在成长，并且使我们的文化围绕着绿色在改变，使其不仅成为一种"潮流"，更成为我们生活的中心。然而我们不能自欺欺人。绿色革命尚没有在它应该出现的地方出现。没有一个国家级的政治人物能够立场鲜明地指出，绿色应该深入渗透到美国人生活的各个方面。目前绿色还仅仅是政客们小心翼翼对待的事物，而不是一门政治治理哲学。

政客们在新闻访谈中说的是：我们需要一个"曼哈顿计划"来发明清洁能源，它甚至可以和那个发明了结束二战的原子弹的曼哈顿计划相媲美。但是就像我希望已经清楚表明的，那只不过是一种逃避——逃避严肃地、系统地思考整个问题。"是的，我们需要原子弹来结束战争，"曼德尔鲍姆说，"但是如果没有一支强大的军队、周密的作战计划、英勇的进攻日（D-day）和所有在后方默默奉献的人，我们不会实现最终的胜利。"我们之所以取得胜利要感谢军队的共同努力（不要忘记我们的盟国），而这些，也只有在美国人民的共同努力下才会成为现实。

如今美国面临着真正的能源短缺：能源的短缺促使我们要严肃认真地思考实现一个大的目标，例如清洁能源体制（Clean Energy System），并且对此坚定不移，直到最终实现——这既是从民众层面、也是从政治层面的考虑。这把我们带回了本书的开篇部分：在这个国家，我们一直处于长期的政治管控之下。无论是民众自身还是国家政治都陷入了一种模式：期望结果而不关注过程与方法。一个人的价值由其自身的行动体现，但是我们在建立清洁能源体系这一问题上所做的却并不十分出色。

此外，阿勒格尼学院（Allegheny College）的政治学和环境科学教授曼内（Michael Maniates）在《华盛顿邮报》上的文章（2007 年 11 月 22 日）中谈到：

纵观我们的历史，它总是棘手的，充满了令人烦恼的挑战。而那些敢于直面挑战的领导者则激发了我们个人和集体的想象力、创造力以及决心。里维尔❶（Paul Revere）并没有在米德尔塞克斯县（Middlesex County）的街道上跑着兜售有关“懒惰的革命者”（The Lazy Revolutionary）的书。罗斯福总统没有通过列出 10 种反对法西斯主义的简单方法来动员全国的力量。马丁·路德·金草拟《我有一个梦》和《伯明翰监狱的来信》时，也不太可能想到一场关于改革的政治运动是根植于个人主义和物质至上主义中的……摆在我们面前的最大的环境问题不是冰川融化、降雨不均、石油供应减少或油价上升，而是当美国人问“我应该做些什么才能有所改变？”时，我们被那些环境专家和政治领袖当作小孩子对待，怯弱到无法召唤出我们自己的领袖，并且对那些可以使我们的国家变得

❶　里维尔是一位银匠，也是美国独立战争时期著名的爱国者，以连夜骑马奔驰传播英军入侵的消息给波士顿居民，使民军得以做好迎战准备而出名。

伟大的事物熟视无睹。

为什么和领导有关

这就是为什么发现和锻造领导者是如此的重要。当面临重大的挑战，例如废除种族隔离制度或是结束世界大战，领导者水平的高低通常是决定性的因素。在能源气候年代，我们需要在这些议题上具有影响力的领导者，他们会引导民众明白为什么忽视这些问题会构成威胁，为什么直面这些问题又意味着一种机遇；他们不但懂得运用系统方法来解决这类问题的重要性，并且真正具有远见卓识，懂得利用自己的权威来整合整个体制。

这道理似乎是显而易见的，但是美国的政治体系是否可以孕育出能够解决诸如需要跨时代的联系、多方面的协调以及百亿美元花费的重大问题的领袖？对此我持怀疑态度。我一直记得斯坦福大学（Stanford）气候学家施奈德讲过的一个故事。

能否经得起复杂问题的考验？他问道，"这就是（能源-环境）这个问题所展示的。它是如此的艰难，是需要多尺度、跨学科的考虑，在一些领域极其确定而在另一些领域则相反。它仿佛是可逆转的，又仿佛不可逆转，且往往在其结束时人们才知道当初应该怎样做。而我们，恐怕只有 40 年后才能知道了。这就是为什么复杂的气候问题对于民主来说是个挑战。民主是短期的。在 1974 年，我还在老行政办公楼（the old Executive Office Building）办公。我那时 29 岁，为国家大气研究中心工作（the National Center for Atmospheric Research），总部设在博尔德（Boulder）。那时是尼克松总统执政时期，我被白宫里对气候和安全感兴趣的行政机构找去演讲。那是由美国中央情报局（CIA）安排的，我那时并不知道。主讲人除了我还有一个高级官员。我当时正说到'不可逆性'及 11 年和 22 年的干旱周期。那个家伙坐在房间的后面，穿着一件皱皱巴巴的夹克，领带拧在后面，突然喊道：'老兄，你不懂！在这里，我们只有 2 年、4 年和 6 年的任期。'事后我又见过他。他是中央情报局的，他一眼便看穿了问题。"

这使我想到了本章的标题。我们是要做民主中国——哪怕只有一天，还是做香蕉共和国？要么我们通过自己的民主体制以及由它选举产生的领导人，充满意志力、全神贯注地设计和部署清洁能源系统，将我们的国家带入到更高的层次——就像中国目前正在通过集权的方法所要努力做到的一样——要么我们就要以香蕉共和国而结束。

请注意，我在这里所讲的"香蕉共和国"，指的并不是 20 世纪 60 年代滥觞于拉美的独裁统治。我用的是水电专家引用的术语"香蕉"。在"我喜欢风力发电机，但是只要不放在我的后院就行"中，这句"别在我的后院（not in my backyard，NIMBY）"成了利己主义的缩略语。那么，香蕉在这里也是取其更宽泛的变体。它象征着"一事无成、毫无建树的国家"。

作为一个民主国家，我们美国已经日益成为这种香蕉共和国了。我们需要更多的核电站，但没有人愿意让核废料存放在自己的身边。我们认为风力发电机可以大幅增进我们电网的效能，但是请不要放在马萨诸塞州的海恩尼斯港口（Hyannis Port），那可能会妨碍我欣赏海景。太阳能——是的，太阳能是个解决方案，但是要从可以大规模获得太阳能的亚利桑那州的沙漠到最需要电力供应的洛杉矶（Los Angeles），沿途建一条高压输电线路，你想都别想。也许天然气发电要优于煤炭，但是谁又能想象那需要在每一个美国的沿海社区建立一个液化天然气的运输终端（这将使我们能够进口更多的天然气）呢？好吧，还是让我们依靠碳封存的煤吧。但是如果你在地下洞穴中封存煤中的二氧化碳，它们一旦发生泄漏、漂浮到我的卫生间时，我只想要你明白一件事：我一定会起诉你这个混蛋——所以不要把它们存储在我家的附近。至于潮汐发电——是的，这种方式还好，只要别把那些大型潮汐发电机安置在我最喜欢的海滩。

出于种种这样的原因，如果我们要集合起大家的意愿、广泛的关注和必要的权威去推行一场真正的绿色革命，就需要一位敢做敢为的总统来领导。为了赢得内战，林肯（Abraham Lincoln）不得不以民主的方式将各州权力收归联邦政府，以至于那时的联邦政府是自美国建立联邦制以来权力最为集中的时期。他甚至搁置了人身保护令。同样，为了克服经济大萧条并赢得第二次世界大战，罗斯福（Franklin Roosevelt）不得不将孱弱的联邦政府改革成像今天这样一个庞大的机构。

任何一位想要建立新的清洁能源与储备系统的总统都将面临同样的事情：以民主的方式要求当局在现有的动力网络的基础上建立一个更加系统的国家能源体制。曾经并非偶然地听到罗斯福总统（Teddy Roosevelt）说过："哦，真希望我既是总统又是国会，哪怕只有 10 分钟！"大部分总统在听完目前的美国能源"体制"介绍后恐怕都要说出相同的话，因为这种能源"体制"就像一个多头多手的怪物。

下面就做一个简单的介绍吧。在美国，为绝大多数美国人提供电力和天然气的是当地的公用事业公司，而他们分别在各个州的管制之下，由州政府决定其发电和输电的价格标准。环境保护局（The Environmental Protection Agency）监测空气质量、水质和燃料的质量标准；交通部（The Department of Transportation）则负责制定汽车和卡车的油耗里程标准；在美国进行能源研究的大部分资金来源于能源部的科学办公室(Department of Energy, Office of Science)，能源部还负责制定家用电器的能效标准和国家建筑模型代码；农业部（The Department of Agriculture）在乙醇生产上有很大的发言权；美国陆军工程兵部队（The U. S. Army Corps of Engineers）负责监督并维护众多的水电大坝；而联邦能源监管委员会（the Federal Energy Regulatory Commission）负责监督州际输电线路；而核管理委员会（the Nuclear Regulatory Commission）则负责核电站的建设和运行。布什总统的经济顾问委员会（Council of Economic Advisers）对每项能源法案在经济上的可行性进行裁定。与此同时，参议员、众议员和州长会游说每一个相关机构来保护或加强其所在州使用的某种形式的能源，他们有时能获得私人投资者的支持，而有时却站在他们的对立面。当说客们看不惯某个机构对其提议的处理方法时，就会转向另一个机构——一个自我限制的政府就是这样形成的。

这个"体制"是在二战后建立在这样的假设上的，即 100 万 BTU 天然气的价格为 2 美元（BTU，英制热量单位）并且一直保持不变，原油的价格则在每桶 10～24 美元之间浮动，除非碰上战事或政治危机。因此，美国政府中没有一个单独的机构有义务去面对和实施一场清洁能源革命。我们之前也从未想过需要一个这样的革命。这种体制的结果是"使得人们很容易倾向于无动于衷，而要想有所作为则变得几乎不可能"，环境顾问贝克尔说。所以，缺乏指导性的战略，也没有一个人或部门能够全面地观察、思考如何将所有的部分整合起来。过去没有，现在也没有。"这就好像我们在二战的战斗中只有上尉和上校——却没有将军一样，"保护国际（Conservation International）的普里克特说，"每个人只是在向着自己的方向前进。"

在这个炎热、平坦而又拥挤的世界里，下任总统也许应该是个 CEO——首席能源官（chief energy office，此处借用首席执行官的缩写 CEO），这是非常必要的。这位总统应该懂得利用民主的方式树立权威，束缚住杂乱无序、各自为政的美国能源政策，通过建立一个明智的管理体系，重新把注意力优先放在改进和创造清洁能源以及能源的储备和使用效率上。当联邦政府设立了一个独立的机构，它经过授权负责制定和实施全面、连贯的国家能源战略，其负责人直接向总统汇报并得到总统的全力支持；只有这样，我们才会有全面并且连贯的国家能源政策。

这意味着我们应该建立一个名副其实的"能源部"（Department of Energy）来推动一场真正的绿色革命。现在的能源部的主要任务——也许多数人并没有意识到——仅仅是监管国家储存的核武器，而不是引导绿色革命。我们需要一个真正意义上的能源部来负责监督所有的能源政策，就像一个高效的国防部（Department of Defense）监督战事那样。

把所有的力量集合在同一个机构中并得到国会和各州的支持并不是一件容易的事情，这就是为什么我们首先需要一位总统，可以恰当地将这一挑战转化为机遇和义务。"如果把绿色看做是一种成本，一定会失败，"印度的软件外包巨头萨蒂扬（Satyam）公司的主席拉朱（Ramalinga Raju）先生说，"如果把它看做是一项普通投资，也一定会失败。而如果能把它看做是可以转化成回报和巨大利润的额外投资、一个千载难逢的机会，那么你将会获得成功。"

　　这是个好建议。到目前为止，大多数绿色运动的领导者只看到了那些困难，却并没有意识到这也是个机遇。这就是能源气候年代的特点：一些问题虽然逐渐开始影响到我们的生活，但同时机遇也已经摆在那里了。即使现在的世界还没有这么炎热，那些意识到世界是平坦而又拥挤的会议上已经在呼吁新的能源工具了，这些都将为清洁能源和提高能源使用效率开辟数不清的新的机遇。我们目前只是认识到持续增长的能源、食物和自然资源的成本将迫使我们做出改变，而错过实现改变的机遇就如同忽视这些问题一样会令人懊悔不已。

　　2007 年的夏天，我在科罗拉多州的巴萨特（Basalt）参加了纪念落基山研究所（Rocky Mountain Institute）成立 25 周年的庆典，这里是美国最大的环境改革中心之一。晚宴开始前，在由一个大型的私人赛马场里巧妙布置成的庆典舞厅里，我正在和朋友辛德勒（Auden Schendler）探讨科罗拉多州的环境保护问题，他是阿斯彭滑雪公司（Aspen Skiing Company）的社区和环境事务官员。当谈话结束时，我向他要了名片以便可以继续保持联系。

　　"我刚刚换了名片。"他对我说。"哦，换工作了吗？"我问道。他解释自己并没有换工作，重印名片是因为想改变一下每张名片底部的引述。

　　"我的旧名片引用的是杜博斯（René Dubos，一位生物学家和环保主义者）说过的话：'发展的趋势不是注定的。'有一天，我忽然对自己说，'在想什么？对气候而言，发展的趋势也许就是注定的！没有什么能够阻止我们将大气中二氧化碳的含量变为双倍。'所以我改了名片。现在我引用了布科维斯基（Charles Bukowski，已故作家）一本诗集的标题'最重要的是你如何浴火而行'，他也是喧闹的酒吧里的常客。我们还没有开始为这个问题奋战，但我要开始去做，即使机会是如此的渺茫。我 37 岁了，我对我们在环境问题上的所作所为深感遗憾。我希望能在有生之年看到我们最终获得胜利，我想看看最终如何结束。我过去常说这是我们下一代所面临的问题。但事实上，我们已经花了大约 10 年的时间在努力去改变它，所以实际上这已经是我们的问题。"

辛德勒说得没错，这确实是我们的问题。我们生活在一个关键的历史时期，它将决定能源气候时代何去何从。如果我们希望自己能够处理好那些不可挽回的事情，或努力避免那些会真正失控的事情，那么就需要从现在起，我们所做的每一件事都要有助于创造一个真正的、可持续发展的解决方法。明朗便捷的道路都已经关闭了。现在的问题就是我们如何从这片大火中穿过。

鉴于这一任务的艰巨性，我们如何才能避免陷入盲目乐观或轻易悲观的陷阱呢？我们不得不走辛德勒新旧两张名片引语之间的中间路线：即介于人定胜天的乐观主义和悲观地认为已经为时过晚、并且问题的规模已经发展到无法控制的两者之间。

人们在面临这个持久的并且令人生畏的巨大挑战时需要存有希望。没有希望就无法促进并坚持广泛的政治运动。如果你告诉人们："看吧，让我们面对现实吧，我们已经筋疲力竭了。目前大气中的二氧化碳存量可以肯定已经达到了数吨，如果你们还是要不断增加它的数量——那么我们的子孙后代就只能在旧的《国家地理》（*National Geographic*）上看到北极熊了！"他们的反应自然就是："那么，既然我们不能阻止这趟列车，不妨就及时行乐吧。"

但是如果你告诉人们解决的方法其实就在眼前，或告诉他们按照最新的园艺杂志上刊登的 205 种变绿的简单方法去做，我们就可以逐渐建立整个新能源体制并且可以阻止全球变暖，那么许多人的态度仍然会是："如果这么简单，那还需要着什么急？我们可以开个庆祝派对了。"

我喜欢莫比特（George Monbiot）在他的《炎热：如何阻止地球燃烧》（*Heat：How to Stop the Planet Burning*）一书中所说的："盲目希望就如同屈服于绝望一样危险。"

那么我是谁？我想我应该称自己为清醒的乐观者——我宁愿同时坚持辛德勒两张名片上的观点。如果不能清楚地认识到困难或挑战的规模，你就不会加以注意。但是如果你不是一个乐观者，也就掌握不了动员广泛的力量去实现目标的机会。

一篇悼词是无法结束一本书的，但是洛文斯（Amory Lovins）在达娜（Dana，大家对 Donella H. Meadows 的昵称）的追悼会上的致词却表达出了我的很多想法，因此我想让你们一起分享其中的部分内容。达娜是达特茅斯大学（Dartmouth-based）的环境专家和作家，在绿色运动中启发和指导了我的很多朋友。她于 2001 年 2 月 21 日去世，洛文斯的追悼词如下：

> 一位生物学家，也许是威尔逊（E. O. Wilson），曾经指出：蜜蜂、蚂蚁和白蚁虽然不是非常聪明的个体，但团结起来却是一个高智商的集体——然后他又补充道："人类却似乎恰恰相反。"达娜是个例外，她属于那些越来越注重研究怎样充满智慧地生活在地球上的人群，而他们，则是我们未来的希望——他们的博爱、逻辑、执著、勇气和激情唤起了我们拯救世界的能力和责任……她 3 年前曾写道："本质上我是一个乐观主义者；对我来说所有的杯子都是半满的，"因此她不会在报道坏消息时有任何迟疑，同时不忘鼓励人们如何做得更好。她相信未来是我们选择的结果，而不是我们必然的命运。她清晰地阐明了如何去做那些必需要做的事情（有时是必须的）。她认同杜博斯关于绝望是一种罪过的观点。所以，当被问及我们是否有足够的时间来避免灾难时，她总是说我们的时间非常充足——只要从现在做起。两年前，当她在发送一封内容沉重到使她哭泣的电子邮件时，她仍然补充了其他的观点："一位首席执行官（CEO）不得不照看他的小女儿，想要读份报纸却被不时地打断。当他看到美国航天局（NASA）在太空中拍摄的一整版的地球图片时，他想到了一个好办法。他把图片撕成小碎片，让小女儿试着再把它拼起来。他想这样就可以好好的清静一会儿了。但是孩子只用了几分钟就笑着把拼好的图放在了他面前。'你都拼好了？'他惊讶地问。'是啊。'女儿回答道。'那你是怎么办到的呢？''我看到图片的背面是一个人的图片，所以我把这个人的图片拼好，另一

面的地球图片也就自然拼好了……'"

悼词中有很多值得赞美的语句：相信未来是我们选择的结果，而不是我们必然的命运；团结了所有的民众就是团结了整个地球；用 60 亿人的智慧集中起来解决一个问题，宇宙中没有什么能够比更这强大的了。而其中：我们的时间十分充足——只要能从现在做起。这是我所听到过的清醒的乐观者的最好的表述。

因此，让我结束本书，并以此开始另一段征程——和我们，和美国一起。环境法专家德巴士（John Dernbach）曾经对我说，归根结底，"美国做出的有关可持续发展的决策绝不仅仅是在一些无关轻重的问题上的技术性决策，也不仅仅是一些简单的关于环境的决策，而是关乎我们是谁、我们的价值、我们想居住在一个什么样的地球上以及我们留给后代一个什么样的形象。"

我们是能源气候年代的第一代美国人。现在不仅仅是关于什么鲸鱼了，而是关系到我们自己。我们在能源和气候、保护和可持续的种种挑战面前所做的一切，将会告诉我们的子孙后代我们的真实面貌。我们很幸运，因为我们生长在一个极度繁荣和科技创新的时代；而我们的不幸则是因为我们再也不能用旧的方式来促进繁荣并使科技进步达到一个新的高度了——这些旧的方式包括对全球资源进行掠夺性开采，以及在宇宙和自然中以人类为中心。

我们需要重新对绿色定义，重新发掘美国精神，只有这样我们才能重新找回自己，并在这个过程中认识到这对美国来说所具有的重要意义。我们将再次成为朝圣者。我们将再度踏上"五月花号"（Mayflower）航行。因为这片海滩是我们之前不曾到过的。如果我们不能认识到这一点，毫无疑问，我们将会成为下一个濒临灭绝的物种。但是如果我们能够奋起迎接这一挑战，真正地成为新生的一代——重新定义绿色、重新探索、重现繁荣、重新创造美国——我们自己，还有整个世界，那么，我们不但能够生存，还会给这个炎热、平坦而又拥挤的时代带来繁荣。

致 谢

当我写这本书时，我就在想，我到底希望达到什么目标，有人提醒我美国前财政部长及哈佛大学校长 Larty Summers 曾说过的一段话。Summers 在离开哈佛之后，致力于促进人们对全球化及其对中产阶级影响的新的讨论，2007 年 6 月 10 日《纽约时报杂志》(*The New York Times Magazine*) 简介过他，文中提到他曾说："我认为一个人必须准备接受长串的因果链。也就是说，如果你想探讨一个问题并加以解决，你不会在第二天就看到结果。但是，这会影响到整个舆论的氛围，事情会从无法想象转变成不可避免。"如果真是这样，这本书能在任何方面对推动真正的绿色能源革命有所贡献，由美国打前锋，从无法想象转变成不可避免，我就会认为这是一本成功的书。

这本书涵盖的主题及地区如此广泛，如果没有许多很好的意见，根本无法成书，我幸而在知识、见解及观察角度方面，得到了不少人慷慨大度的帮助。

这是我在《纽约时报》任职期间所写的第五本书，如同前四本书，若没有报社及杰出同仁的支持，就不可能有这本书。我特别要感谢发行人 Arthur Sulzberger, Jr. 让我写作专栏文章，使我看到这个又热、又平、又挤的世界的许多面貌，并且同意我休假，才得以完成此书。我同时要感谢社论版总编辑 Andrew Rosenthal 积极支持这项计划，并安排我的休假。

说到指点我与帮助我的人，一定要先提到约翰·霍普金斯大学外交政策专家 Michael Mandelbaum，我们关于能源、政治及外交政策的漫谈，一直有助于磨砺我的观点。

在生物多样性议题上，我的头号老师是 Glenn Prickett，我们两人由巴西的大西洋雨林旅行到中国的香格里拉，从委内瑞拉南方荒野至印度尼西亚的最南端。Prickett 是保护国际的资深副会长，我的夫人安则是该组织的董事。Prickett 在环境及生物多样性领域中，已忘记的东西比我这辈子所知道的还多，一路走来，他在这些主题上对我的指导超过任何人。他对保护自然世界的热情，很具有感染力。保护国际的领导人 Russell Mittermeier 及 Peter Seligmann 也一直积极支持我的工作；该组织的两位生物多样性专家 T. M. Brooks 及 Michael Totten，花时间阅读本书重要部分，并提出建议。印度尼西亚分部的 Jatna Supriatna 和 Mark Erdmann 不仅是令人折服的导游，还提供了有关印度尼西亚群岛陆地及海洋生物多样性的非凡的见解；在雅加达执行美国国际开发署环境计划的 Alfred Nakatsuma 也同样如此。

Prickett 介绍我认识了许多人，其中最重要的就是 Rob Watson，他任职于国家资源保护委员会时，创建了 LEED 建筑评估系统，目前为生态技术国际公司的领导。Watson 是个热心又有耐心的老师，他高瞻远瞩的见识屡见于本书中。国家资源保护委员会主席 Frances Beinecke，邀请我一起讨论我的一些构想，该委员会许多人士也丰富了本书不同章节的内容，特别是 Rick Duke、Roland Huang，以及该委员会巨星级的公用事业专家 Ralph Cavanagh。我非常感谢他教给我有关公用事业的知识，并反复审读了书中的相关章节。

在气候变迁这个复杂问题上，我获益于两位良师：加州理工学院的 Nate Lewis 教授和哈佛大学与马萨诸塞 Woods Hole 研究中心的 John Holdren 教授。两年前我去加州理工学院演讲时，Lewis 教授负责接待我。这是我的运气，他的能力无与伦比，善于使用一般人也能了解的语言解释深奥的科学问题。我们在该校教职员俱乐部内花很长的时间吃午餐，这顿午餐使我能串联起书中各点，也是这个计划进行期间，最令我珍惜的回忆。我通过 Watson 认识 Holdren，他也极有耐心地给以指导，教给我有关气候变化的内部活动，并且花时间仔细检查我的一些论点。能和这两位杰出的科学家仔细讨论构想，真是难得的乐事。

Amory Lovins 启发我有关绿色能源对地缘经济及地缘战略的重要性，我非常感谢他的友谊与指导。

我在写作本书的后期，结识了前克林顿政府能源部资深官员 Joseph Romm。我很高兴能认识他，他以坚毅的信念批评有关气候变迁的所谓的"科学"，使我获益匪浅。他也花时间审阅了本书的许多段落。如果本书还有什么错误，都应归咎于我。

气象频道的 Heidi Cullen 也大幅增进我对气候议题的了解，我在笔记本内记下了她的许多真知灼见。普林斯顿大学的 Stephen Pacala 及斯坦福大学的 Stephen Schneider，也都大方地抽出许多时间赐教。

由 Larry Brilliant 及 Dan Reicher 领导的 Google.org 能源小组，非常客气的让我在该公司园区内呆了一个下午，了解他们对绿能科技商机的评估，而 Felix Kramer 总是随时准备好回答我的询问。他对插电式电动车的热衷研究，使得这种车即将在美国问世。

管理协助计划组织的主任 David Moskovitz 和麻省理工学院政治学副教授 Edward S. Steinfeld，帮助我大幅增进对中国能源问题的了解。加州大学柏克莱分校的 Daniel M. Kammen 教授，陪着我查看了关于能源研究资金问题上正确与错误的资讯。我也很感谢 Philip K. Verleger，他在石油方面对我的指导无人能比。

我曾与 Ken Levis 及 Ann Deny 合作，为探索频道制作两部纪录片。Levis 的工作揭示出正确描述美国当前能源问题的意见，使我对这个议题的了解更加丰富。我也感谢 Jonathan Rose 教给我相关的各个系统。对我的老师和朋友 Yaron Ezrahi，我一直心存感谢。

如果没有 Michael Sandel 这位睿智的友人提供高见，我无法完成任何一本书。Michael Sandel 是执教于哈佛大学的政治哲学家，帮助我思考绿色能源，以及管理与保护伦理间的关系，直到得出结论。他在哈佛的同僚、伟大的生物学家 Edward O. Wilson，则大方地与我分享他对目前生物多样性受威胁的观点。能在他的实验室里与他待上一段时间，这是我的殊荣。劳伦斯柏克莱国家实验室主任朱棣文，集合该实验室令人惊叹的能源专家指导我两天，让我大长见识而归。太平洋西北国家实验室的 Mike Davis、Robert Pratt 及 Carl Imhoff 也提供了相同的帮助，我们之后还进行了多次交谈。这些研究机构真的是国之瑰宝。

环保领域之外，斯坦福国际研究中心总裁及执行长 Curtis Carlson 不仅是这本书的可爱的笔友、鼓吹者，也是该书各方面的顾问。Riley Bechtel 亲切地引见我认识他的资深经理人、负责再生能源议题的 Amos Avidan。我们成为朋友，他也是我了解能源业基本要点的指导教师。通用电力执行长 Jeffrey Immelt 以及他的整个小组，包括 Gary Sheffer、Jhn Krenicki、John Dineen 及 Lorraine Bolsinger，给我指出了电力企业错综复杂的问题。Duke 能源公司总经理 Jim Rogers，以及南加州爱迪生公司总裁 John Bryson，慷慨地拨冗向我解释公用事业经济学，并审阅本书的某些部分。以其所从事的乏味行业而言，他们两位真的非常有趣。南加州爱迪生公司的资深副总裁 Ron Litzinger，也在输电线问题上给予我指导。Grid-Point 公司的 Peter Corsell、Lomis Szablya，以及高盛集团的 Larry Kellerman，很有耐心地和我一起探索智能型电网错综复杂之处，并审阅书中相关内容。和他们三位的对话，让我熟悉了公用事业的许多层面，之前我对这些均毫无所知。

我和绿色企业策略家 Andrew Shapiro 有过长时间的对话，他为本书提供了许多真知灼见，也对其中的内容提出了宝贵建议。我享受每一次在 Seidman 夫妇家和他们共进早餐的时光。某次在早餐桌上经过长时间讨论，他们创造出“更绿一等”这个词汇。我很珍惜我们之间的友谊。VantagePoint 投资公司的能源专家 David Edwards，以及高盛集团的能源专家 Alan Waxman，经常亲切地和我聊起这本书并提出深刻的意见。David Douglas 在太阳计算机系统公司管理可持续计划，他提供给我各种绝妙的想法，以及环保与电脑业关系的特别的见解。巴那威利电力管理局副局长 Brian Silverstein 和我一起探讨复杂的电网。能源部负责能源效能与再生能源的助理部长 Andy Karsner，对能源计划基金筹募所知甚详，无人能及，在本书写作的每个阶段都给予了宝贵的建议。

某次在由东京飞往华盛顿的班机上，布什总统的首席环保顾问 Jim Connaughton 正好坐在我身边，就这样不得不接受了我 13 个小时愉快的访谈。Don Nolan 与 Tom Morehouse，是帮助我了解美国军方节能之鹰运动的要员老师。麻省理工学院的 Kenneth Oye、国际战略研究所的 Mamoun Fandy、斯坦福大学的 Larry Diamond、风险资本家 Jack Hidary、科学家 Peter Gleick、风力专家 Michael Polsky、社会企业家 Van Jones、军事专家 Linton Wells、壳牌石油公司方案小组，以及来自伦敦的 John Ashton 和 Tom Burke，还有《纽约时报》前北京分部部长 Joc Kahn 都在本书写作过程中提供了他们深刻的见解。麦肯锡全球研究所的 Diana Farrell，和我在过去 15 年内不断讨论全球化问题，对我写作本书也多有助益。

微软公司的比尔·盖茨和 Craig Mundie，曾和我就能源问题的各个层面及本书内容，有过长时间的讨论。除非让这两位测试过，要不然你的构想不算是经过压力测试！这过程虽然令人筋疲力竭，但正如我撰写《世界是平的》一样，对于强化我的论点，以及激发我撰写"能源匮乏"一章可说是贡献匪浅。但若非萨蒂扬公司的执行长 Ramalinga Raju 邀请我至海德拉巴，并与我分享其家族基金会在安得拉邦村所进行的令人印象深刻的工作，该章恐怕永远无法得见天日，太阳能电气照明基金会的执行长 Robert Freling，在构筑我对能源匮乏的想法上也非常重要。Yale Global Online 的 Nayan Chanda，Infosys 科技公司主席 Nandan Nilekani 对本书也十分大方地提出了宝贵意见。

从秘鲁雨林到巴西蔗田，John Doerr 都是令人愉悦的旅伴。他对减缓气候变化所做的努力相当鼓舞人心，他介绍我认识他的风险投资公司所支持的绿色能源企业家，价值非此寻常。其中 Bloom 能源公司创始人 K. R. Sridhar 帮助甚多，在能源和环境问题上，绝对无法找到比他更温和体贴的人了。

我也要感谢以下人士提供的建议：Sierra Club 执行长 Carl Pope 及顾问 Dan Becker。美国联邦能源管理委员会（FERC）委员 Jon Wellinghof、

Volkert Doeksen、Margo Oge、Cherie Tan 夫妇、Lois Quam、Jacqueline Novogvatz、Rhone Resch。最后但并非最不重要的是，IBM 公司主办本书首次研讨会的 Joel Cawley 及他的同仁 Martin Fleming、Ron Ambrosio。我受惠于杜邦公司的 Chad Holliday 及其小组的大力协助，也感谢友人 George Shultz 的睿智建议。

有件值得一提的重要事情：我每次到加州帕洛阿尔托（Palo Alto）都投宿花园饭店（Garden Court Hotel），当我的笔记本电脑出故障时，饭店总经理 Barbara Gross 将她个人的笔记本电脑借给我，接下来三天的访谈及回华盛顿的飞机上，我都靠它完成工作，可说是服务到家了。我的高尔夫球友 Joel Finkelstein、Alan Kotz 及 George Stephens, Jr. 比我的出版商更早知道本书内容，我感谢他们的陪伴。

我的出版小组，包括文学经纪人 Estller Newberg、FSG 出版公司总裁 Jonathan Galassi 及市场主管 Jeff Seroy、公关主管 Sarita Varma、美编主管 Susan Mitchell、销售主管 Spenser Lce、编辑主管 Debra Helfand、文字编辑 Don McConnell、负责查证的 Jill Priluck 及我的编辑 Paul Elie，从我写作以来就一直和我同在，至少我感觉如此。我很幸运拥有他们的支持与友谊，Elie 使本书的每一页变得更好，拥有这样聪明、投入的编辑，是作者的福气。我在《纽约时报》的助理 Gwenn Gorman 使所有的工作都能准时进行，包括我写书、写专栏和旅行，我对此及对她的认真工作十分感谢。

我亲爱的母亲 Margaret Friedman 在我撰写本书时去世，我曾告诉她我正在努力写作，但不确定能否拨云见日，我会怀念将第一版书送到她手中的感觉，母亲的一生跨越了不平凡的时期，她生于 1918 年，正逢第一次世界大战的末期，成长时经历经济大萧条，珍珠港事变后加入海军，在二战期间为国效力；她活的年岁够长，以至于能和住在西伯利亚的人玩网上桥牌，她在这世界变得又热、又平、又挤的时候离开了我们。我的女儿 Orly 和 Natalie，以及她们整个世代，将会接受这项挑战，我希望这本书能对指导她们有用，尤其她们为我的人生带来如此光明。

当你写一本关于能源和环境的书时，人们理所当然地想知道你过的是什么样的生活。我想，就像许多人一样，我会把自己家里的绿化描述为在逐步进展中。写这本书的我，在 2001 年以前，很少想到自己的碳足迹，现在却常常思考这件事。五年前，我和妻子安买下马里兰州附近最后一大块土地，避免它被开发分割成多块小面积建筑用地。我们必须以高过开发商的价格才能中标。后来我们自己规划，在土地的一端建了一间大房子，其余的地方，则设计成公园般的绿色空间。我们保存原本的所有标本树木，又新种了近 200 棵树及上千株开花植物，这里成为鹿、兔子、小鸟、蝴蝶还有一两只狐狸的藏身之处。

为了减少家中对能源的花费，我们装设了运用地热的冷暖气及通风（HVAC）系统，以及两个大型太阳能电池阵列供应家中 7％ 的电力，其他的电力需求则是通过向绿色能源计划（Green-e）❶ 认证的 Juice 能源公司（Juice Energy）购买风力再生能源权利金（energy credit）而得到，我和安都开混合动力车。安是保护国际的董事，为其中的企业环境领导中心（CI's Center for Environmental Leadership in Busiress）筹措资金，协助公司绿化及该组织在秘鲁的运作，以避免道路通过生态敏感的雨林区而造成森林消失。这就是我们的进展，我们不会停止，除非达到零耗能。

安和以往一样亲身参与本书的制作，她很早就编辑了初稿，陪我到有着奇风异俗的、如同天涯海角般的印度尼西亚（以及别的地方）参加研究，并聆听我的每一个构想。她致力于环境保护（更别提我们自己的花园），对我就是一种启示，为此、也为了多年来无法尽数的一切，谨将本书献给她。

托马斯·弗里德曼

马里兰州贝塞斯达市

2008 年 7 月

---

❶ 绿色能源计划（Green-e），为美国非营利机构"资源解答中心（Center for Resourcc Solutions）"所执行的消费者保护计划，提供零售市场再生能源认证、核实及低温室气体排放产品。

原书名：HOT，FLAT，AND CROWDED by Thomas L. Friedman
Copyright ⓒ 2008　by Thomas L. Friedman
Chinese (Simplified Characters) Trade Paperback copyright ⓒ 2009
by Hunan Science & Technology Press
Published by arrangement with International Creative Management,Ine,
ALL RIGHTS RESERVED

湖南科学技术出版社获得本书中文简体版中国大陆地区独家出版发行权
版权登记号：18-2008-041
版权所有，侵权必究。

图书在版编目（CIP）数据

世界又热又平又挤/（美）弗里德曼著；王玮沁等译.
长沙：湖南科学技术出版社，2009.4
ISBN 978-7-5357-5190-4

Ⅰ. 世…　Ⅱ.①弗…②王…　Ⅲ.国际经济关系-经济一
体化-研究　Ⅳ.F114.41

中国版本图书馆 CIP 数据核字（2009）第 055352 号

世界又热又平又挤

著　　者：[美] 托马斯·弗里德曼
译　　者：王玮沁　等
校　　者：何　帆
策划编辑：孙桂均　李　媛
文字编辑：陈一心
出版发行：湖南科学技术出版社
社　　址：长沙市湘雅路 276 号
　　　　　http://www.hnstp.com
邮购联系：本社直销科　0731 - 4375808
印　　刷：长沙化勘印刷有限公司
　　　　　（印装质量问题请直接与本厂联系）
厂　　址：长沙市青园路 6 号
邮　　编：410004
出版日期：2009 年 4 月第 1 版第 1 次
开　　本：700mm×960mm　1/16
印　　张：26
字　　数：372000
书　　号：ISBN 978-7-5357-5190-4
定　　价：48.00 元
（版权所有 · 翻印必究）